Sadlier

CREEMOS

Vivimos nuestra fe

Como discípulos de Jesús

Volumen I

Sadlier

Acknowledgments

Excerpts from the English translation of *The Roman Missal* © 2010, International Committee on English in the Liturgy, Inc. All rights reserved.

Scripture excerpts are taken from the *New American Bible with Revised New Testament and Psalms* Copyright © 1991, 1986, 1970 Confraternity of Christian Doctrine, Inc., Washington, DC. Used with permission. All rights reserved. No part of the *New American Bible* may be reproduced by any means without permission in writing from the copyright owner.

Excerpts from the English translation of the *Catechism of the Catholic Church* for the United States of America, copyright © 1994 United States Catholic Conference, Inc.—Libreria Editrice Vaticana. English translation of the *Catechism of the Catholic Church: Modifications from the Editio Typica* copyright © 1997 United States Catholic Conference, Inc.—Libreria Editrice Vaticana.

Excerpts from the English translation of *Rite of Baptism for Children* © 1969, International Committee on English in the Liturgy, Inc. (ICEL); excerpts from the English translation of *Lectionary for Mass* © 1969, 1981, 1997, ICEL; excerpts from the English translation of *The Liturgy of the Hours* © 1974, ICEL; excerpts from the English translation of *Rite of Penance* © 1974, ICEL; excerpts from the English translation of *Rite of Confirmation, second edition* © 1975, ICEL; excerpts from the English translation of *Pastoral Care of the Sick: Rites of Anointing and Viaticum* © 1982, ICEL; excerpts from the English translation of *A Book of Prayers* © 1982, ICEL. All rights reserved.

English translation of the Glory to the Father, Lord's Prayer, Apostles' Creed, Nicene Creed, by the International Consultation on English Texts (ICET).

Excerpts from the English translation of the *Compendium of the Social Doctrine of the Church* copyright © 2004 Libreria Editrice Vaticana—United States Catholic Conference, Inc., Washington, DC (USCCB); excerpt from *The Challenge of Peace* copyright © 1983 USCCB; excerpt from *Stewardship: A Disciple's Response* copyright © 2002 USCCB; excerpt from *God's Mercy Endures Forever: Guidelines on the Presentation of Jews and Christians in Catholic Preaching* copyright © 1988 USCCB. All rights reserved.

Excerpts from *The Documents of Vatican II*, Walter M. Abbott, General Editor, copyright © 1966 by America Press.

Pacem in terris, Peace on Earth, Encyclical Letter, Pope John XXIII, April 11, 1963.

Sollicitudo rei socialis, On the Social Concern of the Church, Encyclical Letter, Pope John Paul II, December 30, 1987.

Excerpt from *Chicken Soup for the Preteen Soul* copyright © 2000 by Jack Canfield and Mark Victor Hansen. Health Communications, Inc., Deerfield Beach, FL.

Excerpt from *Julian of Norwich: Showings*. Translated and introduced by Edmund Colledge, OSA, and James Walsh, SJ. Preface by Jean Leclercq, OSB. Copyright © 1978 by Paulist Press, Inc., Mahwah, NJ.

Excerpts from *The Way of Perfection (Camino de perfección)* by Saint Teresa of Avila. Translated and edited by E. Allison Peers from the critical edition of Silverio de Santa Teresa. Originally published by Sheed & Ward, London, 1946. 1991 Image Book edition published by Doubleday, a division of Bantam Doubleday Dell Publishing Group, New York, NY. First Image Books edition published in 1964 by special arrangement with Sheed & Ward, Inc.

Excerpt from *The Story of a Soul (L'Histoire d'une âme)*, by Saint Thérèse of Lisieux, edited by Rev. T.N. Taylor, Burns, Oates & Washbourne, Ltd., London, 1912; eighth edition, 1922.

Excerpt from *Jean Donovan: The Call to Discipleship*, updated, 2005 (Peacemaker Booklet Series), by John Dear, SJ., copyright © 2005 Pax Christi USA.

Excerpt from *Cartas con la señal de la cruz* by Manuel Lozano Garrido. Originally published in 1967 by Ediciones Mensajero, Bilbao, Spain. 2001 edition published by Edibesa, Madrid.

Excerpt from "'Dolly' Is a Pearl of Great Price," Joan Barthel, *The New York Times, Arts & Leisure*, November 26, 1967; copyright © 1967, *The New York Times*.

Excerpts from "Why I Forgave My Assailant," by Steven McDonald, copyright © 2004 by Steven McDonald. Reprinted from the *Bruderhof Forgiveness Guide*.

Adaptation of "A Prayer for Healing" by the priests and brothers of the Sacred Heart, Sacred Heart Monastery, Hales Corner, WI.

Adaptation ("Do It Anyway") from "The Paradoxical Commandments" by Dr. Kent M. Keith, copyright © 1968, 2001 by Kent M. Keith.

Lyrics from the song "Beggars at the Feast," from the musical *Les Misérables*, by Herbert Kretzmer, Alain Boublil; music by Claude-Michel Schönberg. Copyright © 1987 Alain Boublil Music Ltd., New York.

"Await the Lord with Hope," copyright © 1996 Bob Hurd. Published by OCP Publications, 5536 NE Hassalo, Portland, OR 97213. All rights reserved. "Three Days," copyright © 1999 M. D. Ridge. Published by OCP Publications. All rights reserved. "Christ is Here," copyright © 1998 Christopher Walker. Published by OCP Publications. All rights reserved. "This Is the Day," text, irregular, based on Psalm 118:24, adapted by Les Garrett. Copyright © 1967 Scripture in Song, administered by Maranatha! Music, c/o The Copyright Company, Nashville, TN. All rights reserved. International copyright secured. "Hosea," copyright © 1972, The Benedictine Foundation of the State of Vermont, Inc., Weston, VT. All rights reserved. "This Day God Gives Me," copyright © 1969, James D. Quinn, SJ. Published by Selah Publishing Co., Inc., Pittsburgh, PA 15277.

Excerpts de *La Biblia católica para jóvenes*, 2005 © Instituto Fe y Vida. Reservados todos los derechos.

Excerpts de *Ritual Conjunto de los sacramentos* © 1976, CELAM. Bogotá, Colombia. Reservados todos los derechos.

Excerpts del *Catecismo de la Iglesia Católica*, Editio Typica © 1997, United States Catholic Conference, Inc—Librería Editrice Vaticana. Used with permission. Reservados todos los derechos.

William H. Sadlier, Inc.
9 Pine Street
New York, NY 10005-4700

ISBN: 978-0-8215-6277-2
9 10 11 12 13 WEBC 19 18 17 16 15

El programa *Vivimos nuestra fe* de Sadlier fue desarrollado por un reconocido equipo de expertos en catequesis, currículo y desarrollo del adolescente.

Consultores en catequesis y liturgia

Dr. Gerard F. Baumbach
Director Centro para Catechetical Initiatives
y profesor de teología
University of Notre Dame
Notre Dame, Indiana

Carole M. Eipers, D.Min.
Vicepresidenta y directora ejecutiva de catequesis
William H. Sadlier, Inc.

Consultores en currículo y catequesis para adolescentes

Hna. Carol Cimino, SSJ, Ed.D
Consultora nacional, Sadlier

Joyce A. Crider
Presidenta y directora ejecutiva
Visual Dynamics, Inc.
Alpharetta, Georgia

Kenneth Gleason
Director de educación religiosa
Cincinnati, Ohio

Saundra Kennedy, Ed.D
Consultora nacional, Religión, Sadlier

Mark Markuly, Ph.D.
Decano y profesor
School of Theology and Ministry
Seattle University
Seattle, Washington

Kevin O'Connor, CSP
Institute of Pastoral Studies
Loyola University
Chicago, Illinois

Gini Shimabukuro, Ed.D.
Profesora asociada
Institute for Catholic Education Leadership
School of Education
University of San Francisco

Consultor bíblico

Padre Donald Senior, CP, Ph.D., S.T.D.
Miembro de la Comisión Bíblica Pontificia
Presidente, Catholic Theological Union
Chicago, Illinois

Consultores en medios y tecnología

Hna. Jane Keegan, RDC
Editora del Internet, Sadlier

Consultores en doctrina social de la Iglesia

John Carr
Director ejecutivo
Department of Justice, Peace, and Human Development
United States Conference of Catholic Bishops
Washington, D.C.

Joan Rosenhauer
Directora asociada
Department of Justice, Peace, and Human Development
United States Conference of Catholic Bishops
Washington, D.C.

Equipo consultor de Sadlier

Michaela Burke Barry
Directora servicios de consultoría

Kenneth Doran
Consultor nacional, Religión

Victor Valenzuela
Consultor nacional, Religión

Ida Miranda
Consultoría

Consultores en inculturación

Padre Alan Figueroa Deck, S.J., Ph.D., S.T.D.
Director ejecutivo
Secretariat of Cultural Diversity in the Church
United States Conference of Catholic Bishops
Washington, D.C.

Kirk P. Gaddy, Ed.D
Consultora educacional
Baltimore, Maryland

Consultores en teología

Reverendísimo Edward K. Braxton, Ph.D., S.T.D.
Teólogo oficial
Obispo de Belleville, Illinois

Padre Joseph A. Komonchak, Ph.D.
Profesor, School of Theology and Religious Studies
The Catholic University of America
Washington, D.C.

Referendísimo Richard J. Malone, Th.D.
Obispo de Portland, Maine

Equipo de desarrollo

Rosemary K. Calicchio
Vicepresidenta publicaciones

Blake Bergen
Director editorial

Dulce M. Jiménez-Abreu
Directora programas en español

Melissa D. Gibbons
Directora de investigaciones y desarrollo

Alberto Batista-Reyes
Editor

Equipo de operaciones editoriales

Deborah Jones
Vicepresidenta operaciones editoriales

Vince Gallo
Director creativo

Francesca O'Malley
Directora asociada de arte

Jim Saylor
Director fotográfico

Equipo de diseño

Kevin Butler, Andrea Brown, Sue Ligertwood

Equipo de producción

Monica Bernier, Jovito Pagkalinawan,
María Jiménez

Contents

Unit 3

How Is Jesus Christ Alive in the Church Today?

Durante el año aprenderemos sobre muchos santos y organizaciones católicas, incluyendo:

San Pablo

San Jerónimo

Beata Juliana de Norwich

Santa Teresa de Avila

Servicios de noticias católicas

San Juan Pablo II

Venerable Matt Talbot

San José

Jean Donovan

Beato Francisco Xavier Seelos

El movimiento hospicios

Santa María Magdalena

Olivier Messiaen

Marla Ruzicka

Beato Miguel Pro

Caritas

San Peregrino

San Benedicto XVI

Santa Laura Montoya

Santos Rafael, Gabriel y Miguel, los arcángeles

Sean Devereux

Cuerpo voluntario jesuita

Venerable Catalina McAuley

Santa Teresa de los Andes

Vivimos nuestra fe tiene muchas secciones interesantes que nos ayudarán a crecer como discípulos de Jesús.

Visita **www.vivimosnuestrafe.com** y encontrarás:

encuestas

pruebas

juegos

soluciones

revistas

ayuda a la comunidad

. . . y mucho más

Vivimos nuestra fe está lleno de actividades incluyendo:

conversaciones y reflexiones

juegos

dramas

líneas cronológicas

pruebas

encuestas

rompecabezas

trabajo en equipo

proyectos comunitarios

ilustraciones

composiciones

servicios de oración

Rezamos usando:

lecturas bíblicas

meditaciones

oraciones de la misa y los sacramentos

oraciones tradicionales católicas

oraciones de diferentes culturas

oraciones con nuestras propias palabras

salmos

himnos

Aprendemos más usando estos recursos:

La Bliblia

Oraciones y devociones

Glosario

Throughout the year we will learn about many saints, holy people, and Catholic organizations, including:

Saint Paul

Saint Jerome

Blessed Julian of Norwich

Saint Teresa of Avila

The Catholic News Service

Saint John Paul II

Venerable Matt Talbot

Saint Joseph

Jean Donovan

Blessed Francis Xavier Seelos

The Hospice Movement

Saint Mary Magdalene

Olivier Messiaen

Marla Ruzicka

Blessed Miguel Pro

Catholic Relief Services

Saint Peregrine

Saint Benedict XVI

Saint Laura Montoya

Saints Raphael, Gabriel, and Michael the Archangels

Sean Devereux

Jesuit Volunteer Corps

Venerable Catherine McAuley

Saint Teresa de Los Andes

We visit **www.weliveourfaith.com** to find:

surveys

quizzes

games

chapter resources

magazines

community outreach

. . . and much more!

We Live Our Faith is filled with great activities, including:

discussions and reflections

games

role-plays

timelines

quizzes

polls and surveys

puzzles

teamwork

outreach projects

artwork

creative writing

prayer services

We pray by using:

Scripture readings

meditations

prayers from the Mass and the sacraments

traditional Catholic prayers

prayers from many cultures

prayer in our own words

psalms

songs

We learn more by using these helpful resources:

Bible Basics

Prayers and Practices

Glossary

We Live Our Faith has many great features that will help us to grow as Jesus' disciples.

Now let's get started!

1
Fuente de toda vida

"Entonces buscarás allí al Señor tu Dios y lo hallarás".

(Deuteronomio 4:29)

+ Líder: Señor, reconocemos que aunque buscamos tu presencia, tú estás siempre buscándonos.

Lector 1: Lectura de Hechos de los apóstoles

"El Dios que hizo el mundo y todo lo que hay en él, y que es el Señor de cielo y tierra, no habita en templos construidos por mano de hombre; tampoco tiene necesidad de que los hombres lo sirvan, pues él da a todos la vida, la respiración y todo lo demás".

(Hechos de los apóstoles 17:24-25)

Lector 2: Dios del cielo y de la tierra, ayúdanos a encontrarte en nuestras vidas.

Todos: Porque en ti vivimos, nos movemos y tenemos nuestro ser.

Líder: Dios, Padre nuestro, te pedimos por medio de nuestro Señor Jesucristo, tu Hijo, que vive y reina contigo y con el Espíritu Santo, Dios por los siglos de los siglos.

Todos: Amén.

La gran pregunta:
¿Cómo sé que Dios está presente en mi vida?

Descubre como ves a Dios. Descubre como Dios vive en tu vida haciendo este pequeño examen.

1 De estas cosas de la naturaleza _____ es lo que más me hace pensar en la presencia de Dios.
- **(a)** la tibieza del sol
- **(b)** las olas del océano golpeando el acantilado
- **(c)** animales domésticos y otras cosas vivas
- **(d)** otros:

2 Lo que más me recuerda el amor de Dios probablemente es
- **(a)** mi relación con los que me han criado y mis tutores
- **(b)** la naturaleza y el mundo a mi alrededor
- **(c)** mis amigos, mi comunidad
- **(d)** otros:

3 ¿Cuál de estas definiciones de oración tiene mayor significado para ti hoy?
- **(a)** oración es pedir ayuda a Dios o que me cuide
- **(b)** oración es ofrecer mis ideas y pensamientos a Dios
- **(c)** oración es una conversación con Dios
- **(d)** otros:

4 Empiezo a pensar en Dios cuando
- **(a)** estoy en problema o necesito ayuda
- **(b)** la noche se aquieta
- **(c)** paso tiempo con mi familia y amigos
- **(d)** otros:

Anotación:

Si tus respuestas fueron mayorment:	Piensas que Dios es:
a	un padre que te cuida
b	una poderosa e infinita presencia
c	un amigo íntimo
d	tu propia idea

¿Vive a Dios de sólo una forma o en más de una de las formas descritas arriba?

En este capítulo exploramos como llegamos a conocer a Dios. Nuestra respuesta nos lleva a comprender, quienes somos, como debemos vivir y porque nuestra vida tiene significado.

GATHERING...

"You shall seek the LORD, your God; and you shall indeed find him."

(Deuteronomy 4:29)

Leader: Lord, may we recognize that even as we seek your presence in our lives, you are always seeking *us*.

Reader 1: A reading from the Acts of the Apostles

"The God who made the world and all that is in it, the Lord of heaven and earth, does not dwell in sanctuaries made by human hands, nor is he served by human hands because he needs anything. Rather it is he who gives to everyone life and breath and everything."

(Acts of the Apostles 17:24–25)

Reader 2: God of heaven and earth, help us to find you in our lives.

All: For in you we live and move and have our being.

Leader: God, our Father, we ask this through our Lord Jesus Christ, your Son, who lives and reigns with you and the Holy Spirit, one God, for ever and ever.

All: Amen.

The BiG Question:
How do I know God is present in my life?

Discover how you view God. Take this short quiz to discover how you experience God in your life.

1 **Of the following things in nature, _____ would make me think of God's presence the most.**
- **(a)** the warmth of the sun
- **(b)** the ocean waves crashing on the shore
- **(c)** pets and other living things
- **(d)** other: _____

2 **My strongest reminder of God's love is probably**
- **(a)** my relationship with people who have raised or mentored me.
- **(b)** nature and the world around me.
- **(c)** my friendships, my community, or the Church.
- **(d)** other: _____

3 **Which definition of prayer means the most in your life today?**
- **(a)** Prayer is asking God for help or to take care of me.
- **(b)** Prayer is offering my thoughts and feelings to God.
- **(c)** Prayer is having a conversation with God.
- **(d)** other: _____

4 **I begin to think of God when**
- **(a)** I'm in trouble or need help.
- **(b)** everything gets quiet at night.
- **(c)** I'm spending time with my family or friends.
- **(d)** other: _____

Scoring:

If your answers were mostly:	you experience God:
a's	as a parent, one who cares for you.
b's	as a powerful and limitless presence.
c's	as a close friend.
d's	in your own specific ways.

Do you experience God in only one way or in more than one of the ways described above?

In this chapter we explore how we come to know God. Our answer leads us to an understanding of who we are, how we should live, and why our lives have meaning.

¿Quién necesita pruebas?

Aristóteles

Aristóteles, filósofo griego que vivió aproximadamente cinco siglos antes de Cristo, desarrolló una lista de formas para saber que Dios existe. En el siglo XIII Santo Tomás de Aquino, teólogo católico, usó el trabajo de Aristóteles para desarrollar sus propias "pruebas" para demostrar la existencia de Dios. Este es un resumen de sus pruebas.

Dios existe porque . . .

1 El mundo está lleno de movimiento— por ejemplo, la rotación de la tierra, las mareas del mar, los movimientos de los planetas, etc. Ninguna de las cosas inanimadas se mueven por sí mismas. Debe haber, entonces, un "primer motor".

2 Todo lo que existe debe haber sido causado por algo. El mundo y todo lo que hay en él no pudo haber ocurrido por casualidad. Debe haber habido una "causa primera".

3 Muchas cosas pueden haber existido. Hubo muchas posibilidades. Debe haber un ser "necesario" quien primero decidió lo que debía existir.

4 Los humanos constantemente evalúan las cosas, buenas o malas, verdaderas o falsas, hermosas o no. Entonces debe haber una "belleza, verdad y bondad últimas" con cuyos estándares medimos las cosas.

5 Hay un maravilloso diseño y patrón en la creación. Por ejemplo: piensa en tus ojos mientras lees estas líneas. ¡Qué increíbles, complejos y eficientes son! Puedes pensar lo mismo de todo tu cuerpo y de toda la creación. Todas las cosas están llenas de detalles. Debe haber habido un "diseñador".

Si trataras de ayudar a alguien a reconocer la existencia de Dios, ¿cuál de esas pruebas usarías? ¿Qué prueba encuentras es más persuasiva? ¿Hay otras pruebas en las que puedes pensar?

Como seres humanos, tenemos un sentido de curiosidad innato. Siempre estamos preguntando. ¿Qué significa la vida? ¿Por qué las cosas existen? ¿De dónde vienen las cosas? ¿Por qué son diseñadas como son? ¿Cómo empezó todo?

Este tipo de preguntas ha dado como resultado el desarrollo de cientos de ciencias, desde la antropología a la zoología. Por medio de las ciencias investigamos cómo, cuándo y por qué las cosas son como son. Pero la ciencia no puede explicar todo, tampoco puede contestar todas nuestras preguntas.

Piensa en las preguntas que surgen cuando observamos la sobrecogedora belleza de la creación. Piensa en el gozo que experimentamos cuando sentimos el amor de nuestra familia y amigos. Muchas de nuestras experiencias diarias nos llevan a buscar una fuente y un propósito detrás de todo, incluyendo nosotros mismos. Y nos preguntamos: ¿cuál es ese propósito? ¿Quién es la fuente? Para contestar esas preguntas, vamos de la ciencia a la fe.

Actividad Diseña un protector de pantalla que muestre algunas cosas en la vida que te ayudan a saber que hay una fuente y propósito detrás de todo lo que existe. Comparte tu diseño y explica tu decisión.

As human beings, we have a natural sense of curiosity. We are always asking questions: What's life all about? Why does anything exist? Where did everything come from? Why is it designed the way it is? How did it all get started?

These kinds of questions have led to the development of hundreds of sciences, from anthropology to zoology. Through science, we investigate how, when, and why things have come to be. But science cannot explain everything, nor can it answer all of our questions.

Think of the questions that arise when we experience the overwhelming beauty of creation. Think of the joy that we experience when we feel the love of family and friends. So many of our everyday experiences prompt us to search for a source and a purpose behind everything, including ourselves. And we ask: What is that purpose? Who is that source? To answer these questions, we must move beyond science to faith.

Activity Design a screensaver that shows something in life that helps you to know that there is a source and purpose behind everything that exists. Share your design and explain your choice.

Who needs proof?

Aristotle

Aristotle was a Greek philosopher who lived about five hundred years before the time of Jesus. He developed ways to know that God exists. In the thirteenth century Saint Thomas Aquinas, a Catholic theologian, used Aristotle's work to develop his own "proofs" for God's existence. Here is a summary of these proofs:

God exists because . . .

1 The world is full of motion—for example, the earth's rotation, the tides of the ocean, the movements of the planets, and so on. But no inanimate thing can move by itself. There must be a "prime mover."

2 Everything in existence must be caused by something. The world and everything in it could not have just happened by chance. There must have been a "first cause."

3 There are many things that could have existed. So much was possible. There must be a "necessary" being who first decided what would exist.

4 Human beings constantly evaluate things as either good or bad, true or false, beautiful or not beautiful, and so on. There must be an "ultimate beauty, goodness, and truth" by whose standards we measure things.

5 There is an amazing design and pattern within creation. For example, think about your eyes as they read this page. How remarkable, complex, and efficient they are! You can say the same about your entire being and everything in creation. Everything has such a detailed design. There must be a "designer."

If you were trying to help someone recognize that God exists, which of these proofs would you use? Which proof do you find most persuasive? Are there any other proofs that you can think of?

CREYENDO...

Dios nos creó para conocerlo.

Nuestras preguntas sobre la vida, eventualmente nos llevan a reconocer que hay una presencia mayor, una que *trasciende*, que va más allá de todo. Esta "gran presencia" que percibimos en la vida—que trasciende y es fuente de todo—es Dios. Las preguntas que nos hacemos sobre la vida son parte de nuestra búsqueda de Dios. ¿Por qué nos hacemos esas preguntas? ¿Por qué buscamos a Dios?

Leemos en la Escritura que Dios nos creó "...A su imagen; a imagen de Dios". (Génesis 1:27)

Y cuando Dios nos creó nos dio su aliento de vida: "Entonces el Señor Dios formó al hombre del polvo de la tierra, sopló en su nariz un aliento de vida" (Génesis 2:7). En otras palabras, Dios no sólo nos creó—Dios nos creó para reflejar quien es él. Estamos vivos porque Dios nos dio su propia vida. Así que, para entendernos y entender nuestras vidas, necesitamos conocer a Dios, quien es la fuente de toda nuestra vida y ser. Estamos buscando a Dios constantemente.

Dios quiere que lo busquemos. Dios nos ama y quiere que lo conozcamos. Por supuesto que Dios es más grande que cualquier cosa que podamos comprender o explicar y siempre será un misterio para nosotros. Pero seguimos buscando a Dios porque somos creados por él y para él y porque Dios nunca dejará de invitarnos a amarlo y conocerlo.

Actividad Dios nos creó a su imagen— reflejamos quien es Dios. Hoy, ¿cómo podemos ser reflejo de Dios para otros en nuestras vidas?

El plan de Dios revelado ANTIGUO TESTAMENTO

Dios creó el universo.
God creates the universe.

El ser humano es creado.
Humankind is created.

El diluvio cubre la tierra.
The great flood covers the earth.

God created us to know him.

Our questions about life eventually lead us to recognize that there is a greater presence, one who *transcends*, or goes beyond, everything. This "greater presence" that we sense in life—the one who transcends everything and is the source of it all—is *God*. And the questions that we ask about life are really part of our search for God. But why do we even have these questions? Why *are* we searching for God?

In Scripture we read that God created us
". . . in his image;
   in the divine image" (Genesis 1:27).

And when God created us, he gave us his own breath of life: "The LORD God formed man out of the clay of the ground and blew into his nostrils the breath of life" (Genesis 2:7). In other words, God not only created us—God created us to reflect who he is. We are alive because God gave us his own life. Therefore, to understand ourselves and our lives, we need to know God, who is the source of our whole life and being. So, we are constantly searching for God.

God wants us to search for him. God loves us and wants us to know him. Of course, God is greater than anything we can comprehend or explain and will always remain a mystery to us. But we continue to search for God because we are created by him and for him, and because God will never stop calling us to know him and to love him.

Activity God created us in his image—we reflect who God is. Today, how can you be a reflection of God for other people in your life?

God's Plan Unfolds   OLD TESTAMENT

Moisés recibe las leyes en el Monte Sinaí.

Moses receives the law on Mt. Sinai.

Dios llama a Abrahán.
God calls Abraham.

CREYENDO...

Dios se da a conocer.

El buscar a Dios es parte de nuestra naturaleza. De acuerdo al *Catecismo de la Iglesia Católica*, "El deseo de Dios está escrito en el corazón del hombre". (*CIC*, 27). Pero el deseo de Dios por nosotros es aún mayor—Dios está buscándonos siempre. Dios toma la iniciativa, nos busca y se da a conocer. El que Dios se dé a conocer es llamado **revelación divina**.

Dios revela su gran amor a la humanidad y nos revela su plan. De acuerdo a recuentos bíblicos, a través de los tiempos, Dios se comunicó con su pueblo, hizo obras poderosas y lo ayudó a ver como vivir como su pueblo. Al inicio, Dios creó a los primeros humanos y habló con ellos. Después, Dios llamó a un hombre llamado Abrahán y su esposa Sarah y escogió hacer con ellos y su descendencia una alianza especial. Dios hizo a su descendencia su "pueblo especial". Dios ayudó a liberar a ese pueblo escogido, los israelitas, de la esclavitud en Egipto. Después, al darles los Diez Mandamientos, Dios les reveló como debían vivir.

> **"El deseo de Dios está escrito en el corazón del hombre"**.
> (*CIC*, 27)

Por medio de estos y otros eventos en la Biblia, Dios gradualmente reveló quien es él y cuanto él ama a la humanidad. Leemos en la Escritura: "Habló Dios antiguamente a nuestros antepasados por medio de los profetas, ahora en este momento final nos ha hablado por medio del Hijo" (Hebreos 1:1–2). Su Hijo es Jesucristo. Jesús cumplió con el plan de Dios para la humanidad.

Jesús murió por la humanidad y ofreció la **salvación** a todos, el perdón de los pecados y la restauración de la amistad con Dios. Es por medio de las palabras y obras de Jesús que reencontramos a Dios entre nosotros, como uno de nosotros. Es por medio del poder de Dios Espíritu Santo que las palabras y obras salvadoras de Jesús continúan teniendo efecto hoy. Así que, el que buscamos está siempre entre nosotros. El nos encuentra por medio de la revelación divina y se revela totalmente en las palabras y obras de su Hijo, Jesucristo.

Vocabulario
revelación divina
salvación

Actividad Piensa en eventos importantes en tu vida, desde tu nacimiento hasta el presente y escríbelos abajo. Marca esos eventos en una línea de acuerdo a la fecha en una hoja de papel. Mira los eventos y piensa en la manera en que Dios se ha manifestado para que lo conozcas.

El plan de Dios revelado | NUEVO TESTAMENTO

Dios es adorado en el Templo.
God is worshiped in the Temple.

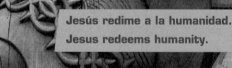
Jesús redime a la humanidad.
Jesus redeems humanity.

God makes himself known.

It is part of our human nature to search for God. According to the *Catechism of the Catholic Church*, "The desire for God is written in the human heart" (*CCC*, 27). Yet God's desire for us is even stronger—God is always searching for *us*. God takes the initiative, reaches out to us, and makes himself known. God's making himself known is called **Divine Revelation**.

God revealed to humanity his great love and unfolded his plan for us. According to biblical accounts, over time God communicated with people, performed deeds, and helped people to know how to live as God's own people. In the beginning God created the first humans and spoke to them. Later, God called a man named Abraham and his wife Sarah and chose to form a special relationship with them and their descendants. God made their descendants his "chosen people." God helped free these chosen people, the Israelites, from their slavery in Egypt. Then, by giving them the Ten Commandments, God revealed how they were to live.

Through these and other events in the Bible, God gradually revealed who he is and how much he loves humankind. And, as we read in Scripture, "In times past, God spoke in partial and various ways to our ancestors through the prophets; in these last days, he spoke to us through a son" (Hebrews 1:1–2). His Son is Jesus Christ. Jesus fulfilled God's plan for humanity.

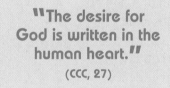

Faith Words
Divine Revelation
salvation

Jesus died for all humanity and offers to all people **salvation**, the forgiveness of sins and the restoration of humanity's friendship with God. It is through Jesus' words and deeds that we encounter God among us, as one of us. And it is through the power of God the Holy Spirit that Jesus' saving words and deeds continue to be effective for us today. Thus, the one we search for is always here among us. He reaches out to us through Divine Revelation and fully reveals who he is in the words and deeds of his Son, Jesus Christ.

> **"The desire for God is written in the human heart."**
> (CCC, 27)

Activity Think of some major events or milestones in your life, from your birth to the present, and list them below. Make a timeline of these events on a separate sheet of paper. Now, looking at each event, think about the ways God has reached out and made himself known to you.

God's Plan Unfolds   NEW TESTAMENT

En Pentecostés se inicia la Iglesia.
Pentecost: the Church begins.

El trabajo de Jesús continúa.
The work of Jesus continues.

Dios nos da el don de la fe.

¿Crees que eres una persona religiosa? ¿Por qué?

A través de los tiempos la gente ha respondido a Dios por medio de adoración, oración, rituales y otras prácticas religiosas. Evidencias arqueológicas muestran que desde tiempos antiguos casi todos los pueblos han practicado alguna religión. De hecho, podemos decir que los humanos tienen la tendencia a ser religiosos. Nuestra tendencia de responder a Dios por medio de la religión es parte del plan de Dios que nos invita a vivir con fe.

Fe es el don de Dios que nos permite creer en Dios, aceptar todo lo que él ha revelado y responder a los demás por amor a Dios. La fe es un gran don. Sin ella estaríamos perdidos en la incertidumbre. Estaríamos sobrecargados con las preguntas sobre quiénes somos, cómo debemos vivir y cuál es el significado de nuestra vida. Pero la fe nos permite ir más allá de nuestras dudas y creer que Dios siempre está con nosotros.

Vocabulario

fe

La fe es algo más que creer en Jesucristo y creer que Dios existe. La fe es una forma de vivir. Involucra confiar en que Dios nos creó, nos ama, nos cuida, es misericordioso y quiere justicia para todos—involucra amar, cuidar, tener misericordia y ser justo con los otros.

Aun cuando Dios nos da el don de la fe, el no nos "programa" con fe como si fuéramos computadores. Dios permite que escojamos libremente como vamos a responderle. Dios nos invita a vivir con fe. Es nuestra decisión decir libremente sí o no a su invitación.

Actividad Piensa en una oportunidad en que el don de la fe te ayudó a sobrepasar un período de inseguridad en tu vida. En el espacio abajo escribe una corta oración dando gracias a Dios por su amor y cuidado.

Comparte esta oración con alguien que necesite el don de la fe de Dios hoy.

¿Quién es el pueblo de Dios?

En la Iglesia Católica encontramos la verdad que lleva a la salvación. Toda persona y todas las costumbres religiosas y creencias que las ayudan a vivir buena y santamente, merecen nuestro respeto. De acuerdo al *Catecismo de la Iglesia Católica.* "Todas las religiones dan testimonio de esta búsqueda esencial de los hombres" (2566).

La mayoría de las religiones tiene tres cosas en común: creencias, valores o leyes morales; y oraciones, ritos, o formas específicas de alabar. Algunas religiones se basan en la creencia de que hay muchos dioses, estas son llamadas politeístas. Otras basadas en la creencia en un solo Dios llamadas monoteístas. Cristianismo, judaísmo e islamismo son religiones monoteístas.

Como católicos compartimos el lazo del Bautismo con otros cristianos. También confiamos que las personas de otras religiones que siguen su conciencia y viven su fe pueden ser salvas por la muerte y resurrección de Jesucristo. "El Espíritu Santo ofrece a todos la posibi-

lidad de que, una vez conocido Dios, se asocien a su misterio pascual". (*Constitución pastoral sobre la Iglesia en el mundo de hoy, 22*).

Jesús quiere que sus seguidores, donde quiera que se encuentren, estén unidos. Jesús oró: "Que todos sean uno" (Juan 17:21). El esfuerzo de la Iglesia Católica de crear buena voluntad entre los cristianos es llamado ecumenismo.

¿Qué pueden hacer las personas de fe para mostrar más respeto unos por otros? ¿Cómo puedes ayudar?

God gives us the gift of faith.

Do you think of yourself as "religious"? Why or why not?

Throughout time people have responded to God through worship, prayers, rituals, and other religious practices. Archeological evidence shows that since ancient times almost all peoples have practiced a religion of some kind. In fact, we can say that human beings have a natural tendency to be religious. Our tendency to respond to God through religion is part of God's plan to invite us to live by faith.

Faith is the gift from God that enables us to believe in God, to accept all that he has revealed, and to respond with love for God and others. Faith is certainly a great gift. Without it, we would be lost in uncertainty. We would be overwhelmed by our questions about who we are, how we should live, and what the meaning of our lives is. But faith enables us to go beyond our doubts or concerns about life and to believe that God is always with us.

> **Faith Word**
> faith

Faith is even more than believing in Jesus Christ and believing that God exists, however. Faith is a way of life. It involves trusting that God has created us, loves us, cares for us, is merciful toward us, and wants justice for everyone—and it involves sharing love, care, mercy, and justice with others.

Though God gives us this gift of faith, he does not "program" us with faith as if we were computers. Rather, God enables us to choose freely how we are going to respond to him. So, God invites us to live by faith. It is our choice to freely say yes or no to God's invitation.

> **Activity** Think about a time when the gift of faith helped you to get through a period of uncertainty in your life. In the space below, write a short prayer thanking God for his love and care.
>
> The day my sister left And thank God she came back
>
> Share this prayer with someone who needs God's gift of faith today.

Who are God's people?

In the Catholic Church, we find the whole truth that leads to salvation. But all people, and all the religious customs and beliefs that help them to live good and holy lives, are worthy of our respect. According to the *Catechism of the Catholic Church*, "All religions bear witness to men's essential search for God" (2566).

Most religions have three features in common: a set of beliefs; values or moral laws; and prayers, rituals, or specific ways to worship. Some religions are based on the belief that there are many gods, which is called *polytheism*. Others are based on the belief in one god, which is called *monotheism*. Christianity, Judaism, and Islam are monotheistic religions.

As Catholics we share the bond of Baptism with other Christians. But we also trust that people of other religions who follow their conscience and live their faith as they know best can be saved by the dying and rising of Jesus Christ. "The Holy Spirit in a manner known only to God offers to every man the possibility" of salvation (*Pastoral Constitution on the Church in the Modern World*, 22).

Jesus wants all of his followers everywhere to be united. Jesus prayed "that they may all be one" (John 17:21). The Catholic Church's effort to create goodwill among Christians everywhere is called the *ecumenical movement*.

What can people of faith around the world do to show more respect for one another? How can you help?

CATHOLIC IDENTITY

23

CREYENDO...

La Iglesia da testimonio de la presencia de Dios.

La total revelación de Dios viene a nosotros por medio de la vida de Jesucristo. Jesús es el Hijo de Dios, la segunda Persona de la Santísima Trinidad y toda su vida fue una respuesta a Dios, su Padre. En Jesús, "La verdad de Dios se manifestó en plenitud" (*CIC*, 2466). Jesús enseñó, amó y cuidó a todos, especialmente a los necesitados. Jesús nos mostró perfectamente como vivir de acuerdo al don de la fe. Jesús reunió a sus seguidores, discípulos, quienes, como comunidad, trabajaron juntos para vivir como Jesús vivió.

> En Jesús, "La verdad de Dios se manifestó en plenitud".
> (*CIC*, 2466)

Somos discípulos de Jesús en el mundo hoy. Seguidores de Jesús juntos como una comunidad—en la Iglesia Católica. La **Iglesia** es la comunidad de personas que creen en Jesucristo, han sido bautizadas en él y siguen sus enseñanzas. Los miembros de la Iglesia se apoyan unos a otros en la fe, guiados por el papa y los obispos, quienes gobiernan en nombre de Cristo. Trabajamos juntos para vivir como discípulos de Jesús.

En el Bautismo aceptamos el don de la fe de Dios y nos hacemos discípulos de Jesús. Nos hacemos parte de la Iglesia. En el Bautismo también recibimos otro don de Dios, la gracia. **Gracia** es la participación, compartir, en la vida y la amistad de Dios. La gracia nos ayuda a responder a Dios con amor. Nos dirige a querer conocer mejor a Dios y a vivir como Dios quiere que vivamos. Esta nos fortalece para vivir como discípulos de Jesús.

Es una gran bendición ser bautizado en la Iglesia Católica. Vivir como seguidores de Jesús y miembros de la Iglesia, podemos vivir como imagen de Dios como fuimos creados, dando testimonio de la presencia de Dios en el mundo.

Vocabulario

Iglesia
gracia

Actividad Piensa en tres formas de seguir a Jesús y vivir tu discipulado esta semana.

The Church gives witness to God's presence.

The full revelation of God comes to us through the life of Jesus Christ. Jesus is God the Son, the second Person of the Blessed Trinity, and his entire life was a *yes* in response to God, his Father. In Jesus, "the whole of God's truth has been made manifest" (*CCC*, 2466). Jesus taught, loved, and cared for all people, especially people in need. Jesus showed us how to be loving, merciful, caring, and just. Jesus showed us perfectly how to live by the gift of faith. And Jesus gathered followers, or disciples, who, as a community, worked together to live as Jesus lived.

> In Jesus, **"the whole of God's truth has been made manifest"** (CCC, 2466).

We are Jesus' disciples in the world today. We follow Jesus together as a community—in the Catholic Church. The **Church** is the community of people who believe in Jesus Christ, have been baptized in him, and follow his teachings. Members of the Church support one another in faith, guided by the pope and bishops who govern in Christ's name. We work together to live as Jesus' disciples.

At Baptism we accept the gift of faith from God and become Jesus' disciples. We become part of the Church. At Baptism we also receive another gift from God, the gift of grace. **Grace** is a participation, or a sharing, in God's life and friendship. Grace helps us to respond to God with love. It leads us to want to know God better and to live as God wants us to live. It gives us the strength to live as Jesus' disciples.

It is a great blessing to be baptized into the Catholic Church. Living as followers of Jesus and members of the Church, we can live as the image of God that we were created to be, giving witness to God's presence in the world.

Faith Words
Church
grace

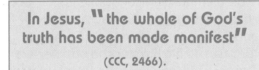 **Think of three ways to follow Jesus and live out your discipleship this week.**

25

RESPONDIENDO...

Reconociendo nuestra fe

Piensa en la pregunta al inicio del capítulo: *¿Cómo sé que Dios está presente en mi vida?* Haz un anuncio para una valla anunciadora que conteste esta pregunta. Diseña tu valla en el espacio de arriba.

Viviendo nuestra fe

En este capítulo aprendimos que todos fuimos creados a imagen y semejanza de Dios. Piensa en algo que puedes hacer en la casa, la escuela o el vecindario para respetar la imagen de Dios en otros.

San Pablo

La vida de San Pablo nos da un increíble ejemplo de reconocimiento y respuesta a la presencia de Dios. Pablo, originalmente "Saulo", vivió en el primer siglo de la era cristiana. Al principio no tenía fe en Jesús. De hecho, después de la muerte y resurrección de Jesús, Pablo hizo todo lo posible para detener a los seguidores de Jesús—matándolos, encarcelándolos. Pero un día Saulo fue arropado por una fuerte luz. Escuchó la voz de Jesús pidiéndole cambiar su forma. Saulo respondió bautizándose, cambiando su nombre por Pablo y viajando extensamente para enseñar a otros sobre Cristo. Pablo fundó muchas comunidades cristianas a quienes escribía muchas *epístolas*, cartas, que encontramos en la Biblia. Después de muchos años de castigo por predicar el cristianismo, Pablo fue *martirizado*, o asesinado por su fe. El 25 de enero la Iglesia celebra la conversión de San Pablo y el 29 de junio la Iglesia lo honra junto a San Pedro, como fundador de la Iglesia.

San Pablo pidió a los cristianos darse cuenta de la presencia de Dios en sus vidas. ¿De qué formas puedes ayudar a la gente a darse cuenta de la presencia de Dios en sus vidas?

Recognizing Our Faith

Recall the question at the beginning of this chapter: *How do I know God is present in my life?* Make up a billboard advertisement that answers this question. Design your billboard in the space above.

Living Our Faith

In this chapter we learned that we were all created in the image of God. Think of one thing that you can do at home, at school, or in your neighborhood to respect the image of God in others.

Saint Paul

The life of Saint Paul gives us an amazing example of recognizing and responding to God's presence. Paul, originally named "Saul," lived in the first century at the time of Jesus. But at first Saul did not have faith in Jesus. In fact, after Jesus' death and Resurrection, Saul did all he could to stop Jesus' followers—even punishing and killing them! But one day Saul was surrounded by a great light. He heard the voice of Jesus telling him to change his ways. Saul responded by being baptized, changing his name to Paul, and traveling extensively to teach others about Christ. Paul founded many communities of Christians, to whom he wrote many *epistles*, or letters, which are found in the Bible. After years of being punished for spreading Christianity, Saint Paul was *martyred*, or killed for his faith. On January 25 the Church celebrates Saint Paul's conversion to Christ, and on June 29 the Church honors him, with Saint Peter, as a founder of the Church.

Partners in FAITH

Saint Paul called Christians to realize the nearness of God in their lives. In what ways can you help people realize that God is present in their lives?

@* For additional ideas and activities, visit www.weliveourfaith.com.

RESPONDIENDO...

✝ ENCUENTRO CON LA PALABRA DE DIOS

Desde una zarza ardiendo, Moisés escuchó a Dios pedirle que ayudara a los israelitas a escapar de la esclavitud de Egipto. Moisés le preguntó a Dios su nombre para decirle a los israelitas quien lo había enviado. Dios le respondió:

"Yo soy el que soy . . . Este es mi nombre para siempre, así me recordarán de generación en generación".

(Exodo 3:14, 15)

➡ **LEE** la cita bíblica.

➡ **REFLEXIONA** en estas preguntas:
Si fueras Moisés frente a la zarza ardiendo, ¿cuál sería el significado de las palabras de Dios para ti? ¿Qué piensas del nombre sagrado de Dios YO SOY?

➡ **COMPARTE** tus reflexiones con un compañero.

➡ **DECIDE** como puedes mostrar que verdaderamente crees en Dios.

Poniendo la fe en acción

Habla sobre lo aprendido en este capítulo:

 Entendemos que Dios nos creó para conocerlo, nos revela quien es y nos da el don de la fe.

 Aceptamos que Jesucristo es la revelación total de Dios.

 Respondemos al don de la fe siguiendo a Jesús como miembros de la Iglesia.

Decide formas en que vas a vivir lo aprendido.

Repaso del capítulo 1

En la raya al lado del término escribe la letra de la respuesta que mejor lo define.

1. _____ revelación divina

2. _____ fe

3. _____ Iglesia

4. _____ gracia

a. participar o compartir en la vida y amistad de Dios.

b. Dios se da a conocer

c. el don de Dios que nos permite creer en él, aceptar todo lo que él ha revelado y responder amando a Dios y a los demás

d. Tendencia natural a ser religioso

e. La comunidad de personas que creen en Jesucristo, han sido bautizadas en él y siguen sus enseñanzas

Escribe verdadero o falso al lado de las siguientes oraciones. Cambia la oración falsa en verdadera.

5. _____ Dios nos creó para conocerlo.

6. _____ Dios nos busca por medio de la Iglesia y totalmente se revela en las palabras y obras de Abrahán.

7. _____ La fe no es una forma de vivir.

8. _____ La gracia nos fortalece para vivir como discípulos de Jesús.

9–10. Contesta en un párrafo: ¿Cómo Jesús te ayuda a conocer a Dios?

RESPONDING...

Putting Faith to Work

Talk about what you have learned in this chapter:

 We understand that God created us to know him, reveals who he is, and gives us the gift of faith.

 We accept that Jesus Christ is the fullness of God's Revelation.

 We respond to the gift of faith by following Jesus as members of the Church.

Decide on ways to live out what you have learned.

✝ ENCOUNTERING GOD'S WORD

From a burning bush, Moses heard God tell him to help the Israelites to escape their slavery in Egypt. Moses asked for God's name so that he could tell the Israelites who sent him. God replied:

"I am who am . . . Tell the Israelites:
I AM sent me to you. . . .
This is my name forever;
this is my title for all
generations."

(Exodus 3:14, 15)

➡ **READ** the quotation from Scripture.

➡ **REFLECT** on these questions:
If you were Moses at the burning bush, what would God's words mean to you? What about God's sacred name, "I AM"?

➡ **SHARE** your reflections with a partner.

➡ **DECIDE** how you can show that you truly believe that God is.

Write the letter of the answer that best defines each term.

1. __b__ Divine Revelation
2. __c__ faith
3. __e__ Church
4. __a__ grace

a. a participation, or a sharing, in God's life and friendship

b. God's making himself known

c. the gift from God that enables us to believe in God, to accept all that he has revealed, and to respond with love for God and others

d. the natural tendency to be religious

e. the community of people who believe in Jesus Christ, have been baptized in him, and follow his teachings

Write *True* or *False* next to the following sentences. On a separate sheet of paper, change the false sentences to make them true.

5. __true__ God created us to know him.

6. __false__ God reaches out to us through the Church and fully reveals who he is in the words and deeds of Abraham.

7. __false__ Faith is not a way of life.

8. __true__ Grace gives us the strength to live as Jesus' disciples.

9–10. ESSAY: What does Jesus help you to know about God?

Chapter 1 Assessment

Comparte la fe con tu familia

Conversa con tu familia sobre lo siguiente:

- Dios nos creó para conocerlo.
- Dios se da a conocer.
- Dios nos da el don de la fe.
- La Iglesia da testimonio de la presencia de Dios.

Inicia con tu familia un diario de gratitud. Puede usar cualquier tipo de libreta. Si quieren pueden decorarlo juntos. Luego invita a todos los miembros de la familia a escribir sobre experiencias que les recuerden la presencia de Dios en sus vidas. Tomen tiempo una vez al mes para que los miembros de la familia lean lo que se escribió en el diario. Después den gracias a Dios rezando juntos.

Conexión con la liturgia

Mira y escucha lo que hay dentro de la iglesia de tu parroquia. ¿Cuáles son algunas cosas que te ayudan a vivir la presencia de Dios?

@ Para explorar

Trabajen juntos para buscar en el Internet grupos y organizaciones católicas que muestren la presencia de Dios en el mundo por medio de sus buenas obras. Comparte lo que encuentres.

Doctrina social de la Iglesia
☑ Cotejo

Tema de la Doctrina social de la Iglesia:
Llamado a la familia, la comunidad y la participación

Cómo se relacíona con el capítulo 1: Como católicos somos llamados a participar en la vida pública, trabajando por el bien de la comunidad y dando a conocer la presencia de Dios por medio de nuestras obras.

Cómo puedes hacer esto en

☐ la casa:

_____

☐ la escuela/el trabajo:

_____

☐ la parroquia:

_____

☐ la comunidad:

_____

Coteja cada acción cuando la complete.

Sharing Faith with Your Family

Discuss the following with your family:

- God created us to know him.
- God makes himself known.
- God gives us the gift of faith.
- The Church gives witness to God's presence.

Start a family gratitude journal. You can use any type of notebook or journal. You may first want to decorate it together. Then invite family members to write about experiences that remind them of God's presence in their lives. Make time each month to have a family member read something he or she wrote in the journal. Then thank God together in prayer.

Catholic Social Teaching ☑ Checklist

Theme of Catholic Social Teaching:
Call to Family, Community, and Participation

How it relates to Chapter 1: As Catholics we are called to participate in public life, working for the good of the community and making God's presence known through our actions.

How can you do this?

☐ At home:

_____

☐ At school/work:

_____

☐ In the parish:

_____

☐ In the community:

_____

Check off each action after it has been completed.

The Worship Connection

Look and listen. You are inside your parish church. What are some things that help you to experience God's presence?

More to Explore

Work together on an Internet search for Catholic groups and organizations that show God's presence in the world through their good works. Share your findings.

2
La verdad revelada

"Tu palabra es la verdad".

(Juan 17:17)

✝ **Líder:** Dios todopoderoso, recibimos mucha información en nuestra vida—de libros, revistas, periódicos, la radio, el Internet, en nuestras conversaciones, nuestras clases. Ayúdanos a distinguir la verdad de la opinión, los hechos de la ficción, lo correcto de lo errado y vivir de acuerdo a tu verdad.

Todos: "Guíame en tu verdad; enséñame, pues tú eres el Dios que me salva".

(Salmo 25:5)

Lector: "A ti, Señor, me dirijo suplicante; Dios mío, en ti confío, no quede yo defraudado, que mis enemigos no se rían de mí.
Muéstrame, Señor, tus caminos".

(Salmo 25; 1–2, 4)

Todos: "Guíame en tu verdad; enséñame, pues tú eres el Dios que me salva".

(Salmo 25:5)

La gran pregunta:
¿Cómo puedo encontrar la verdad?

Descubre si puedes distinguir la verdad de la ficción decidiendo cuales de las siguientes oraciones son falsas o verdaderas. Voltea la página para ver la respuesta.

1. El sándwich de pescado de McDonald fue lanzado en el 1962 para atraer católicos los viernes, cuando no podían comer carne.

2. La Biblia es el libro de mayor venta de todos los tiempos.

3. Los cementerios de los primeros cristianos eran llamados catacumbas porque eran enterrados con sus gatos y su cepillo favorito.

4. Estados Unidos es el país con la mayor población de católicos en el mundo.

5. Originalmente los papas empezaron a usar sombreros puntiagudos para mantener sus cabezas calientes durante el invierno.

Respuestas

1. Verdad. A Louis Groen, propietario de varios restaurantes McDonald en Cincinnati, Ohio, se le ocurrió la idea para no perder clientes católicos durante el viernes.

2. Verdad. Diariamente se regalan o se venden aproximadamente cuarenta y siete Biblias en el mundo. Esto hace un promedio de 1,410 Biblias al mes y 17,155 al año.

3. Falso. La palabra catacumbas viene de una palabra griega que significa "cerca del lugar bajo". Los cementerios de los primeros cristianos eran subterráneos.

4. Falso. Brasil es el país con más católicos, seguido de México y Estados Unidos en tercer lugar.

5. Verdad. Durante esa época estaban de moda unos sombreros puntiagudos y los papas empezaron a usarlos para mantener sus cabezas calientes durante el invierno. Años más tarde se le quitó la punta al diseño de los sombreros y fueron dedicados a usarse con propósito ceremonial.

Conversen sobre cosas que has escuchado sobre la historia, la sociedad, la política, o la vida en general que crees no son verdad. Compartan porque creen que esa información es falsa. Sugieran formas de encontrar la verdad.

En este capítulo aprendemos que encontramos la verdad en la Escritura y la Tradición.

"Your word is truth."

(John 17:17)

Leader: Almighty God, we receive so much information in our lives—from books, the Internet, radio, TV, newspapers, magazines, our conversations, and our classes. Help us to distinguish truth from opinion, to sort fact from fiction, to tell right from wrong, and to live by your truth.

All: "Guide me in your truth and teach me, for you are God my savior."

(Psalm 25:5)

Reader 1: "I wait for you, O LORD;
I lift up my soul to my God.
Make known to me your ways, LORD;
teach me your paths."

(Psalm 25:1–2, 4)

All: "Guide me in your truth and teach me, for you are God my savior."

(Psalm 25:5)

The BiG QUestiON:
In what ways can I find truth?

Discover whether you can separate fact from fiction by marking each statement below as true or false. Then turn the page upside down to see the answers.

1. McDonald's Filet-O-Fish® Sandwich was developed in 1962 to draw Catholics to the popular hamburger restaurant on Fridays when they could not eat meat.

2. The Bible is the best-selling book of all time.

3. Early Christian burial sites were called *catacombs* because the deceased were buried with their pet cats and their favorite hairbrushes.

4. The United States has the most Catholics of any country in the world.

5. Popes originally began wearing pointy hats to keep their heads warm during the winter.

Answers:

1. True. Louis Groen, who owned several McDonald's restaurants in Cincinnati, Ohio, came up with the idea for the sandwich to prevent losing Catholic customers on Fridays.
2. True. Every day an average of forty-seven Bibles are given out or sold around the world. That is an average of 1,410 Bibles per month and 17,155 Bibles per year!
3. False. The word catacomb comes from the Greek words *kata kumbas*, which mean "near the low place." Early Christian graves were located in the low place between two hills outside Rome.
4. False. Brazil is the country with the most Catholics in the world, Mexico is second, and the United States is third.
5. True. Small pointy hats were fashionable at the time, and popes began wearing them to keep their heads warm in the winter. Years later the hats were designed to be pointier and were worn for ceremonial purposes.

Discuss things that you have heard about history, society, politics, or life in general that you suspect might not be true. Share with one another why you think this information might be false. Suggest ways to find out what's true.

In this chapter we learn that we find the truth in Scripture and Tradition.

Descubrir la verdad puede ser una poderosa experiencia. Nos puede ayudar a tomar importantes decisiones. Puede ayudarnos a determinar lo que creemos, lo que recordamos y como vivir. ¿Cómo puedes descubrir la verdad? En lo que vemos, leemos y escuchamos, ¿cómo sabemos lo que es verdad o lo que es un simple rumor, opinión o una falsedad?

Actividad Encuentra en el rompecabezas diez cosas que se pueden consultar para encontrar la verdad. (Las palabras pueden estar escritas diagonal, horizontal o verticalmente). Escríbelas en las líneas.

Cuando termines, piensa en otras fuentes de verdad y escríbelas en las líneas. Junto con el grupo conversen la veracidad de cada cosa como una fuente de verdad.

```
E T F E Q G E C I E N C I A A
N O T I C I A S N N Z S E M M
C R I N N N X E A C Y W A V A
I W I E R T U T L Y S B X S E
C A A E B I B L I A Y I Q R S
L C M O N K T V P L C B M E T
O Z I E T D V N A O I L X H R
P K G D X S S Y I P H E R R O
E P O R E N S S Y E D S S E S
D U S F X O Q N S D X E L L N
I G D S R U W T G I R P E I X
A W E B E N U O I D A J G G I
X E I M C R S O A Y C I I I R
N L I G I L E P O M P N O O N
I N T E R N E T M M M C N N V
```

1. _____
2. _____
3. _____
4. _____
5. _____
6. _____
7. _____
8. _____
9. _____
10. _____
Otro: _____
Otro: _____

BIBLIA, ENCICLOPEDIA, AMIGOS, INTERNET, NOTICIAS, PADRES, RELIGION, CIENCIA, MAESTROS, LIBROS.

Discovering the truth can be a powerful experience. It can help us to make important decisions. It can help us to determine what to believe, what to remember, and how to live. But how do we discover the truth? Out of everything we read, see, and hear, how do we know what's true and what's simply a rumor, an opinion, or downright false?

Activity In the puzzle find and circle ten things that people might consult for the truth. (Some may be found backwards or diagonally.) List the ten items on the lines.

When you finish the puzzle, think of some other sources of truth, and write them on the lines provided. With your group discuss the reliability of each listed item as a source of truth.

```
V T F E Q G E M T E Y T R N A
F F E N T C X E N N Z S E M T
X R I N N N X E A C Y W A V Y
Y W I E R T U T L Y S B X S G
R A I E B E L G B C Y I Q R C
O C P O N K T V P L C B M E B
S Z O E T D V N A O I L X H A
P K C D X S S Y I P H E R C C
S P A R E N T S Y E D S F A Z
C U L F X L Q N S D X P Q E N
C G D S V U W T G I B P L T X
G W E B E N U O I A A J Z F I
X E L M C R S O S Y C I Y Q R
N O I G I L E R O M P N F F N
S B S I U L P O M M M C K H V
```

1. _____

2. _____

3. _____

4. _____

5. _____

6. _____

7. _____

8. _____

9. _____

10. _____

Other: _____

Other: _____

BIBLE, ENCYCLOPEDIA, FRIENDS, INTERNET, NEWS, PARENTS, RELIGION, SCIENCE, TEACHERS, TEXTBOOKS

La verdad más importante

L a palabra *revelación* es la traducción al latín de la voz griega que significa "develar"—como en retirar la cortina y mostrar algo en el otro lado. Esto es lo que hace Dios, retira la cortina y nos permite conocer la verdad. Dios nos revela la verdad que más importa—que él nos ama y nos llama a vivir respondiendo a su amor, ahora y siempre.

¿Dónde en tu vida puedes encontrar esta verdad?

La Escritura y la Tradición revelan la verdad.

Dios se da a conocer por medio de nuestras vidas, revelando la verdad de cuanto él nos ama y como podemos responder a su amor. Dios revela la verdad, revelación divina, por medio de la Escritura y la Tradición.

Escritura también llamada Sagrada Escritura o la Biblia, es el recuento escrito de la revelación de Dios y su relación con su pueblo, escrita por autores humanos bajo la inspiración del Espíritu Santo. La guía especial del Espíritu Santo a los autores humanos de la Biblia es llamada **inspiración divina**. Esto garantiza que la Biblia contiene la verdad salvadora de Dios sin error.

Tradición es la revelación de la buena nueva de Jesucristo vivida en el pasado y el presente de la Iglesia. La Tradición incluye las enseñanzas y prácticas pasadas por los apóstoles, desde el tiempo de Jesús, a toda la Iglesia. La Tradición consiste de todo lo que la Iglesia ha aprendido con la guía del Espíritu Santo, incluyendo sus enseñanzas, documentos, culto, oraciones y otras prácticas. La Tradición es la fuente del entendimiento constante de la Iglesia, del significado de la Revelación y las formas de aplicarlo en nuestras vidas.

Vocabulario

Escritura
inspiración divina
Tradición

La verdad de Dios es comunicada por la palabra escrita en la Biblia y el mensaje vivo de la Tradición. Juntos Escritura y Tradición son como una fuente de verdad derramada en nuestras vidas. Como católicos aceptamos y honramos ambas fuentes. Ellas son inspiradas por el Espíritu Santo y son esenciales para enseñarnos como vivir como pueblo de Dios.

Actividad Dios nos revela la verdad por medio de la Escritura y la Tradición. En grupo hagan una oración dando gracias a Dios por su divina revelación. Recen esta oración durante esta semana con sus familias.

Scripture and Tradition reveal the truth.

Throughout our lives God makes himself known, revealing the truth of how much he loves us and of how we can respond to his love. God reveals the truth, his Divine Revelation, through Scripture and Tradition.

Scripture, also referred to as Sacred Scripture or the Bible, is the written account of God's Revelation and his relationship with his people. It is God's word, written by human authors under the inspiration of the Holy Spirit. The special guidance that the Holy Spirit gave to the human authors of the Bible is called **divine inspiration**. It guarantees that the Bible contains God's saving truth without error.

Tradition is the Revelation of the good news of Jesus Christ as lived out in the Church, past and present. Tradition, therefore, includes the teachings and practices handed on from the time of Jesus through his Apostles to the whole Church. Tradition consists of all that the Church has learned with the guidance of the Holy Spirit, including her teachings, her documents, and her worship, prayer, and other practices. Tradition is the source of the Church's ongoing understanding of the meaning of Revelation and the ways to apply it to our lives.

Faith Words
Scripture
divine inspiration
Tradition

So, God's truth is communicated through both the written word of Scripture and the living message of Tradition. Together Scripture and Tradition are like a fountain of truth pouring into our lives. As Catholics, we accept and honor both. They are both inspired by the Holy Spirit and are both essential for teaching us how to live as God's people.

Activity God reveals the truth to us through Scripture and Tradition. With your group compose a prayer thanking God for his Divine Revelation. This week pray this prayer with family and friends.

The truth that matters most

The word *revelation* is the Latin translation of a Greek word that means "to unveil"—as in, to pull back a curtain and show something otherwise unseen. This is what God does: He pulls back the curtain and enables us to know the truth. God reveals to us the truth that matters most—that he loves us and calls us to live in response to his love, now and forever.

Where in your life do you find this truth?

La verdad está escrita en la Escritura.

A través de la historia Dios se ha dado a conocer a su pueblo y le ha revelado la verdad. Lo que Dios reveló a los humanos, eventualmente es compartido con todo el mundo y está escrito en la Biblia. La Biblia es una colección de 73 libros escritos en un período de 2,000 años. (Para una lista de los libros de la Biblia ver "Presentando la Biblia" en las páginas 472 y 474).

> Como católicos "la Escritura ha sido y será siempre, alimento del alma".
>
> (*Constitución dogmática sobre la divina revelación*, 21)

El desarrollo de la Biblia empezó con los israelitas, conocido como el pueblo de Israel o hebreos. Ellos eran el pueblo de Dios y nuestros antepasados en la fe. Cuando Dios se dio a conocer a ellos, ellos compartieron su fe en Dios. Ellos contaron historias sobre sus experiencias de Dios y como vivir como pueblo escogido por Dios. Compartieron oralmente su fe con sus descendientes durante mucho tiempo. Llegado el tiempo, el Espíritu Santo inspiró a algunos de ellos a poner sus experiencias por escrito. Después el pueblo pudo reunirse a estudiar estos escritos inspirados en **sinagogas**, lugares de reunión para estudiar la Escritura. Estos escritos están preservados en el Antiguo Testamento.

El Nuevo Testamento se desarrolló de forma similar— experiencias religiosas, tradición oral, hasta la palabra escrita. Los apóstoles de Jesús escucharon lo que Jesús predicó, vieron sus milagros y sus sanaciones y fueron testigos de su muerte y **resurrección**, resucitar a una nueva vida. Fortalecidos por el Espíritu Santo ellos fueron y enseñaron sobre Jesús. Ellos proclamaron que Jesucristo era el Hijo de Dios, nuestro Señor y Salvador. Ellos reunieron a otros para vivir como discípulos de Jesús. Se formaron comunidades de cristianos y esas comunidades continuaron contando a otros sobre Jesús. Algunos discípulos, por ejemplo San Pablo, escribieron **epístolas** a las nuevas comunidades de cristianos contándoles sobre la revelación de Dios en Jesús. Estas cartas se encuentran en el Nuevo Testamento. Cuando los que conocieron a Jesús en vida empezaron a morir se escribieron los **evangelios**, recuentos de la revelación de Dios por medio de Jesucristo. Los evangelios y las epístolas, junto con Hechos de los apóstoles y el libro Apocalipsis, componen el Nuevo Testamento.

Aun cuando no conocemos la identidad de todos los escritores del Antiguo y Nuevo Testamentos, creemos que el Espíritu Santo inspiró a cada uno a escribir la verdad que Dios quería comunicar al mundo. Por esa razón la Escritura nos ayuda a encontrar la verdad que necesitamos para vivir. Como católicos "la Escritura ha sido y será siempre, alimento del alma". (*Constitución dogmática sobre la divina revelación*, 21)

Vocabulario

sinagogas
resurrección
epístolas
evangelios

Actividad Nombra tu historia o pasaje favorito de la Biblia. Conversa sobre la verdad que Dios revela en él. ¿Qué otras verdades Dios revela en tu vida?

Más sobre la Biblia

La Biblia es la palabra de Dios. Como católicos, creemos que Dios, trabajando por medio de los autores humanos, es el verdadero autor de la Biblia. Sin embargo, esto no quiere decir que creemos que Dios realmente dictó las palabras de la Biblia o personalmente las escribió. La Biblia fue escrita por seres humanos inspirados. Ellos comunicaron la verdad de Dios usando el lenguaje y expresiones de sus tiempos. Ellos también usaran simbolismo y otras formas de contar historias. Así que no podemos interpretar sus escritos literalmente, como si la Biblia fuera un récord científico exacto. La Biblia no es para enseñarnos hechos científicos sino grandes verdades de nuestra fe. Por ejemplo, el recuento bíblico de la creación expresa la gran verdad de que Dios creó a todas las cosas y creó a los humanos a su imagen y semejanza.

¿Conoces otra verdad que hayas aprendido en la historia de la creación? (Génesis 1:1—2:4 y Génesis 2:5–25). Conversen sobre sus respuestas.

The truth is written in Scripture.

Throughout history God has made himself known to people and revealed the truth to them. What God revealed to human beings eventually came to be shared with all people, for all time, in the writings of the Bible. The Bible is a collection of 73 books written over a span of almost 2,000 years. (For a complete listing of the books of the Bible, see "Bible Basics" on pages 473 and 475.)

> Catholics are and have always been "nourished and ruled by sacred Scripture"
>
> (*Dogmatic Constitution on Divine Revelation*, 21).

The development of the Bible began with the ancient Israelites, also known as the people of Israel or the Hebrews. They were God's people and our ancestors in faith. When God made himself known to them, they shared their faith in God with one another. By word of mouth they told stories about their experiences of God and about living as God's specially chosen people. For a long time they shared their faith with their descendants in this manner. In time the Holy Spirit inspired some of them to put their experiences in writing. Later, people would meet to study these inspired writings in **synagogues**, gathering places for studying Scripture. These writings are preserved in the Bible, in the Old Testament.

The New Testament developed in a similar way— from religious experience to word of mouth to inspired writing. Jesus' Apostles heard what Jesus preached, saw his miracles and healings, and witnessed his death and **Resurrection**, his rising from death to new life. Strengthened by the Holy Spirit, they went forth and taught about Jesus. They proclaimed that Jesus Christ was the Son of God, our Lord and Savior. They gathered followers to live as Jesus' disciples. Communities of Christians were formed, and these communities continued to tell others about Jesus. Certain disciples, such as Saint Paul, wrote **epistles**, letters found in the New Testament to the early Christian communities about God's Revelation in Jesus. And, as people who knew Jesus firsthand began to die, the **Gospels**, the accounts of God's Revelation through Jesus Christ, were written. The Gospels and the epistles, along with the Acts of the Apostles and the Book of Revelation, make up the New Testament.

Though we don't know the identity of every Old Testament and New Testament writer, we believe that the Holy Spirit guided each one to write the truth that God wanted to communicate to the world. For this reason Scripture helps us to find the truth that we need for life. As Catholics, we are and have always been "nourished and ruled by sacred Scripture" (*Dogmatic Constitution on Divine Revelation*, 21).

Faith Words

synagogues
Resurrection
epistles
Gospels

Activity Name your favorite story or passage from the Bible. Discuss the truth that God reveals through it. What other truths does God reveal in your life?

More about the Bible

The Bible is the word of God. As Catholics, we believe that God, working through human authors, is the Bible's true author. However, this does not mean that we believe God actually dictated the words of the Bible or personally wrote them down. Rather, the Bible was written by inspired human beings. They communicated God's truth using the language and expressions of their times. They also used symbolism and other storytelling devices. Therefore, we cannot interpret their writings literally, as if the Bible is an exact, scientific record of things. Instead, the Bible is meant to teach us not scientific facts but the great truths of our faith. The Bible's account of creation, for example, expresses the great truth that God created everything and made human beings in his image.

Do you know any other truths that you learn from the creation story? Reread it (Genesis 1:1—2:4 and Genesis 2:5–25) and discuss the possibilities!

CATHOLIC IDENTITY

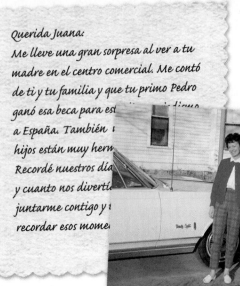

Querida Juana:

Me lleve una gran sorpresa al ver a tu madre en el centro comercial. Me contó de ti y tu familia y que tu primo Pedro ganó esa beca para est... ... a España. También ... hijos están muy herm... Recordé nuestros día... y cuanto nos divertí... juntarme contigo y ... recordar esos mome...

La verdad es transmitida por la Tradición.

¿Qué cosas son pasadas de generación en generación en tu familia?

Imagina que recibes una carta de un familiar lejano. Has escuchado el nombre de esa persona en conversaciones de tu familia, pero realmente no conoces la persona. Abres la carta y empiezas a leerla. Ves que no entiendes porque está refiriéndose a otras personas en la familia de las que no has escuchado hablar—o momentos en la familia de los que nunca te hablaron. Llevas la carta a una persona mayor para que dé la información que necesitas para entender la carta. Gradualmente, el significado de la carta empieza a estar claro.

La Escritura es como esa carta y la Tradición es como el mensaje personal que te ayuda a entender el significado de la carta. No hay palabra escrita, ni siquiera la Escritura, que se pueda pasar de generación en generación y que capture todo el significado de vivir como discípulo de Jesús. En el Evangelio de Juan leemos: "Jesús hizo muchas cosas. Si se pusieran todas por escrito, pienso que ni en el mundo entero cabrían los libros" (Juan 21:25). La Escritura necesita de la Tradición para iluminar su significado y la Iglesia necesita de ambas Escritura y Tradición para entender y vivir la verdad.

La Tradición realmente existió antes de que se escribiera el Nuevo Testamento y ayudó en la formación de este. Cuando los primeros cristianos pasaron lo que habían aprendido de los apóstoles de Jesús, estaban pasando la Tradición. Esta ha sido pasada hasta el presente y continúa guiándonos hacia la verdad.

Por la Tradición constantemente aprendemos la verdad sobre las formas de vivir como discípulos de Jesús. La Tradición es parte esencial de nuestra vida como católicos y un tesoro de verdad en que la Iglesia se basa constantemente.

Actividad Hay muchas formas en que la verdad se nos da a conocer dentro de la Tradición. En el cuadro mostrado abajo, se muestran las partes de la Tradición en la primera columna. Llena la segunda columna escribiendo ejemplos de esas partes de la Tradición. Se ofrecen algunos ejemplos.

Partes de la Tradición	Ejemplos
Las enseñanzas, costumbres y prácticas pasadas de generación en generación desde Jesús por medio de los apóstoles, ya sea oral o escrita.	Bautismo
Los credos, afirmaciones de las creencias que profesamos como católicos.	
Las enseñanzas del papa con los obispos de la Iglesia a través de los concilios, documentos y otras comunicaciones	Concilio Vaticano II (1962-1965)
Las enseñanzas de los Padres de la Iglesia, eruditos que han ayudado a explicar y a pasar el mensaje cristiano durante los primeros siglos de la Iglesia	Los escritos de San Ignacio de Loyola, obispo de Antioquia, Siria, durante el primer siglo de la era cristiana.
La vida y la experiencia de la Iglesia cuando se reúne a rendir culto a Dios celebrando los sacramentos y escuchando la palabra de Dios.	

¿Cómo explicarías la revelación de Dios por medio de la Tradición a un católico más joven que tú?

Dear T.J.,

What a nice surprise to see your mother at the mall! When she told me all you're doing I thought of our second cousin Stephen. He won that journali and went on to be a big And when he was just a aunt, Irene, just knew he'd one day! When you were a your mother the same thing probably too young to reme all went to the aquarium and to my sister and said

The truth is handed down in Tradition.

What are some things that are handed down in your family?

Imagine that you've received a letter from a distant relative. You've heard this relative's name mentioned in family conversations, but you don't really know him or her. Nevertheless, you open the letter and begin to read it. You find that you don't understand all of it because it refers to people in your family that you've never heard about—or moments in your family history you've never known about. So you bring the letter to an older family member who gives you the background you need to understand the letter. Gradually, the meaning of the letter becomes clear.

Well, Scripture is like that letter, and Tradition is like the personal message that helped you to understand the meaning of the letter. No written record, not even Scripture, can pass from generation to generation and capture all that it means to live as a disciple of Jesus. Even the Gospel of John states, "There are also many other things that Jesus did, but if these were to be described individually, I do not think the whole world would contain the books that would be written" (John 21:25). Scripture cannot stand alone; it needs Tradition to shed light on its meaning, and the Church needs both Scripture and Tradition to understand and live the truth.

Tradition actually existed before the writing of the New Testament and helped in its formation. When the early Christians handed on what they had learned from Jesus' Apostles, they were handing on Tradition. And it has been handed down to the present day and continues to lead us to the truth.

Through Tradition we constantly learn the truth about ways to live as Jesus' disciples. Tradition is an essential part of our lives as Catholics and a treasure of truth on which the Church continually relies.

Activity There are many ways the truth is made known to us within Tradition. In the chart below, the parts of Tradition are shown in the first column. Fill in the second column by writing examples for these parts of Tradition. Some examples are provided.

PARTS OF TRADITION	EXAMPLES
The teachings, customs, and practices handed down from Jesus through the Apostles, whether by word of mouth or in writing	Baptism
The creeds, the statements of the beliefs that we profess as Catholics	
The teachings of the pope with the bishops of the Church, through their gatherings at councils and through their documents and other communications	Second Vatican Council (1962–1965)
The teachings of the Church Fathers, scholars who helped to explain and hand on the Christian message during the first centuries of the Church	The writings of Saint Ignatius, bishop of Antioch, Syria, during the first century A.D.
The life and experience of the Church as she gathers together to worship God, celebrating the sacraments and listening to God's word	

How would you explain God's Revelation through Tradition to a younger Catholic?

Concilio de
Constantinopla,
Cesarea, siglo XVI

La Escritura y la Tradición son un "depósito sagrado de la palabra de Dios" y surgen "de la misma fuente divina".

(Constitución dogmática sobre la divina revelación, 10,9)

La Iglesia vive por la verdad.

La Escritura y la Tradición son un "depósito sagrado de la palabra de Dios" y surgen "de la misma fuente divina" (*Constitución dogmática sobre la divina revelación*, 10,9). Juntas constituyen el depósito de fe. **Depósito de fe** es toda la verdad contenida en la Escritura y en la Tradición de la Iglesia revelada y entregada por Cristo a los apóstoles y a sus sucesores, los obispos, y a toda la Iglesia. El depósito de fe ayuda a la Iglesia a vivir siempre por la verdad.

La Iglesia crece en conocimiento de la verdad como una comunidad—cuando se reúne para rendir culto, cuando escucha la palabra de Dios en la Escritura, cuando rezan juntos. Es dentro de la comunidad de fe, la Iglesia, que verdaderamente descubrimos la verdad. Para guiarnos a entender la verdad, dependemos del **Magisterium**, la enseñanza viva y oficial de la Iglesia, que consiste en el papa y los obispos. En nombre de Jesús y con la ayuda del Espíritu Santo el Magisterium interpreta la Escritura y la Tradición. El Magisterium nos enseña como aplicar el mensaje de la Escritura y la Tradición en nuestras vidas hoy.

Vocabulario

depósito de fe
Magisterium

Por medio de cartas, comunicados y documentos para toda la Iglesia, el Magisterium continuamente nos enseña sobre la verdad. Cuando la Iglesia enfrenta nuevas circunstancias, y asuntos, el Espíritu Santo guía al Magisterium y a toda la Iglesia a desarrollar su entendimiento de la revelación divina en la Escritura y la Tradición. Se dice que la Escritura, Tradición y la Iglesia están; "Entrelazadas y unidos de tal forma que no tienen consistencia el uno sin el otro". (*Constitución dogmática sobre la divina revelación*, 10)

En cada generación, la Iglesia sigue compartiendo y construyendo sobre la fe de los apóstoles, creyendo y viviendo la fe y pasándola a la próxima generación. De esta forma la fe de la Iglesia está siempre creciendo y la revelación de Dios está viva y activa en la Iglesia. Y la Iglesia pasa al mundo toda la verdad que ha recibido de la revelación de Dios.

Actividad La Escritura y la Tradición son parte esencial de tu herencia como católico. Haz un emblema o un lema que represente tu herencia familiar. Asegúrate de incluir símbolos de la Escritura y la Tradición. ¿Cómo tu emblema te recuerda y recuerda a tu familia vivir las verdades de tu fe?

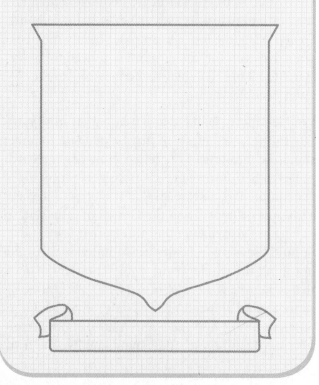

The Church lives by the truth.

Scripture and Tradition are "one sacred deposit of the word of God" and flow "from the same divine wellspring" (*Dogmatic Constitution on Divine Revelation*, 10, 9). Together they make up the deposit of faith. The **deposit of faith** is all the truth contained in Scripture and Tradition that Christ revealed and entrusted to the Apostles and thus to their successors, the bishops, and to the entire Church. The deposit of faith helps the Church to always live by the truth.

The Church grows in knowledge of the truth as a community—when gathered for worship, when hearing God's word in Scripture, when praying together. It is within our community of faith, the Church, that we truly discover the truth. And to guide us in understanding the truth, we depend on the **Magisterium**, the living teaching office of the Church, consisting of the pope and the bishops. In Jesus' name and with the help of the Holy Spirit, the Magisterium interprets both Scripture and Tradition. The Magisterium teaches us how to apply the message of Scripture and Tradition to our lives today.

Through letters, statements, and documents for the whole Church, the Magisterium continually teaches us about the truth. And when the Church encounters new circumstances, questions, and issues, the Holy Spirit guides the Magisterium and the whole Church to develop her understanding of Divine Revelation in Scripture and Tradition. It is said that Scripture, Tradition, and the Church "are so linked and joined together that one cannot stand without the others" (*Dogmatic Constitution on Divine Revelation*, 10).

So, in each generation, the whole Church continues to share and build upon the faith of the Apostles, believe and live the faith, and pass the faith on to the next generation. In this way the Church's faith is always developing, and God's Revelation is living and active in the Church. And the Church hands on to the world all the truth that has been received through God's Revelation.

Faith Words
deposit of faith
Magisterium

A meeting of the United States Conference of Catholic Bishops

> Scripture and Tradition are "one sacred deposit of the word of God" and flow "from the same divine wellspring"
> (*Dogmatic Constitution on Divine Revelation*, 10, 9).

Activity Scripture and Tradition are an essential part of your heritage as a Catholic. Make an emblem or a crest that stands for your family's heritage. Be sure to include symbols for both Scripture and Tradition. How will your family crest remind you and your family to live out the truths of your faith?

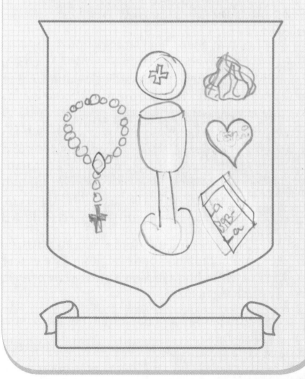

RESPONDIENDO...

Cápsula de tiempo

Reconociendo nuestra fe

Piensa en la pregunta que se encuentra al inicio del capítulo: *¿Cómo puedo encontrar la verdad?* Imagina que estás preparando una cápsula de tiempo que mostrará a futuras generaciones como encontrar la verdad. Haz una lista de las cosas que pondrás dentro de ella.

Viviendo nuestra fe

Busca una cita bíblica o una oración católica que trate algunos aspectos de la verdad. Trata de ser fiel a su significado esta semana con tus acciones.

San Jerónimo

San Jerónimo es el santo patrón de los estudiosos de la Escritura. Nació, aproximadamente, en el año 347 AC en la provincia romana de Dalmacia. Viajó a Roma para estudiar literatura. Ahí se convirtió al cristianismo y fue bautizado. Empezó a estudiar como vivir mejor su fe y *teología*, el estudio de Dios

Compañeros en la fe

y de la relación de Dios con el mundo. Buscando una forma de acercarse más a Dios, se mudó a un desierto cerca de Antioquia, donde vivió como un ermitaño. En la tranquilidad del desierto, Jerónimo escribió una serie de trabajos religiosos. Su trabajo más sobresaliente fue la traducción de la Biblia al latín. El latín era el lenguaje del imperio romano. El trabajo de Jerónimo sigue siendo la traducción de la Biblia al latín oficial de la Iglesia.

San Jerónimo murió en el 419 en Belén. Además de ser declarado santo, Jerónimo fue nombrado doctor de la Iglesia. Este es un honor específico dado a algunos santos cuyos escritos han ayudado a otros a crecer en la fe. La fiesta de San Jerónimo se celebra el 30 de septiembre.

¿Cuáles son algunas formas en que puedes ayudar a otros a crecer en la fe?

@ ✽ **Para más ideas y actividades visita www.vivimosnuestrafe.com.**

Time Capsule

Recognizing Our Faith

Recall the question at the beginning of this chapter: *In what ways can I find truth?* Imagine that you are putting together a time capsule that will show future generations how to find truth. List some things that you would put inside the time capsule.

Living Our Faith

Find a Scripture quote or a Catholic prayer that deals with some aspects of truth. By your actions this week, try to be faithful to its meaning.

Saint Jerome

Saint Jerome is the patron saint of Scripture scholars. He was born in approximately A.D. 347 in the Roman province of Dalmatia. When he grew up he traveled to Rome to study literature. In Rome he became a Christian and was baptized. He began to study *theology*, the study of God and God's relation to the world, and to think about ways to live his faith. Seeking a way to get closer to God, he moved to a desert near Antioch to live the life of a hermit. In the quiet of the desert, Jerome worked on a series of religious writings. His greatest work was his translation of the Bible into Latin. Latin was the language of the people of the Roman Empire. Jerome's work is still the Church's official Latin translation of the Bible.

Partners in FAITH

Saint Jerome died in 419, in Bethlehem. In addition to being declared a saint, Jerome was named a Doctor of the Church. This is a special honor given to holy people whose writings help others to grow in faith. Jerome's feast day is September 30.

What are some ways you can help others to grow in faith?

@✱ For additional ideas and activities, visit www.weliveourfaith.com.

RESPONDIENDO...

"Déjame hablar con sinceridad,
pues confío en tus mandamientos.
Cumpliré tu ley continuamente, por
siempre".

(Salmo 119:43–44)

➡ **LEE** la cita bíblica.

➡ **REFLEXIONA** en estas preguntas:
¿Qué puede impedirte "hablar con sinceridad"? ¿Cómo te puedes mantener cerca de la verdad "continuamente, por siempre"?

➡ **COMPARTE** tus reflexiones con un compañero.

➡ **DECIDE** hacer lo necesario para vivir de acuerdo a la verdad.

Poniendo la fe en acción

Habla sobre lo que has aprendido en este capítulo

 Entendemos que Dios nos revela la verdad sobre su revelación divina por medio de la Escritura y la Tradición.

 Confiamos que la Escritura y la Tradición nos guían para saber como vivir.

Escuchamos la palabra de Dios en la Escritura y seguimos la guía de la Tradición.

Decide formas en que vas a vivir lo aprendido.

Repaso del capítulo 2

Encierra en un círculo la respuesta correcta:

1. _____ es el recuento escrito de la revelación de Dios y su relación con su pueblo.

   a. Tradición   **b.** Escritura   **c.** revelación divina   **d.** inspiración divina

2. La guía especial que el Espíritu Santo dio a los autores humanos de la Biblia es llamada _____.

   a. Nuevo Testamento   **b.** Antiguo Testamento   **c.** inspiración divina   **d.** revelación divina

3. _____ es la revelación de la buena nueva de Jesucristo como es vivida en la Iglesia, en el pasado y el presente.

   a. Tradición   **b.** Escritura   **c.** depósito de fe   **d.** inspiración divina

4. La _____ es la oficina viva de la enseñanza de la Iglesia, compuesta por el papa y los obispos.

   a. sinagoga   **b.** depósito de fe   **c.** Biblia   **d.** Magisterium

Contesta con una corta oración.

5. ¿Qué es una epístola? _____

6. ¿Qué son los evangelios? _____

7. Hay muchas formas de darnos a conocer la verdad dentro de la Tradición. Escribe tres ejemplos. _____
_____

8. ¿Qué es depósito de fe? _____

9-10. Contesta en un párrafo. ¿Cómo Dios revela la verdad, su revelación divina?

Putting Faith to Work

Talk about what you have learned this chapter:

- **We understand** that God reveals the truth, his Divine Revelation, to us through Scripture and Tradition.

- **Trust** that Scripture and Tradition can guide us in knowing how to live.

- **Listen** to God's word in Scripture and follow the guidance of Tradition.

Decide on ways to live out what you have learned.

✝ ENCOUNTERING GOD'S WORD

"Do not take the word of truth
from my mouth,
for in your edicts is my hope.
I will keep your teachings always,
for all time and forever."

(Psalm 119:43–44)

➡ **READ** the quotation from Scripture.

➡ **REFLECT** on these questions:
What might "take the word of truth" from you? How can you keep close to the truth "for all time and forever"?

➡ **SHARE** your reflections with a partner.

➡ **DECIDE** to do all that you can to live by the truth.

Circle the letter of the correct answer.

1. _____ is the written account of God's Revelation and his relationship with his people.

   a. Tradition   **b.** Scripture   **c.** Divine Revelation   **d.** Divine inspiration

2. The special guidance that the Holy Spirit gave to the human authors of the Bible is called _____.

   a. the New Testament   **b.** the Old Testament   **c.** divine inspiration   **d.** Divine Revelation

3. _____ is the Revelation of the good news of Jesus Christ as lived out in the Church, past and present.

   a. Tradition   **b.** Scripture   **c.** The deposit of faith   **d.** Divine inspiration

4. The _____ is the living teaching office of the Church, consisting of the pope and bishops.

   a. synagogue   **b.** deposit of faith   **c.** Bible   **d.** Magisterium

Short Answers

5. What is an epistle? _____

6. What are the Gospels? _____

7. There are many ways the truth is made known to us within Tradition. List three examples.

   _____

8. What is the deposit of faith? _____

9–10. ESSAY: How does God reveal the truth, his Divine Revelation?

Chapter 2 Assessment

Comparte la fe con tu familia

Conversa con tu familia sobre lo siguiente:

- La Escritura y la Tradición revelan la verdad.
- La verdad está escrita en la Escritura.
- La verdad es transmitida por la Tradición.
- La Iglesia vive por la verdad.

Con tu familia designen un área en la casa para rezar. Coloquen algunos artículos en el lugar: una Biblia, un crucifijo e imágenes de Jesús o de sus santos favoritos. Si quieren pueden incluir tarjetas de oraciones y un recipiente para intenciones. Anima a tu familia a alimentar la tradición de rezar en su lugar de oración. Hagan de la lectura de la Biblia parte de la oración en familia, especialmente las lecturas que se proclamarán en la misa.

Conexión con la liturgia

Mira las imágenes sobre historias bíblicas que hay en la iglesia. Después de la misa conversa sobre esas imágenes así como las lecturas bíblicas que fueron proclamadas.

Para explorar

Busca ejemplos de algunas formas en que la tecnología está siendo usada para compartir las verdades bíblicas. Comparte tus descubrimientos con tu grupo.

Doctrina social de la Iglesia
☑ Cotejo

Tema de la doctrina social de la Iglesia
Opción por los pobres y vulnerables

Cómo se relaciona con el capítulo 2: Escritura, Tradición y el Magisterium de la Iglesia nos llaman a cuidar de los pobres y necesitados.

Cómo puedes hacer esto

☐ en la casa:

_____

☐ en la escuela/trabajo

_____

☐ en la parroquia

_____

☐ en la comunidad

_____

Chequea cada acción cuando la complete.

Sharing Faith with Your Family

Discuss the following with your family:
- Scripture and Tradition reveal the truth.
- The truth is written in Scripture.
- The truth is handed down in Tradition.
- The Church lives by the truth.

With your family, designate an area in your home as a family prayer space. Place the following items in the prayer space: a Bible, a crucifix, and pictures or icons of Jesus and favorite saints. You might also include prayer cards and a prayer intention jar. Encourage your family to carry on a tradition of praying together in your prayer space. Make readings from Scripture a part of your family prayer, especially the readings that are proclaimed at Mass.

Catholic Social Teaching
☑ Checklist

Theme of Catholic Social Teaching:
Option for the Poor and Vulnerable

How it relates to Chapter 2: Scripture, Tradition, and the Magisterium of the Church call upon us to care for those who are poor and in need.

How can you do this?

☐ At home:
_____

☐ At school/work:
_____

☐ In the parish:
_____

☐ In the community:
_____

Check off each action after it has been completed.

The Worship Connection

Look around your church for images depicting stories from the Bible. After Mass talk about these images as well as the Scripture readings that were proclaimed.

More to Explore

Find some examples of ways that technology is being used for sharing the truths of the Bible today. Share your findings with your group.

3
La Santísima Trinidad

"La gracia de Jesucristo, el Señor, el amor de Dios y la comunión en el Espíritu Santo, estén con todos ustedes".

(2 Corintios 13:13)

Líder: Dios todopoderoso, te revelaste como un solo Dios en tres divinas personas. En tu amorosa relación de Padre, Hijo y Espíritu Santo, quédate con nosotros mientras recordamos el misterio de quien eres—el misterio de la Santísima Trinidad.

Todos: Que los tres poderes sean mi protección y me envuelvan. Vengan a proteger todo a mi alrededor, mi tierra, mi hogar, envuélveme oh sagrada Trinidad.

Líder: Gloria al Padre, y al Hijo, y al Espíritu Santo.

Todos: Como era en el principio, ahora y siempre, por los siglos de los siglos.

Amén.

La gran pregunta:
¿Por qué las relaciones son importantes para mí?

Descubre los ingredientes de una buena relación con tu familia y amigos. Usa cada letra de la palabra relación para hacer una lista de los elementos de una buena amistad o relación familiar. Se da un ejemplo.

R E L A C I O N
e
a
l
t
a
d

Escoge uno de esos elementos y conversa sobre formas en que lo incluirás en una o más de tus relaciones.

En este capítulo repasamos la creencia católica en la Santísima Trinidad.

50

GATHERING...

"The grace of the Lord Jesus Christ and the love of God and the fellowship of the holy Spirit be with all of you." (2 Corinthians 13:13)

✛ **Leader:** Almighty God, you reveal yourself as one God in three Divine Persons. In your loving relationship of Father, Son, and Holy Spirit, be with us as we explore the mystery of who you are—the mystery of the Blessed Trinity.

All: The Mighty Three
my protection be,
encircling me.
Come and be
around my land, my home,
encircling me,
O Sacred Three.

Leader: Glory be to the Father
and to the Son
and to the Holy Spirit,

All: as it was in the beginning is now, and ever shall be world without end. Amen.

The BIG Question:
Why do relationships matter to me?

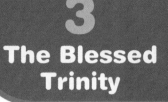

Discover the ingredients of a good relationship with friends or family. Use each letter of the word *relationship* to list the elements of a good friendship or family relationship. One example is provided.

R E L A T I O N S H I P

Openness

Choose one of these elements and discuss ways to make it part of one or more of your relationships.

In this chapter we review the Catholic belief in the Blessed Trinity.

CONGREGANDONOS...

Dentro de cien años, no importará como
     te fue en un examen,
o cuan popular fuiste.
A nadie le va a importar cuantos sencillos diste en un
    juego de pelota.
No va a importar si faltaste un día a la escuela,
o que regalos recibiste para tu cumpleaños.
Tu puntuación más alta en un juego de video no se
    recordará.
Tampoco si tu familia tenía una piscina.
A nadie le importará quien ganó esa carrera.
Si tu escritura era mala, a nadie le importará;
o si tu trabajo manual no era el mejor.

Pero, si hiciste algo para mejorar la vida
    de una sola persona,

eso se recordará.
Eso es lo que importa.

(Sydney Miller, doce años de edad)

¿Qué mensaje sobre las relaciones expresa
este poema?

Actividad ¿Qué mensaje sobre las relaciones te gustaría dar a otros? Escribe tu propio poema, historia o guión para expresarlo.

One hundred years from now, it won't matter
    how you did on a test
    Or how popular you were.
No one will care about how many hits you got in a
    baseball game.
It won't matter if you miss a day of school
Or what you got for your eleventh birthday.
Your highest score on a computer game won't be
    remembered
Or if your family had a swimming pool.
No one will care who came in first in that one race.
It won't matter if your handwriting was messy
Or if all your artwork wasn't the best.

But, if you made life a little better
    for just one other person

That's what will be remembered.
That's what will matter.

                    (Sydney Miller, age twelve)

What message about relationships does this
poem express?

Activity What message about
relationships would you like to tell others?
Write your own poem, short story, or skit that
conveys this message.

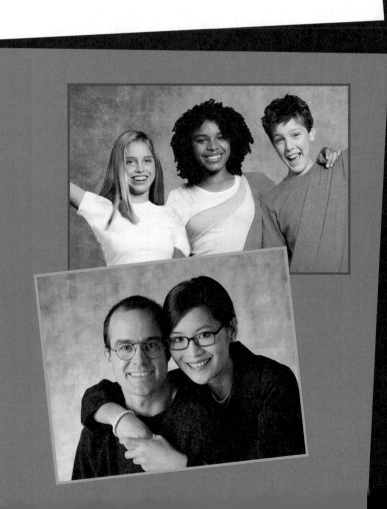

53

Dios es Padre, Hijo y Espíritu Santo—la Santísima Trinidad.

La Santísima Trinidad es el misterio central de nuestra fe católica. La **Santísima Trinidad** es tres divinas Personas en un Dios: Dios el Padre, Dios el Hijo y Dios el Espíritu Santo.

El leer sobre Jesús en los evangelios nos ayuda a entender el misterio de la Santísima Trinidad. En los evangelios, Jesucristo deja claro que él es el *Hijo* único del *Padre*, a quien el Padre envió para salvar al mundo, por medio del poder del *Espíritu Santo*. Los evangelios claramente lo revelan:

Vocabulario
Santísima Trinidad

Dios el Hijo, se hizo hombre y vivió entre nosotros en la persona de Jesucristo.

Cuando Jesús fue bautizado por Juan el Bautista, "Y mientras Jesús oraba se abrió el cielo, y el Espíritu Santo bajó sobre él en forma visible, como una paloma, y se oyó una voz que venía del cielo: 'Tú eres mi Hijo amado, en ti me complazco'". (Lucas 3:21–22)

Dios el Padre nuestro creador, estuvo presente en todo lo que Jesús hizo y dijo.

Jesús resucitó a su amigo Lázaro rezando, "Padre, te doy gracias, porque me has escuchado. Yo sé muy bien que me escuchas siempre". (Juan 11:41–42)

Dios Espíritu Santo dio poder a Jesús para enseñar y compartir el amor de Dios.

"Jesús, lleno de la fuerza del Espíritu, regresó a Galilea, y su fama se extendió por toda la región. Enseñaba en las sinagogas y todo el mundo hablaba bien de él". (Lucas 4:14–15)

¿Cómo puede ser Dios un Dios *uno* en *tres* Divinas Personas? Y, ¿cómo Dios puede ser una relación de Padre, Hijo y Espíritu Santo? Como seres humanos somos incapaces de comprender o expresar como eso es posible. Es un misterio de nuestra fe que sabemos sólo porque Dios nos lo ha revelado.

Creer en esta verdad revelada de la Santísima Trinidad también significa reconocer el amor de Dios por nosotros. "El ser mismo de Dios es Amor. Al enviar en la plenitud de los tiempos a su Hijo único y al Espíritu de Amor, Dios revela su secreto más íntimo. El mismo es una eterna comunicación de amor: Padre, Hijo y Espíritu Santo, y nos ha destinado a participar en El" (*CIC* 221). Esta amorosa relación de Padre, Hijo y Espíritu Santo es perfecta unidad y lo que Dios desea para nosotros es reflejar la misma unidad por medio de una relación verdadera y amorosa con otros.

Actividad Trabaja en grupo para hacer un cartel animando a las personas en el mundo a vivir en la unidad y el amor que Dios desea para nosotros. Escribe algunas de tus ideas en este espacio. Compártelas con el grupo antes de que empiecen a trabajar. Conversen sobre las formas en que pueden poner estas ideas en práctica en sus vidas.

God is Father, Son, and Holy Spirit—the Blessed Trinity.

The Blessed Trinity is the central mystery of our Catholic faith. The **Blessed Trinity** is the three Divine Persons in one God: God the Father, God the Son, and God the Holy Spirit.

Reading about Jesus in the Gospels helps us to understand the mystery of the Blessed Trinity. In the Gospels, Jesus Christ makes it clear that he is the only *Son* of the *Father*, whom the Father sent to save the world, through the power of the *Holy Spirit*. The Gospels clearly reveal that:

> **Faith Word**
>
> Blessed Trinity

God the Son became man and lived among us in the person of Jesus Christ.

When Jesus was baptized by John the Baptist, "heaven was opened and the holy Spirit descended upon him in bodily form like a dove. And a voice came from heaven, 'You are my beloved Son; with you I am well pleased'" (Luke 3:21–22).

God the Father, our creator, was at work in everything Jesus said and did.

Jesus raised his friend Lazarus from the dead, praying, "Father, I thank you for hearing me. I know that you always hear me" (John 11:41–42).

God the Holy Spirit empowered Jesus to teach and to share God's love.

"Jesus returned to Galilee in the power of the Spirit, and news of him spread throughout the whole region. He taught in their synagogues and was praised by all." (Luke 4:14–15)

But how can God be *one* God and *three* Divine Persons at the same time? And how can God be a relationship of Father, Son, and Holy Spirit? As human beings we are unable to fully understand or express how this is possible. It is a mystery of our faith, a truth of our faith that we know only because God has revealed it to us.

Believing in this revealed truth of the Blessed Trinity also means recognizing God's love for us: "God's very being is love. By sending his only Son and the Spirit of Love in the fullness of time, God has revealed his innermost secret: God himself is an eternal exchange of love, Father, Son, and Holy Spirit, and he has destined us to share in that exchange" (*CCC*, 221). This loving relationship of Father, Son, and Holy Spirit is perfect unity, and what God desires for us is to reflect the same unity through truthful and loving relationships with others.

Activity Work with your group to make a large poster encouraging people around the world to live in the unity and love that God desires for us. Jot down some ideas for your poster here. Share them with your group before you begin your work. Discuss ways that you can put these ideas to work in your own life.

La Santísima Trinidad es un misterio central para nuestra fe.

Todas nuestras creencias como católicos giran alrededor del misterio de la Santísima Trinidad porque es el misterio de quien es Dios. La verdad de la Santísima Trinidad revela la verdadera naturaleza de Dios y la forma en que Dios nos ha llamado a vivir. La verdad de la Santísima Trinidad arroja luz en todas nuestras creencias y nos guía en todas las áreas de nuestras vidas. Toda la vida de la Iglesia gira alrededor de la creencia de la Santísima Trinidad:

- En la señal de la cruz rezamos: "En el nombre del Padre, y del Hijo, y del Espíritu Santo".

- Concluimos nuestras oraciones con: "Lo pedimos en el nombre de nuestro Señor, Jesucristo, tu Hijo, quien vive y reina contigo y en unidad del Espíritu Santo por lo siglos de los siglos".

- Rezamos: "Gloria al Padre, y al Hijo, y al Espíritu Santo; como era en el principio ahora y siempre".

Las palabras, *Padre*, *Hijo* y *Espíritu Santo* expresan la relación entre las tres divinas Personas de Dios y son esenciales para nuestra relación con Dios. Somos

> "Al enviar en la plenitud de los tiempos a su Hijo único y al Espíritu de Amor, Dios revela su secreto más íntimo. El mismo es una eterna comunicación de amor: Padre, Hijo y Espíritu Santo".
>
> (*CIC*, 221)

bautizados "en el nombre del Padre, y del Hijo, y del Espíritu Santo" (Rito del Bautismo). Así como el Padre, el Hijo y el Espíritu Santo son uno, todos los bautizados se hacen uno con Dios y los demás.

La gracia que recibimos, compartir en la vida de Dios, nos une a la Santísima Trinidad y a todos los demás creyentes que comparten la vida de Dios. También la Iglesia, la comunidad de la fe, es una con la Santísima Trinidad y una con todos sus miembros.

Dios sigue con nosotros y está activo en nuestras vidas como Padre, Hijo y Espíritu Santo por medio de la gracia de todos los sacramentos que celebramos. También en nuestras oraciones y liturgia— especialmente en la misa—nos hacemos uno con el Padre, el Hijo y el Espíritu Santo y nuestra unidad con los demás se fortalece.

Actividad Escribe tu oración alabando a Dios—el Padre, el Hijo y el Espíritu Santo. Compártela con el grupo.

La Trinidad y la señal de la cruz

En el segundo siglo D.C. los cristianos trazaban pequeñas cruces, con su pulgar, en sus frentes antes de rezar, durante la celebración del sacramento del Bautismo, en tiempo de tentación o al empezar el día. Esta era una forma de reconocer la presencia de Jesús y pedir su protección. Al paso de los siglos, los cristianos empezaron a trazar cruces grandes en sus cuerpos—desde la frente hasta el pecho y los hombros.

Pasado el siglo IV, las palabras: *En el nombre del Padre, y del Hijo, y del Espíritu Santo* fueron añadidas al gesto. Como la creencia en la Trinidad había sido mal interpretada, en el siglo IV las palabras fueron una forma de reconocer la fe en la enseñanza de la Iglesia sobre la Trinidad.

Hoy, como católicos, hacemos la señal de la cruz cuando empezamos y cuando terminamos de orar, para bendecirnos con agua bendita o para pedir a Dios que nos bendiga. El trazar una pequeña cruz sigue siendo parte del sacramento del Bautismo, como lo fue al inicio del cristianismo. Es tambien parte de la Confirmación, de la Unción de los Enfermos y del Orden Sagrado. En estos sacramentos se traza una pequeña cruz en la frente o las manos de quien recibe el sacramento.

Busca tiempo para pedir a Dios que te bendiga haciendo la señal de la cruz.

The mystery of the Blessed Trinity is central to our faith.

All of our beliefs as Catholics revolve around the mystery of the Blessed Trinity because it is the mystery of *who God is*. The truth of the Blessed Trinity reveals the very nature of God and thus the way that we are called by God to live. The truth of the Blessed Trinity sheds light on all of our beliefs and guides us in all areas of our lives. The whole life of the Church revolves around our belief in the Blessed Trinity:

> "By sending his only Son and the Spirit of Love in the fullness of time, God has revealed his innermost secret: God himself is an eternal exchange of love, Father, Son, and Holy Spirit."
>
> (CCC, 221)

- In the Sign of the Cross, we pray, "In the name of the Father, and of the Son, and of the Holy Spirit."

- We conclude our prayers with "We ask this through our Lord Jesus Christ, your Son, who lives and reigns with you and the Holy Spirit, one God for ever and ever."

- We pray: "Glory to the Father, and to the Son, and to the Holy Spirit: as it was in the beginning, is now, and will be for ever."

The words *Father*, *Son*, and *Holy Spirit* express the relationship between the three Divine Persons of God and are essential to our relationship with God. We are baptized "in the name of the Father, and of the Son, and of the Holy Spirit" (Rite of Baptism). And just as the Father, Son, and Holy Spirit are one, all who are baptized become one with God and one another.

The grace that we receive, a sharing in God's life, unites us to the Blessed Trinity and to all the other believers who share in God's life, too. Thus, the Church, the community of faith, is one with the Blessed Trinity and one with all of her members.

God continues to be with us and is active in our lives as Father, Son, and Holy Spirit through the grace of all the sacraments that we receive. And in our prayer and liturgy—especially in the Mass—we become one with the Father, Son, and Holy Spirit, and our unity with one another is strengthened.

Activity Write your own prayer praising God—the Father, the Son, and the Holy Spirit. Share your prayers with one another.

The Trinity and the Sign of the Cross

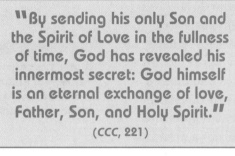

In the second century A.D., Christians traced a small cross over their foreheads with their thumbs before prayers, during the Sacrament of Baptism, at times of temptation, or at the beginning of each day. This was a way to acknowledge Jesus' presence and ask for his protection. Over the centuries, Christians began to trace a larger cross over themselves—from forehead to chest, and then from shoulder to shoulder.

Sometime after the fourth century, the words *In the name of the Father, and of the Son, and of the Holy Spirit* were added to the gesture. Since belief in the Trinity had been widely misunderstood in the fourth century, the words may have been a way to acknowledge faith in the Church's teachings about the Trinity.

Today, as Catholics, we pray the Sign of the Cross when we begin and end our prayers, bless ourselves with holy water, or ask for God's blessing. Tracing a small cross is still part of the Sacrament of Baptism as it was in early Christian times. It is also part of Confirmation, Anointing of the Sick, and Holy Orders. In these sacraments, a small cross is traced on the forehead or on the hands.

Find time today to ask for God's blessing by praying the Sign of the Cross.

CATHOLIC IDENTITY

Dios nos pide vivir nuestra fe por medio de relaciones de amor.

¿Cómo puedes compartir el amor de Dios con otros?

Dios ha demostrado su amor por medio de la Santísima Trinidad enviando a su Hijo a salvar el mundo y dándonos el Espíritu Santo. Dios se ha revelado como una amorosa relación entre el Padre, el Hijo y el Espíritu Santo, creándonos a su imagen. Creados a su imagen, debemos formar relaciones de amor. Debemos amar a Dios y vivir el amor de Dios por nosotros. También debemos amarnos a nosotros mismos y unos a otros.

Jesús mismo nos llama a su amor cuando nos dio el Gran Mandamiento: "Amarás al Señor tu Dios con todo tu corazón, con toda tu alma y con toda tu mente. . . . Amarás a tu prójimo como a ti mismo" (Mateo 22:37, 39). Jesús nos enseñó que debemos amar a las personas difíciles de *amar*. El dijo: "Amen a sus enemigos, hagan el bien a los que los odian, bendigan a los que los maldicen, oren por los que los calumnien" (Lucas 6:27–28). Como discípulos de

Jesús estamos llamados a amar a todo el mundo—en el hogar, la escuela, la parroquia, el vecindario, el país, el mundo. Así es como vivimos nuestra fe en Dios, la Santísima Trinidad.

Actividad Nombra formas de ayudar a que tus relaciones con tu familia y amigos reflejen el amor de Dios. Haz estas formas parte de tu plan de vida personal implementándolas hoy y en el futuro.

Día mundial de la juventud, 2002

World Youth Day, 2002

God calls us to live our faith through loving relationships.

How can you share God's love with others?

God has demonstrated his love through the Blessed Trinity by sending his Son to be the Savior of the world and by giving us the Holy Spirit. And God, who reveals himself as the loving relationship of Father, Son, and Holy Spirit, created us in his image. So, made in his image, we are meant for loving relationships. We are meant to love God and to experience God's love for us. And we are also meant to love ourselves and one another, too.

Jesus himself called us to this love when he gave us the Great Commandment: "You shall love the Lord, your God, with all your heart, with all your soul, and with all your mind. . . . You shall love your neighbor as yourself" (Matthew 22:37, 39). Jesus even taught that we must love the very people who are difficult to *like*. He said, "Love your enemies, do good to those who hate you, bless those who curse you, pray for those who mistreat you" (Luke 6:27–28). As Jesus' disciples, we are called to

loving relationships with everyone—at home, at school, in the parish, in the neighborhood, in the nation, in the world. This is how we live our faith in God, the Blessed Trinity of loving relationships.

Activity Name ways to help your relationships with friends and family become more reflective of God's love. Make these ways part of your personal life-plan by implementing them today and in the future.

Dios nos llama a compartir su amor con el mundo.

¿Sabías que desde el momento en que fuiste bautizado en el nombre del Padre, y del Hijo, y del Espíritu Santo, fuiste cambiado para siempre? Fuiste separado para llevar a cabo una misión—la misión de Jesús de compartir el amor de Dios y la salvación con el mundo. Se te dio el poder de llevar a cabo la misión de evangelización. **Evangelización** es compartir la buena nueva de Jesucristo y el amor de Dios con todo el mundo y en todas las circunstancias de la vida. Esa es la misión de toda la Iglesia.

> "Amen a sus enemigos, hagan el bien a los que los odian, bendigan a los que los maldicen, oren por los que los calumnien".
>
> (Lucas 6:27–28)

La evangelización tiene lugar en nuestras vidas diarias. Es llevar nuestra fe a todo el mundo y el mundo a nuestra fe. Evangelizamos cuando:

- hablamos y actuamos de forma tal que refleje el amor de Dios

- decimos a otros las cosas maravillosas que Cristo ha hecho

- mostramos, por medio de nuestras acciones, lo que significa ser discípulo de Jesucristo

- compartirmos nuestra fe con los que aún no han escuchado el mensaje de Jesucristo

- animamos a los que ya creen en Jesucristo a crecer en su fe.

La evangelización es tan importante que los papas han hablado de ella a toda la Iglesia por medio de cartas y documentos. En el 1975 papa Pablo VI escribió que la Iglesia realmente existe para evangelizar. Sin embargo, la evangelización es sinceramente creer y practicar la fe que queremos compartir. Es ser un ejemplo vivo del amor de Dios para todo aquel con quien nos encontramos. La misión de la Iglesia de evangelizar nos llama a una relación de amor con todo el mundo.

Vocabulario

Evangelización

¿Qué son iconos?

Esta pintura es un icono. *Icono* es un tipo especial de pintura. Tiene un propósito sacro—expresar la belleza del misterio de Dios y todo lo que el ha revelado. Nos invita a orar y a reflexionar.

Los artistas que pintan iconos siguen una serie de reglas sobre los colores, los materiales y el estilo de pintar que pueden usar. Partes de los iconos son pintados con una fina capa dorada. Con frecuencia representan a Jesús, María y otros santos. El que aquí se muestra es conocido como *El Icono de la Trinidad*. Pintado por Andrei Rublev en 1410, muestra a tres ángeles, representando a los tres visitantes que visitaron a Abrahán en Génesis 18:1–15. La pintura tiene gran significado para los cristianos como un icono que representa a las tres Personas de la Santísima Trinidad.

Si tuvieras que pintar un icono, ¿cómo representarías a la Santísima Trinidad? Explica las razones de tu elección.

Actividad En cada etapa de la vida somos llamados a evangelizar. ¿Cómo las personas en cada uno de estos grupos de edades pueden compartir la buena nueva de Jesucristo y el amor de Dios?

Etapa de la vida	Formas de ser evangelizadores
Niños	
Adolescentes	
Jóvenes adultos	
Adultos	
Ancianos	

¿Cómo tratarás de evangelizar esta semana?

God calls us to share his love with the world.

Did you know that at the moment you were baptized in the name of the Blessed Trinity, you were changed forever? You were set apart to carry on a mission—Jesus' mission of sharing God's love and salvation with the world. You were given the power to carry on the mission of evangelization. **Evangelization** is the sharing of the good news of Jesus Christ and the love of God with all people, in every circumstance of life. And that mission is the mission of the whole Church.

> "Love your enemies, do good to those who hate you, bless those who curse you, pray for those who mistreat you."
>
> (Luke 6:27–28)

Evangelization takes place in our daily lives. It is bringing our faith to the world and the world to our faith. We evangelize when we:

• speak and act in ways that reflect God's love

• tell others about the wonderful things that Christ has done

• show, through our words and actions, what it means to be a disciple of Jesus Christ

• share our faith with those who have not yet heard the message of Jesus Christ

• encourage others who already believe in Jesus Christ to continue to grow in their faith.

Evangelization is so important that popes have spoken about it to the whole Church in letters and in other documents. In 1975 Pope Paul VI wrote that the Church actually *exists* to evangelize. However, evangelization does not happen automatically. To evangelize, we must know our faith and the teachings of the Church. But beyond that, evangelization is sincerely believing and practicing the faith we want to share. It is being a living example of God's love for everyone we meet. The Church's mission of evangelization calls us into a loving relationship with the whole world.

Faith Word

evangelization

What are icons?

The painting shown here is called an *icon*. An icon is a special kind of Christian religious painting. It has a sacred purpose—to express the beauty of the mystery of God and all that he has revealed. It invites us into prayer and reflection.

Artists who paint icons follow a set of rules about the colors, the materials, and the style of painting that they can use. Parts of icons are painted with a very thin covering of gold. Most often, icons depict Jesus, Mary, or other saints and holy people. The icon here is known as *The Icon of the Trinity*. Painted by Andrei Rublev in 1410, it shows three angels, representing three visitors who came to Abraham in Genesis 18:1–15. But the painting also has greater meaning for Christians as an icon representing the three Persons of the Blessed Trinity.

If you were painting an icon, how would you represent the Blessed Trinity? Explain the reasons for your choice.

Activity At each stage of life we are called to evangelize. How can people in each of these age groups share with others the good news of Jesus Christ and the love of God?

Stages of Life	Ways to Be Evangelizers
children	
teens	
young adults	
adults	
seniors	

How will you try to evangelize this week?

RESPONDIENDO...

Reconociendo nuestra fe

Recuerda la pregunta al inicio del capítulo: *¿Por qué las relaciones son importantes para mí?* Basado en lo que aprendiste en este capítulo da tres razones del por qué las relaciones importan.

1.

2.

3.

Viviendo nuestra fe

Piensa en algo que puedes hacer diariamente para vivir tu fe en la Santísima Trinidad por medio de relaciones de amor. Ponla en práctica.

Beata Juliana de Norwich

"De repente, la Trinidad llenó mi corazón de un gran gozo . . . La Trinidad es Dios, Dios es la Trinidad. La Trinidad es nuestro creador, la Trinidad es nuestro protector . . . la Trinidad es nuestro interminable gozo y nuestra felicidad". Una mujer a quien conocemos como Juliana de Norwich quien vivió en Inglaterra durante el siglo XIV escribió estas palabras después de una terrible enfermedad durante la cual experimentó visiones sobre el amor de Dios. Después que se recuperó se convirtió en una *ermitaña*, mujer que vive en oración y reclusión generalmente en una pequeña celda o un refugio en una iglesia. Tomó el nombre de la iglesia santa Juliana en Norwich, Inglaterra, donde vivió. Era devota de la oración y la meditación diaria y muchas personas la visitaban buscando su consejo que combinaba la espiritualidad con el sentido común.

Juliana es probablemente, la primera mujer que escribió un libro en inglés. *Revelaciones de amor divino*, sobre sus visiones, continúa ayudando a personas a crecer en la fe y el amor. La Iglesia celebra la vida de la beata Juliana de Norwich el 13 de mayo. Ella nos invita a regocijarnos en el amor de la Santísima Trinidad. ¿Cómo puedes celebrar este amor hoy?

@* **Para más ideas y actividades visita www.vivimosnuestrafe.com.**

Recognizing Our Faith

Recall the question at the beginning of this chapter: *Why do relationships matter to me?* Give three reasons why relationships matter, based on what you learned in this chapter.

1.

2.

3.

Living Our Faith

Think of one thing that you can do in your daily life to live your faith in the Blessed Trinity through loving relationships. Then act on it.

Blessed Julian of Norwich

"Suddenly the Trinity filled my heart full of the greatest joy.... For the Trinity is God, God is the Trinity. The Trinity is our maker, the Trinity is our protector ... the Trinity is our endless joy and our bliss." A woman we know as Julian of Norwich, who lived in England during the late fourteenth century, wrote these words after an illness during which she experienced visions about the love of God. After recovering, she became an *anchoress*, a woman who lived in prayer and seclusion, usually in a small shelter, or cell, at a church. She took her name from the church in Norwich, England, where she lived—St. Julian's. She was devoted to daily prayer and meditation, and many people visited her cell to seek her advice, which combined spiritual insight with common sense.

Julian is probably the first woman to write a book in English. Her *Revelations of Divine Love*, about her visions, continues to help people grow in faith and love. The Church celebrates the life of Blessed Julian of Norwich on May 13. Blessed Julian of Norwich invites us to rejoice in the love of the Blessed Trinity. How can you celebrate this love today?

@✷ **For additional ideas and activities, visit www.weliveourfaith.com.**

✝ ENCUENTRO CON LA PALABRA DE DIOS

"**Ese mismo Espíritu se une al nuestro para juntos dar testimonio de que somos hijos de Dios. Y si somos hijos, también somos herederos, herederos de Dios y coherederos con Cristo**".

(Romanos 8:16–17)

➡ **LEE** la cita bíblica.

➡ **REFLEXIONA** en lo siguiente:
¿Qué crees que heredas de Dios como heredero y coheredero con Cristo? Pide al Espíritu Santo te ayude a contestar esta pregunta.

➡ **COMPARTE** tus reflexiones con un compañero.

➡ **DECIDE** como puedes abrirte al Espíritu, vivir como un hijo de Dios y seguir el ejemplo de Jesucristo.

Poniendo la fe en acción

Habla sobre lo aprendido en este cápitulo:

 Aprendimos que la Santísima Trinidad es el misterio de la amorosa relación de un Dios en tres divinas Personas: Padre, Hijo y Espíritu Santo

 Apreciamos que nuestra fe en la Trinidad nos llama a relaciones amorosas con Dios y con los demás.

 Vivimos nuestra fe en la Trinidad por medio de relaciones amorosas.

Decide como vas a poner en práctica lo que aprendiste.

Repaso del capítulo 3

Completa lo siguiente:

1. La Santísima Trinidad es tres _____.

2. Evangelización es compartir _____.

3. Todas nuestras creencias como católicos giran alrededor de _____.

4. Dios nos llama a vivir nuestra fe _____.

Subraya la respuesta correcta.

5. (**Dios el Padre/Dios el Hijo/Dios el Espíritu Santo**) se hizo hombre y vivió entre nosotros en la persona de Jesucristo.

6. (**Dios el Padre/Dios el Hijo/Dios el Espíritu Santo**) dio la fortaleza a Jesús para enseñar y compartir el amor de Dios.

7. (**Dios el Padre/Dios el Hijo/Dios el Espíritu Santo**) nuestro creador, estaba presente en todo lo que Jesús decía y hacia.

8. (**El Nuevo Mandamiento/El Gran Mandamiento/La Santísima Trinidad**) es "Amarás al Señor tu Dios con todo tu corazón, con toda tu alma y con toda tu mente. . . . Amarás a tu prójimo como a ti mismo". (Mateo 22:37, 39)

9–10. **Contesta en un párrafo:** ¿De qué formas el misterio de la Santísima Trinidad es central para nuestra fe?

Putting Faith to Work

Talk about what you have learned in this chapter:

We learned that the Blessed Trinity is the mystery of the loving relationship of one God in three Divine Persons: Father, Son, and Holy Spirit

We appreciate that our faith in the Trinity calls us to loving relationships with God and one another.

We live our faith in the Trinity through loving relationships.

Decide on ways to live out what you have learned.

✝ ENCOUNTERING GOD'S WORD

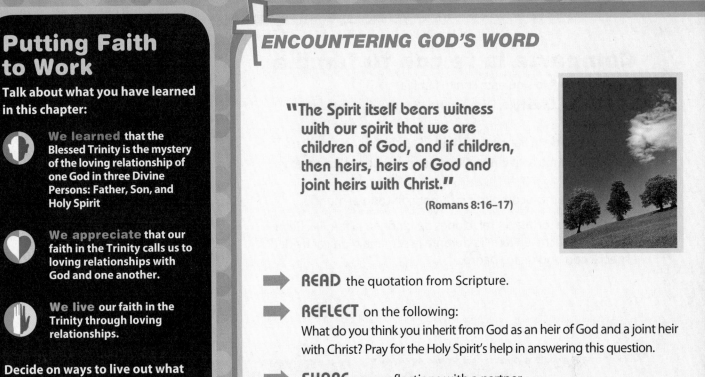

"The Spirit itself bears witness with our spirit that we are children of God, and if children, then heirs, heirs of God and joint heirs with Christ."

(Romans 8:16–17)

➡ **READ** the quotation from Scripture.

➡ **REFLECT** on the following:
What do you think you inherit from God as an heir of God and a joint heir with Christ? Pray for the Holy Spirit's help in answering this question.

➡ **SHARE** your reflections with a partner.

➡ **DECIDE** how you can open yourself to the Spirit, live as a child of God, and follow the example of Jesus Christ.

Complete the following.

1. The Blessed Trinity is the three _____.

2. Evangelization is the sharing of _____.

3. All of our beliefs as Catholics revolve around _____.

4. God calls us to live our faith _____.

Underline the correct answer.

5. (**God the Father/God the Son/God the Holy Spirit**) became man and lived among us in the person of Jesus Christ.

6. (**God the Father/God the Son/God the Holy Spirit**) empowered Jesus to teach and share God's love.

7. (**God the Father/God the Son/God the Holy Spirit**), our creator, was at work in everything Jesus said and did.

8. The (**New Commandment/Great Commandment/Blessed Trinity**) is "You shall love the Lord, your God, with all your heart, with all your soul, and with all your mind. . . . You shall love your neighbor as yourself" (Matthew 22:37, 39).

9–10. ESSAY: In what ways is the mystery of the Blessed Trinity central to our faith?

Chapter 3 Assessment

Comparte la fe con tu familia

Conversa sobre lo siguiente con tu familia.

- Dios Padre, Dios Hijo, Dios Espíritu Santo—la Santísima Trinidad.
- El misterio de la Santísima Trinidad es central para nuestra fe.
- Dios nos llama a vivir nuestra fe por medio de relaciones de amor.
- Dios nos llama a compartir su amor con todo el mundo.

Trabajen para fortalecer relaciones de amor en la familia. Planifiquen una noche en familia durante la semana o una actividad especial con uno de los padres.

Conexión con la liturgia

Durante la misa esta semana, cada vez que hagas la señal de la cruz, pide a Dios que te bendiga y bendiga a alguien a quien conoces.

Para explorar

Busca en el Internet u otros recursos para representaciones artísticas de la Santísima Trinidad. Comparte lo que encuentres.

Doctrina social de la Iglesia ☑ Cotejo

Tema de la doctrina social de la Iglesia
Solidaridad con la familia humana

Cómo se relaciona con el capítulo 3: La solidaridad es la unidad que une a los pueblos como una familia humana. Como católicos estamos llamados a alimentar relaciones de amor con todo el mundo.

Cómo puedes hacer eso en

☐ la casa:
_____

☐ la escuela/trabajo:
_____

☐ la parroquia:
_____

☐ la comunidad:
_____

Chequea cada acción cuando la termines.

Sharing Faith with Your Family

Discuss the following with your family:
- God is Father, Son, and Holy Spirit—the Blessed Trinity.
- The mystery of the Blessed Trinity is central to our faith.
- God calls us to live our faith through loving relationships.
- God calls us to share his love with the world.

Work on strengthening the loving relationships within your family. Plan a weekly family night or a special activity with a parent.

Catholic Social Teaching ☑ Checklist

Theme of Catholic Social Teaching:
Solidarity of the Human Family

How it relates to Chapter 3: Solidarity is the unity that binds all people together as one human family. As Catholics, we are called to foster loving relationships with all people.

How can you do this?

☐ At home:

_____

☐ At school/work:

_____

☐ In the parish:

_____

☐ In the community:

_____

Check off each action after it has been completed.

The Worship Connection

At Mass this weekend, every time you make the Sign of the Cross, ask God to bless not only yourself but someone you know.

More to Explore

Search the Internet or other resources for examples of the Blessed Trinity represented in art. Share your findings.

4
Dios, nuestro Padre amoroso

"El Señor es clemente y compasivo, paciente y rico en amor".

(Salmo 145:8)

+ Líder: Dios, Padre nuestro, eres misericordioso y bueno con todos, en todas las generaciones.

Lector: Lectura del libro de los salmos.

"Señor, tú has sido nuestro refugio de generación en generación. Antes que nacieran las montañas o fuera engendrado el universo, desde siempre y para siempre tú eres Dios.

Sácianos de tu amor por la mañana, para que vivamos con alegría y júbilo".

(Salmo 90 1–2, 14)

Líder: Padre, con gozo te alabamos por tu amor: desde que sale el sol hasta el ocaso.

Todos: Alabado y glorificado sea el nombre de Dios.

Líder: Del sur al norte, de un lado a otro.

Todos: Alabado y glorificado sea el nombre de Dios. Amén.

La gran pregunta:
¿Cómo sé que Dios me ama?

Descubre si puedes adivinar cuales de las siguientes citas sobre Dios vienen de la Biblia. Determina si estás en lo cierto o no, voltea la página para ver las respuestas.

1. "Dios ama a cada uno de nosotros como si no hubiera nadie más".

2. "Amar a una persona es ver el rostro de Dios".

3. "Con Dios todo es posible".

4. "Sé que Dios no me dará nada que no pueda hacer. Sólo quisiera que no confiara tanto en mí".

5. "Dios ama al que da con alegría".

6. "Dios sana y los doctores cobran".

7. "No conozcas a Dios y temerás. Conoce a Dios y no temerás".

8. "Dios es amor".

Respuestas:

1. Atribuida a San Agustín (AD 354-430) 2. Los miserables, obra de teatro basada en la novela del escritor francés, Victor Hugo (1802-1885) 3. La Biblia (Jesús, Marcos 10:27). 4. Atribuido a la beata Teresa de Calcuta (1910-1997). 5. La Biblia, San Pablo en la 2da. Carta a los corintios 9:7. 6. Almanaque Richards. 7. Anónimo. 8. La Biblia, 1 Juan 4:8.

Escribe una cita referente a Dios en el cuadro. Recórtala e intercámbiala con alguien en el grupo. Conversen sobre el significado de cada cita.

En este capítulo consideramos el profundo amor que Dios tiene por cada uno de nosotros.

4
God, Our Loving Father

"The Lord is gracious and merciful, slow to anger and abounding in love."

(Psalm 145:8)

✚ **Leader:** God, our Father, you are merciful and loving to all people, in every generation.

Reader: A reading from the Book of Psalms

"Lord, you have been our refuge
through all generations.
Before the mountains were born,
the earth and the world brought forth,
from eternity to eternity you are God.
Fill us at daybreak with your love,
that all our days we may sing for joy."

(Psalm 90:1–2, 14)

Leader: Father, with joy, we praise you for your love:
From the rising of the sun until its setting,

All: Praised and glorified be the name of God.

Leader: From the south to the north,

All: Praised and glorified be the name of God. Amen.

The BIG Question:
How do I know God loves me?

Discover whether you can guess which of the following quotations about God come from the Bible. To determine whether or not you were right, turn the page upside down to see the source of each quotation.

1 "God loves each of us as if there were only one of us."

2 "To love another person is to see the face of God."

3 "All things are possible for God."

4 "I know God will not give me anything I can't handle. I just wish that he didn't trust me so much."

5 "God loves a cheerful giver."

6 "God heals and the doctor takes the fee."

7 "No God, know fear. Know God, no fear."

8 "God is love."

Answers

1. widely attributed to Saint Augustine (A.D. 354–430) 2. *Les Misérables*, the musical based on the novel by French writer Victor Hugo (1802–1885) 3. The Bible (Jesus in Mark 10:27) 4. widely attributed to Blessed Teresa of Calcutta (1910–1997) 5. The Bible (Saint Paul in 2 Corinthians 9:7) 6. *Poor Richard's Almanac* 7. Anonymous 8. The Bible (1 John 4:8)

In the space below write your own quotation about God. Cut it out, and exchange quotations with your group. Discuss the meaning of each quotation.

In this chapter we consider the deep love that God has for all people.

iensa en tu día. Quizás pasó así: el despertador sonó o alguien te despertó. Con trabajo saliste de la cama. Te alistaste. Tomaste tus libros, saliste corriendo de la casa y te fuiste a la escuela, viste a tus amigos, tomaste notas, almorzaste, tomaste un examen, fuiste a reuniones de clubes o prácticas de equipo, hiciste tus tareas, ayudaste en la casa . . . y probablemente muchas otras cosas.

Ahora, "devuelve", repasa tu día de nuevo. Esta vez trata de recordar como te sentiste mientras el día pasaba. Trata de recordar momentos cuando te sentiste querido. Recuerda cuando hiciste algo bueno por alguien. Recuerda cuando sentiste agradecimiento por algo en tu vida o preocupación por algo o alguien en tu vida. Quizás no te has dado cuenta de que estabas compartiendo y viviendo el amor de varias formas durante tu día.

Actividad Haz una lista en la libreta electrónica de algunas cosas que vivirás mañana que te pueden recordar que eres amado. Por ejemplo, alguien te puede ayudar con tu tarea. Mientras pasa el día, trata de estar conciente de tus experiencias.

Think about your day. Perhaps it went something like this: The alarm clock sounded or a family member woke you up. You dragged yourself out of bed. You got ready. You grabbed your books, rushed out of the house, went to school, saw your friends, took notes, had lunch, took quizzes, attended club meetings or team practice, went home, did homework, helped with chores . . . and probably much more.

Now "rewind," playing back your day again. This time, see if you can remember your feelings as you went through your day. Try to remember moments when you felt that you were cared about or loved. Remember times when *you* cared about someone else. Recall times when you felt appreciation for something in your life or concern about someone or something in your life. Though you may not have realized it, you were sharing and experiencing love in various ways throughout your day.

Activity In the electronic planner, list some things that you may experience tomorrow that might remind you that you are loved. For example, someone might help you with your homework. Try to be aware of your experiences as you go through your day tomorrow.

Dios ama todo lo que él ha creado.

Aun cuando puede que no te des cuenta vives y compartes el amor de Dios todos los días. Ya sea que estés en la cafetería de la escuela, en la casa haciendo tus tareas, con tus amigos. . . o aun si tienes un día malo, el amor de Dios siempre está presente.

El amor de Dios por los seres humanos es eterno. Está en todo lo que Dios ha hecho, empezando por la creación de la vida misma. Los dos recuentos de la creación que se encuentran en el Antiguo Testamento muestran la vida como un regalo de Dios dado con gran amor. Revelan que Dios es nuestro creador quien nos ama y tiene un plan para nosotros.

El primer recuento de la creación en Génesis 1:l—2:4, se inicia con estas palabras:

"Al principio creó Dios el cielo y la tierra. La tierra era una soledad caótica y las tinieblas cubrían el abismo, mientras el espíritu de Dios aleteaba sobre las aguas.

Y dijo Dios: -Que exista la luz. Y la luz existió". (Génesis 1:1–3)

En otras palabras, Dios creó el universo con su poder, de la nada. En esta historia Dios dice simplemente: "Que exista. . ." y cada parte de la creación nace; luz, sol, luna, estrellas, cielo, agua, tierra, mar, peces, plantas, animales y finalmente los seres humanos, quienes son creados a imagen y semejanza de Dios. Y Dios miró todo lo que había creado y dijo que era bueno.

En el segundo recuento de la creación, Génesis 2:5–25, Dios crea primero a los seres humanos y los hace sus socios en el cuidado de la creación. Ellos deben usar y desarrollar todo lo que Dios había creado, cuidar de ello, y así reflejar el amor que Dios tiene por el mundo que él creó.

Estos dos recuentos de la creación en el Antiguo Testamento tienen el mismo mensaje: Dios ama a todo lo que él ha creado y la humanidad es la culminación de su creación. Aun cuando cada uno de estos recuentos es único, ambos nos ayudan a reconocer que Dios es nuestro amoroso creador, quien tiene un plan para todo lo que ha creado.

Actividad Miguel Angel fue un gran artista (1475–1564). Cuando el papa le pidió pintar a Dios durante la creación, en el techo de la capilla Sixtina, él trató de evitarlo. El temía fracasar. Sin embargo, el resultado de sus cuatro años de ardua labor, trabajando a la luz de las velas en un andamio de madera, es una obra maestra que es admirada por miles de personas cada año.

El trabajo de Miguel Angel se muestra en la página 73. Explica las diferencias y similitudes de tu imagen de la creación.

God loves all he has created.

Though you may not always realize it, you share and experience God's love throughout each day. Whether you are in the cafeteria at school, at home doing homework, out with your friends . . . or even if you're having a bad day, God's love is always present.

God's love for human beings is everlasting. It is behind all that God has done, beginning with his creation of life itself. The two accounts of creation that are found in the Old Testament show life as a gift that God gives us out of great love. They reveal that God is our creator who loves us and has a plan for us.

The first account of creation, Genesis 1:1—2:4, opens with these words:

"In the beginning, when God created the heavens and the earth, the earth was a formless wasteland, and darkness covered the abyss, while a mighty wind swept over the waters.

"Then God said, 'Let there be light,' and there was light" (Genesis 1:1–3).

In other words, God created the universe by his own power, out of nothing. In this story God simply says, "Let there be . . . ," and every part of creation comes into being: light, sun, moon, stars, sky, water, earth, sea, fish, plants, animals, and finally human beings, who are made in the image and likeness of God. And God looks at all that he has made and sees that it is good.

In the second account of creation, Genesis 2:5–25, God creates human beings first and makes them his partners in caring for creation. They are to enjoy and develop what God created, take good care of it, and, by doing so, reflect the love that God has for the world he created.

These two accounts of creation in the Old Testament really have the same message: God loves all that he has created, and humanity is the peak of his creation. Though each of these accounts is unique, both of them help us to recognize that God is our loving creator who has a plan for all that he has created.

Michelangelo's ceiling painting in the Sistine Chapel in Italy

Activity Michelangelo was the greatest artist of his time (1475–1564). But when the pope asked him to paint God during the act of creation for the ceiling of the Sistine Chapel in Italy, Michelangelo tried to avoid it. He feared he would fail. Yet the result of his four years of hard labor, working by candlelight on a wooden scaffold, is a great masterpiece that thousands of people come to see each year.

Michelangelo's work of art is shown above. Explain how your image of creation would be similar or different.

73

CREYENDO...

Dios nos invita a tener una relación de amor con él.

A través de los tiempos Dios ha expresado su amor llamando a la humanidad a una amistad y compañerismo con él. Dios quiere que el ser humano lo conozca y viva una relación de amor con él. En el Antiguo Testamento leemos que Dios llamó al pueblo una y otra vez a tener esa relación con él. Dios invitó al pueblo a compartir su amor y a ser parte de una *alianza* con él. En la Biblia, una **alianza** es un acuerdo solemne entre Dios y su pueblo.

> **"Yo soy el Dios Poderoso. Camina en mi presencia con rectitud"**.
> (Génesis 17:1)

En todo el Antiguo Testamento hay recuentos de alianzas de Dios con su pueblo, empezando con la historia de Noé en el libro de Génesis. Quizás esta historia particular no es literalmente verdad, esta era usada para enseñar el eterno amor de Dios por los seres humanos. Dios llamó a Noé durante un tiempo en que los humanos no estaban mostrando amor a Dios y a los demás. Dios pidió a Noé construir un arca, un tipo de barco, y poner a su familia y una pareja de toda cosa viva en ella. El gran diluvio destruyó a toda la vida que estaba fuera del arca. Después del diluvio Dios hizo una alianza con Noé, su familia y toda criatura viviente. En esta alianza invitó a los humanos a vivir su amor y perdón, prometiéndoles que nunca más un diluvio destruiría la vida en la tierra. Por medio de esta alianza con Noé, Dios ha hecho una alianza con toda la humanidad.

Vocabulario
alianza

En el Antiguo Testamento también leemos que Dios hizo una alianza con un hombre llamado Abrahán. En la época cuando la gente adoraba muchos dioses, Dios llamó a Abrahán para que lo adorara sólo a él. Dios dijo: "Yo soy el Dios Poderoso. Camina en mi presencia con rectitud. Yo haré una alianza contigo y te multiplicaré inmensamente" (Génesis 17:1–2). Aun cuando la esposa de Abrahán, Sarah era demasiado anciana para tener hijos, Dios prometió que la descendencia de Abrahán sería una gran nación y que ellos tendrían un hijo. Dios, a cambio, pidió a Abrahán y a Sara adorarlo sólo a él. Abrahán y Sarah obedecieron y confiaron plenamente en Dios. Cómo Dios lo había prometido, fueron bendecidos con un hijo, Isaac, y los descendientes de Abrahán y Sarah llegaron a ser una gran nación—los israelitas.

Dios continuó renovando su alianza con los humanos una y otra vez y profundizando su relación con ellos, según vemos en el Antiguo Testamento. El mensaje de estos recuentos en el Antiguo Testamento de la alianza de Dios es que Dios nos ama, quiere lo mejor para nosotros y nos invita a responder viviendo según él nos llama a vivir.

Actividad Llena la burbuja de diálogo

Noé: Tuve mi alianza con Dios por medio de

Abrahán: Tuve mi alianza con Dios por medio de

¿Cómo vives tu alianza con Dios?

שלום ¿Qué dice una palabra?

La mayor parte del Antiguo Testamento fue escrito en hebreo. Las siguientes palabras fueron usadas en la versión hebrea del Antiguo Testamento. Ellas nos pueden ayudar a reconocer el gran amor de Dios por nosotros.

hesed: palabra usada para describir el amor interminable de Dios, su cuidado y su generosa misericordia. El español no puede expresar la totalidad del significado de hesed, pero la frase amor misericordioso se aproxima. Somos llamados a tener fe en Dios y en su misericordioso amor.

shalom: palabra frecuentemente traducida como "paz" pero que significa mucho más que eso. Esta incluye todos los valores buenos que podemos imaginar—santidad, paz, justicia, perdón, libertad, verdad, fe, esperanza y sobre todo amor. La palabra shalom describe todo lo bueno que Dios desea para el ser humano.

¿Cuáles son algunas palabras que te pueden ayudar a recordar el gran amor que Dios te tiene?

God invites us into a loving relationship with him.

Throughout the ages God has expressed his love by calling humankind into friendship and partnership with him. God wants people to know him and to experience a loving relationship with him. In the Old Testament we read that God called people into such a relationship again and again. God invited people to share in his love and to be part of a *covenant* with him. In the Bible, a **covenant** is a solemn agreement between God and his people.

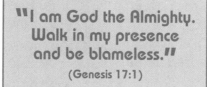

"I am God the Almighty. Walk in my presence and be blameless."

(Genesis 17:1)

Throughout the Old Testament there are accounts of God's covenants with people, beginning with the story of Noah in the Book of Genesis. Although this particular story may not be literally true, it was used to teach the great truth of God's everlasting love for human beings. God called Noah at a time when human beings were not showing love for God and one another. But Noah was a good man who loved God. God told Noah to build an ark, a kind of ship, and to take his wife and family, along with two of every living thing, on board. Then a great flood destroyed all life outside the ark. After the flood, God made a covenant with Noah, his family, and every living creature. In this covenant God invited human beings to experience his love and forgiveness, promising that a flood would never again destroy life on earth. Through this covenant with Noah, God was making a lasting covenant with all of humankind.

Faith Word

covenant

In the Old Testament we also read that God made a covenant with a man named Abraham. At a time when people were worshiping many different gods, God called Abraham to worship him alone. God said, "I am God the Almighty. Walk in my presence and be blameless. Between you and me I will establish my covenant, and I will multiply you exceedingly" (Genesis 17:1–2). Even though Abraham's wife, Sarah, was too old to have children, God promised that Abraham's descendants would become a great nation and that Abraham and Sarah would have a son. In return, God asked Abraham and Sarah to serve and worship God alone. Abraham and Sarah obeyed and trusted God completely. As God promised, they were blessed with a son, Isaac, and the descendants of Abraham and Sarah went on to become a great nation—the Israelites.

As the Old Testament continues, God again and again renews his covenant with human beings and deepens his relationship with them. The message of these Old Testament accounts of God's covenant is that God loves us, wants the best for us, and invites us to respond by living as he calls us to live.

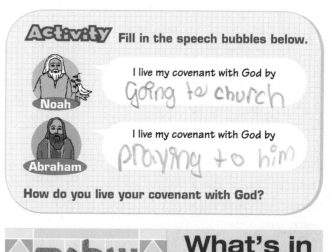

Activity Fill in the speech bubbles below.

Noah — I live my covenant with God by *Going to church*

Abraham — I live my covenant with God by *praying to him*

How do you live your covenant with God?

שלום What's in a word?

Most of the Old Testament was originally written in Hebrew. The following Hebrew words were used in the Hebrew version of the Old Testament. They can help us to recognize the greatness of God's love for us.

hesed (CHEH sehd): a word used to describe God's undying love, tender care, and generous mercy. The English language cannot even express the full meaning of *hesed*, but the term "loving kindness" comes close. We are called to have faith in God and in his loving kindness.

shalom (sha LOHM): a word that is often translated as "peace" but means much more. It includes all the best values that we can imagine—holiness, peace, justice, forgiveness, freedom, truth, faith, hope, and, above all, love. The Hebrew word *shalom* was meant to describe all the good that God desires for human beings.

What are some words that could help you to remember God's love for you?

CREYENDO...

Dios es misericordioso y nos da leyes porque nos ama.

¿Por qué las leyes y las reglas son importantes?

Al pasar de los tiempos, Dios siempre ha sido fiel a la humanidad. Desafortunadamente los humanos no han sido siempre fieles a Dios. Pero Dios sigue amándonos y dispuesto a perdonarnos. Dios se regocija cuando la gente regresa a él. En el Antiguo Testamento hay muchos relatos de la **misericordia** de Dios, su perdón y su amor.

En el libro del Exodo leemos el relato en que Dios libera a los israelitas de la esclavitud de Egipto. Dios llamó a Moisés y lo ayudó a sacar a los israelitas de Egipto. Los israelitas viajaron por el desierto y llegaron al Monte Sinaí. Dios llamó a Moisés a la montaña y habló con él. Dios le dijo que quería hacer una alianza con los israelitas. Dios dijo que los israelitas deberían adorarlo sólo a él como único y verdadero Dios, y que a cambio Dios lo haría su pueblo especial. Moisés le dijo al pueblo lo que Dios quería y el pueblo estuvo de acuerdo.

Después Dios le dio a Moisés los Diez Mandamientos en el Monte Sinaí. Dios le dio los mandamientos

Los Diez Mandamientos

I	Amarás a Dios sobre todas las cosas.
II	No tomarás el nombre de Dios en vano.
III	Santificarás las fiestas.
IV	Honrarás a tu padre y a tu madre.
V	No matarás.
VI	No cometerás actos impuros.
VII	No robarás.
VIII	No dirás falso testimonio ni mentirás.
IX	No desearás la mujer de tu prójimo.
X	No codiciarás los bienes ajenos.

al pueblo porque lo amaba. Los mandamientos llevarían al pueblo a la verdadera libertad porque el cumplir esas leyes los liberaría para ser fieles a Dios.

Pasaron cuarenta días y cuarenta noches antes de que Moisés bajara de la montaña con dos tablas de piedra donde los Diez Mandamientos habían sido escritos. Mientras Moisés estaba en la montaña, los israelitas se olvidaron del único y verdadero Dios. Moisés los encontró adorando a un falso Dios, un becerro dorado que habían hecho con el oro derretido de las joyas que tenían. Cuando se dieron cuenta de lo mala que había sido su acción, sintieron miedo y se arrepintieron. El amoroso Dios los perdonó cuando volvieron a él. Dios le dijo a Moisés que él era un Dios "clemente y compasivo, paciente, lleno de amor y fiel". (Exodo 34:6)

Vocabulario
misericordia

Siempre hay otra oportunidad

Como católicos creemos que Dios siempre nos perdona y sigue amándonos a pesar de los errores que cometemos. De hecho, cuando Moisés bajó de la montaña y vio a los israelitas adorando al becerro de oro, enojado tiró las tablas de los mandamientos al piso rompiéndolas (ver Exodo 32:19). Pero Dios siempre misericordioso le dijo: "Labra dos tablas de piedra como las primeras; sobre estas dos tablas voy a escribir los preceptos que había en las tablas anteriores, que tú destruiste" (Exodo 34:1). Moisés cortó dos tablas nuevas de piedra y regresó al tope del Monte Sinaí para recibir los mandamientos por segunda vez. Así que, en realidad, Dios dio a Moisés los mandamientos dos veces.

En privado recuerda una vez en que hiciste algo malo pero te dieron otra oportunidad. Piensa como te sentiste. ¿Cómo das otra oportunidad a otra persona?

IDENTIDAD CATÓLICA

Actividad Cuando cumplimos los Diez Mandamientos estos nos ayudan a tener una relación segura, amorosa y pacífica con Dios y con los demás. Usando los mandamientos como base, desarrolla reglas para mejorar las relaciones entre amigos y familiares.

God is merciful and gives us laws out of love.

Why are laws and rules important?

Throughout time God has always been faithful to humankind. Unfortunately, human beings are not always as faithful to God. But God continues to love us and is always ready to forgive us. God rejoices when people turn back to him. In the Old Testament there are many accounts of God's **mercy**, his forgiveness and love.

In the Book of Exodus we read the account of God's freeing the Israelites from slavery in Egypt. God called Moses and helped Moses to lead the Israelites out of Egypt. Then the Israelites journeyed through the desert and came to a mountain, Mount Sinai. God called Moses up this mountain and spoke to him. God told Moses that he wanted to make a covenant with the Israelites. God said that the Israelites should worship God alone as their one, true God, and that in return God would make the Israelites his special people. Moses told the people what God was asking of them, and they agreed to it.

The Ten Commandments

I	I am the LORD your God: you shall not have strange gods before me.
II	You shall not take the name of the LORD your God in vain.
III	Remember to keep holy the LORD's Day.
IV	Honor your father and your mother.
V	You shall not kill.
VI	You shall not commit adultery.
VII	You shall not steal.
VIII	You shall not bear false witness against your neighbor.
IX	You shall not covet your neighbor's wife.
X	You shall not covet your neighbor's goods.

After this, God gave Moses the Ten Commandments on Mount Sinai. God gave the commandments to the people out of love. The commandments would lead the people to true freedom because following these laws would free them to be faithful to God.

Forty days and forty nights passed before Moses finally came down the mountain carrying two stone tablets on which the commandments were written. But while Moses was away, the Israelites had already forgotten their one, true God. Moses found them worshiping a false god, a golden calf that they had made from melting down their gold jewelry. When they realized how terrible their actions were, they were fearful and sorry. Lovingly, God forgave them when they turned back to him. God told Moses that he was "a merciful and gracious God, slow to anger and rich in kindness and fidelity" (Exodus 34:6).

Faith Word

mercy

Always another chance

As Catholics, we believe that God always forgives us and continues to love us, despite the mistakes we make. In fact, when Moses came down from the mountain and saw the Israelites worshiping the golden calf, he actually threw the stone tablets to the ground in anger and broke them. (See Exodus 32:19.) Yet God, always merciful, told Moses: "Cut two stone tablets like the former, that I may write on them the commandments which were on the former tablets that you broke" (Exodus 34:1). Moses cut two new stone tablets and returned to the top of Mount Sinai to receive the commandments for a second time. So, actually, God gave the commandments to Moses twice!

Privately recall a time when you did something wrong but were given another chance. Think about how that felt. How do you offer another chance to others?

CATHOLIC IDENTITY

Activity The Ten Commandments, when followed, help us to have safe, loving, and peaceful relationships with God and others. Using the commandments as a basis, develop rules for improving friendships and family relationships.

manifestado el amor que nos tiene enviando al mundo a su Hijo único para que vivamos por él". (1 Juan 4:9)

Como Hijo de Dios, Jesús perdonó los pecados de la gente como sólo Dios puede hacerlo. Sanó a los enfermos. Por la forma en que vivió enseñó como ser fiel a Dios y como tratar a todos con respeto y amor. El ofreció su propia vida para que pudiéramos tener vida eterna. Jesús dijo: "La voluntad de mi Padre es que todos los que vean al Hijo y crean en él tengan vida eterna" (Juan 6:40). Todo lo que Jesús hizo y dijo muestra el amor que Dios tiene por nosotros.

> **"Dios nos ha manifestado el amor que nos tiene enviando al mundo a su Hijo único para que vivamos por él".**
>
> (1 Juan 4:9)

No hay mayor signo del amor de Dios que Jesucristo. Como discípulos de Jesús, también nosotros podemos ser ejemplos del amor de Dios. Ayudando a los que sufren, perdonando a los que nos ofenden y tratando a todo el mundo con respeto, amor y justicia, permitimos que nuestras vidas sean una respuesta a la pregunta: "¿Cómo sé que Dios me ama?" Es por medio de nuestras acciones que podemos compartir el amor de Dios con otros.

Jesucristo es el signo más importante del amor de Dios.

Como hemos visto, hay muchos ejemplos del amor de Dios en el Antiguo Testamento. Dios creó al mundo por amor e hizo a los humanos compañeros para cuidar de la creación y unos a otros. Dios hizo una alianza con la humanidad y reveló formas de ser fieles a esa alianza. A través de las épocas, Dios ha mostrado su misericordia cuando el pueblo se ha alejado de él.

Todas esas expresiones del amor de Dios son partes de su *providencia*. **Providencia** es el plan de Dios por y para la protección de toda la creación. En su plan de salvación para la humanidad, Dios prometió enviar a alguien que salvaría a la humanidad del pecado. Cuando en la historia llegó el momento oportuno, Dios envió a su único Hijo, Jesucristo, al mundo como el Salvador prometido. Jesús, es el signo más importante del amor de Dios por nosotros. En el Nuevo Testamento leemos: "Dios nos ha

Vocabulario
Providencia

Actividad Sé un ejemplo del amor de Dios. Haz una tarjeta electrónica con un mensaje sobre el amor y la providencia de Dios para alguien que conoces.

Christ II, a photomosaic by Robert Silvers (contemporary artist)

Jesus Christ is the greatest sign of God's love.

As we have seen, there are many examples of God's love in the Old Testament. God created the world out of love and made human beings partners in caring for creation and for one another. God formed a covenant with humankind and revealed ways to be faithful to that covenant. And throughout the ages, God has shown his mercy when people have turned away from him.

All of these expressions of God's love are part of God's *providence*. **Providence** is God's plan for and protection of all creation. In his plan of salvation for humankind, God promised to send someone who would save human beings from sin. When the right moment in human history came, God sent his only Son, Jesus Christ, into the world as the promised Savior. Jesus is the greatest sign of God's love among us. In the New Testament we read: "In this way the love of God was revealed to us: God sent

Faith Word

providence

his only Son into the world so that we might have life through him" (1 John 4:9).

As the Son of God, Jesus forgave people's sins as only God could forgive them. He healed people who were suffering. By the way that he lived, he taught people how to be faithful to God and how to treat everyone with respect and love. And he gave up his own life so that we would have life forever. Jesus said, "For this is the will of my Father, that everyone who sees the Son and believes in him may have eternal life" (John 6:40). Everything that Jesus said and did showed the love that God has for us.

> **"**In this way the love of God was revealed to us: God sent his only Son into the world so that we might have life through him.**"**
>
> (1 John 4:9)

There is no greater sign of the Father's love than Jesus Christ. As Jesus' disciples, we too can become examples of God's love. By helping those who are suffering, by forgiving those who hurt us, and by treating everyone with respect, love, and justice, we allow our lives to become an answer to the question "How do I know God loves me?" It is through our actions that we can share God's love with others.

Activity Be an example of God's love. Make an encouraging e-card for someone, including a message about God's love and providence.

RESPONDIENDO...

Reconociendo nuestra fe

Recuerda la pregunta al inicio del capítulo: *¿Cómo sé que Dios me ama?* En grupo, trabajen en una presentación generada en la computadora que conteste a esta pregunta. Escribe aquí tus ideas.

Viviendo nuestra fe

Haz una lista de formas de mostrar el amor de Dios a otros por medio de acciones, no palabras. Trata una o dos de tus ideas esta semana. Nota los efectos que tienen tus acciones.

Compañeros en la fe

Santa Teresa de Avila

Teresa nació en el 1515 en Avila, España. Siendo adolescente entró a un convento para estudiar. Empezó a acercarse a Dios y en el 1535 profesó como hermana carmelita. Teresa encontró problemas dentro de la orden. Ella pensó que las hermanas deberían simplificar sus vidas y centrarse más en el amor de Dios. En 1560 estableció una orden carmelita reformada conocida como carmelitas descalzas. Esta orden religiosa se centraba en vivir simplemente, rezando y compartiendo el amor de Dios en comunidad.

A Teresa le gustaba rezar y creía que era importante reflexionar con frecuencia en el amor de Dios. En su libro, *Camino de perfección*, uno de sus muchos escritos, Teresa escribió: "Sin el amor, todas las obras, incluso las más extraordinarias no son más que nada".

En 1970 el papa Paulo VI nombró a Santa Teresa Doctora de la Iglesia. Su fiesta se celebra el 15 de octubre.

¿Cómo puedes, al igual que lo hizo Teresa, compartir el amor de Dios con otros?

@ ✴ Para más ideas y actividades visita www.vivimosnuestrafe.com.

RESPONDING...

Recognizing Our Faith

Recall the question at the beginning of this chapter: *How do I know God loves me?* With your group, work on a computer-generated slide presentation that answers this question. Write your ideas below.

Living Our Faith

Make a list of ways to show God's love to others through actions, not words. Try one or two of your ideas this week. Notice the effect(s) that your action(s) have.

Saint Teresa of Avila

Teresa was born in 1515 in Avila, Spain. As a teenager, Teresa entered a convent for her education. She began to grow closer to God. In 1535 she became a Carmelite nun. But in time Teresa discovered problems within her religious community. She felt that the nuns needed to simplify their lives and become more focused on God's love. So, in 1560 Teresa established a reformed order of Carmelite nuns known as *Discalced,* or "barefooted," Carmelites. This religious order was focused on living simply, praying, and sharing God's love together as a community.

Teresa loved to pray and believed it was important to reflect on God's love often. In her book, *The Way of Perfection,* one of her many writings, Teresa wrote, "[God's] love for those to whom He is dear is by no means so weak: *He shows it in every way possible.*"

In 1970 Pope Paul VI named Saint Teresa a Doctor of the Church. The feast day of Saint Teresa of Ávila is October 15.

How can you, like Teresa, encourage others to share God's love?

For additional ideas and activities, visit www.weliveourfaith.com.

RESPONDIENDO...

"**¿Acaso olvida una madre
a su niño de pecho?. . .
Pues aunque ella se olvide,
yo no te olvidaré**".

(Isaías 49:15)

➡ **LEE** la cita bíblica.

➡ **REFLEXIONA** en la siguiente pregunta:
¿Cómo te sientes ante el hecho de que Dios te ama como una madre ama a su pequeño hijo?

➡ **COMPARTE** tus reflexiones con un compañero.

➡ **DECIDE** algo que puedes hacer para mostrar agradecimiento por el amor de Dios.

Poniendo la fe en acción

Conversa sobre lo que has aprendido en este capítulo:

 Entendemos que Dios ha mostrado su amor por la humanidad a través de los años.

 Apreciamos el amor de Dios por nosotros

 Respondemos al amor de Dios siguiendo a Jesucristo.

Decide de que formas vas a vivir lo que has aprendido.

**Escribe verdadero o falso en la raya al lado de la oración.
Cambia la oración falsa en verdadera.**

1. _____ Jesucristo es el signo más importante del amor de Dios.

2. _____ En la Biblia, providencia es un acuerdo solemne entre Dios y su pueblo.

3. _____ El plan de Dios para la protección de toda la creación es llamado alianza.

4. _____ Dios es misericordioso y nos da leyes porque nos ama.

Contesta.

5. ¿Qué prometió Dios en su alianza con Abrahán?
_____

6. ¿Qué sucedió cuando Moisés estuvo durante cuarenta días y cuarenta noches en el Monte Sinaí?
_____

7. ¿Cómo Jesús mostró el amor que Dios nos tiene?
_____

8. ¿Cuál es el mensaje de los dos recuentos de la creación en el libro del Génesis?
_____

9-10. **Contesta en un párrafo:** En el Antiguo Testamento, ¿cómo Dios mostró que él es un Padre amoroso?

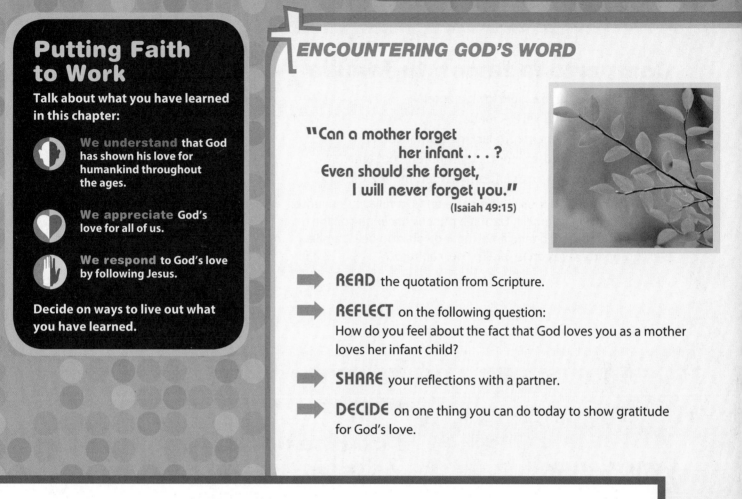

Putting Faith to Work

Talk about what you have learned in this chapter:

- **We understand** that God has shown his love for humankind throughout the ages.

- **We appreciate** God's love for all of us.

- **We respond** to God's love by following Jesus.

Decide on ways to live out what you have learned.

✝ ENCOUNTERING GOD'S WORD

*"Can a mother forget her infant . . . ?
Even should she forget,
I will never forget you."*
(Isaiah 49:15)

➡ **READ** the quotation from Scripture.

➡ **REFLECT** on the following question:
How do you feel about the fact that God loves you as a mother loves her infant child?

➡ **SHARE** your reflections with a partner.

➡ **DECIDE** on one thing you can do today to show gratitude for God's love.

Write *True* or *False* next to the following sentences. On a separate sheet of paper, change the false sentences to make them true.

1. _____ Jesus Christ is the greatest sign of God's love.

2. _____ In the Bible, providence is a solemn agreement between God and his people.

3. _____ God's plan for protection of all creation is called a covenant.

4. _____ God is merciful and gives us laws out of love.

Short Answers

5. What did God promise in his covenant with Abraham? _____
_____

6. What happened while Moses was away on Mount Sinai for forty days and forty nights? _____
_____

7. How did Jesus show the love that God has for us? _____
_____

8. What is the message of the two accounts of creation found in the book of Genesis? _____
_____

9–10. ESSAY: In the Old Testament, how did God show that he is our loving Father?

Comparte la fe con tu familia

Conversa con tu familia sobre lo siguiente:

- Dios ama todo lo que él ha creado.
- Dios nos invita a tener una relación de amor con él.
- Dios es misericordioso y nos da leyes porque nos ama.
- Jesucristo es el signo más importante del amor de Dios.

Para recordar el amor que se comparte en tu familia, miren juntos fotos o videos de la familia. También puedes hacer un collage de fotos de la familia y ponerlo en el lugar de oración de la familia. (Ver "Comparte la fe con tu familia" del capítulo 2).

Conexión con la liturgia

La primera lectura de la misa de los domingos es tomada del Antiguo Testamento. Esta semana escucha con atención la primera lectura y el salmo para ver las muestras del amor de Dios. Conversa sobre lo que escuchaste.

@ Para explorar

Haz una lista de los programas de televisión que muestran amistad. Escribe un signo de más al lado de los que muestran relaciones amorosas y uno de menos en los que no. Comparte tus respuestas.

Doctrina social de la Iglesia ☑ Cotejo

Tema de la doctrina social de la Iglesia
Cuidado de la creación de Dios

Cómo se relaciona con el capítulo 4: Dios, nuestro Padre y creador, ama todo lo que él ha creado y nos hace compañeros en cuidar de la creación. Debemos cuidar del medio ambiente, de nuestros recursos y de todas las cosas vivas.

Cómo puedes hacer esto en

☐ la casa:

_____

☐ la escuela/trabajo:

_____

☐ la parroquia:

_____

☐ la comunidad:

_____

Chequea cada acción cuando la termines.

Sharing Faith with Your Family

Discuss the following with your family:

- God loves all he has created.
- God invites us into a loving relationship with him.
- God is merciful and gives us laws out of love.
- Jesus Christ is the greatest sign of God's love.

As a reminder of the love shared in your family, spend time together looking through family photo albums or viewing home movies. You might also make a collage of family photographs to place in your family prayer space. (See "Sharing Faith with Your Family" in Chapter 2.)

Catholic Social Teaching
☑ Checklist

Theme of Catholic Social Teaching:
Care for God's Creation

How it relates to Chapter 4: God, our Father and creator, loves all that he has created and makes us his partners in caring for creation. We are to take care of the environment, our resources, and all living things.

How can you do this?

☐ At home:

_____

☐ At school/work:

_____

☐ In the parish:

_____

☐ In the community:

_____

Check off each action after it has been completed.

The Worship Connection

The first reading at Sunday Mass is usually from the Old Testament. This week listen closely to the first reading and the responsorial psalm for descriptions of God's love. Talk about what you heard.

More to Explore

Make a list of TV shows or novels that portray friendships. Write a plus sign by the ones that show loving relationships and a minus sign by the ones that do not. Share your findings.

5
Jesucristo, la buena nueva

"Jesús caminaba por pueblos y aldeas predicando y anunciando el reino de Dios".

(Lucas 8:1)

Líder: Demos gracias a Dios por todas las buenas nuevas en nuestras vidas.

Lector: Damos gracias por nuestras familias y amigos que se preocupan por nosotros.

Todos: Te damos gracias Señor.

Lector: Damos gracias por las personas y las organizaciones que ayudan a los que sufren en el mundo.

Todos: Te damos gracias Señor.

Lector: Te damos gracias por tu gran amor por nosotros.

Todos: Te damos gracias Señor.

La gran pregunta:
¿Qué es la buena nueva para mí?

Descubre tu actitud hacia las noticias que escuchas diariamente. Contesta las siguientes preguntas:

1 **Si se te preguntaran ¿qué te gusta escuchar primero, las buenas o las malas noticias? ¿Cuál escogerías?**

las buenas   las malas

2 **¿Cuál es la fuente de donde buscas las noticias?**

TV   periódicos   radio
Internet   revistas   de palabra

otra: _____

3 **¿Cuál es el factor que te hace escoger esta fuente noticiosa más frecuentemente?**

veracidad   conveniencia   rapidez
diseño o gráficas   opinión
detalles informativos

4 **Encierra en un círculo la afirmación que mejor describa tus sentimientos sobre las noticias.**

No puedo vivir sin noticias, necesito saber lo que está pasando.
Las noticias me aburren.
Las noticias me interesan.
Las noticias me deprimen.
Las noticias me dan algo de que hablar.
No confío en las noticias.

5 **¿Crees que los noticieros reportan muchas malas noticias?**

sí   no

6 **¿Estás de acuerdo con el dicho: "No noticias son buenas noticias"?**

sí   no

Resultados:

En grupo hagan una encuesta para ver como cada quien responde al cuestionario. Comparte las razones de tus respuestas. También pueden preguntar a familiares y compartir los resultados más tarde.

Conversa sobre que buena noticia te gustaría escuchar y como puedes hacer que suceda.

En este capítulo aprenderemos sobre la buena nueva de que Dios nos ama tanto que envió a su único Hijo al mundo para salvarnos y mostrarnos como vivir.

GATHERING...

5 Jesus Christ, the Good News

"He journeyed from one town and village to another, preaching and proclaiming the good news."

(Luke 8:1)

✚ **Leader:** Let us thank God for all of the good news in our lives.

Reader: We thank you for the family and friends who care for us.

All: We thank you, God.

Reader: We thank you for the people and organizations helping those who are suffering in the world.

All: We thank you, God.

Reader: We thank you for your great love for us.

All: We thank you, God.

The BIG Question:
What is the good news for me?

Discover your attitude about the news that you hear each day. Answer the following questions.

1 If you were asked, "Do you want the good news first or the bad news first?" which would you choose?

good news   bad news

2 From what source do you most often get the news?

TV   newspapers   radio
Internet   magazines   word of mouth

other: _____

3 What one factor makes you choose this news source more often than you do other news sources?

reliability   convenience   speed
          detailed information
design or graphics   inclusion of opinions

4 Circle the statement that best describes your feelings about the news.

I can't live without the news—I need to know what's going on.
The news bores me.
The news interests me.
The news depresses me.
The news gives me something to talk about.
I don't trust the news.

5 Do you think that the news media report too much bad news?

yes   no

6 Do you agree with the statement "No news is good news"?

yes   no

Results:

With your group conduct a poll to find out how everyone responded to the questionnaire above. Share your reasons for your answers. Your group might also poll family members and friends and then share findings at a later session.

Discuss what good news you would like to hear and how you can make it happen.

In this chapter we learn about the good news: that God loves us so much that he sent his only Son into our world to save us and to show us how to live.

87

CONGREGANDONOS...

SE LOGRA LA PAZ — BILLONES SE ALEGRAN

MEJORA EL MEDIO AMBIENTE — ADIOS CONTAMINACION

¿No sería fantástico que estos encabezamientos fueran verdad? Algunas veces parece como si todo lo que escuchamos es malas noticias. Algunas personas se niegan a escuchar o leer las noticias por esa razón. Una encuesta reciente encontró que 44 por ciento de las personas en los Estados Unidos dicen que las noticias las deprimen. (El centro de investigaciones Pew, 2004). De acuerdo o no, no se puede negar que las noticias tienen un poderoso efecto en nosotros.

Actividad Escribe de nuevo estos encabezamientos convirtiéndolos en buenas noticias.

RECORTE EN EL PRESUPUESTO AFECTA A LOS DESAMPARADOS

DERRAME DE CRUDO DAÑA LA VIDA SILVESTRE

PANDILLAS LOCALES SE DESARROLLAN EN VECINDARIOS

WORLD PEACE ACHIEVED – BILLIONS REJOICE

ENVIRONMENT RECOVERS – POLLUTION DISAPPEARS

Wouldn't it be great if these news headlines were real? Sometimes it seems as if all we hear about is bad news. Some people refuse to watch or read the news for this reason. A recent survey found that 44 percent of people in the United States said that the news actually made them feel depressed (The Pew Research Center for the People and the Press, 2004). Whether or not we agree, there's no denying that news can have a powerful effect on us.

Activity Rewrite the three headlines below to turn them into good news.

BUDGET CUTS TARGET HOMELESS

OIL SPILL HARMS WILDLIFE

GANG VIOLENCE HITS LOCAL NEIGHBORHOOD

Buena noticia a la hora pico

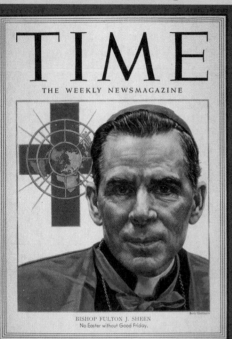

BISHOP FULTON J. SHEEN
No Easter without Good Friday.

El arzobispo Fulton J. Sheen (1895-1979) ha sido llamado el evangelizador católico más grande de la era electrónica. Un evangelista es alguien que proclama la buena nueva de Jesucristo por medio de lo que hace y dice. El arzobispo Sheen usó los medios de comunicación—panfletos, libros, la radio y la televisión, para proclamar la buena nueva a millones de personas. Pero fue especialmente la televisión el medio que más utilizó. En los años 50, cautivó a la audiencia con su programa *Vale la pena vivir*. Con fe, entusiasmo y sentido del humor, el arzobispo Sheen habló sobre el amor de Dios a su audiencia. El ofreció respuestas cristianas a los problemas de la vida. Sus útiles eran un lápiz y una pizarra (y un ángel custodio que borraba la pizarra durante los comerciales). *Vale la pena vivir* ganó un Emmy y el arzobispo Sheen apareció en la portada de la revista *TIME*. Su magnética personalidad atrajo muchas personas a la Iglesia Católica. Hay un movimiento que trabaja para declarar santo al arzobispo Sheen.

¿Cómo se puede proclamar hoy la buena nueva en los medios de comunicación?

Encontramos a Dios en su Hijo, Jesucristo.

Por medio de Jesucristo, Dios expresó su amor por la humanidad de la forma más extraordinaria: en Jesucristo encontramos a Dios "en carne". *Encarnación* significa hacerse carne y la verdad de que el Hijo de Dios, la segunda Persona de la Santísima Trinidad se hizo hombre y vivió entre nosotros es llamada **encarnación**. Al hacerse uno de nosotros en su Hijo, Jesucristo, Dios revela totalmente quien es él, nos muestra como él quiere que vivamos y nos ofrece su perdón y salvación. Entre todas las noticias que podemos recibir, esta es verdaderamente buena noticia.

Jesucristo vino a proclamar esta buena noticia a todos, especialmente a los pobres, los que tienen hambre, los enfermos, los desamparados, los que son tratados injustamente. Esta buena nueva tiene un poderoso efecto en todo el mundo—no importa cual sea su situación en la vida. La venida de Jesucristo es buena noticia para todo el mundo en todos los tiempos.

Jesucristo cambió la vida humana totalmente. El nos enseñó como vivir en completo amor y amistad con Dios. El nos salvó de todo lo que pudiera evitar que viviéramos en total amor y amistad con Dios. El pudo hacer todo eso porque él es divino, el Hijo único de Dios. Jesús fue también humano. El era igual que nosotros en todo menos en el pecado. El sintió pena, gozo y todas las otras emociones que nosotros sentimos. Cuando predicó habló como alguien que entendía totalmente la vida humana. El fue uno con nosotros en nuestra experiencia humana. Jesucristo es divino y humano al mismo tiempo—*verdadero Dios* y *verdadero hombre*.

Vocabulario

encarnación

Actividad En grupo reporten la buena nueva de Jesucristo. Escribe tu plan aquí.

We meet God in his Son, Jesus Christ.

Through Jesus Christ, God expressed his love for humanity in the most extraordinary way: In Jesus Christ, we meet God "in the flesh." *Incarnation* is a word that means "having become flesh," and the truth that the Son of God, the second Person of the Blessed Trinity, became man and lived among us is called the **Incarnation**. By becoming one of us in his only Son, Jesus Christ, God fully reveals who he is, shows us how he wants us to live, and offers us forgiveness and salvation. Out of all the news that we could ever receive, this is truly the good news.

Jesus Christ came to proclaim this good news to everyone, especially those who were poor, hungry, sick, lonely, homeless, or treated unfairly. His good news had a powerful effect on all people—no matter what their situation in life. So, the coming of Jesus Christ is good news for all people and for all time.

Jesus Christ changed human life forever. He taught us how to live in complete love and friendship with God. He saved us from anything that could keep us from fully experiencing God's love and friendship. He could do all of this because he is divine, God's only Son. And yet Jesus was also human. He was like us in every way, except that he did not sin. He felt joy and pain and all of the other emotions that we feel. When he preached, he spoke as one who completely understood human life. He was one with us in our human experience. Jesus Christ is both truly divine and truly human at the same time—*true God* and *true man*.

> **Faith Word**
> Incarnation

Activity With your group, enact a news report telling of the good news of Jesus Christ. Write your plan here.

Good news on prime time!

TIME
THE WEEKLY NEWSMAGAZINE

BISHOP FULTON J. SHEEN
No Easter without Good Friday.

Archbishop Fulton J. Sheen (1895–1979) has been called the greatest Catholic evangelist of the electronic age. An evangelist is someone who proclaims the good news of Christ by what he or she says or does. Archbishop Sheen used the media—pamphlets, books, radio, and television—to proclaim the good news to millions of people. But it was especially through television that he took the world by storm. He captivated audiences with his 1950s primetime show, *Life Is Worth Living*. With faith, enthusiasm, and a sense of humor, Archbishop Sheen spoke to his TV audiences about God's love. He offered Christian answers to life's problems. His only props were a piece of chalk and a blackboard (and a "guardian angel" who would erase the board during commercial breaks). *Life Is Worth Living* won an Emmy, and Archbishop Sheen appeared on the cover of *TIME Magazine*. His magnetic personality drew many people to enter or to return to the Catholic Church. An effort to have Archbishop Sheen declared a saint is underway.

How could the good news be proclaimed in the media today?

Encontramos a Jesucristo en los cuatro evangelios.

La palabra *evangelio* significa "buena nueva". Durante el tiempo de Jesús, *evangelio* quería decir buena noticia para el pueblo o la sociedad, por ejemplo, la noticia de que el gobernador estaba exonerando los impuestos.

> **"Es El mismo el que habla cuando se lee en la Iglesia la Sagrada Escritura".**
> (CIC, 1088).

Con el tiempo los cristianos empezaron a usar la palabra *evangelio* para proclamar la buena nueva de que el único Hijo de Dios, Jesucristo, había venido al mundo. Los cuatro evangelios en el Nuevo Testamento son recuentos escritos de la buena nueva. Estos son los más importantes recuentos escritos de Jesucristo que tenemos.

El desarrollo de los cuatro evangelios siguió estos pasos:

(1) Jesús, el Hijo de Dios, vivió, enseñó y trabajó entre nosotros y después murió y resucitó a una nueva vida para salvar a toda la humanidad.

(2) Testigos de la vida y enseñanzas de Jesús compartieron la verdad de que Jesús fue el Hijo de Dios quién salvó al pueblo y esta buena nueva empezó a esparcirse oralmente.

(3) Los autores de los evangelios, inspirados por el Espíritu Santo, escribieron la buena nueva de Jesús que ha sido pasada a nosotros. Cada uno pone énfasis en diferentes detalles porque fueron escritos para su propia comunidad.

Cada uno de los cuatro evangelios, el Evangelio de Mateo, Marcos, Lucas y Juan, nos ofrece una perspectiva única de Jesús, pero todos expresan la misma verdad. Todos nos ofrecen la buena nueva.

Al escuchar la lectura de los evangelios de la misa los domingos, Jesús sigue enseñándonos. *El Catecismo de la Iglesia Católica* afirma: "Es El mismo el que habla cuando se lee en la Iglesia la Sagrada Escritura" (1088). En estos escritos sobre la vida de Jesús, *encontramos* a Jesús. El llega hasta nosotros, nos invita a ser sus discípulos. El nos guía y nos da un ejemplo a seguir. El nos lleva a la oración. El nos predica y no importa cuanta veces escuchemos sus enseñanzas, ellas siempre tienen un significado para nuestras vidas.

Cristo compasivo, retrato contemporáneo del padre John Giuliani

Actividad ¿Qué destacarías o enfatizarías si tuvieras que escribir tu propio evangelio sobre Jesús hoy? Haz un esquema de tu evangelio en el espacio en blanco.

We meet Jesus in the four Gospels.

The word *gospel* means "good news." During Jesus' time *gospel* meant good news for the people of a society, such as the news that a ruler was excusing people from taxes. In time Christians began to use the word *gospel* to mean the good news that God sent his only Son, Jesus Christ, into the world. The four Gospels in the New Testament are written accounts of this good news. They are the most important written accounts of Jesus Christ that we have.

> It is Jesus "himself who speaks when the holy Scriptures are read in the Church"
> (CCC, 1088).

The development of the four Gospels followed these steps:

(1) Jesus, the Son of God, lived, taught, and worked among us, and then died and rose to new life to save all humankind.

(2) Eyewitnesses to Jesus' life and teachings shared the truth that Jesus was the Son of God who saved all people, and by word of mouth this good news began to spread.

(3) The authors of the Gospels, inspired by the Holy Spirit, wrote the good news of Jesus that had been handed down. Each emphasized different details because he was writing for his own community.

Each of the four Gospels, the Gospels of Matthew, Mark, Luke, and John, gives us a unique perspective on Jesus, but they all express the same truth. They all give us the same good news.

As we hear the Gospel at every Mass, Jesus continues to teach us. The *Catechism of the Catholic Church* states, "It is he himself who speaks when the holy Scriptures are read in the Church" (1088). In these written accounts of Jesus' life, then, we *meet* Jesus. He reaches out to us, inviting us to become his disciples. He guides us and gives us an example to follow. He draws us into prayer. He preaches to us, and no matter how often we hear his teachings, they always have meaning for our lives.

Activity What would you highlight or emphasize if you were writing your own Gospel about Jesus today? Make an outline for your Gospel below.

Jesus as the Good Shepherd, sculpture

Ecce homo, 1937–1941, portrait of Christ by Georges Rouault

Los evangelios sinópticos cuentan la buena nueva desde un punto de vista parecido.

Si tuvieras que presentar a Jesús a alguien por primera vez, ¿qué dirías?

Los Evangelios de Mateo, Marcos y Lucas son llamados **sinópticos** porque presentan la buena nueva de Jesucristo desde un punto de vista similar. Los símbolos de estos evangelios se muestran en las páginas 94–95. La palabra *sinóptico* viene del griego y significa *sinopsis*, que significa "visión conjunta". Los evangelios sinópticos comparten muchos detalles. Todos enfatizan la divinidad de Jesús. Pero también destacan su naturaleza humana, mostrando que los discípulos sólo reconocieron la divinidad de Jesús gradualmente. Los evangelios sinópticos también muestran que Jesús usaba parábolas para enseñar. Una **parábola** es una historia corta que lleva un mensaje.

Aproximadamente treinta años después de la muerte y resurrección de Jesucristo, un discípulo cristiano llamado Marcos escribió el evangelio sinóptico considerado el primero de los cuatro. Los otros dos evangelios sinópticos, Mateo y Lucas, puede que se basaran en el de Marcos. El Evangelio de Marcos es el más corto de los cuatro evangelios. Es un recuento de las palabras y acciones de Jesús. Marcos, probablemente, estaba escribiendo para los **gentiles**, cristianos, no judíos, que eran perseguidos por creer en Cristo. Marcos les pide mantener la fe en Cristo, especialmente a los que sufren. Jesús es retratado como alguien que sufre con la humanidad y que comparte el amor de Dios con la humanidad.

Vocabulario

sinópticos
parábola
gentiles

El Evangelio de Mateo fue escrito entre el 70 y el 90 DC, para los judíos seguidores de Cristo.

Mateo pone énfasis en la humanidad de Jesús, incluyendo una historia de su nacimiento y su vida de niño. Mateo también muestra a Jesús invitando a todos a compartir el amor de Dios y a identificarse con los pobres y los que sufren. La herencia judía de Jesús es también destacada. Jesús es mostrado como descendiente de Abrahán y del israelita rey David. Jesús es también mostrado como el "nuevo Moisés". Así como Moisés recibió las leyes de Dios en el Monte Sinaí, en el Evangelio de Mateo Jesús enseña al pueblo a cumplir las leyes de Dios en el "Sermón del Monte". En el Evangelio de Mateo se ve claro que Jesús cumple las promesas que Dios hizo a su pueblo en el Antiguo Testamento.

El Evangelio de Lucas fue escrito para los griegos gentiles, probablemente entre el 80 y el 85 DC. Lucas pudo haber sido un discípulo que viajó con San Pablo a predicar la doctrina cristiana. Igual que Mateo, Lucas incluye detalles sobre el nacimiento de Jesús y su niñez. Lucas también pone énfasis en la preocupación de Jesús por el ser humano. El Evangelio de Lucas es el único que incluye la parábola de la oveja perdida, la moneda perdida y el hijo pródigo—todas parábolas sobre el amor y el perdón de Dios a la humanidad. Lucas también incluye muchos ejemplos de la actitud de Jesús de acoger a todo el mundo—llegando a hombres y mujeres y todo el que era rechazado, pobre y olvidado.

En los libros sinópticos vemos en Jesús a alguien que entiende la condición humana y muestra el amor de Dios a todos. En esos evangelios nadie es excluido de la buena nueva que Jesús tiene que compartir.

Actividad Cada uno de los evangelios sinópticos incluye una historia de Jesús sanando a un paralítico. Lee la historia en **Mateo 9:1–8, Marcos 2:1–12 y Lucas 5:17–26.** ¿En qué se parecen estas historias? ¿En qué se diferencian? Conversa sobre tus ideas.

The synoptic Gospels tell the good news from a similar viewpoint.

If you were introducing Jesus to someone for the first time, what would you say?

The Gospels of Mark, Matthew, and Luke are the **synoptic Gospels**, which present the good news of Jesus Christ from a similar point of view. Symbols for these three Gospels are shown on pages 94–95. The word *synoptic* comes from the Greek word *synopsis*, which means "a viewing together." The synoptic Gospels share many of the same details. They all emphasize Jesus' divinity, but also focus on Jesus' human nature, showing the disciples recognizing his divinity only gradually. The synoptic Gospels also show Jesus using parables to teach. A **parable** is a short story with a message.

About thirty years after Jesus Christ's death and Resurrection, a Christian disciple known as Mark wrote the synoptic Gospel considered to be the first of the four Gospels. The other two synoptic Gospels, Matthew and Luke, may have been based on Mark. The Gospel of Mark is the shortest of the four Gospels. It is a fast-paced account of Jesus' words and actions. Mark was probably writing for **Gentile**, or non-Jewish, Christians being persecuted for their faith in Christ. Mark urges them to hold on to their belief in Christ, especially in times of suffering. Jesus is portrayed as one who suffers with humanity and shares God's love with humankind.

Faith Words
synoptic Gospels
parable
Gentile

The Gospel of Matthew was written between A.D. 70 and A.D. 90 for Jewish people who became followers of Christ.

Matthew emphasizes Jesus' humanity by including a story about his birth and early life. Matthew also shows Jesus welcoming everyone to share in God's love and identifying with those who are poor, lowly, and suffering. Jesus' Jewish heritage is also highlighted. Jesus is shown to be a descendant of Abraham and of the Israelites' King David. Jesus is also shown to be a "new Moses." Just as Moses received God's laws on Mount Sinai, in Matthew's Gospel Jesus teaches people how to follow God's laws in the "Sermon on the Mount." In Matthew's Gospel it is clear that Jesus fulfills the promises that God made to his people in the Old Testament.

The Gospel of Luke was written for Greek Gentiles, probably between A.D. 80 and A.D. 85. Luke may have been a disciple who traveled with Saint Paul to spread Christianity. Like Matthew, Luke includes details about Jesus' birth and early life. Luke also emphasizes Jesus' concern for all human beings. Luke's Gospel is the only Gospel that includes Jesus' parables about the lost sheep, the lost coin, and the lost son—all parables about God's love and forgiveness toward humankind. And Luke includes many examples of Jesus' welcoming attitude toward all—reaching out to both men and women and to everyone who is outcast, troubled, rejected, or poor.

Thus, in the synoptic Gospels we see Jesus as one who understands the human condition and shows God's love to everyone. In these Gospels, no one is excluded from the good news that Jesus has to share.

Activity The synoptic Gospels each include a story about Jesus healing a paralyzed man. Read the story in Matthew 9:1–8, Mark 2:1–12, and Luke 5:17–26. How are these accounts alike? How are they different? Discuss your ideas.

CREYENDO...

El Evangelio de Juan explora el misterio de la encarnación.

El Evangelio de Juan fue escrito aproximadamente 90 años DC. A diferencia de los evangelios sinópticos este está escrito en un lenguaje poético e imaginativo. Este lenguaje quiere dar al lector una idea más profunda del significado de las palabras y obras de Jesús. Esto ayuda a enfatizar el gran misterio de la encarnación.

El tema principal del Evangelio de Juan es que Jesucristo es la *Palabra de Dios* que se hizo hombre y vivió entre nosotros. **La Palabra de Dios**, es el Hijo de Dios, la expresión más completa de la Palabra de Dios. Al inicio de su evangelio, Juan explica que Jesucristo es la Palabra de Dios quien es y siempre ha estado con Dios y quien *es* Dios. En el Evangelio de Juan, los discípulos de Jesús pueden reconocer que desde su inicio Jesús es el Hijo de Dios. Juan presenta los milagros de Jesús como signos dramáticos de que él es el Hijo de Dios y los que vivieron esos milagros son llamados a la fe. Las historias de los milagros de Jesús son largas, con muchos diálogos y explicaciones.

> "Como el Padre me ama a mí, así los amo yo a ustedes".
> (Juan 15:9)

Vocabulario
La Palabra de Dios

El Evangelio de Juan refuerza las muchas enseñanzas de Jesús sobre el amor. Entre ellas está el llamado de Jesús a seguir su propio ejemplo de amor. Jesús enseña un Nuevo Mandamiento, llamándonos a amarnos unos a otros de la misma forma en que el nos ama. Jesús enseña que si nos amamos unos a otros como él nos ama, nos convertimos en signos del amor de Dios, porque Jesús ama como *Dios* ama. Jesús explica: "Como el Padre me ama a mí, así los amo yo a ustedes". (Juan 15:9)

Algunas veces el Evangelio de Juan se centra en tensiones entre Jesús y las autoridades judías. Probablemente porque, cuando el Evangelio de Juan se escribió, los judíos que aceptaban a Jesús y los que no lo aceptaban estaban en conflicto. Pero el evangelio de Juan siempre nos mueve a profesar nuestra fe en Jesús como el Hijo de Dios—y como el más poderoso ejemplo del amor de Dios en la tierra.

Actividad Diseña un sitio web invitando a la gente a reconocer que Jesús es el Hijo de Dios.

¿Cómo rezamos con la Escritura?

Lectio divina es una frase en latín que significa "lectura divina", se usa para nombrar una forma antigua de rezar de los cristianos. Generalmente cuenta con los siguientes pasos:

Leer un pasaje de la Escritura. Mientras se lee se reflexiona, notando las partes de texto que llaman la atención.

Meditar en la lectura mientras se lee de nuevo. Meditar es tratar de entender lo que Dios está revelando, quizás imaginarse ser parte de la historia o la escena, o hablando con Dios en silencio sobre lo que se ha leído.

Rezar a Dios hablando de lo que hay en el corazón.

Contemplar escogiendo una palabra, frase o imagen del pasaje leído centrándose con todo el corazón y mente, sintiendo el gran amor de Dios por nosotros.

Decidir responder y escenificar a lo que se leyó.

Trata de hacer esto leyendo un pasaje en uno de los evangelios.

The Gospel of John explores the mystery of the Incarnation.

The Gospel of John was written about A.D. 90. Unlike the synoptic Gospels, it contains much poetic language and imagery. This picturesque language is meant to give the reader a deeper insight into the meaning of Jesus' words and deeds. It also helps to emphasize the great mystery of the Incarnation.

The major theme of John's Gospel is that Jesus Christ is the *Word of God* who became a human being and lived among us. The **Word of God** is the Son of God, the most complete expression of God's word. At the very beginning of John's Gospel, John explains that Jesus Christ is the Word of God who *is*, and has always been with God, and who *is* God. As John's Gospel continues, Jesus' disciples recognize from the beginning that Jesus is God's Son. John portrays Jesus' miracles as dramatic signs that he is the Son of God, and people who experience these miracles are called to faith. The stories of

Faith Word
Word of God

Jesus' miracles are long, with lots of dialogue and explanation.

John's Gospel also stresses Jesus' many teachings about love. Among these teachings is Jesus' call to follow his own example of love. Jesus teaches the New Commandment, calling us to love one another in the same way that he loves us. Jesus teaches us that if we love one another as he loves us, then we become signs of God's love, because Jesus loves as *God* loves. Jesus explains, "As the Father loves me, so I also love you" (John 15:9).

> **"As the Father loves me, so I also love you."**
> (John 15:9)

Sometimes John's Gospel focuses on tensions between Jesus and Jewish authorities. This was probably because, when John's Gospel was written, Jews who accepted Jesus and Jews who did not were in conflict. But John's Gospel always moves us to profess our faith in Jesus as God's Son—and as the most powerful example of God's love on earth.

Activity Design an Internet ad that invites people to recognize that Jesus is God's Son.

How do we pray with Scripture?

Lectio divina (LEHK see oh dee VEE nah) is the Latin name for a way of praying that Christians have practiced for many centuries. *Lectio divina*, which means "divine reading," usually involves the following steps:

Read a Scripture passage. As you read, reflect, noticing parts of the text that stand out to you.

Meditate on the same reading as you read it again. To meditate is to try to understand what God is revealing, perhaps by imagining that you are

part of the story or scene, or by silently talking to God about what you have read.

Pray to God, speaking what is in your heart.

Contemplate by choosing a word, phrase, or image from the Scripture passage, focusing on it with your whole heart and mind, and feeling God's great love for you.

Decide on a way to respond to what you have read, and act on it.

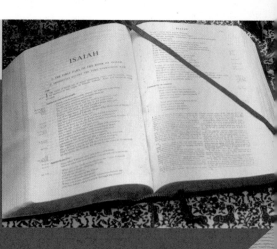

Try praying this way using a passage from one of the Gospels.

RESPONDIENDO...

Reconociendo nuestra fe

Recuerda la pregunta: *¿Qué es la buena nueva para mí?* Junto con tus compañeros diseñen una tira cómica que pueda contestar a esta pregunta.

Viviendo nuestra fe

Decide una forma de contar a otro la buena nueva de Jesucristo esta semana. Si quieres puedes escribir tu propio periódico de "buena nueva" y distribuirlo entre tus familiares y amigos.

Servicio de noticias católicas

El Servicio de noticias católicas (CNS) fue fundado en el 1920 y continúa su misión de esparcir la buena nueva de Jesucristo usando tecnología y medios modernos. Con un equipo de periodistas profesionales el CNS sirve a los fieles reportando noticias sobre la participación de la Iglesia en el mundo. Esta fuente de información sobre la Iglesia y los católicos es una división de la Conferencia de obispos católicos de los Estados Unidos, con base en Washington, D.C.

Compañeros en la fe

Más de 170 periódicos católicos en los Estados Unidos y organizaciones noticiosas en más de 35 países, usan CNS como su fuente principal de noticias relacionadas con la Iglesia. Busca en el periódico de tu diócesis o en un sitio web católico, artículos de CNS.

¿Cómo te enteras de las noticias de tu parroquia? ¿Cómo puedes involucrarte más en sus programas para ayudar a la gente a compartir la buena nueva?

Para más ideas y actividades visita www.vivimosnuestrafe.com.

Recognizing Our Faith

Recall the question: *What is the good news for me?* Together with your group design a cartoon that can answer this question.

Living Our Faith

Decide on a way to tell others the good news of Jesus Christ this week. You might wish to write your own "good news" newspaper and distribute it to friends and family.

The Catholic News Service

Established in 1920, the Catholic News Service (CNS) continues its mission to spread the good news of Jesus Christ using current technology and media. Staffed by professional journalists, CNS serves the faithful by reporting news about the involvement of the Church in the world. This source of international news and information about the Church and the lives of Catholics living out the faith is a division of the United States Conference of Catholic Bishops (USCCB), based in Washington, D.C.

More than 170 Catholic newspapers in the United States and news organizations in more than 35 countries use CNS as their primary source of news related to the Church. Look inside your diocesan newspaper or on a Catholic Web site—there is bound to be a news article from CNS.

How can you find the news that is happening in your parish? How can you become more involved in its programs to help people and to share the good news?

For additional ideas and activities, visit www.weliveourfaith.com.

RESPONDIENDO...

✝ ENCUENTRO CON LA PALABRA DE DIOS

Los apóstoles: **"Partieron y fueron recorriendo los pueblos anunciando la buena noticia y sanando enfermos por todas partes"**.

(Lucas 9:6)

➡ **LEE** la cita bíblica.

➡ **REFLEXIONA** en la pregunta:
¿Qué significa proclamar la buena nueva en todos partes?

➡ **COMPARTE** tu reflexión con un compañero.

➡ **DECIDE** junto con el grupo como compartirán la buena nueva dondequiera que vayan.

Poniendo la fe en acción

Conversa sobre lo aprendido en este capítulo:

 Reconocemos que la buena nueva es que Dios envió a su único Hijo, Jesucristo, para salvarnos y mostrarnos como vivir.

 Confiamos en que los cuatro evangelios nos ayudarán a conocer a Jesús.

 Compartimos la buena nueva con otros.

Decide formas de vivir lo que has aprendido.

Repaso del capítulo 5

Escribe en la raya la letra al lado de la frase que mejor define el término

1. _____ Palabra de Dios

2. _____ encarnación

3. _____ parábola

4. _____ *evangelio*

a. buena nueva

b. el hijo de Dios, la expresión más completa de la Palabra de Dios

c. La verdad de que el Hijo de Dios, la segunda Persona de la Santísima Trinidad, se hizo hombre y vivió entre nosotros

d. una corta historia con un mensaje

e. los evangelios de Mateo, Marcos, Lucas que presentan la buena nueva de Jesucristo desde un punto de vista parecido

Escribe en la raya el nombre del evangelio descrito en cada afirmación.

5. El Evangelio de _____ presenta a Jesús como quien sufre con la humanidad y comparte el amor de Dios con la humanidad.

6. El Evangelio de _____ pone énfasis en la preocupación de Jesús por los humanos.

7. El Evangelio de _____ explica que Jesucristo es la Palabra de Dios que se hizo hombre y vivió entre nosotros.

8. El Evangelio de _____ destaca la herencia judía de Jesús.

9–10. **Contesta con un párrafo:** Explica por que la venida de Jesucristo es buena nueva para todo el mundo en todos los tiempos.

Putting Faith to Work

Talk about what you have learned in this chapter:

 We recognize the good news that God sent his only Son, Jesus Christ, to save us and to show us how to live.

 We trust that the four Gospels will help us to come to know Jesus.

 We share the good news with others.

Decide on ways to live out what you have learned.

✝ ENCOUNTERING GOD'S WORD

The Apostles "set out and went from village to village proclaiming the good news and curing diseases everywhere."

(Luke 9:6)

➡ **READ** the quotation from Scripture.

➡ **REFLECT** on this question:
What does it mean to proclaim the good news everywhere?

➡ **SHARE** your reflections with a partner.

➡ **DECIDE** with your group how you will share the good news wherever you go.

Write the letter that best defines each term.

1. _____ Word of God

2. _____ Incarnation

3. _____ parable

4. _____ *gospel*

a. good news

b. the Son of God, the most complete expression of God's word

c. the truth that the Son of God, the second Person of the Blessed Trinity, became man and lived among us

d. a short story with a message

e. the Gospels of Mark, Matthew, and Luke, which present the good news of Jesus Christ from a similar point of view

Write the name of the Gospel described in each statement.

5. The Gospel of _____ portrays Jesus as one who suffers with humanity and shares God's love with humankind.

6. The Gospel of _____ emphasizes Jesus' concern for all human beings.

7. The Gospel of _____ explains that Jesus Christ is the Word of God who became a human being and lived among us.

8. The Gospel of _____ highlights Jesus' Jewish heritage.

9–10. ESSAY: Explain why the coming of Jesus Christ is good news for all people and for all time.

Chapter 5 Assessment

Comparte la fe con tu familia

Conversa con tu familia sobre lo siguiente:

- Encontramos a Dios en su Hijo, Jesucristo.
- Encontramos a Jesucristo en los cuatro evangelios.
- Los evangelios sinópticos cuentan la buena nueva desde un punto de vista parecido.
- El Evangelio de Juan explora el misterio de la Encarnación.

Busca formas en que tu familia puede vivir la buena nueva de Jesucristo ayudando a alguien en tu parroquia o vecindario. Puedes mirar el boletín de tu parroquia para ver las oportunidades.

Conexión con la liturgia

En la misa, presta atención a las formas en que se honra y respeta el evangelio. Comparte tus observaciones con tu familia.

@ Para explorar

En este capítulo aprendimos sobre la buena nueva de Jesucristo. Esta semana busca en las noticias de la televisión, u otro medio, alguna historia que refleje la buena nueva de Jesucristo.

Doctrina social de la Iglesia ☑ Cotejo

Tema de la doctrina social de la Iglesia:
Vida y dignidad de la persona humana

Cómo se relaciona con el capítulo 5: Como aprendimos en este capítulo, el amor de Dios por nosotros es tan grande que envió a su único Hijo, Jesucristo, para salvarnos. También que Dios nos llama a reconocer la dignidad de cada uno y a compartir su amor con todos.

Cómo puedes hacer esto en

☐ la casa:
_____

☐ la escuela/trabajo:
_____

☐ la parroquia:
_____

☐ la comunidad:
_____

Chequea cada acción cuando la termines.

Sharing Faith with Your Family

Discuss the following with your family:

- We meet God in his Son, Jesus Christ.
- We meet Jesus in the four Gospels.
- The synoptic Gospels tell the good news from a similar viewpoint.
- The Gospel of John explores the mystery of the Incarnation.

Look for ways your family can live out the good news of Jesus Christ by helping someone in your parish or neighborhood. You may want to check your parish bulletin for volunteer opportunities.

Catholic Social Teaching
☑ Checklist

Theme of Catholic Social Teaching:
Life and Dignity of the Human Person

How it relates to Chapter 5: As we learned in this chapter, God loves all of us so much that he sent his only Son, Jesus Christ, for the salvation of us all. And God calls us to recognize one another's dignity and to share his love with all people.

How can you do this?

☐ At home:

_____

☐ At school/work:

_____

☐ In the parish:

_____

☐ In the community:

_____

Check off each action after it has been completed.

The Worship Connection

At Mass, pay attention to the ways in which honor and respect for the Gospels are shown. Share your observations with your family.

More to Explore

In this chapter we learned about the good news of Jesus Christ. This week, see if you can find any stories that reflect the good news of Jesus Christ in TV programs or in other forms of media.

6
El Espíritu Santo ayuda y guía

"Cuando venga el Espíritu de la verdad, los iluminará para que puedan entender la verdad completa".

(Juan 16:13)

+ Líder: El Espíritu Santo, nos guía a la verdad y nos ayuda a vivir como discípulos de Jesús. Jesús dijo: "El Espíritu Santo, a quien el Padre enviará en mi nombre, hará que recuerden lo que yo les he enseñado y les explicará todo".

(Juan 14:26)

Todos: Ven Espíritu Santo, llena los corazones de tus fieles y enciende en ellos el fuego de tu amor. Envía tu Espíritu y serán creados, y renovarás la faz de la tierra.

(Oración al Espíritu Santo)

La gran pregunta:
¿Cómo encuentro mi camino?

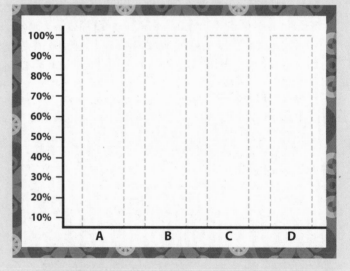

Descubre tus opiniones sobre como encontrar tu camino cuando tomas decisiones. Haz la siguiente encuesta con tu grupo.

Si no tienes seguridad de que algo que vas a hacer es bueno o malo, ¿cuál de las siguientes afirmaciones influenciaría tu decisión?

A. hacer lo que me hace feliz

B. hacer lo que me ayudará a seguir adelante

C. seguir el consejo de mis padres o maestros

D. hacer lo que Dios quiere que haga

Resultado:

Cuenta cuantas personas escogieron la misma posible respuesta. Calcula el porcentaje del grupo que escogió la misma respuesta. Coloca los resultados en la gráfica.

100%				
90%				
80%				
70%				
60%				
50%				
40%				
30%				
20%				
10%				
	A	B	C	D

Conversa sobre lo que puede ayudarte a tomar buenas decisiones como discípulo de Jesús.

En este capítulo aprenderemos que el Espíritu Santo nos ayuda a vivir como discípulos de Jesús y a continuar la misión de Jesús.

GATHERING...

"When he comes, the Spirit of truth, he will guide you to all truth."

(John 16:13)

✝ **Leader:** Holy Spirit, you guide us to the truth and help us to live as Jesus' disciples. Jesus said, "The holy Spirit that the Father will send in my name—he will teach you everything and remind you of all that [I] told you".

(John 14:26)

All: Come, Holy Spirit, fill the hearts of your faithful.
And kindle in them the fire of your love.
Send forth your Spirit and they shall be created.
And you will renew the face of the earth.

(Prayer to the Holy Spirit)

The BIG Question:

How do I find my way?

Discover your opinions about how to find your way when making decisions. Conduct the following poll with your group.

If you were not sure whether something you were going to do was right or wrong, which one of the following would most influence your decision?

A. doing what would make me happy
B. doing what would help me to get ahead
C. following the advice of a parent or a teacher
D. doing what God would want me to do

Results:

Count how many people selected each possible answer. Figure out the percentage of the group that chose each response. Then chart your findings on the bar graph.

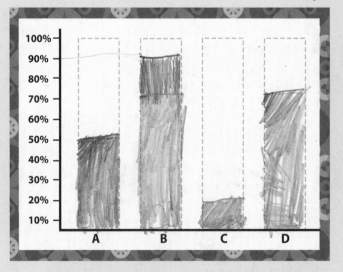

Discuss what can help you to make the best decisions as a disciple of Jesus.

In this chapter we learn that the Holy Spirit helps us to live as Jesus' disciples and to continue the mission of Jesus.

Una Columna de Consejos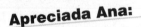

Ayuda de Ana

Apreciada Ana:

Mi amigo Carlos ha sido siempre un buen amigo, cuando no estamos en clase de matemáticas. Siempre trata de hacer trampa durante los exámenes de matemáticas. El otro día copió todas mis respuestas del examen y sacamos la misma nota. No quiero decirle nada porque es mi amigo, pero tampoco me siento bien con lo que está pasando. Necesito tu ayuda. ¿Qué puedo hacer?

Sinceramente,

Desesperada

¿ Has tenido que encontrar como resolver un dilema o una situación difícil? ¿Cómo lo resolviste? ¿Quién o qué te ayudó? ¿Qué tipo de consejo darías a alguien en la misma situación?

Actividad Escribe tus respuestas, después compártelas con tu grupo. Explica las razones para tus respuestas.

A Weekly Advice Column

Help from Hannah

Dear Hannah,

My friend Corey has always been a great friend—outside of math class, that is. He's always trying to cheat during math quizzes. The other day he copied all of my answers on a quiz and we ended up with the same score. I feel bad about saying anything to him because he's my friend, but I don't feel good about what's going on, either. I need your help. What should I do?

Sincerely,

All Quizzed Out

Have you ever had to find your way out of a dilemma or a difficult situation? How did you find your way? Who or what helped you? What kind of guidance would you give to "All Quizzed Out"?

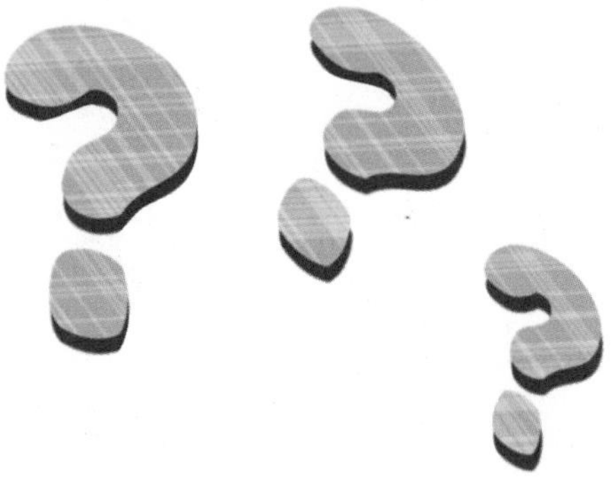

Activity Write a response to "All Quizzed Out" below. Then share responses with your group. Explain your reasons for your answer.

Just tell him and offer him to show him How to do the math

CREYENDO...

El Espíritu Santo está siempre presente con el Padre y el Hijo.

En el Antiguo Testamento encontramos al Espíritu Santo dando vida, orden y bondad a toda la creación. En el libro del Génesis vemos al Espíritu trabajando en la creación. El Espíritu Santo se mueve en la creación como el viento, el soplo y el Espíritu de la creación. Cuando Dios empezó a crear: "El Espíritu de Dios aleteaba sobre las aguas". (Génesis 1:2)

El Espíritu Santo estaba también activo en la relación de Dios con nuestros antepasados en la fe, los israelitas. Durante el éxodo, Dios guió a los israelitas por el desierto por medio de una columna de humo y fuego. El poder del Espíritu Santo guió a los israelitas. (Ver Exodo 13:21–22). Después que los israelitas llegaron a la tierra prometida establecieron su reinado, fue por medio del Espíritu Santo que los profetas empezaron a enseñarlos y guiarlos. Un **profeta** es alguien que habla en nombre de Dios, defiende la verdad y trabaja por la justicia. El Espíritu Santo habló por medio de los profetas, enseñando a los israelitas a mantenerse fieles a Dios. Por medio de los profetas el Espíritu Santo reveló el plan de Dios de enviar al **Mesías** a salvar al pueblo del pecado.

La palabra *Mesías* viene del hebreo y significa "ungido". Ungir era una costumbre hebrea; reyes y sacerdotes eran ungidos con aceite como señal de que Dios les había designado un papel especial. El Mesías también debía ser ungido, pero sería ungido con el Espíritu Santo y se le encomendaría traer paz, misericordia y justicia al mundo. Al describir al Mesías el profeta Isaías dijo: "Sobre él reposará el espíritu del Señor". (Isaías 11:2)

Esa promesa del Mesías se cumplió con la venida de Jesucristo, quien leyó esas palabras de Isaías al iniciar su ministerio público, su trabajo con la gente.

La presencia y la guía del Espíritu Santo a través del tiempo es una de las formas en que Dios ha expresado su amor por la humanidad. No fue sólo hasta que Dios reveló su plan de salvación—en Jesucristo—que la presencia y el poder del Espíritu Santo se conoció verdaderamente.

Vocabulario
profeta
Mesías

¿Quién es el Espíritu Santo?

Como católicos creemos en un Dios en tres Personas—el Padre, el Hijo y el Espíritu Santo. Algunas veces es difícil poner en palabras quien es exactamente el Espíritu Santo. Los católicos algunas veces dicen que el Espíritu Santo es "el amor compartido entre Dios Padre y Dios Hijo". Esta forma de referirse al Espíritu Santo fue pasada por San Agustín de Hippo (354-430 DC). Esto expresa la total unidad del Espíritu Santo con el Padre y el Hijo. Aun cuando el Padre, el Hijo y el Espíritu Santo son uno, cada uno juega un papel especial en el plan de salvación de la humanidad. El Espíritu Santo nos *santifica*, nos hace santos. El Espíritu Santo nos ayuda a ser santos aclarándonos la verdad, nos recuerda las enseñanzas de Jesús, nos ayuda a entender la palabra de Dios y nos ayuda a hacer el bien y evitar el mal. El Espíritu Santo inspira la fe dentro de nosotros y nos da el poder de vivirla.

¿Cómo puede la presencia del Espíritu Santo ser vivida día a día en tu vida? Contesta esta pregunta con un dibujo, un poema, una canción o una historia.

IDENTIDAD CATÓLICA

Actividad Escribe una oración al Espíritu Santo que puedas rezar cuando necesites guía.

The Holy Spirit is always present with the Father and the Son.

In the Old Testament, we find examples of the Holy Spirit bringing life, order, and goodness to all of creation. In the Book of Genesis we find the Holy Spirit at work in creation. The Holy Spirit moved among creation as the very wind, breath, and spirit of creation. When God began to create, "a mighty wind swept over the waters" (Genesis 1:2).

The Holy Spirit was also active in God's relationship with our ancestors in faith, the Israelites. During the Exodus, God led the Israelites through the desert in a column of cloud and fire. Thus, the power of the Holy Spirit guided the Israelites forward. (See Exodus 13:21–22.) After the Israelites reached their promised land and established their kingdom, it was through the Holy Spirit that the prophets began to teach and to guide them. A **prophet** is someone who speaks on behalf of God, defends the truth, and works for justice. The Holy Spirit spoke through the prophets, teaching the Israelites to remain faithful to God. And through the prophets, the Holy Spirit revealed God's plan to send the **Messiah** to save the people from their sins.

The word *Messiah* comes from a Hebrew word that means "Anointed One." Anointing was a Hebrew custom; kings and priests were anointed with oil as a sign that God had appointed them to their special roles. So too would the Messiah be anointed. But he would be anointed with the Holy Spirit, and he would be appointed to bring mercy, peace, and justice to the world. Describing the Messiah, the prophet Isaiah once said: "The spirit of the LORD shall rest upon him" (Isaiah 11:2). And that promise of the Messiah was fulfilled with the coming of Jesus Christ, who actually read those words of Isaiah as he began his public ministry, or his work among the people.

Faith Words
prophet
Messiah

The presence and guidance of the Holy Spirit throughout time is one of the ways that God has expressed his love for humanity. Yet it was not until God fully revealed his plan for salvation—in Jesus Christ—that the presence and the power of the Holy Spirit truly became known.

Activity Compose a prayer to the Holy Spirit that you can say when you need guidance.

Who is the Holy Spirit?

A s Catholics we believe in one God in three Persons—the Father, the Son, and the Holy Spirit. At times it can be difficult to put into words exactly who the Holy Spirit is. Catholics sometimes say that the Holy Spirit is "the love shared between God the Father and God the Son." This way of speaking about the Holy Spirit was handed down to us by Saint Augustine of Hippo (A.D. 354–430). It expresses the Holy Spirit's complete unity with both the Father and the Son. Yet even though the Father, the Son, and the Holy Spirit are one, each plays a particular role in the salvation of humankind. The Holy Spirit *sanctifies* us, or makes us holy. The Holy Spirit helps us to become holy by making the truth clear to us, reminding us of Jesus' teachings, helping us to understand God's word, and helping us to do good and avoid sin. The Holy Spirit inspires faith within us and gives us the power to live by it.

How can the presence of the Holy Spirit be experienced in your day-to-day life? Answer this question in a drawing, a poem, a song, or a story.

CATHOLIC IDENTITY

El Espíritu Santo está activo en el plan de salvación de Dios.

El Espíritu Santo está activo en el plan de salvación de Dios. Fue por medio del poder del Espíritu Santo que María, una joven hebrea escogida por Dios, concibió y dio a luz al Hijo de Dios, Jesucristo, nuestro Salvador. El Espíritu Santo estuvo presente con Jesús durante toda su vida. Aun antes de que Jesús empezara su ministerio público el Espíritu Santo descendió sobre Jesús en su bautismo, fortaleciéndolo. "El Espíritu Santo bajó sobre él en forma visible, como una paloma". (Lucas 3:22)

> "El Espíritu Santo coopera con el Padre y el Hijo desde el comienzo del designio de nuestra salvación y hasta su consumación".
>
> (CIC, 686)

Por el poder del Espíritu Santo, Jesús enseñó, sanó e hizo milagros. Jesús también compartió la vida de Dios con todos y salvó a la gente de sus pecados. Todas las palabras y obras de Jesús fueron hechas con la fuerza y la guía del Espíritu Santo. "El Espíritu Santo coopera con el Padre y el Hijo desde el comienzo del designio de nuestra salvación y hasta su consumación". (CIC, 686)

Actividad El Espíritu Santo está constantemente trabajando en nuestras vidas. Imagina que se te ha pedido diseñar un vitral para la iglesia de tu parroquia que represente al Espíritu Santo trabajando en la vida de Jesús. Haz un bosquejo de tu ventana aquí. Puedes consultar el Nuevo Testamento para ver versículos sobre el Espíritu Santo.

The Holy Spirit is active in God's plan of salvation.

The Holy Spirit is active in God's plan of salvation. It was through the power of the Holy Spirit that Mary, a young Hebrew woman chosen by God, conceived and bore God's Son, Jesus Christ, our Savior. And the Holy Spirit continued to be with Jesus throughout his life. Even before Jesus began his public ministry, the Holy Spirit came upon Jesus at his Baptism, strengthening him: "The holy Spirit descended upon him in bodily form like a dove" (Luke 3:22).

> **"The Holy Spirit is at work with the Father and the Son from the beginning to the completion of the plan for our salvation."**
>
> (*CCC*, 686)

Through the power of the Holy Spirit, Jesus taught, healed, and worked miracles. Jesus also shared the life of God with all people and saved them from sin. All of Jesus' words and actions were carried out with the strength and guidance of the Holy Spirit. "The Holy Spirit is at work with the Father and the Son from the beginning to the completion of the plan for our salvation." (*CCC*, 686)

Activity The Holy Spirit is continually at work in our lives. Imagine that you have been asked to design a stained-glass window for your parish church that represents the Holy Spirit at work in Jesus' life. Sketch here what your window would look like. For ideas, you might wish to look in the New Testament for verses about the Holy Spirit.

(Hechos de los apóstoles 2:2-4). Aun cuando los visitantes en Jerusalén no hablaban el mismo lenguaje, el Espíritu Santo permitió que todos entendieran la buena nueva que los discípulos estaban proclamando.

Vocabulario

Pentecostés

Entonces el apóstol Pedro pronunció un poderoso discurso, explicando que Jesucristo había muerto, resucitado y regresado a su Padre en el cielo y había enviado al Espíritu Santo. Cuando la gente le preguntó a Pedro que debían hacer, Pedro les dijo: "Conviértanse y hágase bautizar cada uno de ustedes en el nombre de Jesucristo, para que queden perdonados sus pecados. Entonces recibirán el don del Espíritu Santo". (Hechos de los apóstoles 2:38)

Como bautizados miembros de la Iglesia, todos hemos recibido el don del Espíritu Santo. El mismo Espíritu que dio valor al ministerio de Jesús, ahora nos ayuda a continuar el trabajo de Jesús en el mundo. El Espíritu Santo nos ayuda a entender con más profundidad la verdad que Jesús predicó y a recordar todo lo que Jesús enseñó. El Espíritu Santo permite que compartamos las enseñanzas y el amor de Jesús con todos a nuestro alrededor.

El Espíritu Santo vino a los discípulos en Pentecostés.

¿A quién vas en búsqueda de consejo? ¿Por qué?

Jesús dijo a sus discípulos que el Espíritu Santo los fortalecería para continuar el trabajo que él había iniciado. Jesús dijo: "Y yo rogaré al Padre y les dará otro Consolador, para que esté siempre con ustedes" (Juan 14:16-17). "Cuando venga el Espíritu de la verdad, los iluminará para que puedan entender la verdad completa" (Juan 16:13). Después que Jesús murió, resucitó y regresó a su Padre en el cielo, los discípulos se reunieron en Jerusalén durante una fiesta judía conocida como "Pentecostés". En el día de **Pentecostés**, que ahora marca el inicio de la Iglesia, el Espíritu Santo bajó a los primeros discípulos de Jesús como Jesús lo había prometido: "De repente vino del cielo un ruido, semejante a una ráfaga de viento impetuoso, y llenó toda la casa donde se encontraban. Entonces aparecieron lenguas como de fuego, que se repartían y se posaban sobre cada uno de ellos. Todos quedaron llenos del Espíritu Santo y comenzaron a hablar en lenguas extrañas, según el Espíritu los movía a expresarse"

Actividad Imagina que eres una de las personas reunidas en Pentecostés. Escribe sobre tu experiencia en el espacio.

¿Cómo te ayuda el Espíritu Santo en tu vida?

Holy Spirit window, St. Peter's Basilica, Rome

The Holy Spirit came to the disciples at Pentecost.

Who is someone you look to for guidance? Why?

Jesus told his disciples that the Holy Spirit would empower them to continue the work he had begun. Jesus said, "I will ask the Father, and he will give you another Advocate to be with you always, the Spirit of truth . . . . When he comes, the Spirit of truth, he will guide you to all truth" (John 14:16–17; 16:13). After Jesus died, rose, and returned to his Father in heaven, the disciples were gathered in Jerusalem during the Jewish Feast of Weeks, which was known as "Pentecost." And on the day of **Pentecost**, which now marks the beginning of the Church, the Holy Spirit came to Jesus' first disciples as Jesus promised: "Suddenly there came from the sky a noise like a strong driving wind, and it filled the entire house in which they were. Then there appeared to them tongues as of fire, which parted and came to rest on each one of them. And they were all filled with the holy Spirit and began to speak in different tongues, as the Spirit enabled them to proclaim" (Acts of the Apostles 2:2–4). Even though

the visitors to Jerusalem did not all speak the same language, because of the Holy Spirit they all could understand the good news that the disciples were proclaiming.

Faith Word

Pentecost

Then the Apostle Peter gave a powerful speech to the crowds, explaining that Jesus Christ died, rose, went back to his Father in heaven, and sent forth the Holy Spirit. When the people who were listening to Peter asked what they should do next, Peter told them, "Repent and be baptized, every one of you, in the name of Jesus Christ for the forgiveness of your sins; and you will receive the gift of the holy Spirit" (Acts of the Apostles 2:38).

As baptized members of the Church, we all have received the Gift of the Holy Spirit. The same Holy Spirit who empowered Jesus' ministry now helps us to continue Jesus' work in the world. The Holy Spirit helps us to have a deeper understanding of the truth that Jesus preached and to remember all that Jesus taught. And the Holy Spirit enables us to share Jesus' teachings and love with all people everywhere.

Activity Imagine that you are one of the people in the crowd gathered at Pentecost. Write about your experience below.

How does the Holy Spirit help you in your life today?

El Espíritu Santo siempre guía a la Iglesia.

Como católicos proclamamos constantemente nuestra fe en la presencia viva del Espíritu Santo. Por ejemplo, en la misa en el Credo de Nicea decimos: "Creemos en el Espíritu Santo, Señor y dador de vida, que procede del Padre y del Hijo, que con el Padre y el Hijo recibe una misma adoración y gloria". El Espíritu Santo está eternamente presente en la Iglesia con el Padre y el Hijo.

> **"Y yo rogaré al Padre y les dará otro Consolador, para que esté siempre con ustedes".**
>
> (Juan 14:16)

El Espíritu Santo trabaja:

- en la Escritura, inspirada por el mismo Espíritu Santo y que leemos e interpretamos con su ayuda

- en la Tradición, ayudándonos a expresar y a vivir nuestra fe

- en el Magisterium, guiando sus enseñanzas a la Iglesia

- en las palabras y símbolos de todos los sacramentos y culto de la Iglesia

- en la oración, ayudándonos a escuchar y ser escuchados

- en todos los muchos dones y formas de servir que los miembros de la Iglesia viven cada día.

- en nuestros esfuerzos de compartir nuestra fe con el mundo por medio de la evangelización

- en los santos quienes han dado testimonio de la buena nueva de salvación.

El Espíritu Santo siempre ha estado y está en la vida de la Iglesia—la fuente de su fortaleza y todos sus dones. Las primeras comunidades cristianas: "quedaron llenos del Espíritu Santo y se pusieron a anunciar la palabra de Dios con toda valentía" (Hechos 4:31). En la Iglesia hoy, el Espíritu Santo nos ayuda a hacer lo mismo.

Actividad Haz un panfleto que ayude a niños pequeños a ver el papel del Espíritu Santo en la Iglesia hoy.

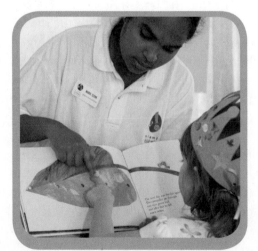

Símbolos del Espíritu Santo

Muchos símbolos diferentes se han usado, y se usan, para representar al Espíritu Santo en ilustraciones, vitrales y trabajos artísticos.

La paloma es quizás la más común de estas imágenes. De acuerdo a los evangelios, cuando Jesús fue bautizado, el Espíritu Santo descendió en forma de paloma. Una paloma puede ser un signo de libertad, un sentido de pureza y la paz que el Espíritu Santo nos da y que se mantiene en los corazones de los bautizados.

La Venida del Espíritu Santo (Hch 2:1–12), Soichi Watanabe, Japón

El fuego es otro símbolo para el Espíritu Santo. En la Escritura, leemos que en Pentecostés, el Espíritu Santo bajó a los discípulos de Jesús como una llama. En las ilustraciones de Pentecostés se muestra el fuego sobre las cabezas de los discípulos, significando la presencia del Espíritu Santo. Las llamas representan la habilidad del Espíritu de transformar totalmente al pueblo de Dios. El fuego es también símbolo de la luz y el amor que vivimos por medio del Espíritu Santo en nuestra relación con Dios.

El agua es asociada con el Bautismo y ha sido usada en el arte para simbolizar el poder del Espíritu Santo de renovar, refrescar y dar nueva vida.

Busca otros símbolos que hayan sido usados para mostrar el Espíritu Santo. Puedes dibujar tu propio símbolo y compartirlo con tu grupo.

The Holy Spirit is always guiding the Church.

As Catholics we constantly proclaim our faith in the living presence of the Holy Spirit. At Mass, for example, we pray in the Nicene Creed: "We believe in the Holy Spirit, the Lord, the giver of life, who proceeds from the Father and the Son. With the Father and the Son he is worshiped and glorified." The Holy Spirit is eternally present with the Father and the Son and is at work in the Church.

> "I will ask the Father, and he will give you another Advocate to be with you always, the Spirit of truth."
>
> (John 14:16)

The Holy Spirit is at work:

• in Scripture, which the Holy Spirit inspired and which we read and interpret with his help

• in Tradition, helping us to express and live our faith

• in the Magisterium, guiding its teachings for the Church

• in the words and symbols of all the sacraments and worship in the Church

• in prayer, helping us to listen and be heard

• in all of the many gifts and ways of serving that members of the Church live out each day

• in the efforts to share our faith with the world through evangelization

• in the saints who have given witness to the good news of salvation.

The Holy Spirit is and has always been the life of the Church—the source of her strength and all of her gifts. The first Christian communities "were all filled with the holy Spirit and continued to speak the word of God with boldness" (Acts of the Apostles 4:31). In the Church today, the Holy Spirit continues to help us to do the same.

Activity Make a pamphlet that could be used to teach younger students about the Holy Spirit's role in the Church.

Symbols of the Holy Spirit

The Coming of the Holy Spirit (Acts 2:1–12), Soichi Watanabe, Japan

Many different symbols have been, and still are, used to represent the Holy Spirit in paintings, stained glass, and other works of art.

The dove is perhaps the most common of these images. According to the Gospels, when Jesus was baptized, the Holy Spirit descended in the form of a dove. A dove can be seen as a sign of freedom, a sense of purity, and the peace that the Holy Spirit gives to us and that remains in the hearts of the baptized.

Fire is another common symbol for the Holy Spirit. In Scripture, it is said that, at Pentecost, the Holy Spirit came upon each of Jesus' disciples as a flame. In paintings of Pentecost, fire is shown above the heads of the disciples, signifying the presence of the Holy Spirit. The flames represent the Holy Spirit's ability to completely transform God's people. Fire is also symbolic of the light and love that we experience, through the Holy Spirit, in our relationship with God.

Water is associated with Baptism and has been used in art to symbolize the Holy Spirit's power to renew, refresh, and give new life.

Research other symbols that have been used for the Holy Spirit. You might even draw your own symbol and share it with your group.

Reconociendo nuestra fe

Recuerda la pregunta al inicio del capítulo: *¿Cómo encuentro mi camino?* Escribe un poema sobre el Espíritu Santo que conteste esta pregunta.

Viviendo nuestra fe

¿Cómo puedes compartir las enseñanzas y el amor de Jesús hoy? Reflexiona y luego pide al Espíritu Santo te ayude a llevar a cabo tu plan.

Compañeros en la fe

San Juan Pablo II

San Juan Pablo II, un hombre del Espíritu, cuyo nombre era Karol Josef Wojtyla, nació el 18 de mayo del 1920, en Wadowince, Polonia. Fue un ávido estudiante, atleta y actor. Estudió para sacerdote durante la ocupación nazi y fue ordenado obispo a la edad de treinta y ocho años—el obispo más joven en la historia de Polonia. Nueve años más tarde fue nombrado cardenal. El colegio de cardenales lo eligió papa en el 1978. Fue el primer papa no italiano en 456 años y a la edad de 58 años el más joven entre los papas del siglo XX.

San Juan Pablo II viajó a más lugares que ningún otro papa en la historia de la Iglesia. Se dedicó a la igualdad, la solidaridad, los derechos humanos y "la nueva evangelización", predicando la buena nueva en el mundo moderno. Sus encíclicas y otros escritos llenan más de 150 volúmenes. También escribió una autobiografía, poesías y oraciones. Su muerte en el 2005 llevó miles de peregrinos a Roma durante sus funerales.

Así como Juan Pablo fue un hombre del Espíritu, ¿cómo puedes ser una persona del Espíritu respetando los derechos humanos?

Para más ideas y actividades visita www.vivimosnuestrafe.com.

Recognizing Our Faith

Recall the question at the beginning of this chapter: *How do I find my way?* Write a poem about the Holy Spirit that answers this question.

How do I find my way? I find my way by trying my best listening & respecting people, or I can go to church and pray to god.

Living Our Faith

How can you share Jesus' teachings and love today? Reflect silently, and then ask for the Holy Spirit's help in carrying out your plan.

Saint John Paul II

Saint John Paul II, a man of the Spirit, was born Karol Jozef Wojtyla on May 18, 1920, in Wadowice, Poland. As a youth he was an avid student, athlete, and actor. He studied for the priesthood during the Nazi occupation of Poland and became a bishop at the age of thirty-eight—the youngest bishop in Polish history. Nine years later he became a cardinal. The College of Cardinals elected him pope in 1978. He was the first non-Italian pope in 456 years and, at fifty-eight years old, the youngest pope of the twentieth century.

Partners in FAITH

Saint John Paul II traveled to more places than any other pope in Church history. He was dedicated to equality, solidarity, human rights, and the "new evangelization," spreading the good news in the modern world. His papal letters and other writings fill more than 150 volumes. He also authored an autobiography, poetry, and prayer. His death on April 2, 2005, brought hundreds of thousands of pilgrims to Rome for his wake and funeral.

Just as John Paul II was a man of the Spirit, how can you be a person of the Spirit by respecting human rights?

@ **For additional ideas and activities, visit www.weliveourfaith.com.**

RESPONDIENDO...

✝

ENCUENTRO CON LA PALABRA DE DIOS

"Donde está el Espíritu del Señor hay libertad".

(2 Corintios 3:17)

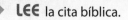 **LEE** la cita bíblica.

➡ **REFLEXIONA** en estas preguntas:
¿Por qué hay libertad donde está el Espíritu? ¿Qué tipo de libertad es esta? ¿Qué sugiere esta afirmación sobre como debe ser la comunidad de la Iglesia?

➡ **COMPARTE** tus reflexiones con un compañero.

➡ **DECIDE** como puedes mostrar que has recibido al Espíritu Santo.

Poniendo la fe en acción

Habla sobre lo que aprendiste en este capítulo:

 Entendimos que el Espíritu Santo está presente y activo en el plan de salvación de Dios.

 Confiamos en el Espíritu Santo para que guíe la vida y las enseñanzas de la Iglesia.

 Dependemos de la ayuda y guía del Espíritu Santo.

Decide como vas a vivir lo aprendido.

Repaso del capítulo 6

Encierra en un círculo la letra al lado de la respuesta correcta.

1. _____ es una palabra en hebreo que significa "ungido".

   a. *Espíritu Santo*　　**b.** *Pentecostés*　　**c.** *Mesías*　　**d.** *Magisterium*

2. El _____ habló por medio de los profetas, enseñando a los israelitas a ser fieles a Dios.

   a. credo de Nicea　　**b.** Espíritu Santo　　**c.** Magisterium　　**d.** Mesías

3. El Espíritu Santo siempre ha estado en _____

   a. la vida de la Iglesia　　**b.** el ungido　　**c.** el viento fuerte　　**d.** en una nube de fuego

4. El día en que el Espíritu Santo bajó a los primeros discípulos de Jesús es llamado _____

   a. Bautismo　　**b.** Pentecostés　　**c.** Pascua　　**d.** Éxodo

Contesta

5. ¿Quién, por el poder del Espíritu Santo, enseñó, sanó e hizo milagros y también salvó al pueblo de sus pecados? _____

6. ¿Qué es un profeta? _____

7. ¿Qué le dijo el apóstol Pedro a la multitud reunida en Pentecostés? _____
   _____

8. Nombra una forma en que el Espíritu Santo está activo en la relación de Dios con los israelitas, nuestros antepasados en la fe. _____

9–10. Contesta en un párrafo: ¿Cómo el Espíritu Santo trabaja en la Iglesia? Da cuatro ejemplos.

Putting Faith to Work

Talk about what you have learned in this chapter:

- **We understand** that the Holy Spirit is present and active in God's plan of salvation.

- **We trust** the Holy Spirit to guide the life and teachings of the Church.

- **We rely** on the help and guidance of the Holy Spirit.

Decide on ways to live out what you have learned.

ENCOUNTERING GOD'S WORD

"Where the Spirit of the Lord is, there is freedom."
(2 Corinthians 3:17)

➡ **READ** the quotation from Scripture.

➡ **REFLECT** on these questions:
Why is there freedom wherever the Holy Spirit is? What kind of freedom is it? What does this statement suggest about the kind of community that the Church should be?

➡ **SHARE** your reflections with a partner.

➡ **DECIDE** how you can show that you have received the Holy Spirit.

Circle the letter of the correct answer.

1. _____ is a Hebrew word that means "Anointed One."

   a. *Holy Spirit* **b.** *Pentecost* **c.** *Messiah* **d.** *Magisterium*

2. The _____ spoke through the prophets, teaching the Israelites to remain faithful to God.

   a. Nicene Creed **b.** Holy Spirit **c.** Magisterium **d.** Messiah

3. The Holy Spirit is and has always been _____.

   a. the life of the Church **b.** the Anointed One **c.** a strong, driving wind **d.** a cloud of fire

4. The day on which the Holy Spirit came to Jesus' first disciples is called _____.

   a. Baptism **b.** Pentecost **c.** Easter **d.** Exodus

Short Answers

5. Who, through the power of the Holy Spirit, taught, healed, and worked miracles, and also saved people from sin? _____

6. What is a prophet? _____

7. What did the Apostle Peter tell the crowds gathered on Pentecost? _____
_____

8. Name one way that the Holy Spirit was active in God's relationship with the Israelites, our ancestors in faith. _____

9–10. ESSAY: How is the Holy Spirit at work in the Church? Give four examples.

Chapter 6 Assessment

RESPONDIENDO...

Comparte la fe con tu familia

Habla sobre lo siguiente con tu familia
- El Espíritu Santo está siempre presente con el Padre y el Hijo.
- El Espíritu Santo está activo en el plan de salvación de Dios.
- El Espíritu Santo vino a los discípulos en Pentecostés.
- El Espíritu Santo siempre guía a la Iglesia.

Haz este juego con tu familia. Ayúdense a reconocer sus dones, que vienen del Espíritu Santo. Una persona puede empezar pensando en otra persona de la familia. Puede hacer dos afirmaciones sobre los talentos de la persona. El resto de la familia debe tratar de reconocer quien es la persona descrita. El que adivine tiene el turno de escoger a otra persona en la familia para destacar sus cualidades. El juego termina cuando todos han tenido un turno.

Conexión con la liturgia

Nombra oraciones de la misa u otro sacramento que mencionen al Espíritu Santo. ¿Qué pedimos, creemos o profesamos creer sobre el Espíritu Santo en estas oraciones?

Para explorar

El Espíritu Santo es con frecuencia llamado el *Consolador*. (Ver Juan 14:15-26). Busca el significado de la palabra *consolador* en el diccionario. ¿Qué significa? ¿Por qué se aplica al Espíritu Santo?

Doctrina social de la Iglesia
☑ Cotejo

Tema de la doctrina social de la Iglesia:
Dignidad del trabajo y derecho de los trabajadores

Cómo se relaciona con el capítulo 6: El Espíritu Santo nos ayuda en nuestros esfuerzos humanos de continuar el trabajo de Jesús en el mundo.

Cómo puedes hacer esto en
- ☐ la casa:
  _____
- ☐ la escuela/trabajo:
  _____
- ☐ la parroquia:
  _____
- ☐ la comunidad:
  _____

Chequea cada acción cuando la termines.

Sharing Faith with Your Family

Discuss the following with your family:

- The Holy Spirit is always present with the Father and the Son.
- The Holy Spirit is active in God's plan of salvation.
- The Holy Spirit came to the disciples at Pentecost.
- The Holy Spirit is always guiding the Church.

Play the following game with your family to help each of you to recognize your family's gifts, which come through the Holy Spirit. One family member should start the game by thinking of another family member. He or she should make three statements about the other person's talents or gifts. The entire family should then try to guess the identity of the person described. The one who guesses correctly takes the next turn and chooses a different family member to highlight. The game continues until each family member has had a turn.

Catholic Social Teaching
☑ **Checklist**

Theme of Catholic Social Teaching:
Dignity of Work and the Rights of Workers

How it relates to Chapter 6: The Holy Spirit helps us in our human efforts to continue Jesus' work in the world. As Catholics we believe in the value of work. We are called to respect workers and uphold their rights.

How can you do this?

☐ At home:
_____

☐ At school/work:
_____

☐ In the parish:
_____

☐ In the community:
_____

Check off each action after it has been completed.

The Worship Connection

Name prayers from Mass or the sacraments that mention the Holy Spirit. In these prayers, what do we ask of, or profess to believe about, the Holy Spirit?

@ More to Explore

The Holy Spirit is often called the *Advocate*. (See John 14:15–26 for Jesus' use of this word.) Look up *advocate* in the dictionary. How is it defined? Why is it a fitting name for the Holy Spirit?

Usa los siguientes términos para completar las oraciones. Usa mayúsculas cuando sea necesario.

encarnación	gracia	Santísima Trinidad	Pentecostés
Jesucristo	fe	revelación divina	sabiduría

1. _____ es Dios revelarse a sí mismo.

2. La _____ es tres divinas Personas en un solo Dios: Dios el Padre, Dios el Hijo y Dios Espíritu Santo.

3. Como católicos creemos que _____ es verdadero Dios y verdadero hombre.

4. _____ es la participación, o compartir en la vida y amistad con Dios.

5. La venida del Espíritu Santo en _____ marca el inicio de la Iglesia.

6. _____ es el don de Dios que nos permite creer en Dios, aceptar todo lo que ha revelado y responder con amor a Dios y a los demás.

Rellena el círculo al lado de la respuesta correcta.

7. Los evangelios de Marcos, Mateo y Lucas son conocidos como _____.
   ○ Antiguo Testamento   ○ evangelios sinópticos   ○ epístolas   ○ Nuevo Testamento

8. La palabra *evangelio* significa "_____".
   ○ salvador   ○ buena nueva   ○ ungido   ○ Nuevo Testamento

9. En _____, rezamos: "En el nombre del Padre, y del Hijo, y del Espíritu Santo".
   ○ el Ave María   ○ el Padrenuestro   ○ el saludo de la paz   ○ la señal de la cruz

10. En la Biblia, un acuerdo solemne entre Dios y su pueblo es llamado _____.
    ○ bendición   ○ alianza   ○ Torah   ○ parábola

11. La palabra *Mesías* es una palabra del hebreo que significa "_____".
    ○ Jesús   ○ salvador   ○ ungido   ○ buena nueva

12. El plan de Dios para la protección de toda la creación es llamado _____.
    ○ culto   ○ providencia   ○ humanidad   ○ Exodo

13. Los evangelios se encuentran en el _____.
    ○ Nuevo Testamento   ○ Antiguo Testamento   ○ movimiento ecuménico   ○ Magisterium

Define lo siguiente:

14. epístola _____

_____

_____

15. Magisterium _____

_____

_____

16. depósito de fe _____

_____

_____

17. evangelización _____

_____

_____

18. encarnación _____

_____

_____

Responde lo siguiente:

19. Escoge una de las "Gran pregunta" de esta unidad y contéstala en uno o dos párrafos. (*¿Cómo sabes que Dios está presente en tu vida? ¿Cómo puedo encontrar la verdad? ¿Por qué las relaciones son importantes? ¿Cómo sé que Dios me ama? ¿Cómo encuentro mi camino?*) Usa las afirmaciones de fe en los capítulos para escribir tu trabajo.

_____

_____

_____

_____

20. Usa lo aprendido en la unidad para escribir uno o dos párrafos argumentando *en contra de* la siguiente afirmación: *No hay forma de que los humanos sepan quien es Dios:*

_____

_____

_____

_____

Use these terms to complete the sentences. Add capitals if needed.

Incarnation	grace	Blessed Trinity	Pentecost
Jesus Christ	faith	Divine Revelation	wisdom

1. _____ is God making himself known to us.

2. The _____ is the three Divine Persons in one God: God the Father, God the Son, and God the Holy Spirit.

3. As Catholics, we believe that _____ is both truly divine and truly human.

4. _____ is a participation, or a sharing, in God's life or friendship.

5. The coming of the Holy Spirit on _____ marks the beginning of the Church.

6. _____ is a gift from God that enables us to believe in God, to accept all that he has revealed, and to respond with love for God and others.

Fill in the circle beside the correct answer.

7. The Gospels of Mark, Matthew, and Luke are known as the _____.
   ○ Old Testament ○ synoptic Gospels ○ epistles ○ New Testament

8. The word *gospel* means "_____."
   ○ Savior ○ good news ○ Anointed One ○ blessing

9. In the _____, we pray, "In name of the Father, and of the Son, and of the Holy Spirit."
   ○ Hail Mary ○ Lord's Prayer ○ sign of peace ○ Sign of the Cross

10. In the Bible, a solemn agreement between God and his people is called a _____.
    ○ blessing ○ covenant ○ Torah ○ parable

11. The word *Messiah* comes from a Hebrew word that means "_____."
    ○ Jesus ○ Savior ○ Anointed One ○ good news

12. God's plan for and protection of all creation is called _____.
    ○ worship ○ providence ○ humankind ○ the book of Exodus

13. The Gospels are found in the _____.
    ○ New Testament ○ Old Testament ○ ecumenical movement ○ Magisterium

Define the following.

14. epistles _____

_____

_____

15. Magisterium _____

_____

_____

16. deposit of faith _____

_____

_____

17. evangelization _____

_____

_____

18. Incarnation _____

_____

_____

Respond to the following.

19. Choose one of the "Big Questions" from this unit and answer it in an essay. (*How do I know God is present in my life?*, *In what ways can I find truth?*, *Why do relationships matter to me?*, *How do I know God loves me?*, *What is the good news for me?*, or *How do I find my way?*) Use at least three Faith Words from the unit in your essay.

_____

_____

_____

_____

20. Use what you have learned in this unit to write an essay that argues *against* the following statement: *There is no way for human beings to know who God is.*

_____

_____

_____

_____

7

La promesa de salvación

"Nuestro Dios es un Dios que nos salva".

(Salmo 68:21)

Líder: Dios todopoderoso, estás siempre con nosotros. Siempre podemos llamarte en tiempos de necesidad. Así que declaramos:

Todos: Nuestra ayuda viene del Señor que hizo el cielo y la tierra.

Lector: "En ti, Señor, me refugio;
que yo no quede avergonzado
para siempre.
Líbrame, rescátame tú, que
eres salvador;
hazme caso y libérame".

(Salmo 71:1–2)

Todos: Nuestra ayuda viene del Señor que hizo el cielo y la tierra.

La gran pregunta:
¿Quién o qué me ayuda en tiempos difíciles?

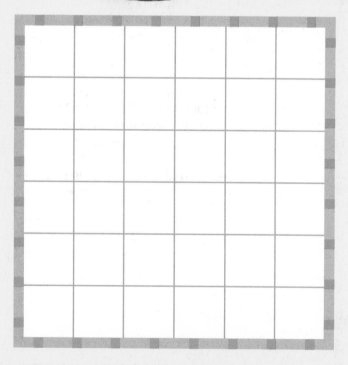

Descubre una señal de ayuda. "SOS" es conocido en todo el mundo como una señal de auxilio. Se debe en parte a Samuel Morse, quien desarrolló el código Morse alrededor del 1800. En el código Morse, pequeñas señales eléctricas, o puntos, y señales largas, rayas, determinan letras y números. Estas señales se usaban para enviar mensajes. En el código Morse un mensaje pidiendo ayuda se expresa con tres puntos, tres rayas y tres puntos (• • • – – – • • •) o las letras *SOS*. Esta señal se podía trasmitir muy rápido, así que fue adoptada internacionalmente.

Junto con un compañero túrnense para escribir *S* u *O* en el cuadro abajo. La idea es que aparezcan las letras *SOS* ya sea horizontal, vertical o diagonalmente durante tu turno. Cada vez que lo logre anota un punto y toma un turno adicional. La persona con la puntuación más alta gana.

En este capítulo aprenderemos que el pecado original debilita la naturaleza humana y permite la ignorancia, el sufrimiento y la muerte en el mundo y como Dios prometió ayuda y salvación.

Conversen sobre situaciones "SOS" reales en el mundo—situaciones en las que personas necesitan ayuda. Sugieran acciones que pueden tomarse para ayudar a los involucrados.

GATHERING...

"Our God is a God who saves."

(Psalm 68:21)

Leader: Almighty God, you are always with us. Throughout our lives, we can call on you in times of need. And so we declare:

All: Our help is in the name of the Lord, who made heaven and earth.

Reader 1: "In you, LORD, I take refuge;
let me never be put to shame.
In your justice rescue and
deliver me;
listen to me and save me!"

(Psalm 71:1–2)

All: Our help is in the name of the Lord, who made heaven and earth.

The BIG Question:
Who or what helps me in difficult times?

Discover a signal for help. "SOS!" is known worldwide as a call for help. This is due in part to Samuel Morse, who developed Morse code in the 1800s. In Morse code, short electrical signals, or dots, and long electrical signals, or dashes, stand for letters and numbers. These signals were sent out to communicate messages. In Morse code, a message calling for help consisted of three dots, three dashes, and three dots (• • • – – – • • •), or the letters *SOS*. This signal could be broadcast very quickly, so it was used internationally.

With a partner, take turns writing an *S* or *O* in the grid below. Your goal is to get the letters *SOS* to appear in a row, horizontally or diagonally, during your turn. Each time you do this, score a point and take an additional turn. The person with the highest score wins!

In this chapter we learn how original sin weakened our human nature and allowed ignorance, suffering, and death into the world, and how God promised help and salvation.

Discuss some real-life "SOS" situations around the world—situations in which people need help. Suggest actions that might be taken to help the people involved.

"Hola, mi nombre es Maura y soy alcohólica. Me ha dado mucho trabajo decirlo. Lo más difícil fue venir a mis tres primeras reuniones. Recuerdo pensar: *No necesito de esto. Estas personas no tienen nada en común conmigo.* Pero necesitaba que alguien me ayudara. No podía dejar de beber.

"Así que seguí viniendo para escuchar sus historias. Rápidamente me di cuenta de que sus historias son muy parecidas a la mía. Aprendí que todos ustedes eran la ayuda que yo necesitaba para pasar el día. Ahora tengo a Mariana como mi patrocinadora y en verdad que estoy entendiendo los doce pasos. Tengo que admitir que el alcohol se había apoderado de mí. Estoy siendo honesta conmigo y con los demás. También estoy recurriendo a Dios y a todos ustedes para salir de esto. Creo que lo que quiero decir es: Gracias por estar aquí para ayudarme. Espero que algún día pueda ayudar a otros jóvenes como yo".

Con esas palabras, Maura, de 16 años de edad, miró con gratitud a otros alcohólicos sentados a su alrededor. No podía creer que había pasado seis meses desde la última vez que había probado alcohol.

La organización "Alcohólicos Anónimos" se inició en el 1935 por la amistad de dos alcohólicos. William Griffith Wilson y el doctor Robert Holbrook Smith. Ellos se conocieron cuando ambos luchaban por estar sobrios. Al compartir las historias de sus luchas y al animarse mutuamente a depender de Dios, ellos se ayudaron a vencer su adicción día a día. Wilson y Smith empezaron a reunirse con otros alcohólicos para ayudarlos a estar sobrios. Compartieron su guía espiritual, que incluye admitir que no tienen control sobre el alcohol, depender de Dios, examinar su comportamiento pasado,

cambiar, decir la verdad y servir a otros. Eventualmente estas guías se desarrollaron en lo que hoy conocemos como los "doce pasos" y el pequeño grupo creció en una gran organización, conocida como Alcohólicos Anónimos o AA. AA protege el anonimato de sus miembros, Wilson y Smith fueron conocidos durante mucho tiempo, sólo como "Bill W" y "Dr. Bob".

El grupo que Bill W y el Dr Bob empezaron ahora tiene más de dos millones de miembros en el mundo. Los miembros se reúnen para rezar juntos, compartir sus historias y luchas y trabajar en seguir los doce pasos. Por su amistad los miembros se ayudan en la lucha contra las dificultades de la adicción. Muchas otras organizaciones han salido de AA para ayudar a personas que tienen otros tipos de adicción.

Actividad

¿Cuándo una amistad te ha ayudado en tiempos difíciles? Haz una lista de algunas formas en que puedes ayudar a tus amigos cuando tienen problemas en sus vidas

- help them forget
- get there mind off of stuff.
- Defend them

"Hi. My name is Maura, and I'm an alcoholic. It has taken a lot for me to say that about myself. Getting through my first few meetings here was the hardest thing I've ever done. I remember thinking to myself: *I don't need this. These people are nothing like me!* But I needed someone to help me. I just couldn't stop drinking.

"So, I continued to come here and listen to your stories. Soon, I learned that your stories were a lot like my story. And all of you became the help I needed to get through the day. Now I have Maryann as my sponsor, and I'm really getting into the Twelve Steps. I actually admitted that I was powerless over alcohol. I am being honest with myself and others. I am also turning to God and to all of you to get me through this. So, I guess what I really want to say is this: Thank you for being here for me. I hope one day I can help another kid like me."

With these words, Maura, fifteen years old, looked gratefully at the other Alcoholics Anonymous members sitting around her. She couldn't believe that six months had already passed since her last drink.

The organization Alcoholics Anonymous began in 1935 with a friendship between two alcoholics, William Griffith Wilson and Dr. Robert Holbrook Smith. They met at a time when they were both struggling to stay sober. By sharing stories of their struggles and encouraging each other to depend on God, they helped each other to overcome their addiction one day at a time. Soon Wilson and Smith began meeting with other alcoholics to help them to get sober, too. Wilson and Smith shared their spiritual guidelines, which included: admitting that they were powerless over alcohol, turning to God for help, examining their past behavior, making amends, telling the truth, and serving others. Eventually, these spiritual guidelines developed into what is known as the "Twelve Steps," and their small gatherings grew into the larger organization known as Alcoholics Anonymous, or AA.

Because AA protects its members' anonymity, Wilson and Smith were known for years as simply "Bill W." and "Dr. Bob."

The group that Bill W. and Dr. Bob began now has two million members worldwide. Members meet to pray together, share their stories and struggles, and work on following the Twelve Steps. Through their friendships, members help each other to cope with the difficulties of addiction. Several other organizations have grown out of AA to help people who have other kinds of addictions.

Activity When has a friendship helped you through a difficult situation? List some ways that *you* might help your friends when they are having trouble in their lives.

Dios busca ayudar a la humanidad.

Desde el inicio de la creación, Dios quiso que la vida de todas sus criaturas estuviera llena de amor, paz, felicidad y bondad. Dios creó al ser humano para ser uno con él, con los demás y con la creación. Los primeros humanos empezaron a vivir en ese estado original de santidad para la que Dios los había creado.

Te podrías preguntar: ¿por qué la vida hoy día no está llena de amor, paz, felicidad y bondad? ¿Por qué necesitamos tanta ayuda algunas veces? Dios dio al ser humano la dignidad de actuar por sí mismo cooperando con su plan de bondad y amor. Dios le dio al ser humano el don del **libre albedrío**, la libertad y la habilidad de escoger. Y fue por su propia libertad que los humanos decidieron desobedecer a Dios. Los primeros humanos decidieron no escuchar el aviso de Dios, no confiaron en sus palabras. Egoístamente hicieron lo que quisieron en vez de lo que Dios les pidió. Ellos pecaron. **Pecado** es un pensamiento, palabra, obra u omisión contra la ley de Dios que nos daña y daña nuestra relación con Dios y los demás. Por el pecado, los primeros humanos dañaron severamente su relación con Dios.

Vocabulario
libre albedrío
Pecado
pecado original

Podemos leer sobre esta "caída" en el capítulo 3 del libro del Génesis. Ahí encontramos una historia que usa muchos símbolos para enseñarnos importantes verdades sobre el pecado y el sufrimiento. En la historia leemos sobre el pecado de los primeros humanos a quienes llamamos Adán y Eva. El primer pecado cometido por los primeros humanos es llamado **pecado original**. Este debilitó la naturaleza humana y permitió la ignorancia, el sufrimiento y la muerte en el mundo. Debido al pecado original la naturaleza humana necesitó ser restablecida a su relación original con Dios. Dios promete dar a los humanos la ayuda necesaria. Con estas simbólicas palabras: "Ella te herirá en la cabeza, pero tú sólo herirás su talón" (Génesis 3:15), Dios prometió que un día un descendiente de los primeros humanos salvaría a la humanidad y aplastaría el poder del mal. Así Dios nos dio la esperanza de que el pecado y el mal serían vencidos un día. Dios nos dio la esperanza de la salvación.

Actividad Escribe un lema que recuerde a la gente que tienen esperanza a pesar del pecado y el sufrimiento en el mundo.

Mal y pecado, ¿por qué?

El pecado es una triste realidad en la vida humana. Ultimadamente la razón de su existencia es un misterio. Muchos santos y personas santas en la Iglesia han luchado para entender esas verdades. He aquí algunas de sus ideas:

- San Agustín, filósofo cristiano en la Iglesia primitiva, escribió que él buscó y buscó las razones de la existencia del mal, pero no encontró solución. La única forma de tener sentido del mal y el pecado es pensar en ellos como parte del misterio del plan de Dios para la humanidad.

- San León el Grande, uno de los primeros papas de la Iglesia, escribió que aun cuando el primer pecado dañó el estado original de bondad y felicidad de la humanidad, Jesucristo, quien nos salvó de nuestros pecados, nos prometió una vida aún mejor.

- Santo Tomás de Aquino, teólogo de la Edad Media, escribió que aun cuando el pecado es una terrible realidad, nada evita que seamos personas buenas y santas, aun después de haber pecado.

- Santa Catalina de Siena, doctora de la Iglesia, escribió que al buscar el perdón de Dios y volvernos a él podemos vivir vidas más virtuosas.

- San Pablo, quien predicó el cristianismo en muchas partes del mundo, escribió que donde hay pecado abunda la gracia de Jesucristo.

Por la fe podemos reconocer que: *"No hay un rasgo del mensaje cristiano que no sea en parte una respuesta a la cuestión del mal"*. (*CIC* 309).

¿Cuáles son tus ideas sobre el asunto?

God reaches out to help humankind.

From the very beginning of creation, God wanted the lives of all of his creatures to be filled with love, peace, happiness, and goodness. God created human beings to be at one with him, each other, and all of creation. And indeed the first human beings lived in this original state of holiness for which God had created them.

But why, you might ask, isn't life today always filled with love, peace, happiness, and goodness? Why do we need so much help at times? Well, God granted human beings the dignity of acting on their own and cooperating in his plan of loving goodness. God gave human beings the gift of **free will**, the freedom and ability to choose what to do. And it was of their own free will that the first humans chose to disobey God. The first humans chose not to respect God's warnings, nor to trust his words. They selfishly did what they wanted rather than what God commanded. They committed sin. **Sin** is a thought, word, deed, or omission against God's law that harms us and our relationship with God and others. Through sin, the first humans severely damaged their friendship with God.

Faith Words
free will
sin
original sin

We can read about this "fall" from God's friendship in Chapter 3 of the Book of Genesis. Here we find a story that uses many symbols to teach us important truths about sin and suffering. We read of the sin of the first human beings, who are called Adam and Eve in the story. The first sin committed by the first human beings is known as **original sin**. It weakened all of human nature and allowed ignorance, suffering, and death into the world. Because of original sin, human nature needed to be restored to its original relationship with God. God promised to give human beings the help that they needed. With the very symbolic words,

"He will strike at your head,
while you strike at his heel"
(Genesis 3:15),

God promised that one day a descendant of the first humans would save humanity and crush the power of evil. Thus, God gave us the hope that sin and evil would one day be finally overcome. God gave us the hope of salvation.

Activity Write an uplifting motto that reminds people to have hope despite the sin and suffering in the world.

Evil and sin— why?

Sin is a terrible reality in human life. And, ultimately, the reason for the existence of evil is a mystery. Many saints and holy people in the Church have struggled to understand these truths. Here are some of their thoughts on the matter:

- Saint Augustine, a Christian philosopher in the early Church, wrote that he searched and searched for the reasons that evil existed, but found no solution. The only way to make sense of evil and sin was to think of them as part of the mystery of God's plan for humankind.

- Saint Leo the Great, one of the Church's earliest popes, wrote that even though the first sin damaged humankind's original state of goodness and happiness, we are promised an even better life by Jesus Christ, who saves us from sin.

- Saint Thomas Aquinas, a theologian of the Middle Ages, wrote that even though sin is a terrible reality, there is nothing to prevent us from becoming better and holier people, even after sin.

- Saint Catherine of Siena, a Doctor of the Church, wrote that by seeking God's forgiveness for sin and turning back to him we can live a more virtuous life.

- Saint Paul, who spread Christianity to many lands, wrote that wherever there is sin, there is an even greater amount of grace from Jesus Christ.

With faith we can recognize that *"there is not a single aspect of the Christian message that is not in part an answer to the question of evil"* (CCC, 309).

What are your thoughts on the matter?

Dios ofrece la esperanza de la salvación a su pueblo.

En el libro de Génesis también leemos sobre los terribles efectos del pecado original en la humanidad. En una historia leemos que Caín, uno de los hijos de Adán y Eva, mató a su hermano Abel. El asesinato, uno de los efectos más terribles del pecado original, entró al mundo. A pesar de eso, Dios no dio la espalda a la humanidad. Dios continuó velando por Caín y animándolo a escoger el bien en vez del mal. En todo el Antiguo Testamento el mismo patrón surge una y otra vez—el pueblo lucha, se aleja de Dios, pero Dios en su misericordia siempre ofrece una esperanza renovada.

Podemos ver este patrón durante el éxodo, cuando los israelitas vagaban por el desierto después de dejar Egipto. El pueblo tenía hambre y sed. Pero cuando pidieron a Dios, él les dio comida y agua. Eventualmente, con la ayuda de Dios, el pueblo fundó Canaán, tierra que Dios le había prometido.

> **"Por los profetas, Dios forma a su pueblo en la esperanza de de la salvación".**
> (*CIC*, 64)

Cuando los israelitas se asentaron en Canaán y se convirtieron en una nación, tuvieron problemas para mantener la paz y los mandamientos. Cuando pidieron ayuda a Dios, Dios recordó su alianza y los ayudó. Dios envió jueces, sabios gobernantes, algunos de ellos militares, para restaurar la paz en la tierra. Después los israelitas pidieron un rey para dirigirlos y protegerlos de los enemigos, Dios los ayudó a escoger sus reyes y a proteger su tierra de las naciones invasoras.

Pero cuando los reyes de Israel empezaron a alejarse de Dios, su nación fue conquistada y dividida. La gente fue sacada de su tierra prometida, sufrieron muchas injusticias y muchos perdieron su fe. Sin embargo, Dios los animó a mantener su alianza con él. Esto lo hizo por medio de los profetas a quienes envió a hablar en su nombre. Ellos pedían al pueblo mantener la fe en Dios y confiar en que Dios restauraría la nación. Como leemos en el *Catecismo*: "Por los profetas, Dios forma a su pueblo en la esperanza de la salvación". (64)

Actividad

Usa lo aprendido en esta página para explicar como Dios ayudó a su pueblo durante cada una de las etapas siguientes:

Durante el exodo . . .

Cuando los israelitas se asentaron en Canaán . . .

Cuando los israelitas pidieron un rey . . .

Cuando los reyes de Israel empezaron a alejarse de Dios . . .

God offers his people the hope of salvation.

As the Book of Genesis continues, we learn about the terrible effects of original sin on humankind. In one story we even find out that Cain, one of the sons of Adam and Eve, killed his brother, Abel. Thus, murder, one of the worst effects of original sin, came into existence. But even after this, God did not turn away from humanity. God continued to watch over Cain, encouraging him to choose good over evil. And throughout the Old Testament, the same pattern emerges again and again—people struggle, even turn away from God, but God in his mercy always offers renewed hope.

We can see this pattern during the Exodus, when the Israelites wandered through the desert after leaving Egypt. They were hungry and thirsty. But when they cried out for help, God led them to food and drink. Eventually, with God's help, the people found Canaan, a land that God had promised to make their own.

> **"Through the prophets, God forms his people in the hope of salvation."**
>
> (CCC, 64)

When the Israelites settled into Canaan and became a nation, they had trouble keeping peace in their land and keeping the commandments. But when they cried out to God for help, God remembered his covenant and helped them. God sent judges, wise rulers who were often military leaders, to help them. The judges reminded the Israelites to keep their faith in God and restored peace to the land. Then, when the Israelites asked for a king to lead them and to protect them from their enemies, God helped them to choose their kings and to protect their land from invading nations.

But when the Israelite kings began to turn away from God, their nation was conquered and divided. People were scattered far from their promised land, suffered many injustices, and even lost faith. However, God encouraged them to keep their covenant with him. He did this through the words of the prophets whom he sent to speak in his name. They urged people to keep their faith in God and to trust that God would restore their nation. As we read in the *Catechism*, "Through the prophets, God forms his people in the hope of salvation" (64).

Activity Use what you have learned on this page to explain how God helped his people during each of the stages below.

During the Exodus . . . They were lost & hungry & god gave the food

When the Israelites settled into Canaan . . . The people there gave them faith agian

When the Israelites asked for a king . . . he gave them a king

When the Israelite kings began to turn away from God . . .

Dios promete un Mesías.

¿Quién te llama a vivir la fe en tu vida?

Los israelitas lucharon y escucharon a los profetas llamarlos a cambiar sus vidas y a vivir su alianza con Dios. Estos profetas recordaron al pueblo que Dios le había prometido enviar al Mesías para llevarle perdón y salvación.

El pueblo esperaba que el Mesías fuera alguien que vencería el mal, la injusticia y el pecado. En el libro de Isaías, uno de los grandes libros proféticos, leemos que el Mesías sería un gran rey, que sería descendiente del rey David, uno de los reyes de Israel más sobresaliente:

"Establecerá y afianzará el trono y el reino de David sobre el derecho y la justicia". (Isaías 9:6)

En toda la Escritura, y algunas veces en los libros proféticos, encontramos muchas otras imágenes sobre la profecía del Mesías:

- un siervo doliente que, "cuando era maltratado, él se sometía, y no abría su boca; como cordero llevado al matadero, como oveja ante el esquilador, enmudecía y no abría su boca" (Isaías 53:7)

- "y luz de las naciones" (Isaías 42:6)

- "tú eres la esperanza de Israel, un salvador en tiempo de angustia" (Jeremías, 14:8)

- "un salvador que los defienda y los libere" (Isaías 19:20)

Cada imagen lleva a la misma esperanza: por medio del Mesías, Dios traería un reino de justicia y paz. El haría una nueva alianza con su pueblo y estaría siempre con ellos, dirigiéndoles y guiándolos a la eterna felicidad. Así que, aunque el pueblo de Dios estaba constantemente luchando en un mundo dañado por el pecado y el sufrimiento, seguía esperando la salvación que Dios le había prometido—la llegada del Mesías.

Parte de un rollo escrito en hebreo por Isaías encontrado en una cueva junto con otros rollos de Qumran, cerca del Mar Muerto.

Actividad Imagina que se te pide hablar como profeta de Dios hoy. ¿Cuál será tu mensaje de esperanza? ¿Cómo lo comunicarías?

God promises a Messiah.

Who in your life calls you to live your faith?

As the Israelites struggled throughout their history, they listened to the prophets calling them to change their lives and to live by their covenant with God. These prophets reminded the people that God had promised to send the Messiah to bring them forgiveness and salvation.

The people expected the Messiah to be one who would bring victory over evil, injustice, and sin. In the Book of Isaiah, one of the great prophetic books of the Bible, we read of the Messiah as a mighty king. This king, it is said, would be a descendant of King David, one of the Israelites' greatest kings:

"His dominion is vast
    and forever peaceful,
From David's throne, and over his kingdom"
(Isaiah 9:6).

Throughout Scripture, and often even within the same prophetic book, we find many other images in prophecies about the Messiah:

- a suffering servant who, "like a lamb led to the slaughter," was "harshly treated" but "opened not his mouth" (Isaiah 53:7)

- "a light for the nations" (Isaiah 42:6)

- the "Hope of Israel," a "savior in time of need" (Jeremiah 14:8)

- "a savior to defend and deliver" (Isaiah 19:20).

Yet every image led to the same hope: Through the Messiah, God would bring a reign of justice and peace. He would make a new covenant with his people and would be with them always, leading and guiding them to eternal happiness. So, though God's people were constantly struggling in a world damaged by sin and suffering, they continued to hope for the long-awaited salvation that God had promised—the coming of the Messiah.

Activity Imagine you are asked to speak as God's prophet today. What would your hopeful message be? How would you deliver it?

El Magnificat

De acuerdo al Evangelio de Lucas, después que María se enteró de que iba a ser la madre del Hijo de Dios, ella alabó a Dios con una oración especial. Su oración se conoce como el *Magnificat*, que quiere decir "alabanzas". Es una oración llena de esperanza y alabanzas a Dios por su fidelidad a sus promesas. El Magnificat forma parte de las oraciones de la tarde en la *Liturgia de las Horas*, colección de oraciones diarias que la Iglesia reza durante el año.

Estas son las palabras del Magnificat:

"Mi alma glorifica al Señor,
y mi espíritu se alegra
en Dios mi Salvador,
porque ha mirado
la humildad de su sierva.
Desde ahora me llamarán
dichosa todas las generaciones,
porque ha hecho en mí cosas
grandes el Poderoso.
Su nombre es santo,
y su misericordia es eterna
con aquellos que le honran.
Actuó con la fuerza de su brazo
y dispersó a los de corazón soberbio.
Derribó de sus tronos a los poderosos
y engrandeció a los humildes.
Colmó de bienes a los hambrientos
y a los ricos despidió sin nada.
Tomó de la mano a Israel, su siervo,
acordándose de su misericordia,
como lo había prometido
a nuestros antepasados,
en favor de Abrahán y de sus
descendientes para siempre".
(Lucas 1:46–55)

Alaba a Dios usando el Magnificat en tus oraciones de la tarde.

IDENTIDAD CATÓLICA

La promesa de un Mesías se cumple.

Una de las profecías sobre el Mesías en el libro de Isaías dice: "El Señor mismo le dará una señal: ¡Miren!; la joven está encinta y dará a luz un hijo, a quien le pondrá el nombre de Enmanuel", que quiere decir "Dios con nosotros". (Ver Isaías 7:14). Cuando llegó el tiempo esta profecía del plan de Dios se cumplió. Para preparar a María en su papel para este plan, Dios la bendijo de manera especial. El la libró del pecado original y de todo pecado, desde el momento de su concepción. La verdad de que María no tuvo pecado es llamada **Inmaculada Concepción**.

En el Evangelio de Lucas leemos que Dios envió un ángel para decir a María cual era su plan. Un **ángel** es una criatura creada por Dios como un espíritu puro, sin cuerpo físico. Los ángeles sirven como mensajeros de Dios, ayudándole en su plan de salvación. El ángel le dijo a María: "Concebirás y darás a luz un hijo, al que pondrás por nombre Jesús. El será grande y será llamado Hijo del Altísimo; . . . su reino no tendrá fin"

> "El que va a nacer será santo y se llamará Hijo de Dios". (Lucas 1:35)

(Lucas 1:31–33). El anuncio a María de que ella sería la madre del Hijo de Dios es llamado **anunciación**.

El nombre que María debía poner a su hijo, *Jesús*, significa en hebreo "Dios salva". Y como dijo el profeta el niño sería descendiente del rey David y traería la salvación a todo el mundo. Pero María, una joven judía que estaba comprometida con José, un descendiente del rey David, no entendía como esto podía pasar. Ella no estaba casada. El ángel le explicó: "El Espíritu Santo vendrá sobre ti y el poder del Altísimo te cubrirá con su sombra; por eso, el que va a nacer será santo y se llamará Hijo de Dios" (Lucas 1:35). María aceptó el plan de Dios, respondiendo: "Aquí está la esclava del Señor, que me suceda como tú dices". (Lucas 1:38)

Vocabulario
Inmaculada Concepción
ángel
anunciación

Las profecías sobre el Mesías en el Antiguo Testamento se cumplieron. El Mesías, Jesucristo, nuestra más grande esperanza, vino a morar entre nosotros y a salvarnos del pecado.

Actividad María aceptó el plan de salvación de Dios. En una hoja de papel escribe una oración diciendo a Dios que aceptas el plan de salvación que él ofrece.

The promise of a Messiah comes to fulfillment.

One of the prophecies about the Messiah from the Book of Isaiah stated, "Therefore the Lord himself will give you this sign: the virgin shall be with child, and bear a son, and shall name him Immanuel," which means "God is with us." (See Isaiah 7:14.) In time this prophecy of God's plan for salvation was fulfilled. To prepare Mary for her role in this plan, God blessed her in a special way. He made her free from original sin and from all sin since the very moment she was conceived. This truth about Mary's sinlessness is called the **Immaculate Conception**.

In Luke's Gospel we read that God sent an angel to tell Mary of her role in God's plan. An **angel** is a creature created by God as a pure spirit, without a physical body. Angels serve God as messengers, helping him to accomplish his mission of salvation. The angel who came to Mary said to her: "Behold, you will conceive in your womb and bear a son, and you shall name him Jesus. He will be great and will be called Son of the Most High . . . and of his kingdom there will be

> **"The child to be born will be called holy, the Son of God."**
> (Luke 1:35)

no end'" (Luke 1:31–33). The announcement to Mary that she would be the mother of the Son of God is called the **Annunciation**.

The name that Mary was to give to her child, *Jesus*, means "God saves" in Hebrew. And just as the prophecies had said, the child would be a descendant of King David, and would bring salvation to all people. But Mary, a young Jewish woman who was engaged to Joseph, a descendant of King David, did not understand how all of this could happen. She was not even married yet. So the angel explained, "The holy Spirit will come upon you, and the power of the Most High will overshadow you. Therefore the child to be born will be called holy, the Son of God" (Luke 1:35). Mary, accepting God's plan, responded, "May it be done to me according to your word" (Luke 1:38).

Faith Words
Immaculate Conception
angel
Annunciation

The Old Testament prophecies about the Messiah were coming to fulfillment. The Messiah, Jesus Christ, our greatest hope, was coming to be among us and to save us from sin.

Activity Mary accepted God's plan of salvation. On a separate sheet of paper, write a prayer telling God that *you* accept the salvation that he offers.

The Magnificat

According to the Gospel of Luke, after Mary learned that she was going to be the mother of God's Son, she praised God in a special prayer. Her prayer is called the *Magnificat*, which means "praises." It is a prayer filled with hope and praise for God's faithfulness to his promises. The Magnificat has become part of evening prayer in the *Liturgy of the Hours*, a collection of daily prayers that the Church prays throughout the year.

Here are the words of the Magnificat:

"My soul proclaims the greatness
    of the Lord;
    my spirit rejoices in God my savior.
For he has looked upon his handmaid's
    lowliness;
    behold, from now on will all ages call
    me blessed.
The Mighty One has done great things
    for me,
    and holy is his name.
His mercy is from age to age
    to those who fear him.
He has shown might with his arm,
    dispersed the arrogant of mind
    and heart.
He has thrown down the rulers from their
    thrones
    but lifted up the lowly.
The hungry he has filled with good things;
    the rich he has sent away empty.
He has helped Israel his servant,
    remembering his mercy,
according to his promise to our fathers,
    to Abraham and to his descendants
    forever" (Luke 1:46–55).

Praise God by making the Magnificat part of your evening prayers.

CATHOLIC IDENTITY

Reconociendo nuestra fe

Recuerda la pregunta al inicio del capítulo *¿Quién o qué me ayuda en tiempos difíciles?* Contesta la pregunta desde la perspectiva de:

- uno de los personajes del Antiguo Testamento mencionado en el capítulo

_____

_____

- alguien que conoces y que necesita ayuda porque está teniendo dificultades

_____

_____

- tú, ahora que has finalizado este capítulo.

_____

_____

Viviendo nuestra fe

En este capítulo aprendimos que Dios ayuda a su pueblo y le da esperanza. Esta semana decide ser un ejemplo de esperanza en tu casa, la escuela y el vecindario.

Compañeros en la fe

Venerable Matt Talbot

Dios nos puede ayudar aun cuando las cosas parezcan imposibles. Matt Talbot fue alguien que entendió esto bien. Nació en el 1856 en un barrio marginado de Dublín, Irlanda. Matt era un alcohólico desde la edad de 12 años. Cuando empezó a beber no había grupos de apoyo para los alcohólicos y la mayoría de la gente los veía como inmorales. Matt enfrentó su enfermedad solo y con vergüenza. Finalmente, a la edad de 28 años, fue a buscar ayuda donde un sacerdote. El sacerdote le pidió prometer no volver a tomar. También le dijo que pensara en Cristo y su sufrimiento en la cruz. Matt siguió el consejo y empezó a vivir una vida simple de oración y ayuno. Encontró la felicidad y la paz ayudando a otros que estaban en necesidad.

Matt sufrió física y mentalmente en sus esfuerzos de estar sobrio, pero mantuvo su promesa. El siguió viviendo una vida de oración, ayuno y generosidad hasta que murió en el 1925. Los esfuerzos de Matt para vencer la adicción, con la ayuda de Dios, es un poderoso ejemplo para nosotros.

Pide para que Dios dé esperanza a todos quienes están en problemas.

Recognizing Our Faith

Recall the question at the beginning of this chapter: *Who or what helps me in difficult times?* Answer this question from the perspective of:

- one of the Old Testament people mentioned in this chapter

_____

_____

- someone you know of who needs help getting through a difficult time

_____

_____

- yourself, now that you've completed this chapter.

_____

_____

Living Our Faith

In this chapter we learned how God helps his people and offers hope. This week make a decision to be an example of hope in your home, school, and neighborhood.

Venerable Matt Talbot

God can help us even when things seem hopeless. Matt Talbot was someone who knew this well. Born in 1856 in the slums of Dublin, Ireland, Matt was addicted to alcohol from the time he was twelve years old. When Matt began drinking, there were no alcoholic support groups and most people looked upon alcoholics as immoral. Matt faced his addiction shamefully and alone. Finally, when he was twenty-eight, Matt went to a priest for help. The priest advised Matt to make a pledge to stop drinking. He also told Matt to think about Christ and his suffering on the cross. Matt took this advice and began to live a simple life of prayer and fasting. He found happiness and peace in helping others who were in need.

Though Matt suffered physically and mentally in his efforts to stay sober, he kept his pledge. He continued to live a life of prayer, fasting, and generosity until his death in 1925. Matt's efforts to overcome his addiction with God's help is a powerful example for us.

Pray that God will give hope to all people who are facing problems.

RESPONDIENDO...

✝ ENCUENTRO CON LA PALABRA DE DIOS

"Vivan alegres por la esperanza, sean pacientes en el sufrimiento y perseverantes en la oración".

(Romanos 12:12)

➡ **LEE** la cita bíblica.

➡ **REFLEXIONA** en estas preguntas:
¿Qué significa alegrarse? ¿Ser paciente? ¿Ser perseverante? ¿Cuáles son algunos ejemplos de sufrimiento? ¿Qué nos dice esta cita que debemos hacer cuando enfrentamos el sufrimiento?

➡ **COMPARTE** tus reflexiones con un compañero.

➡ **DECIDE** con quien vas a compartir el mensaje de esperanza de esta cita bíblica esta semana.

Poniendo la fe en acción

Habla sobre lo aprendido en este capítulo:

 Entenderemos que a través de la historia Dios ha buscado como ayudar a su pueblo.

 Celebramos la promesa de salvación de Dios por medio de su Hijo, Jesucristo, el Mesías.

 Respondemos a la promesa de salvación de Dios ayudando y sirviendo a los demás.

Decide una forma de vivir lo que has aprendido.

Escribe la letra que mejor define el término.

1. _____ libre albedrío
2. _____ pecado original
3. _____ ángel
4. _____ Inmaculada Concepción

a. el anuncio a María de que ella sería la madre del Hijo de Dios

b. libertad y habilidad de escoger que hacer

c. primer pecado cometido por los primeros humanos

d. criatura creada por Dios como espíritu puro, sin cuerpo físico, para servir y ayudar a Dios a cumplir su misión de salvación

e. la verdad de que Dios creó a María libre del pecado original y de todo pecado desde el momento de su concepción

Contesta

5. En la Escritura leemos sobre muchas imágenes que profetizan sobre el Mesías. ¿Cuáles son dos de ellas?
_____

6. ¿Cuál es el significado del nombre Jesús en hebreo? _____

7. ¿Qué historia encontramos en el capítulo 5 del Génesis y qué verdades importantes nos enseña?
_____

8. ¿Qué esperanza nos da Dios? _____

9–10. Contesta en un párrafo: ¿Cuáles son ejemplos de formas en que Dios ha ayudado a su pueblo?

Putting Faith to Work

Talk about what you have learned in this chapter:

 We understand that throughout human history God has reached out to help his people.

 We celebrate that God promised salvation through his Son, Jesus Christ, the Messiah.

 We respond to God's promise of salvation by helping and serving others.

Decide on ways to live out what you have learned.

✝ ENCOUNTERING GOD'S WORD

"Rejoice in hope, endure in affliction, persevere in prayer."

(Romans 12:12)

➡ **READ** the quotation from Scripture.

➡ **REFLECT** on these questions:
What does it mean to rejoice? to endure? to persevere? What are some examples of "affliction"—a condition of great suffering? What does this quote ask us to do when faced with it?

➡ **SHARE** your reflections with a partner.

➡ **DECIDE** on one person with whom you will share the hopeful message of this Scripture passage this week.

Write the letter that best defines each term.

1. ___b___ free will

2. ___c___ original sin

3. ___d___ angel

4. ___e___ Immaculate Conception

a. the announcement to Mary that she would be the mother of the Son of God

b. the freedom and ability to choose what to do

c. the first sin committed by the first human beings

d. a creature created by God as a pure spirit, without a physical body, who serves God and helps him to accomplish his mission of salvation

e. the truth that God made Mary free from original sin and from all sin since the very moment she was conceived

Short Answers

5. Throughout Scripture, we read of many images that were prophesied about the Messiah. What are two of them? _____

6. What does the name *Jesus* mean in Hebrew? ___God Saves___

7. What story do we find in Chapter 3 of the Book of Genesis, and what important truths does it teach us? _____

8. What hope does God give us? ___salvation___

9-10. ESSAY: What are examples of ways God has reached out to help his people?

Chapter 7 Assessment

Comparte la fe con tu familia

Conversa con tu familia sobre lo siguiente:

- Dios busca ayudar a la humanidad.
- Dios ofrece la esperanza de la salvación a su pueblo.
- Dios promete un Mesías.
- La promesa de un Mesías se cumple.

Escribe el nombre de cada uno de los miembros de tu familia en un pedazo de papel. Pide a cada uno sacar un papel de un tazón o caja. Haz algo por la persona cuyo nombre fue sacado para ayudarle a tener un sentido de esperanza.

Conexión con la liturgia

Una oración de la Liturgia de las Horas pide: "Señor ven en mi ayuda. Señor apresúrate en socorrerme". Reza estas palabras cuando necesite ayuda.

@

Para explorar

En este capítulo aprendimos que Dios ayuda a su pueblo y le da esperanza. Con la ayuda del Internet o el boletín de tu parroquia busca grupos u organizaciones que ofrezcan ayuda a los necesitados.

Doctrina social de la Iglesia
☑ Cotejo

Tema de la doctrina social de la Iglesia
Derechos y responsabilidades de la persona humana

Cómo se relaciona con el capítulo 7: Toda persona tiene derecho a alimentación, vivienda, vestido, libertad religiosa y a la vida misma. Así como Dios nos ayuda, nosotros tenemos la responsabilidad de ayudarnos y protegernos.

Cómo puedes hacer esto

☐ en la casa:

_____

☐ en la escuela/trabajo:

_____

☐ en la parroquia:

_____

☐ en la comunidad:

_____

Chequea cada acción cuando la termines.

Sharing Faith with Your Family

Discuss the following with your family:

- God reaches out to help humankind.
- God offers his people the hope of salvation.
- God promises a Messiah.
- The promise of a Messiah comes to fulfillment.

Write the name of each family member on a slip of paper. Have each family member draw a slip of paper from a bowl. Each day, do something for the person whose name you drew that will help to give him or her a greater sense of hope.

Catholic Social Teaching
☑ Checklist

Theme of Catholic Social Teaching:
Rights and Responsibilities of the Human Person

How it relates to Chapter 7: All people have a right to food, shelter, clothing, religious freedom, and life itself. Just as God helps us, we have a responsibility to help and protect one another.

How can you do this?

☐ At home:

_____

☐ At school/work:

_____

☐ In the parish:

_____

☐ In the community:

_____

Check off each action after it has been completed.

The Worship Connection

A prayer from the Liturgy of the Hours asks, "God, come to my assistance. Lord, make haste to help me." Pray these words when you need help.

More to Explore

In this chapter we learned that God helps his people and gives them hope. Use the Internet or a parish bulletin to research groups or organizations that offer help to those in need.

8
Jesús, el Mesías prometido

"Les ha nacido hoy, en la ciudad de David, un Salvador, que es el Mesías, el Señor".

(Lucas 2:11)

✛ **Líder:** "Sus padres iban cada año a Jerusalén, a la fiesta de pascua. Cuando el niño cumplió doce años, subieron a celebrar la fiesta, según la costumbre" (Lucas 2:41). En esta historia Jesús va con su familia a Jerusalén para celebrar la Pascua. Vamos a cerrar los ojos e imaginar encontrarnos con Jesús cuando tenía doce años.

Imagina que vas con tu familia a Jerusalén. Un niño se para a tu lado. Te dice que su nombre es Jesús. Te sonríe y te da la mano. Empiezan a hablar. ¿Qué quiere Jesús saber de tu vida? ¿Qué le dices? ¿Qué te responde?

Tus padres te llaman, es tiempo de seguir el viaje. Cuando se despiden, le prometes a Jesús que siempre serás su amigo. (reflexión en silencio)

Ahora abrimos los ojos y rezamos:

Todos: Señor, ayúdanos a mantener la promesa de mantener una relación con Jesucristo, tu Hijo. Amén.

La gran pregunta:
¿Cumplo mis promesas?

Descubre algunas promesas famosas. ¿Puedes aparear la persona a la promesa que hizo? Las respuestas se encuentran abajo.

① **"Después que muera enviaré lluvia de rosas".**

② **"Los ingleses no tendrán ya poder sobre ti".**

③ **"Escogimos ir a la luna . . . . y se hará antes de que finalice esta década".**

④ **"Prometo traer oro, especias y seda desde el lejano oriente, para diseminar el cristianismo y llevar una expedición a la China".**

| Santa Teresa de Lisieux | Cristóbal Colón | Santa Juana de Arco | John F. Kennedy |

Respuestas:

1. **Santa Teresa de Lisieux.** Algunos católicos dicen que cuando rezan a Santa Teresa pidiendo su ayuda ven una rosa inmediatamente después que terminan la oración. 2. **Santa Juana de Arco,** habló a los franceses. Ella tuvo éxito ayudando a los franceses a sacar a los ingleses y a restaurar el reinado francés. Juana de Arco murió como mártir en el 1431.

3. **John F. Kennedy** en **1962,** prometió que los Estados Unidos aterrizarían en la luna no más tarde del **1970.** Los primeros astronautas de los Estados Unidos aterrizaron en el **1969.** 4. **Cristóbal Colón,** navegante italiano y explorador. El no pudo cumplir su promesa porque nunca llegó al lejano oriente, pero se reconoce por haber descubierto las Bahamas, el Caribe y América.

¿Qué promesa el mundo necesita cumplir hoy?

En este capítulo veremos como los evangelios revelan que Jesús es el Mesías prometido por medio de detalles de su nacimiento y niñez.

GATHERING...

"For today in the city of David a savior has been born for you who is Messiah and Lord."

(Luke 2:11)

✚ **Leader:** "Each year his parents went to Jerusalem for the feast of Passover, and when he was twelve years old, they went up according to festival custom." (Luke 2:41) So begins a Gospel story about Jesus as a boy going on a family journey. He was going to Jerusalem for Passover. Let us close our eyes now and imagine meeting Jesus then, at twelve years old.

Imagine yourself journeying with your family to Jerusalem. Standing there is a boy around your age. He introduces himself as Jesus. He smiles, and you shake hands. You begin to talk. What does Jesus want to know about your life? What do you tell him? How does he respond?

Soon your parents are calling you. It's time to continue the journey. As you and Jesus leave each other, you promise Jesus that you will always be friends. (silent reflection)

Now let us open our eyes and pray:

All: O God, help us to keep our promise and grow in our relationship with Jesus Christ, your Son. Amen.

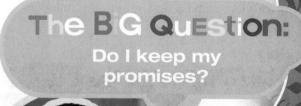

The BIG Question:
Do I keep my promises?

Discover some famous promises. Can you match the person to the promise that he or she made? Check your answers below.

1 "After my death I will let fall a shower of roses."

2 "The English will have no more power over you."

3 "We choose to go to the moon. . . . And it will be done before the end of this decade."

4 "I promise to bring back gold, spices, and silks from the Far East, to spread Christianity, and to lead an expedition to China."

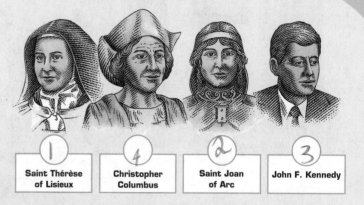

①	④	②	③
Saint Thérèse of Lisieux	Christopher Columbus	Saint Joan of Arc	John F. Kennedy

Answers

1. **Saint Thérèse of Lisieux.** Some Catholics say that when they pray for Saint Thérèse's help, they see a rose just before their prayer is answered.

2. **Saint Joan of Arc,** speaking to the French people. Joan succeeded in helping France to drive back invading English troops and restore the French king. Joan died as a martyr in 1431.

3. **President John F. Kennedy in 1962,** promising that America would land on the moon by 1970. The first Americans landed on the moon in 1969.

4. **Christopher Columbus,** Italian navigator and explorer for Spain. Columbus could not keep his promise because he never reached the Far East, but he is celebrated for exploring the Bahamas, the Caribbean Islands, and the Americas.

What is a promise that needs to be kept in our world today?

In this chapter we consider how the Gospels reveal Jesus as the promised Messiah through details they give regarding his birth and early life.

Puede que no conozcas sus nombres o no sepas mucho sobre ellos, pero tus antepasados, todos tus familiares que vinieron antes que tú, tienen una conexión especial con tu vida. De forma real, tú y tu familia están siendo testigos de promesas que tus antepasados hicieron hace muchos años. ¿Cómo? Bien, las promesas eran las bases de la vida de tus antepasados. Estas promesas incluyen las promesas del matrimonio, la promesa de hacer una vida mejor para ellos y sus familias, la promesa de trabajar duro para ayudarse unos a otros y la promesa de vivir en libertad.

Durante su vida, su trabajo duro y su esperanza, tus antepasados vivieron la promesa de una vida mejor—no sólo para ellos sino para sus hijos y los hijos de sus hijos y para todos sus familiares y al final incluyéndote *a ti*.

Actividad ¿Qué promesas necesitan hacer los jóvenes de hoy a las futuras generaciones?

You might not know their names or much about them, but your ancestors, all the family members who came before you, have a special connection to your life today. In a very real way, you and your family are living witnesses of promises that your ancestors kept long ago. How so? Well, promises were the very foundations of your ancestors' lives. These promises included the promise of marriage, the promise to build a better life for themselves and their families, the promise to work hard to help one another, and the promise of living in freedom.

Through all of their comings and goings, all of their hard work and hope, your ancestors lived for the promise of a better life—not only for themselves but for their children and their children's children, and for their whole network of relations, including, in the end, *yourself*.

Activity What promises do people today need to make to future generations?

Jesucristo es el Mesías prometido.

Dios ha prometido estar siempre con su pueblo y que enviaría un Mesías para salvarlo y guiarlo. Con la venida de Jesucristo se cumple esa promesa. Jesús fue concebido y nació del seno de una mujer, como cualquier ser humano. Jesucristo fue concebido por el poder del Espíritu Santo. El es hijo de María e Hijo de Dios. El Hijo de Dios "Trabajó con manos de hombre, reflexionó con inteligencia de hombre, actuó con voluntad humana y amó con humano corazón. Nacido de la Virgen María, es verdaderamente uno de nosotros, semejante en todo a nosotros, excepto en el pecado" (*Constitución pastoral sobre la Iglesia en el mundo de hoy*, 22).

Los recuentos del nacimiento y la niñez de Jesús, en los primeros dos capítulos de los evangelios de Mateo y Lucas, son llamados **narrativas de la infancia**.

Ellos incluyen la *genealogía*, o historia de la familia, y varias historias sobre la vida infantil de Jesús. Esta narrativa pone énfasis en que Jesús es Enmanuel, quien es: "Dios con nosotros" (Mateo 1:23)—el Hijo de Dios, descendiente de la familia de David, quien era del linaje de Abrahán.

Las narrativas de la infancia proclaman que Jesucristo es el Salvador prometido. El llevará a cabo el plan de salvación de Dios. Ellos muestran los eventos alrededor de la concepción de Jesús, su nacimiento y su niñez, cumpliendo la promesa de Dios a su pueblo y que pueden encontrese en el Antiguo Testamento. Estas son algunas de las promesas cumplidas en el nacimiento de Jesús:

Vocabulario

narrativas de la infancia

PROMESA EN EL ANTIGUO TESTAMENTO	CUMPLIMIENTO EN LA NARRATIVA DE LA INFANCIA
"Todas las naciones de la tierra obtendrán la bendición a través de tu descendencia". (Génesis 22:18)	Los antepasados de Jesús fueron de la tribu de David y descendientes de Abrahán. (Ver Mateo 1:1–17)
"Pues el Señor mismo les dará una señal: ¡Miren!; la joven está encinta y dará a luz un hijo a quien le pondrá el nombre de Enmanuel". (Isaías 7:14))	Dios llamó a la virgen María para ser la madre de su único Hijo. (Ver Mateo 1:22–23)
"Porque un niño nos ha nacido, un hijo se nos ha dado. Sobre sus hombros descansa el poder, y su nombre es: "Consejero prudente, Dios fuerte, Padre eterno, Príncipe de paz". Acrecentará su soberanía y la paz no tendrá límites; establecerá y afianzará el trono y el reino de David sobre el derecho y la justicia desde ahora y para siempre". (Isaías 9:5–6)	El ángel le dijo a María que el niño que iba a nacer "será grande, será llamado Hijo del Altísimo; el Señor Dios le dará el trono de David, su padre, . . . y su reino no tendrá fin". (Lucas 1:32–33)

Actividad Si el nacimiento de Jesucristo fuera anunciado en los medios de comunicación hoy, ¿qué dirían los noticieros?

Jesus Christ is the promised Messiah.

God had promised to remain with his people forever and to send the Messiah to lead and save them. The coming of Jesus Christ fulfilled this promise. Jesus was conceived within, carried by, and born from the womb of a mother, just as every human being is. And yet Jesus Christ was conceived by the power of the Holy Spirit. He is the son of Mary and the Son of God. The Son of God "worked with human hands, He thought with a human mind, acted by human choice, and loved with a human heart. Born of the Virgin Mary, He has truly been made one of us, like us in all things except sin" (*Pastoral Constitution on the Church in the Modern World*, 22).

The accounts of Jesus' birth and childhood found in the first two chapters of the Gospels of Matthew and Luke are called the **infancy narratives**. They include a *genealogy*, or family history, and various stories about the early life of Jesus. The infancy narratives emphasize who Jesus is: Emmanuel, in whom "God is with us" (Matthew 1:23)—the Son of God, descended from the family line of David, who was of the line of Abraham.

Faith Word
infancy narratives

The infancy narratives proclaim that Jesus Christ is the promised Savior. He will carry out God's plan of salvation. They show that the events surrounding Jesus' conception, birth, and early childhood fulfilled God's promises to his people, which can be found in the Old Testament. Here are some of the promises that Jesus' birth fulfilled:

OLD TESTAMENT PROMISES	FULFILLMENT FOUND IN INFANCY NARRATIVE
God promised Abraham, "In your descendants all the nations of the earth shall find blessing" (Genesis 22:18).	Jesus' ancestry is traced back to David and to Abraham. (See Matthew 1:1–17.)
"The Lord himself will give you this sign: the virgin shall be with child, and bear a son, and shall name him Immanuel." (Isaiah 7:14)	God calls the Virgin Mary to become the mother of God's only Son. (See Matthew 1:22–23.)
"For a child is born to us, a son is given to us; upon his shoulder dominion rests. They name him Wonder-Counselor, God-Hero, Father-Forever, Prince of Peace. His dominion is vast and forever peaceful, From David's throne, and over his kingdom, which he confirms and sustains By judgment and justice, both now and forever." (Isaiah 9:5–6)	The angel tells Mary that the child to be born "will be great and will be called Son of the Most High, and the Lord God will give him the throne of David . . . and of his kingdom there will be no end" (Luke 1:32–33).

Activity If the birth of Jesus Christ were being announced today in the media, what might this announcement say?

El Templo de Jerusalén

El primer Templo de Jerusalén fue construido por el rey Salomón en el 966 AC aproximadamente. Construir esta gran estructura de piedra tomó 11 años y se conoció como el Templo de Salomón. Se dice que el *arca de la alianza*, una caja de madera donde se guardaban las tablas con los Diez Mandamientos, era guardada en el cuarto más sagrado de este Templo. Este cuarto era llamado el *Santo de los Santos*.

El Templo de Salomón fue destruido cuando Jerusalén fue atacada en el 587 AC. Fue reconstruido con tan pocos recursos que la nueva estructura no se asemejaba ni en grandeza ni en elegancia al Templo de Salomón. En el 19 AC, el rey Herodes destruyó esa estructura para reconstruir el Templo de nuevo. El prometió que el nuevo templo sería considerado el más grande de todos. En el trabajaron más de 10,000 hombres y se tomó casi ocho años terminarlo. A este espléndido templo fue que María y José llevaron al niño Jesús para ser consagrado al Señor.

A pesar de que ese templo también fue destruido, muchos judíos siguen visitando el lugar donde una vez estuvo erecto. Ellos van a rezar en la pared del oeste, muro de los lamentos, considerado el último remanente del Templo.

Ve a la web y busca más información sobre el muro de los lamentos.

Jesús cumple la esperanza de Israel.

Como leemos en la Biblia sobre la niñez de Jesús, su madre, María y su padre adoptivo, José, eran judíos devotos. Ellos cumplían las leyes de Moisés. Estas leyes requerían que el primogénito fuera consagrado al Señor al nacer. **Consagrar** significa algo sagrado para Dios. A la madre también se le exigía hacer un sacrificio al Señor, cuarenta días después de dar a luz. La costumbre era ofrecer un cordero y una tórtola, pero los muy pobres sólo podían ofrecer dos tórtolas o palomas.

Después del nacimiento de Jesús, José y María decidieron viajar al Templo de Jerusalén para cumplir con esos requisitos. El Templo era el lugar sagrado donde los judíos se reunían para alabar a Dios. José y María llevaron la ofrenda asignada a

> **"Dios con nosotros".**
> (Mateo 1:23)

los muy pobres. Cuando estaban en el Templo pasó algo muy sorprendente. Un hombre lleno de fe, llamado Simeón, tomó el niño en sus brazos y alabó al Señor diciendo: "Ahora, Señor, según tu promesa, puedes dejar que tu siervo muera en paz. Mis ojos han visto a tu Salvador, a quien has presentado ante todos los pueblos, como luz para iluminar a las naciones y gloria de tu pueblo Israel". (Lucas 2:29–32)

Vocabulario

Consagrar

Una anciana llamada Ana también estaba en el Templo. Ella era una mujer santa que tenía el don de profecía. Ella: "Se puso a dar gloria a Dios y a hablar del niño a todos los que esperaban la liberación de Jerusalén" (Lucas 2:38). En las palabras de Simeón y la respuesta de Ana, encontramos la verdadera expresión de la esperanza de Israel para la promesa del Mesías.

Actividad Imagina que estás en el Templo con Ana y Simeón alabando a Jesús, el Mesías. ¿Qué palabras de alabanzas usarías?

Jesus fulfills the hopes of Israel.

As we read in Scripture about Jesus' early life, we learn that Jesus' mother, Mary, and foster-father, Joseph, were devout Jews. They followed all the laws of Moses. These laws required that a firstborn son be consecrated to the Lord after his birth. To **consecrate** is to make sacred for God. A mother was also required to offer a sacrifice to the Lord forty days after the birth of a son. The customary offering was a lamb and a turtledove, but those too poor to afford both could offer two turtledoves or pigeons.

So, after Jesus' birth, Joseph and Mary decided to travel to the Temple in Jerusalem to fulfill these requirements. The Temple was the sacred place where Jewish people gathered to worship God. Joseph and Mary brought the offering appointed for those who were poor. And while they were in the Temple, something remarkable happened. A man named Simeon, who was full of faith in the Lord, took the infant Jesus in his arms and praised God, saying:

> **"God is with us."**
> (Matthew 1:23)

"My eyes have seen your salvation,
which you prepared in sight
of all the peoples,
a light for revelation to the Gentiles,
and glory for your people Israel" (Luke 2:30–32).

Faith Word
consecrate

An elderly woman named Anna was also in the Temple. She was a holy woman with the gift of prophecy. She too "gave thanks to God and spoke about the child to all who were awaiting the redemption of Jerusalem" (Luke 2:38). In the words of Simeon and the response of Anna, we find the true expression of Israel's hope for the promised Messiah.

Activity Imagine that you are in the Temple with Anna and Simeon, praising Jesus as the Messiah. What words of praise would you use?

The Temple in Jerusalem

The Temple in Jerusalem was first built by Israel's King Solomon around 966 B.C. It took eleven years to build this great stone structure, known as Solomon's Temple. It was said that the *ark of the covenant*, a wooden box that held the tablets of the Ten Commandments, was kept inside this Temple's holiest, inner-most room. This room was called the *holy of holies*.

Solomon's Temple was destroyed when Jerusalem was attacked in 587 B.C. It was rebuilt, but with so few resources that the new structure was not nearly as grand or as elegant as Solomon's Temple. In 19 B.C., however, King Herod destroyed this structure in order to rebuild the Temple again. He vowed that the new Temple would be considered the greatest of all. It took more than 10,000 workers and nearly eight years of labor before the Temple was ready to be used by the public. This splendid Temple was where Mary and Joseph brought the baby Jesus to consecrate him to the Lord.

Although this Temple was also destroyed, many Jews continue to visit the site where it stood. They come to pray at the Western Wall, or Wailing Wall, considered to be a last remnant of the Temple.

Go online to find out more about the Western Wall today.

Jesús es el Hijo de Dios.

¿Cuáles son algunas tradiciones importantes en tu familia?

Aun cuando sabemos muy poco de la niñez de Jesús, por la Escritura sabemos que Jesús era un judío devoto y él: "crecía y se fortalecía llenándose de sabiduría, y contaba con la gracia de Dios" (Lucas 2:40). Con la ayuda de sus padres y la comunidad judía, Jesús fue criado en las ricas tradiciones de la fe judía. Aprendió sobre los mandamientos, las profecías y otros escritos sagrados. La siguiente historia tomada del Evangelio de Lucas nos da una idea de como era Jesús cuando tenía tu edad:

"Sus padres iban cada año a Jerusalén, a la fiesta de Pascua. Cuando el niño cumplió doce años, subieron a celebrar la fiesta, según la costumbre. Terminada la fiesta, cuando regresaban, el niño Jesús se quedó en Jerusalén, sin saberlo sus padres. Estos creían que iba en la caravana, y al terminar la primera jornada lo buscaron entre los parientes y conocidos. Al no encontrarlo, regresaron a Jerusalén en su busca. Al cabo de tres días, lo encontraron en el templo sentado en medio de los doctores, no sólo escuchándolos, sino también haciéndoles preguntas. Todos los que le oían estaban sorprendidos de su inteligencia y de sus respuestas. Al verle, se quedaron asombrados, y su madre le dijo: Hijo, ¿por qué nos has hecho esto? Tu padre y yo te hemos buscado angustiados. El les contestó: ¿Por qué me buscaban? ¿No sabían que yo debo ocuparme de los asuntos de mi Padre? Pero ellos no comprendieron lo que les decía. Bajó con ellos a Nazaret, donde vivió obedeciéndolos. Su madre conservaba cuidadosamente todos estos recuerdos en su corazón. Y Jesús iba creciendo en sabiduría, en estatua y en aprecio ante Dios y ante los hombres". (Lucas 2:41–52)

Esta historia es la última en el Evangelio de Lucas sobre la infancia de Jesús y la única sobre su niñez. Esta muestra a Jesús como un joven tan interesado en su fe que se quedó en el Templo mientras su familia regresa a casa después de la Pascua.

Esta historia refleja la divinidad y la humanidad de Jesús: Jesús sabía que el Templo era la "casa de su Padre", también era un muchacho que se había perdido y sus padres lo buscan y con muchas otras experiencias en su futuro.

Actividad Jesús vivió la fe de los judíos. Haz una lista de como vivirás tu fe esta semana.

Jesus is the Son of God.

What are some important traditions in your family?

Though we know very little about Jesus' early life, we do know through Scripture that Jesus was a devout Jew and that he "grew and became strong, filled with wisdom; and the favor of God was upon him" (Luke 2:40). Nurtured by his family and his Jewish community, Jesus was raised in the rich traditions of the Jewish faith. He learned about the commandments, the prophecies, and other sacred writings. The following story from Luke's Gospel gives us a glimpse of what Jesus was like as a young person at about your age:

"Each year his parents went to Jerusalem for the feast of Passover, and when he was twelve years old, they went up according to festival custom. After they had completed its days, as they were returning, the boy Jesus remained behind in Jerusalem, but his parents did not know it. Thinking that he was in the caravan, they journeyed for a day and looked for him among their relatives and acquaintances, but not finding him, they returned to Jerusalem to look for him. After three days they found him in the temple, sitting in the midst of the teachers, listening to them and asking them questions, and all who heard him were astounded at his understanding and his answers. When his parents saw him, they were astonished, and his mother said to him, 'Son, why have you done this to us? Your father and I have been looking for you with great anxiety.' And he said to them, 'Why were you looking for me? Did you not know that I must be in my Father's house?' But they did not understand what he said to them. He went down with them and came to Nazareth, and was obedient to them; and his mother kept all these things in her heart. And Jesus advanced [in] wisdom and age and favor before God and man." (Luke 2:41–52)

This story is the last story of Luke's infancy narrative and the only story in the Gospels about Jesus as a youth. It portrays Jesus as a young man so interested in his faith that he stays behind in the Temple while his family journeys home after Passover.

And this story reflects the humanity and divinity of Jesus: Jesus knew that the Temple was his "Father's house," yet he was also a boy thought to be lost, with parents frantic to find him, and still with many more life experiences ahead of him.

Activity Jesus lived his Jewish faith. List some ways that *you* will live your faith this week.

- Pray Before & After every meal
- come to church on sundays.

Jesús es verdadero Dios y verdadero hombre.

El Evangelio de Juan no nos narra los eventos del nacimiento y la niñez de Jesús, ofrece un resumen de ellos y de quien es Jesús. Juan empieza con un *prólogo*, o introducción. Este prólogo es un himno poético que resume los temas del Evangelio de Juan. Se inicia así:

"Al principio ya existía la Palabra. La Palabra estaba junto a Dios, y la Palabra era Dios". (Juan 1:1)

Las palabras *al principio* también inician el libro del Génesis cuando se narra la creación. Juan usa estas palabras como señal de que una nueva creación se inicia con Jesucristo. En el prólogo de Juan también leemos:

"La Palabra se hizo carne y habitó entre nosotros; y hemos visto su gloria, la gloria propia del Hijo único del Padre, lleno de gracia y de verdad". (Juan 1:14)

La Palabra, Jesucristo, quien estaba en Dios y es Dios, tomó nuestra naturaleza humana y vivió entre nosotros *como* un ser humano. Jesús no fue "ocultado" en un cuerpo humano, o "pretendió" ser humano. Sin perder su naturaleza divina, el Hijo Unico de Dios, la Palabra, se hizo verdaderamente humano. Con este prólogo, el Evangelio de Juan, igual que el de Mateo y Lucas, nos ayuda a entender que en Jesucristo "Dios con nosotros" se hizo uno de nosotros. Jesús es verdadero Dios y verdadero hombre.

> **"Hemos visto su gloria, la gloria propia del Hijo único del Padre, lleno de gracia y de verdad".**
>
> (Juan 1:14)

Actividad Junto con un compañero piensen en formas de explicar a un niño de segundo grado que es "Dios está nosotros".

Los siete sacramentos

Jesús, el cumplimiento de la promesa de Dios, está con nosotros de forma especial en los siete sacramentos. Ellos son signos efectivos del amor y la presencia de Dios y son las celebraciones más importantes de la Iglesia. Ellos unen a los católicos con Jesús y unos con otros. Por la celebración de los sacramentos cooperamos con el plan de salvación de Dios porque la gracia que recibimos en los sacramentos nos fortalece contra el pecado y nos ayuda a vivir como discípulos de Jesús.

Sacramento de . . .	Son llamados . . .	Y todos . . .
Bautismo Confirmación Eucaristía	*Sacramentos de iniciación cristiana*	• Ofrecen la gloria de Dios y nos unen en alabanza y adoración a Dios • Nos santifican • Nos ayudan a fortalecer la unidad de la Iglesia y a hacernos un signo del amor de Dios en el mundo.
Penitencia y Reconciliación Unción de los Enfermos	*Sacramentos de sanación*	
Orden sagrado Matrimonio	*Sacramentos de servicio a la comunión*	

Pon una marca de chequeo al lado de cada sacramento que has recibido. Escoge uno de los sacramentos que has chequeado. Explica algunos detalles sobre este sacramento a otra persona y pide a esa persona que trate de adivinar que sacramento estás describiendo.

IDENTIDAD CATÓLICA

Jesus is true God and true man.

Though it does not tell of the events of Jesus' birth and childhood, John's Gospel offers a summary of these events and of who Jesus is. John begins with a *prologue*, or introduction. This prologue is a great poetic hymn that summarizes the themes of John's Gospel. Its opening lines are:

"In the beginning was the Word,
and the Word was with God,
and the Word was God."

(John 1:1)

The words *In the beginning* also start off the Book of Genesis and its account of creation. John is using these words here to signal that a great new creation begins in Jesus Christ. In John's prologue we also read:

"And the Word became flesh
and made his dwelling among us,
and we saw his glory,
the glory as of the Father's only Son,
full of grace and truth."

(John 1:14)

So, the Word, Jesus Christ, who was with God and is God, took on our human nature and lived among us *as* a human being. Jesus was not "disguised" as a human being or "just pretending" to be human. Without losing his divine nature, the only Son of God, the Word, became truly human. With this prologue, John's Gospel, like Matthew's and Luke's Gospels, helps us to understand that in Jesus Christ "God is with us" and has become one of us. Jesus is true God and true man.

> "We saw his glory,
> the glory as of the Father's only Son,
> full of grace and truth."
>
> (John 1:14)

Activity With a partner think of ways you could explain to a second grader that "God is with us."

The seven sacraments

Jesus, the fulfillment of God's promise, is present with us in a special way in the seven sacraments. Sacraments truly bring about what they represent. They are effective signs of God's love and presence and are the most important celebrations of the Church. They unite all Catholics with Jesus and with one another. By celebrating the sacraments, we are cooperating with God's plan of salvation because the grace that we receive in the sacraments strengthens us against sin and helps us to live as Jesus' disciples.

The sacraments of . . .	are called . . .	and all . . .
Baptism ✓ Confirmation ✓ Eucharist ✓	*Sacraments of Christian Initiation*	• offer glory to God and bring us together in praise and worship of God • make us holy • help to strengthen and unify the Church and make us a sign of God's love in the world.
Penance and Reconciliation Anointing of the Sick	*Sacraments of Healing*	
Holy Orders Matrimony	*Sacraments at the Service of Communion*	

Put a check mark next to each sacrament that you have received. Choose one of the sacraments that you have checked. Explain some details about this sacrament to another person and have that person try to guess which sacrament you are describing.

CATHOLIC IDENTITY

Reconociendo nuestra fe

Recuerda la pregunta al inicio del capítulo: *¿Cumplo mis promesas?* Así como Dios fue fiel a sus promesas, nosotros somos llamados a ser fieles a nuestras promesas. Haz una exhibición de imágenes de personas cumpliendo sus promesas de hacer del mundo un lugar mejor. Estas imágenes pueden ser fotos de revistas, periódicos, Internet o dibujos que el grupo ha hecho.

Viviendo nuestra fe

Evangeliza. Habla con otra persona sobre el nacimiento de Jesús y la forma en como Dios cumplió su promesa de enviar a un Mesías.

San José

Compañeros en la fe

José, igual que María, tiene un importante papel en la promesa de salvación de Dios. De acuerdo al Evangelio de Mateo, un ángel se le apareció a José en sueño y le explicó que el hijo de María había sido concebido por el Espíritu Santo, que traería la salvación a la humanidad. José escuchó al ángel y se casó con María. Después del nacimiento de Jesús en Belén, en la tierra de Israel, un ángel le dijo a José que llevara a María y a Jesús a Egipto para proteger a Jesús de la masacre de los niños ordenada por el rey. La familia se quedó en Egipto hasta que el ángel le dijo a José que podía regresar a Israel. Ellos se asentaron en un pueblo llamado Nazaret. Manteniendo su promesa de matrimonio, José cuidó de la familia. El trabajó como carpintero para sostenerlos y educar a Jesús en las tradiciones de la fe judía. Probablemente, José murió antes de que Jesús iniciara su vida pública.

Celebramos dos fiestas al año en honor a San José, el 19 de marzo y el 1 de mayo.

¿Cómo San José fue fiel a sus promesas? ¿Cómo puedes ser más fiel como discípulo de Jesús?

@* **Para más ideas y actividades visita www.vivimosnuestrafe.com.**

Recognizing Our Faith

Recall the question at the beginning of this chapter: *Do I keep my promises?* Just as God was faithful to his promises, we are called to be faithful to our promises. Make a display of images that show people keeping promises to make the world a better place. These images may consist of photos from magazines, newspapers, the Internet, or your group's own drawings.

- keep coming to church

Living Our Faith

Be an evangelizer. Tell one other person about the birth of Jesus and the ways it fulfilled God's promise of a Messiah.

Saint Joseph

Joseph, like Mary, had an important role to play in God's promise of salvation. According to Matthew's Gospel, an angel came to Joseph in a dream and explained that Mary's child, conceived by the Holy Spirit, would bring salvation to humankind. Joseph listened to the angel and married Mary. After Jesus' birth in Bethlehem in the land of Israel, an angel told Joseph to flee to Egypt with Mary and Jesus to protect Jesus from a massacre of infants ordered by the king. The family stayed in Egypt until the angel told Joseph it was safe to bring them home to Israel. They settled there in a town called Nazareth. Keeping the promise of marriage, Joseph looked after his family. He worked as a carpenter to provide for them and raised Jesus in the traditions of the Jewish faith. Joseph probably died before Jesus began his public ministry.

We celebrate two feast days in honor of Saint Joseph: March 19 and May 1.

How was Saint Joseph faithful to his promises? How can you be more faithful as a disciple of Jesus?

RESPONDIENDO...

"Y si son de Cristo, son también descendencia de Abrahán, herederos según la promesa".

(Gálatas 3:29)

➡ **LEE** la cita bíblica.

➡ **REFLEXIONA** en estas preguntas:
¿De qué forma perteneces a Cristo? ¿Cómo eres descendiente de Abrahán? Si un *heredero* es alguien que hereda algo, ¿qué promesa heredas por pertenecer a Cristo?

➡ **COMPARTE** tus reflexiones con un compañero.

➡ **DECIDE** ser ejemplo para otros como seguidor de Cristo.

Poniendo la fe en acción

Habla sobre lo aprendido en este capitulo:

 Aprendimos como con la venida de Jesucristo se cumplió la promesa a Israel del Mesías prometido.

 Confiamos que Jesucristo, verdadero Dios y verdadero hombre, sigue con nosotros y comparte la vida de Dios con nosotros en forma especial.

 Evangelizamos compartiendo la verdad de que Jesucristo es el Mesías prometido.

Decide como vivirás lo que has aprendido.

Repaso del capítulo 8

Completa las siguientes oraciones:

1. _____ son los recuentos del nacimiento y la niñez de Jesús en los Evangelios de Mateo y Lucas.

2. Una historia sobre Jesús lo muestra como un joven tan interesado en su fe que se quedó detrás en el Templo de Jerusalén después de la fiesta de _____.

3. En las palabras de Simeón y la respuesta de Ana, quienes vieron cuando el niño Jesús fue consagrado en el Templo de Jerusalén, vemos que en Jesús se cumple la esperanza del _____ del pueblo de Israel.

4. _____ sin perder su naturaleza divina, tomó nuestra naturaleza humana y vivió entre nosotros como humano.

Escribe *verdadero* o *falso* al lado de las siguientes oraciones. En una hoja de papel cambia la oración falsa en verdadera.

5. _____ El Templo era un lugar sagrado donde los judíos se reunían para alabar a Dios.

6. _____ Alimentado por su familia y su comunidad, Jesús fue criado en las ricas tradiciones de la fe cristiana.

7. _____ El evangelista Juan es verdadero Dios y verdadero hombre.

8. _____ *Consagrar es* hacer algo sagrado para Dios.

9–10. Contesta en un párrafo: ¿Cuál es una de las promesas del Antiguo Testamento que se cumple en el nacimiento de Jesús? Explica tu respuesta.

Putting Faith to Work

Talk about what you have learned in this chapter:

 We learn how the coming of Jesus Christ fulfilled Israel's hopes for the promised Messiah.

 We trust that Jesus Christ, true God and true man, continues to be with us and to share God's life with us in a special way.

 We evangelize by sharing the truth that Jesus Christ is the promised Messiah.

Decide on ways to live out what you have learned.

✝ ENCOUNTERING GOD'S WORD

"If you belong to Christ, then you are Abraham's descendant, heirs according to the promise."
(Galatians 3:29)

➡ **READ** the quotation from Scripture.

➡ **REFLECT** on these questions:
In what way do you "belong to Christ"? How are you a descendant of Abraham? If an *heir* is one who inherits something, what promise do you inherit as one who belongs to Christ?

➡ **SHARE** your reflections with a partner.

➡ **DECIDE** to be an example to others as one who belongs to Christ.

Complete the following.

1. The _____ are the accounts of Jesus' birth and childhood in the Gospels of Matthew and Luke.

2. One story about Jesus portrays him as a young man so interested in his faith that he stays behind in the Temple of Jerusalem after the feast of _____.

3. In the words of Simeon and the response of Anna, who saw the baby Jesus being consecrated in the Temple of Jerusalem, we find that Jesus fulfilled Israel's hopes for the promised _____.

4. _____, without losing his divine nature, took on our human nature and lived among us as a human being.

Write *True* or *False* next to the following sentences. On a separate sheet of paper, change the false sentences to make them true.

5. _____ The Temple was a sacred place where Jewish people gathered to worship God.

6. _____ Nurtured by his family and community, Jesus was raised in the rich traditions of the Christian faith.

7. _____ The Gospel writer John is true God and true man.

8. _____ To *consecrate* is to make sacred for God.

9–10. ESSAY: What is one of the promises from the Old Testament that Jesus' birth fulfilled? Explain your answer.

Comparte la fe con tu familia

Conversa con tu familia sobre lo siguiente:

- Jesucristo es el Mesías prometido.
- Jesús cumple la esperanza de Israel.
- Jesús es el Hijo de Dios.
- Jesús es verdadero Dios y verdadero hombre.

Jesús fue criado en una familia. El tiempo que pasó en esa familia fue importante para su crecimiento en: "sabiduría, en estatura y en aprecio". (Lucas 2:52). Es lo mismo con nosotros. Planifica un evento mensual para fortalecer los lazos en tu familia, puede ser una actividad, una comida o un proyecto que involucre a toda la familia.

Conexión con la liturgia

Este capítulo recuerda la promesa que Dios hizo a Abrahán. En la misa, Abrahán es llamado "nuestro padre en la fe". Piensa en una razón por la que este nombre es apropiado.

Para explorar

Busca fotos e información, en un folleto sobre viajes o una revista, sobre la región donde Jesús creció, que es la parte conocida hoy como Israel o Palestina en el Medio Oriente. Comparte lo que encuentres.

Doctrina social de la Iglesia ☑ Cotejo

Tema de la doctrina social de la Iglesia
Solidaridad con la familia humana

Cómo se relaciona con el capítulo 8: Como católicos somos llamados a amar a nuestro prójimo, donde quiera que vivamos. Todos somos parte de una familia humana. Prometemos cuidarnos unos a otros.

Cómo puedes hacer esto
☐ en la casa:
_____
☐ en la escuela/trabajo:
_____
☐ en la parroquia:
_____
☐ en la comunidad:
_____

Chequea cada acción cuando la termines.

Sharing Faith with Your Family

Discuss the following with your family:

- Jesus Christ is the promised Messiah.
- Jesus fulfills the hopes of Israel.
- Jesus is the Son of God.
- Jesus is true God and true man.

Jesus grew up within a family. His time spent with his family was important for his growing in "wisdom and age and favor" (Luke 2:52). The same holds true for us. Plan a monthly event to strengthen your family ties, such as a special meal, an activity, or a service project that involves gathering with your family.

Catholic Social Teaching
☑ Checklist

Theme of Catholic Social Teaching:
   Solidarity of the Human Family

How it relates to Chapter 8: As Catholics we are called to love our neighbors, wherever they live. We are all part of one human family. We promise to stand by one another.

How can you do this?

☐ At home:

_____

☐ At school/work:

_____

☐ In the parish:

_____

☐ In the community:

_____

Check off each action after it has been completed.

The Worship Connection

This chapter recalled the promise God made to Abraham. At Mass, Abraham is called "our father in faith." Think of a reason why this name is appropriate.

More to Explore

Find photos and information in travel brochures, online, or in magazine articles about the region where Jesus grew up, which is now a part of the Middle East known as Israel or Palestine. Share your findings.

9
La venida del reino de Dios

"También en las demás ciudades debo anunciar la buena noticia de Dios, porque para esto he sido enviado".

(Lucas 4: 43)

✚ **Líder:** Muchas personas en el mundo necesitan escuchar la buena nueva predicada por nuestro Señor Jesucristo. Proclamamos:

Lector: Lectura del Evangelio de Mateo (Leer Mateo 5:3–10) Palabra del Señor.

Todos: Gloria a ti, Señor Jesús.

La gran pregunta:
¿Cómo puedo hacer una diferencia?

Descubre a algunas personas que han hecho la diferencia. Junto con un compañero conversen sobre nombres de personas que han hecho una diferencia por medio de acciones positivas, en nuestro país o el mundo. Después completa el "salón de la fama".

Haciendo una diferencia
Salón de la fama

Nombre:

_____

Hizo una diferencia por medio de:

_____

_____

_____

Nombre:

_____

Hizo una diferencia por medio de:

_____

_____

_____

Nombre:

_____

Hizo una diferencia por medio de:

_____

_____

_____

En este capítulo aprenderemos que el reino de Dios empezó con Jesús. Todos somos llamados a predicar este reino.

Agradece a Dios, por las acciones positivas de estas personas y las que han hecho una diferencia en sus propias vidas.

9
The Coming of God's Kingdom

"I must proclaim the good news of the kingdom of God, because for this purpose I have been sent."

(Luke 4:43)

✚ **Leader:** So many people in the world need to hear the good news that our Lord Jesus Christ proclaimed. Let us proclaim:

Reader 1: A reading from the Gospel of Matthew
(Read Matthew 5:3–10)
This is the Gospel of the Lord.

All: Praise to you, Lord Jesus Christ.

The BIG Question:
How can I make a difference?

Discover some people who have made a difference. With a partner brainstorm some names of people who made a difference through their positive actions in our country or in the world. Then complete the "Hall of Fame" below.

Making a Difference
Hall of Fame

Name:	Name:	Name:
_____	_____	_____
Made a difference by:	**Made a difference by:**	**Made a difference by:**
_____	_____	_____
_____	_____	_____
_____	_____	_____

In this chapter we learn that in Jesus God's Kingdom began. All people are called to spread this Kingdom.

Thank God for the positive actions of these people, as well as for people who have made a difference in your own life.

CONGREGANDONOS...

Carlos era el mejor nadador del equipo. Su abuelo solía ir a todas las competencias para verlo nadar. Pero ahora está muy mayor. Cuando, debido a su debilidad, no podía salir del asilo para ver a Carlos nadar, Carlos pensaba en qué podía hacer . . .

Un doctor del asilo le dijo a Carlos que los ejercicios acuáticos podían fortalecer a su abuelo . . .

Carlos habló en el asilo para que llevaran a su abuelo a la piscina local todas las semanas. Carlos estaba ahí para ayudar a su abuelo a hacer los ejercicios que Carlos había aprendido en sus prácticas de natación . . .

El abuelo empezó a recobrar las fuerzas. También podía ir a ver a Carlos en algunas de sus prácticas . . .

¿Cómo Carlos hizo la diferencia?

Otros residentes del asilo empezaron a pedir información sobre los ejercicios acuáticos y se interesaron en hacerlos . . .

Carlos habló con el administrador de la piscina para empezar un programa de ejercicios acuáticos para los residentes del asilo. Muy pronto empezó una clase de ejercicios acuáticos para los residentes . . .

Más y más personas empezaron a unirse a las clases . . .

Actividad Quizás no puedas empezar una clase de ejercicios, pero hay muchas cosas que puedes hacer para hacer una diferencia entre las personas en tu vida. Escribe algo que puedes hacer para ayudar a alguien hoy. Asegúrate de hacerlo. Nota las formas en que tu acción puede hacer una diferencia para la persona que ayudaste, para ti y quizás para otros.

Fecha:

Acción para ayudar a alguien:

Diferencia que esta acción puede lograr:

GATHERING...

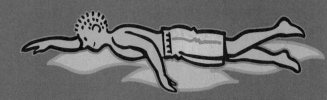

Carlo was the best swimmer on the swim team. His grandfather used to come to every swim meet to watch him race. But Carlo's grandfather was growing older. When he became weak and could not leave the senior citizens' home to attend all of Carlo's swim meets, Carlo wondered what he could do . . .

A doctor at the senior citizens' home told Carlo that water exercises might be a good way for Carlo's grandfather to grow stronger . . .

Carlo made an arrangement with the senior citizens' home to provide transportation for his grandfather to the local pool once a week. Carlo was there to help his grandfather do some of the water exercises that Carlo had learned at swim practice . . .

Carlo's grandfather began to regain some of his strength. He again made it to some of Carlo's swim meets . . .

How did Carlo make a difference?

Soon a few other residents of the senior citizens' home began asking about the water exercises. They were interested in doing them, too . . .

So, Carlo approached the management of the pool about starting a weekly water exercise program for senior citizens. Before long he was teaching a weekly water exercise class for senior citizens . . .

More and more people began to join the water exercise program . . .

Activity You may not be able to start an exercise class, but there are many things that you can do to make a difference in people's lives. Write one thing that you can do to help someone today. Be sure to do it. Note the ways that your action can make a difference to the person you helped, to yourself, and perhaps to other people, too.

Today's date:

Action to help someone:

Difference this action can make:

Jesús se prepara para su trabajo como Hijo de Dios.

En el Nuevo Testamento leemos que Dios envió a un profeta para preparar el camino del Mesías. Este profeta fue Juan, el primo de Jesús. Juan llamó al pueblo al arrepentimiento—arrepentirse de sus pecados, pedir perdón a Dios, y decidir no volver a pecar. Juan bautizó a sus seguidores en el río Jordán como señal de su arrepentimiento y deseo de cambiar sus vidas. Pero Juan, llamado Juan el Bautista, también dijo al pueblo: "Detrás de mí viene el que es más fuerte que yo. . .Yo los bautizo con agua pero él los bautizará en el Espíritu Santo". (Marcos 1:7–8)

Cuándo Jesús tenía aproximadamente 30 años dejó su pueblo, Nazaret, y fue al río Jordán para que Juan lo bautizara. Juan sabía que Jesús no necesitaba ser bautizado. Pero Jesús le pidió a Juan que lo hiciera. Ese bautismo fue una señal de que Jesús empezaba su misión de llevar la salvación del pecado. Cuando Jesús salía del agua vio al Espíritu Santo: "que bajaba sobre él como una paloma. Se oyó entonces una voz que venía del cielo: 'Tú eres mi Hijo amado, en ti me complazco'". (Marcos 1:10–11)

El Espíritu Santo dirigió a Jesús hacia el desierto. Durante cuarenta días estuvo solo ahí, rezando y ayunando. Ahí el demonio lo tentó tres veces para rebelarse contra el plan de salvación de Dios. Jesús refutó la tentación de usar el poder en beneficio propio y aceptó el plan de Dios. Jesús dijo:

"Retírate, Satanás, porque está escrito: *Adorarás al Señor tu Dios y sólo a él le darás culto*". (Mateo 4:10)

Este recuento de Jesús en el desierto nos ayuda a entender que, a pesar de que Jesús es divino, él luchó contra las tentaciones y las debilidades humanas. Porque Jesús es verdadero Dios y verdadero hombre, él pudo resistir el pecado y el mal.

Actividad Hoy los jóvenes están expuestos a todo tipo de tentaciones para caer en el pecado y el mal. Piensa en cuales pueden ser esas tentaciones.

¿Qué nos fortalece para resistir las tentaciones?

Jesus prepares for his work as God's Son.

In the New Testament we read of a prophet sent by God to prepare the way for the Messiah. This prophet was John, Jesus' cousin. John called the people to repent—to be sorry for their sins, ask God for forgiveness, and decide not to sin anymore. John baptized his followers in the Jordan River as a sign of their desire to repent and to change their lives. But John, called John the Baptist, also told the people, "One mightier than I is coming after me. . . . I have baptized you with water; he will baptize you with the holy Spirit" (Mark 1:7–8).

When Jesus was about thirty years old, he left his hometown of Nazareth and traveled to the Jordan River to be baptized by John. John realized that Jesus did not need to be baptized. But Jesus asked John to allow it, so John baptized him. This baptism was a sign that Jesus was beginning his mission to bring salvation from sin. As Jesus came up from the water he saw the Holy Spirit, "like a dove, descending upon him. And a voice came from the heavens, 'You are my beloved Son; with you I am well pleased'" (Mark 1:10–11).

The Holy Spirit then led Jesus into the desert. For forty days, Jesus was alone there, praying and fasting. And there, three times the devil tempted Jesus to rebel against God's plan for salvation. But Jesus

refused the temptation to use his power for his own benefit and instead accepted God's plan. Jesus said, "Get away, Satan! It is written:

'The Lord, your God, shall you worship
and him alone shall you serve'" (Matthew 4:10).

This account of Jesus in the desert helps us to understand that, though divine, Jesus struggled with human weaknesses and temptations. Yet, because of his trust in God the Father, Jesus was able to resist sin and evil.

Activity Today young people are up against all sorts of temptations to give in to evil and sin. Think about what these temptations might be.

What strengthens us to resist temptation?

Jesús marca el inicio del reino de Dios.

Jesús, ungido por el Espíritu Santo cuando fue bautizado y fortalecido por el mismo Espíritu cuando fue tentado en el desierto, estaba ahora listo para empezar su ministerio. Jesús fue a la región de Galilea y empezó a predicar: "El plazo se ha cumplido. El reino de Dios está llegando. Conviértanse y crean en el evangelio". (Marcos 1:15)

Historias del reino

Jesús contó parábolas para que la gente aprendiera sobre el reino de Dios. En estas parábolas Jesús habló sobre cosas de la vida diaria, tales como sembrar, cosechar, hornear y pescar. Hizo eso para ayudar a la gente a ver sus vidas de otra forma. Estas son dos parábolas de Jesús sobre el reino:

Parábola del grano de mostaza (Marcos 4:30–32)
"¿Con qué compararemos el reino de Dios o con que parábola lo expondremos? Sucede con él lo que con un grano de mostaza. Cuando se siembra en la tierra, es la más pequeña de todas las semillas. Pero, una vez sembrada, crece, se hace la mayor de todas las hortalizas y echa ramas tan grandes que los pájaros del cielo pueden anidar en su sombra". (Marcos 4:32)

Mensaje: el reino de Dios se esparce por medio de la gracia de Dios en nosotros. Todos somos invitados a vivir en este reino, ser parte de la vida y el amor de Dios.

Parábola de la red de pescar (Mateo 13:47–50)
Jesús compara el reino de Dios con una red que recoge todo tipo de peces. El pescador separa los peces buenos de los malos. Jesús dijo: "Así será cuando llegue el fin del mundo. Saldrán los ángeles a separar a los malos de los buenos, y echarán a los malos al horno de fuego; allí llorarán y les rechinarán los dientes". (Mateo 13:49)

Mensaje: Todos somos llamados a compartir en el reino de Dios. Debemos aceptar la invitación de Dios y vivir vidas santas si queremos vivir felices con Dios al final de los tiempos.

Lee en Mateo 13 más parábolas sobre el reino de Dios.

La llegada del reino de Dios fue un tema constante en la prédica de Jesús. El entendió y usó el término *reino de Dios* en el contexto de su fe y herencia judías. Pero Jesús amplió el entendimiento de la gente de este término. El los ayudó a entender que Dios estaba prometiendo la salvación a todo el mundo, no sólo restaurando el reino terrenal de Israel. Jesús mostró con su vida y su amor, que el reino de Dios no es un lugar que se puede encontrar en un mapa. El **reino de Dios** es el poder del amor de Dios activo en el mundo. Con la venida de Jesucristo, el reino de Dios llegó al mundo. El reino de Dios no estará completo hasta la segunda venida de Jesús en gloria al final de los tiempos.

> **"El reino de Dios está llegando".**
> (Marcos 1:15)

Al proclamar la venida del reino de Dios, Jesús estaba expresando el deseo de bondad y felicidad que Dios quiere para todo el mundo. El estaba llamando al pueblo a ayudar a traer todas esas cosas al mundo volviéndose a Dios. Jesús estaba diciendo:

Vocabulario
reino de Dios

- la presencia y el reino de Dios pueden encontrarse en él y en las cosas que él decía

- la gracia y la libertad del pecado se ofrecen a todo el mundo

- Al vivir en la presencia de Dios, el pueblo predica el reino de Dios y puede moverse hacia una vida eterna con Dios.

Con lo que dijo e hizo, Jesús estaba mostrando a la gente el poder del amor de Dios activo en sus vidas.

Actividad Ofrece tres ejemplos de eventos noticiosos que muestran formas en que personas proclaman el reino de Dios en el mundo.

1.

2.

3.

Jesus ushers in God's Kingdom.

Jesus, anointed by the Holy Spirit when he was baptized, and strengthened by the same Spirit during his temptation in the desert, was now ready to begin his ministry. So, Jesus went to the region of Galilee and began to preach, "This is the time of fulfillment. The kingdom of God is at hand. Repent, and believe in the gospel" (Mark 1:15).

The coming of God's Kingdom was a constant theme of Jesus' preaching. He understood and used the term *Kingdom of God* in the context of his Jewish faith and heritage. Yet Jesus broadened people's understanding of this term. He helped them to understand that God was promising salvation for all people, not just saving and restoring the earthly kingdom of Israel. Jesus showed by his life and his love that the Kingdom of God is not a place that can be found on a map. The **Kingdom of God** is the power of God's love active in our lives and in our world. With the coming of Jesus Christ, God's Kingdom came into the world. Yet the Kingdom of God will not be complete until Jesus returns in glory at the end of time.

> **"The kingdom of God is at hand."**
> (Mark 1:15)

In proclaiming the coming of God's Kingdom, Jesus was expressing God's desire for goodness and happiness for all people. He was calling people to help bring about these things by turning to God. Jesus was saying that:

• God's presence and reign can be found in him and in the things he said and did

• grace and freedom from sin are offered to everyone

• by living in God's presence, people spread God's Kingdom and can move toward life with God forever.

Faith Word

Kingdom of God

By all he said and did, Jesus was showing people the power of God's love active in their lives.

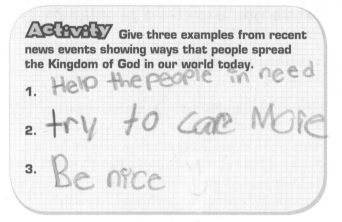

Activity Give three examples from recent news events showing ways that people spread the Kingdom of God in our world today.

1. Help the people in need
2. try to care more
3. Be nice

Stories of the Kingdom

Jesus told parables to help people to learn more about God's Kingdom. In these parables Jesus spoke about everyday things, such as planting seeds, harvesting crops, baking bread, and fishing. He did this to help people to look at their lives in a new way. Here are two examples of Jesus' parables about God's Kingdom:

The Parable of the Mustard Seed (Mark 4:30–32)
Jesus compared the Kingdom of God to a mustard seed that someone planted in a field. This small seed grew into "the largest of plants," and all "the birds of the sky can dwell in its shade" (Mark 4:32).

Message: The Kingdom of God spreads through God's grace working in us. We are all invited to dwell in this Kingdom, to be part of God's life and love.

The Parable of the Fishing Net (Matthew 13:47–50)
Jesus compared God's Kingdom to a fishing net that collects all kinds of fish from the sea. The fishermen sort the bad fish from the good. Jesus said, "Thus it will be at the end of the age. The angels will . . . separate the wicked from the righteous" (Matthew 13:49).

Message: We are all called to share in God's Kingdom. But we must accept God's invitation and live good lives if we want happiness with God forever at the end of time.

Read Matthew 13 to find more parables about the Kingdom of God.

Jesús nos enseña a proclamar el reino de Dios.

¿Cuáles son algunas cosas que la gente cree le darán la felicidad?

Un día una multitud siguió a Jesús hasta una montaña. En su mensaje de ese día, conocido como el Sermón del Monte, Jesús enseñó a sus discípulos como propagar el reino de Dios. Hizo esto dándoles las **Bienaventuranzas**, enseñanzas que describen la forma de vivir como sus discípulos. La palabra *bienaventuranza* significa "bendito" o "dichoso".

Jesús explica que al vivir de acuerdo a las Bienaventuranzas podemos ayudar a propagar el reino de Dios y recibir la felicidad a cambio.

Las Bienaventuranzas son promesas de las bendiciones de Dios. Nos dan esperanza en el reino de Dios, también llamado reino del cielo. El mensaje de esperanza de Jesús para todo el que vive las Bienaventuranzas es: "Alégrense y regocíjense, porque será grande su recompensa en los cielos". (Mateo 5:12)

Vocabulario
Bienaventuranzas

LAS BIENAVENTURANZAS	MENSAJE
"Dichosos los pobres en el espíritu, porque de ellos es el reino de los cielos". (Mateo 5:3)	Esta bienaventuranza nos dice como debe ser nuestra actitud hacia las cosas que tenemos; no debemos apegarnos a las posesiones. Nuestra confianza debe ser en Dios. Somos llamados a compartir lo que tenemos con los demás.
"Dichosos los afligidos, porque Dios los consolará". (Mateo 5:4)	Somos llamados ser signos de esperanza a pesar de la tristeza, el mal y la injusticia que vemos en el mundo. Como discípulos de Jesús, debemos consolar a los que sufren injusticia y pérdidas.
"Dichosos los humildes, porque heredarán la tierra". (Mateo 5:5)	Los humildes—los que se dan cuenta de que sus talentos y habilidades vienen de Dios. Debemos usar nuestros talentos y habilidades para hacer el bien, mostrando amor por Dios y los demás.
"Dichosos los que tienen hambre y sed de hacer la voluntad de Dios, porque Dios los saciará". (Mateo 5:6)	El mayor deseo de los que tienen hambre y sed de justicia es porque el poder y la presencia de Dios trabajen en el mundo. Como discípulos de Jesús tratamos de hacer la voluntad de Dios. Ponemos nuestra confianza en Dios y hacemos el trabajo de justicia de Cristo.
"Dichosos los misericordiosos, porque Dios tendrá misericordia de ellos". (Mateo 5:7)	Los que muestran amor y perdón hacia otros recibirán amor y perdón en el reino de Dios. Debemos ser compasivos con todos.
"Dichosos los limpios de corazón, porque ellos verán a Dios". (Mateo 5:8)	Los limpios de corazón son aquellos abiertos a Dios y sus leyes. Ellos son sinceros en todo lo que hacen. Debemos ser fieles cristianos y ver a Cristo en los demás.
"Dichosos los que construyen la paz, porque Dios los llamará sus hijos". (Mateo 5:9)	Dios quiere que todos se amen unos a otros para tener la paz que viene de amarlo a él y confiar en su voluntad. Somos llamados a ser reconciliadores en nuestros hogares, comunidades y el mundo. Debemos trabajar por la unidad.
"Dichosos los perseguidos por hacer la voluntad de Dios, porque de ellos es el reino de los cielos". (Mateo 5:10)	Los profetas fueron con frecuencia perseguidos cuando llevaban el mensaje de Dios al pueblo. Debemos vivir nuestra fe cristiana aun cuando otros no la entiendan.

Actividad Vivir las Bienaventuranzas nos puede ayudar a hacer diferencia en nuestras vidas y la vida de otros. En una hoja de papel haz una tercera columna que puedes añadir al cuadro de las Bienaventuranzas. Pon como título *Haciendo la diferencia*. Escribe en ella formas prácticas de vivir cada una de las Bienaventuranzas.

Jesus teaches us to spread the Kingdom of God.

What are some things that people usually think will make them happy?

One day, a large crowd followed Jesus to a mountain. In his message that day, known as the Sermon on the Mount, Jesus taught his disciples about spreading God's Kingdom. He taught them about this by giving them the **Beatitudes**, teachings that describe the way to live as his disciples. The word

beatitude means "blessed" or "happy." Jesus explained that by living according to the Beatitudes, we can help spread God's Kingdom, and, in turn, we can find true happiness.

The Beatitudes are a promise of God's blessings. They give us hope in the Kingdom of God, also called the kingdom of heaven. Jesus' message of hope for all who live the Beatitudes is: "Rejoice and be glad, for your reward will be great in heaven" (Matthew 5:12).

Faith Word

Beatitudes

THE BEATITUDES	MESSAGE
"Blessed are the poor in spirit, for theirs is the kingdom of heaven." (Matthew 5:3)	This beatitude tells us about our attitude toward the things we have; we should not be overly attached to possessions. Our confidence should be in God. We are called to share whatever we have with others.
"Blessed are they who mourn, for they will be comforted." (Matthew 5:4)	We are to be signs of hope despite the sadness, evil, and injustice we see in the world. As Jesus' disciples, we are to comfort those who suffer injustice and loss.
"Blessed are the meek, for they will inherit the land." (Matthew 5:5)	The meek are the humble—that is, those who realize that their talents and abilities come from God. We are to use our God-given talents and abilities to do what is good, showing love for God and others.
"Blessed are they who hunger and thirst for righteousness, for they will be satisfied." (Matthew 5:6)	The greatest desire of those who hunger and thirst for righteousness is for God's power and presence to be at work in the world. As Jesus' disciples we try to do God's will. We put our trust in God and carry out Christ's work of justice.
"Blessed are the merciful, for they will be shown mercy." (Matthew 5:7)	Those who show love and forgive others will themselves receive love and forgiveness in God's Kingdom. We are to show compassion to all people.
"Blessed are the clean of heart, for they will see God." (Matthew 5:8)	The clean of heart are those who are open to God and God's law. They are sincere in everything they do. We are to be faithful Christians and find Christ in others.
"Blessed are the peacemakers, for they will be called children of God." (Matthew 5:9)	God wants all people to love one another and to have the peace that comes from loving him and trusting in his will. We are called to be reconcilers in our homes, communities, and world. We are to bring people together.
"Blessed are they who are persecuted for the sake of righteousness, for theirs is the kingdom of heaven." (Matthew 5:10)	Prophets were often persecuted when they brought people God's message. We are to live out our Christian faith even when others do not understand our beliefs.

Activity Living out the Beatitudes can help us to make life different for ourselves and others. On a separate sheet of paper, make a third column that can be added to the Beatitudes chart. Title this column *Making a Difference*. Under this heading, list a practical way to live out each of the Beatitudes.

Los sacramentos de iniciación

Los tres sacramentos que son la base para nuestras vidas de discípulos de Cristo son: Bautismo, Confirmación y Eucaristía. Ellos son llamados sacramentos de iniciación cristiana. Al celebrar estos sacramentos somos iniciados en la Iglesia y recibimos la gracia de propagar el reino de Dios.

El Padrenuestro es una parte importante de cada uno de estos sacramentos. En el Bautismo y la Confirmación, la entrega del Padrenuestro es un signo de nuestro "nacimiento a la vida divina" (*CIC* 2769). Y "En la *Liturgia eucarística,* la Oración del Señor aparece como la oración de toda la Iglesia". (*CIC* 2770)

Agradecemos a Dios por la gracia que nos da en esos sacramentos.

iDENTIDAD CATOLICA

Jesús nos enseña a rezar por el reino de Dios.

Durante el Sermón del Monte Jesús también enseñó a sus seguidores como rezar. En las Bienaventuranzas Jesús describió la forma en que sus discípulos debían vivir. Ahora él les enseña como rezar por esa "nueva vida". La oración que Jesús les enseñó es el Padrenuestro, una oración a Dios Padre.

El Padrenuestro es también llamado Oración del Señor, "Es en verdad, el resumen de todo el Evangelio" (*CIC*, 2761). Resume todo el mensaje de Jesús de confianza y amor por el Padre. Todo lo que Jesús hizo y dijo reflejó su conciencia de la presencia del Padre en su vida y cuando rezamos el Padrenuestro estamos pidiendo al Padre que actúe en nuestras vidas y nuestro mundo. Pedimos al Espíritu Santo nos ayude a llevar el reino de Dios a los corazones y vida de la gente. Esperamos el regreso del Señor al final de los tiempos.

> **"Alégrense y regocíjense, porque será grande su recompensa en los cielos"**
> (Mateo 5:12)

El cuadro al final de la página muestra las palabras y mensaje del Padrenuestro, basado en Mateo 6:9–13.

Actividad Junto con tus compañeros preparen una oración que incluya el Padrenuestro. Tu oración puede también incluir un himno, una lectura bíblica, un salmo y una oración por los necesitados.

El Padrenuestro

REZAMOS	SIGNIFICADO DE LAS PALABRAS
Padre nuestro, que estás en el cielo, santificado sea tu Nombre;	Dios está presente en todo aquel que lo ama. Somos pueblo de Dios y él es nuestro Dios. Esperamos estar con él por siempre.
venga a nosotros tu reino; hágase tu voluntad en la tierra como en el cielo.	Pedimos a Dios nos una con el trabajo de Cristo y para propagar su reino. Pedimos a Dios por la habilidad de hacer su voluntad.
Danos hoy nuestro pan de cada día; perdona nuestras ofensas, como también nosotros perdonamos a los que nos ofenden;	Pedimos a Dios por nuestras necesidades y las del mundo. Usamos sus dones para trabajar por su plan de salvación. Pedimos a Dios nos sane y pedimos el perdón de los demás cuando lo necesitamos. Seguimos el ejemplo de Cristo perdonando a los que nos han ofendido.
no nos dejes caer en la tentación, y líbranos del mal. Amén.	Pedimos a Dios nos proteja de todo lo que nos pueda alejar de su amor. Le pedimos nos guíe para escoger lo bueno en nuestras vidas y que nos fortalezca para cumplir su ley.

Jesus teaches us to pray for God's Kingdom.

During the Sermon on the Mount Jesus also taught his followers how to pray. In the Beatitudes Jesus had described the way that his disciples should live. Now he taught them how to ask for this "new life" in prayer. The prayer that Jesus taught them was the Lord's Prayer, a prayer to God the Father.

The Lord's Prayer, also called the Our Father, "is truly the summary of the whole gospel" (*CCC*, 2761). It sums up Jesus' whole message of trust in and love for the Father. Everything Jesus said and did reflected his awareness of his Father's presence in his life, and when we pray the Lord's Prayer we are asking our Father to act in our lives and in our world. We ask the Holy Spirit to help us to make the Kingdom come alive in people's hearts and lives. And we hope for the Lord's return at the end of time.

> **"Rejoice and be glad, for your reward will be great in heaven."**
> (Matthew 5:12)

The chart at the bottom of the page shows the words and message of the Lord's Prayer, which is based on Matthew 6:9–13.

Activity With your group, prepare a prayer service that includes the Lord's Prayer. Your prayer service might also include a song, a Scripture reading, a psalm, and prayers for those in need.

The Sacraments of Initiation

Three sacraments that lay the foundation for our lives as disciples of Christ are Baptism, Confirmation, and Eucharist. They are called the Sacraments of Christian Initiation. Through the reception of these sacraments we are initiated into the Church and receive the grace to spread God's Kingdom.

The Lord's Prayer is an important part of each of these sacraments. In Baptism and Confirmation, the handing on of the Lord's Prayer is a sign of our "new birth into the divine life" (*CCC*, 2769). And "in the *Eucharistic liturgy* the Lord's Prayer appears as the prayer of the whole Church" (*CCC*, 2770).

Thank God for the grace that he gives us in these sacraments.

CATHOLIC IDENTITY

The Lord's Prayer

WE PRAY	OUR WORDS MEAN
Our Father, who art in heaven, hallowed be thy name;	God is present to all who love him. We have become God's people and he is our God. We look forward to being with him forever.
thy kingdom come; thy will be done on earth as it is in heaven.	We ask God to unite us with the work of Christ and to bring about his Kingdom. We pray to God for the ability to do his will.
Give us this day our daily bread; and forgive us our trespasses as we forgive those who trespass against us;	We ask God for everything we need for ourselves and for the world. We use his gifts to work toward his plan of salvation. We ask God to heal us, and we ask for forgiveness from others when needed. We follow the example of Christ and forgive those who have hurt us.
and lead us not into temptation, but deliver us from evil. Amen.	We pray that God will protect us from all that could draw us away from his love. We ask him to guide us to choose good in our lives, and we ask him for the strength to follow his law.

Reconociendo nuestra fe

Recuerda la pregunta al inicio del capítulo: *¿Cómo puedo hacer una diferencia?* Imagina que se te pide conversar sobre esta pregunta con un grupo de niños de quinto curso. ¿Cómo usarías el material presentado en este capítulo para enseñarles a predicar el reino de Dios y hacer una diferencia en el mundo?

Viviendo nuestra fe

Piensa por un momento: ¿cuáles de tus palabras y acciones de *ayer* ayudaron a predicar el reino de Dios? ¿Qué puedes hacer *hoy* para predicar el reino de Dios?

Jean Donovan

"Pido ser un ejemplo de la paz y el amor de Cristo. Pido para que la gente sea siempre más importante que el trabajo que hago". Esto dijo Jean Donovan, quien vivió lo que Jesús enseñó sobre el reino de Dios. Nació en 1953, no le preocupaban mucho las cosas de la vida pero quería hacer una diferencia en la vida de los demás.

Compañeros en la fe

Pasó el antepenúltimo año en la universidad en Irlanda, donde hizo trabajo voluntario y escuchó sobre las experiencias de los misioneros que ayudaban en Perú.

Al terminar la universidad, su experiencia la había tocado profundamente. Tomó la decisión de cambiar su vida y la de los demás. Empezó un ministerio con los jóvenes en una diócesis local. Esto le dio la oportunidad de servir en El Salvador, Centro América, con sacerdotes y religiosos de Maryknoll, una sociedad misionera. Durante esa época, El Salvador, se encontraba en medio de una guerra civil. Donovan y sus compañeros trataron de impedir que la violencia y el peligro interfirieran con su trabajo. Pero de regreso del aeropuerto, un día, Donovan y tres otras hermanas religiosas, Ita Ford, Maura Clarke y Dorothy Kazel, fueron emboscas y asesinadas.

Toma un momento para rezar por los misioneros quienes arriesgan sus vidas para predicar el reino de Dios.

Recognizing Our Faith

Recall the question at the beginning of this chapter: *How can I make a difference?* Imagine that you were asked to discuss this question with a group of fifth graders. How would you use the material presented in this chapter to teach them to spread the Kingdom of God and make a difference in the world?

Living Our Faith

Think for a moment: Which of your words and actions *yesterday* helped to spread the Kingdom of God? What can you do *today* to spread God's Kingdom?

Jean Donovan

"I pray that I will be an example of Christ's love and peace. I pray that people will always be more important to me than the job I do," said Jean Donovan, who truly lived what Jesus taught about God's Kingdom. Born in 1953, Donovan had a carefree outlook on life but also wanted to make a difference in others' lives. During college, she spent her junior year in Ireland, where she volunteered and heard missionaries talk about their experiences helping people in Peru.

After college, Donovan was still deeply affected by these experiences. She made a decision that changed her own and others' lives. She began youth ministry work with her local diocese. This led to an opportunity to serve in El Salvador, in Central America, with the priests and religious brothers and sisters of Maryknoll, a Catholic mission society. At that time, El Salvador was in the midst of a civil war. Donovan and her companions tried not to let violence and danger interfere with their work. But while driving back from an airport, Donovan and three religious sisters, Sisters Ita Ford, Maura Clarke, and Dorothy Kazel, were attacked and killed.

Take time to pray for missionaries who risk their lives to spread God's Kingdom.

@* **For additional ideas and activities, visit www.weliveourfaith.com.**

RESPONDIENDO...

✝ ENCUENTRO CON LA PALABRA DE DIOS

"El reino de Dios no vendrá de forma espectacular, ni se podrá decir: "Está aquí, o allí", porque el reino de Dios ya está entre ustedes".

(Lucas 17:20– 21)

➡ **LEE** la cita bíblica.

➡ **REFLEXIONA** en la siguiente pregunta:
¿Cuándo y cómo se manifiesta el reino de Dios entre nosotros según Jesús lo predicó?

➡ **COMPARTE** tus reflexiones con un compañero.

➡ **DECIDE** hacer algo cada día para ayudar a predicar el reino de Dios en tu familia y amigos.

Poniendo la fe en acción

Conversa sobre lo que has aprendido en este capítulo:

 Entendemos que el reino de Dios es el poder del amor de Dios activo en el mundo y en nuestras vidas.

 Confiamos en que de acuerdo a las Bienaventuranzas encontraremos la verdadera felicidad al predicar el reino de Dios.

 Proclamamos el reino de Dios todos los días por medio de lo que decimos y hacemos.

Decide como vas a vivir lo aprendido.

Encierra en un círculo la letra al lado de la respuesta correcta.

1. _____ bautizó a la gente en el río Jordán como señal de su deseo de arrepentirse y cambiar sus vidas.

   a. Jesús   **b.** Mateo   **c.** Marcos.   **d.** Juan

2. El mensaje de Jesús de confianza y amor por Dios, su Padre, es resumido en _____

   a. el reino de Dios   **b.** las Bienaventuranzas   **c.** el Padrenuestro   **d.** Sermón del Monte

3. El reino de Dios es el poder de _____ activo en nuestras vidas y nuestro mundo.

   a. el amor de Dios   **b.** el deseo de Dios   **c.** la herencia judía   **d.** la fe judía

4. Jesús enseñó a sus discípulos sobre proclamar el reino de Dios dándoles _____, enseñanzas que describen la forma de vivir como sus discípulos.

   a. la herencia judía   **b.** las Bienaventuranzas   **c.** el Padrenuestro   **d.** las parábolas

Contesta

5. ¿Qué sucedió cuando Jesús estuvo solo en el desierto durante cuarenta días y cuarenta noches?
   _____

6. ¿Qué significa la palabra *bienaventuranza*?_____

7. ¿Cuál es otro nombre para el Padrenuestro?_____

8. ¿Cuál es el tema constante en la enseñanza de Jesús? _____

9–10. Contesta en un párrafo: ¿Cómo ayudó Jesús a la gente a entender el término *reino de Dios*?

RESPONDING...

Putting Faith to Work

Talk about what you have learned in this chapter:

 We understand that God's Kingdom is the power of God's love active in our lives and in our world.

 We trust that, by living according to the Beatitudes, we will find true happiness as we spread God's Kingdom.

 We proclaim God's Kingdom every day through what we say and what we do.

Decide on ways to live out what you have learned.

✝ ENCOUNTERING GOD'S WORD

"The coming of the kingdom of God cannot be observed, and no one will announce, 'Look, here it is,' or, 'There it is.' For behold, the kingdom of God is among you."

(Luke 17:20–21)

➡ **READ** the quotation from Scripture.

➡ **REFLECT** on the following question: When and how is the Kingdom of God "among you" as Jesus stated?

➡ **SHARE** your reflections with a partner.

➡ **DECIDE** to do one thing each day, among your friends and family, to help spread the Kingdom of God.

Circle the letter of the correct answer.

1. _____ baptized people in the Jordan River as a sign of their desire to repent and to change their lives.

   a. Jesus   **b.** Matthew   **c.** Mark   **d.** John

2. Jesus' whole message of trust in and love for God his Father is summarized in the _____.

   a. Kingdom of God   **b.** Beatitudes   **c.** Lord's Prayer   **d.** Sermon on the Mount

3. The Kingdom of God is the power of _____ active in our lives and in the world.

   a. God's love   **b.** God's desire   **c.** Jewish heritage   **d.** Jewish faith

4. Jesus taught his disciples about spreading God's Kingdom by giving them the _____, teachings that describe the way to live as his disciples.

   a. Jewish heritage   **b.** Beatitudes   **c.** Lord's Prayer   **d.** parables

Short Answers

5. What happened when Jesus was alone in the desert for forty days and nights? _____

   _____

6. What does the word *beatitude* mean? _____

7. What is another name for the Lord's Prayer? _____

8. What was a constant theme of Jesus' preaching? _____

9–10. ESSAY: What did Jesus help people to understand about the term *Kingdom of God?*

RESPONDIENDO...

Comparte la fe con tu familia

Conversa con tu familia sobre lo siguiente:

- Jesús se prepara para su trabajo como Hijo de Dios.
- Jesús marca el inicio del reino de Dios.
- Jesús nos enseña a proclamar el reino de Dios.
- Jesús nos enseña a rezar por el reino de Dios.

Una forma en que podemos proclamar el reino de Dios es reconociendo las buenas obras de los demás. Cuando tu familia esté junta esta semana, toma unos minutos para reconocer como cada persona ha hecho una diferencia en la familia, y dale las gracias.

Conexión con la liturgia

Durante la misa, el Padrenuestro es seguido de una doxología (oración de alabanza): "Tuyo es el reino, tuyo es el poder y la gloria, por siempre Señor". Escucha estas palabras el domingo en la misa.

Para explorar

Las personas de todas las culturas son invitadas al reino de Dios. Escoge un país. Investiga como si fueras a vivir en él. ¿Cómo está el amor de Dios activo en el pueblo de ese país?

Doctrina social de la Iglesia ☑ Cotejo

Tema de la doctrina social de la Iglesia: Llamado a la familia, la comunidad y la participación.

Cómo se relaciona con el capítulo 9: Como católicos somos llamados a hacer una diferencia en la sociedad por medio de nuestra participación en nuestra familia, comunidades, la nación y el mundo. Al hacerlo continuamos predicando el reino de Dios con nuestras palabras y acciones.

Cómo puedes hacer esto en

☐ la casa:

_____

☐ la escuela/trabajo:

_____

☐ la parroquia:

_____

☐ la comunidad:

_____

Chequea cada acción cuando la termines.

Sharing Faith with Your Family

Discuss the following with your family:

• Jesus prepares for his work as God's Son.

• Jesus ushers in God's Kingdom.

• Jesus teaches us to spread the Kingdom of God.

• Jesus teaches us to pray for God's Kingdom.

One way that we can proclaim the Kingdom of God is to acknowledge the good works of others. When your family is together this week, take a few minutes to recognize how each person makes a difference in the family, and thank him or her for it.

Catholic Social Teaching ☑ Checklist

Theme of Catholic Social Teaching:
Call to Family, Community, and Participation

How it relates to Chapter 9: As Catholics we are called to make a difference in society through our participation in our families, our communities, the nation, and the world. In doing so we continue to spread the Kingdom of God through our words and actions.

How can you do this?

☐ At home:

_____

☐ At school/work:

_____

☐ In the parish:

_____

☐ In the community:

_____

Check off each action after it has been completed.

The Worship Connection

At Mass, the Lord's Prayer is followed by an ancient *doxology* (prayer of praise): "For the kingdom, the power, and the glory. . . . " Listen for this prayer at Mass.

More to Explore

People from all cultures are invited into God's Kingdom. Choose an unfamiliar country. Research it as if you were going to live there. How is God's love active among the people there?

10
Jesús sana

"Jesús recorría toda Galilea, enseñando en las sinagogas judías. Anunciaba la buena noticia del reino y sanaba las enfermedades y las dolencias del pueblo".

(Mateo 4: 23)

Líder: Vamos a reflexionar la última vez que te quedaste en la casa debido a una enfermedad.

Mientras te recuperas piensas en regresar a tu vida normal. Te sientes mejor y empiezas a hacer tu rutina. Probablemente llegó el momento en que tu vida estuvo llena de actividades y tu enfermedad casi se te olvidó.

En una hoja de papel escribe una oración por un enfermo.

Líder: Te pedimos por los que sufren.

Todos: Señor, ten piedad.

LA gRan pREGunTa:
¿Cómo salgo de los tiempos difíciles y las penas?

D **escubre** si puedes perdonar, olvidar, seguir adelante, dejar ir, dejar pasar. Toma el siguiente examen:

1 **Te encuentras con alguien que no ha sido muy amable contigo en el pasado. Tú**
  (a) lo saludas pero evitas conversar.
  (b) lo ignoras.
  (c) lo saludas e inicias una conversación.

2 **Haces planes con un amigo para salir. Tu amigo cancela en el último momento. Le dices**
  (a) que estás enojado y que no vas a hacer planes con él otra vez.
  (b) no te gusta cambiar de planes al último momento, pero puedes hacer un arreglo.
  (c) no te preocupa el asunto, pero no llamas a tu amigo durante un tiempo.

3 **Intentaste entrar a un equipo en la escuela, te desencantaste porque no te aceptaron. El año siguiente quieres tratar de nuevo**
  (a) después de un año practicando quieres tratar de nuevo.
  (b) tratas otro deporte.
  (c) sigues protestando porque el entrenador tiene sus favoritos.

4 **En el pasillo de la escuela, alguien choca contigo y se te caen los libros. Este hecho**
  (a) te irrita por un momento, pero recoges tus libros y sigues adelante.
  (b) no te molesta.
  (c) te enojas tanto que prometes desquitarte.

Resultado:

Abajo están los valores de las respuestas. Añade los números para obtener el total.

(1) a = 2; b =1; c = 3 . . . .   (2) a = 1; b =3; c = 2
(3) a = 3; b =2; c = 1 . . . .   (4) a = 2; b =3; c = 1

4–6: Ten presente que rumiar las cosas malas puede impedir que vivamos nuestra vida plenamente. Jesús nos pide perdonar a los demás.

7–9: Trata de tomar buenas decisiones para perdonar. Respeta tus decisiones. Puedes dejar a Dios hacer las cosas.

10–12: Estás dispuesto a perdonar cuando te han ofendido, pero recuerda que los sentimientos y el bienestar son importantes.

En este capítulo aprenderemos que Jesús demostró su poder sobre la enfermedad y el pecado. Jesús ofrece perdón de los pecados y sanación para todos.

¿Cómo muestras que has perdonado a alguien?

"He went around all of Galilee, teaching in their synagogues, proclaiming the gospel of the kingdom, and curing every disease and illness among the people."

(Matthew 4:23)

✚ **Leader:** Let us reflect on the last time you were home with an illness or injury.

As you recovered, you probably looked forward to returning to your normal routine. As you began to feel better, you gradually began to do these things again. Most likely, over time, your life was full of activity, and your illness or injury was nearly forgotten—a distant memory.

On a slip of paper, write a prayer for someone who is going through an illness.

Leader: For all those who are suffering we pray:

All: Lord, have mercy.

The BiG QueStion:
How do I get beyond hardships and hurts?

Discover whether you can forgive, forget, move on, get beyond it, let it go, and put it past you! Take the quiz below.

1 **You run into someone who was not very nice to you in the past. You**
(a) greet him or her but avoid a conversation.
(b) ignore him or her.
(c) greet him or her and begin a conversation.

2 **You and a friend make plans to go out. Your friend cancels at the last minute. You tell your friend**
(a) you are annoyed and will never make plans with him or her again.
(b) you don't like breaking plans at the last minute, but you can reschedule.
(c) not to worry about it, but you don't call him or her for a while.

3 **You try out for a team at school, but, you don't make the cut. Next year's tryouts are likely to find you**
(a) with a year's worth of practice under your belt, ready to give it another try.
(b) trying out for another sport instead.
(c) still grumbling about a certain coach who "plays favorites."

4 **In the hallway at school, someone rushes past you and knocks your books to the ground. This event**
(a) irritates you for the moment, but you pick up your books and move on.
(b) doesn't bother you.
(c) makes you so angry that you promise to find who did it and get even.

Scoring:

Find the points values for your answers below. Add these numbers together to get your total score.

(1) a = 2; b = 1; c = 3   (2) a = 1; b = 3; c = 2
(3) a = 3; b = 2; c = 1   (4) a = 2; b = 3; c = 1

4–6: Dwelling on our hardships or hurts can prevent us from living our lives to the fullest. Jesus calls us to forgive others.

7–9: Try to make more decisions to move on or to forgive. Respect your decisions. Then you can let God take it from there.

10–12: You are open to forgiveness when you are hurt, but always remember that your own feelings and well-being are important.

How do you show that you have forgiven someone?

In this chapter we learn that Jesus demonstrated his power over sickness and sin. Jesus offers forgiveness of sin and healing to all.

CONGREGANDONOS...

"El dolor cambió mi destino". Esas fueron las palabras de Manuel Lozano Garrido, quien pasó mucho trabajo como periodista católico en España. Nació en el 1920 y vivió su fe católica activamente. A la edad de dieciséis años, se le pidió llevar secretamente la comunión a católicos que habían sido castigados por practicar su fe durante la guerra civil que se luchaba en España. De adulto, Garrido empezó a escribir para los medios católicos y para la Prensa Asociada, servicio noticioso mundial. Cuando apenas cumplía veinte años, su cuerpo empezó a deteriorarse. Estaba afectado de *Spondylitis*, enfermedad para la que no había cura. Esto afectó su espina dorsal, causándole dolores muy fuertes, inflamación y deformidad. Pronto se encontró postrado en una silla de ruedas e imposibilitado de usar sus manos.

No había posibilidad de cura, pero con la ayuda de su fe, Garrido miró más allá de su dolencia para encontrarle un nuevo significado a su vida. Nunca dejó de trabajar como periodista. Empezó a dictar sus escritos en una grabadora, escribió nueve libros sobre espiritualidad y varios artículos de diferentes tópicos. También fundó y publicó *Sinaí*, una revista para enfermos. Aun cuando estaba prácticamente ciego los últimos diez años de su vida siguió trabajando como periodista. Ganó el primer ¡Bravo!, premio para periodista de los obispos católicós de España en el 1969. Desde su muerte, en 1971, muchos periodistas han escrito cientos de cartas pidiendo al papa su beatificación.

Actividad Manuel Lozano Garrido nunca sanó de su enfermedad, pero continuó con su trabajo de periodista católico. ¿Puedes pensar en alguien que olvidó su pena o sufrimiento para hacer un buen trabajo por otros? ¿Qué aprendiste del ejemplo de esa persona? Escribe tu respuesta aquí. En una hoja de papel diseña una tarjeta animando a esa persona a continuar su buen trabajo.

"The pain changed my destiny." Those were the words of Manuel Lozano Garrido, who got beyond painful hardships in his life as a Catholic journalist in Spain. Born in 1920, he actively lived his Catholic faith throughout his life. When Garrido was sixteen, a priest appointed him to secretly distribute Holy Communion to Catholics, who were being punished for openly practicing their faith during the civil war taking place in Spain. As an adult, Garrido began writing for the Catholic media and the Associated Press, a worldwide news service. But suddenly, when Garrido was in his early twenties, his body began to break down. He had *spondylitis*, a serious illness with no known cure. It affects the spine, causing pain, inflammation, and deformity. Soon Garrido was in a wheelchair, unable to write with either hand.

There was no physical healing in sight, but, with the help of his faith, Garrido looked beyond his physical hardships to find new meaning in his life. He did not stop working as a journalist. He began to dictate his writings into a tape recorder, writing nine books about spirituality and articles on various topics. He also founded and published *Sinai*, a magazine for those who were sick. And though visually impaired for the last ten years of his life, Garrido kept working as a journalist. He became the winner of the first Bravo! prize for journalism from the Spanish Catholic bishops in 1969. Since Garrido's death in 1971, journalists have written more than two hundred letters to the pope requesting his beatification.

Activity Manuel Lozano Garrido's illness never left him, but he got beyond it to continue his work as a Catholic journalist. Can you think of a person who goes beyond his or her own pain or suffering to do good work for others? What do you learn from this person's example? Write your answers below. Then, separately, design an e-card encouraging this person to continue his or her good work.

CREYENDO...

Jesús ofrece libertad y vida.

Siguiendo la costumbre judía, Jesús observó el **Sabat**, día dedicado a descansar y honrar a Dios. Un Sabat en una sinagoga en Nazaret, Jesús se puso de pie para leer y le dieron el rollo del profeta Isaías. Lo desenrolló y encontró el siguiente pasaje:

"El Espíritu del Señor está sobre mí,
   porque me ha ungido para anunciar
      la buena noticia a los pobres;
me ha enviado a proclamar la liberación
      a los cautivos,
   a dar vista a los ciegos, a libertar a los oprimidos
y a proclamar un año de gracia
      del Señor". (Lucas 4:18–19)

Después de leer este pasaje, Jesús anunció a los presentes: "Hoy se ha cumplido ante ustedes esta profecía" (Lucas 4:21). Y así fue. Jesús fue el Ungido, quien había venido a cumplir esas palabras de Isaías—liberando al pueblo de enfermedades, hambre, miedo, exclusión, injusticia y la muerte. Que extraordinaria misión tuvo Jesús. El anunció el Reino de Dios. El ofreció libertad del pecado y el don de la vida de Dios a todos.

Desde el inicio de su ministerio, Jesús reunió a una comunidad de discípulos. Estos eran hombres y mujeres que viajaban con él, eran testigos de sus milagros y escuchaban sus prédicas. Doce de esos discípulos compartieron la misión de Jesús de manera especial. Estos fueron los **apóstoles**. Los primeros dos a quienes Jesús llamó para ser sus apóstoles fueron Simón y Andrés, pescadores, quienes eran hermanos. Es sorprendente que ellos inmediatamente dejaron todo para seguir a Jesús. Después Jesús llamó a dos hermanos más quienes eran pescadores—Santiago y Juan, los hijos de Zebedeo. Ellos escucharon el llamado de Jesús igual que: "Felipe y Bartolomé; Tomás y Mateo, el recaudador de impuestos; Santiago, el hijo de Alfeo, y Tadeo; Simón el cananeo, y Judas Iscariote". (Mateo 10:3–4)

La palabra *apóstol* significa "enviado". Jesús envió a sus apóstoles a compartir su mensaje del amor de Dios. Cuando llegó el tiempo en que Jesús debía regresar con su Padre, los apóstoles dirigirían y servirían a la comunidad de discípulos de Jesús. Ellos sanarían y perdonarían en nombre de Jesús y predicarían el Reino de Dios por todo el mundo.

Vocabulario
Sabat
apóstoles

Actividad El trabajo de los apóstoles continúa en la Iglesia hoy por medio de los obispos, quienes son los sucesores de los apóstoles. Con tu grupo busquen el nombre del obispo de su diócesis. ¿De qué forma lleva a cabo la misión de libertad y vida de Jesús? ¿Por qué su oficina, o papel, es único en la Iglesia?

Cosecha lo que plantas

La Iglesia es: "El germen y el comienzo" (*CIC*, 567) del reino de Dios. Igual que una semilla plantada en la tierra crece, la Iglesia ha sido plantada en el mundo por Cristo y ayuda a que el reino de Dios crezca. Como la semilla del reino de Dios, somos llamados a hacer que el poder del amor de Dios esté activo en el mundo y nuestras vidas. Somos llamados a compartir la buena nueva de Cristo. Somos llamados a ser sanadores y a perdonar. Para hacer esto:

• ayudamos a los necesitados
• perdonamos a los que nos ofenden
• mostramos compasión por los que están apenados
• somos bondadosos con los demás.
• buscamos soluciones pacíficas a los conflictos y animamos a otros a hacer lo mismo.
• rezamos por los demás.
• si pecamos, reparamos nuestra amis-

tad con Dios y aquellos a quienes hemos ofendido, celebrando el sacramento de la Reconciliación.

Piensa en otras formas en que puedes perdonar y sanar.

Jesus offers freedom and life.

Following Jewish custom, Jesus observed the **Sabbath**, a day set apart to rest and honor God. And while in the synagogue in Nazareth one Sabbath day, Jesus stood up to read and was handed the scroll of the prophet Isaiah. Unrolling it, he found this passage:

"The Spirit of the Lord is upon me,
　　because he has anointed me
　　　to bring glad tidings to the poor.
He has sent me to proclaim liberty
　　to captives
　　and recovery of sight to the blind,
　　　to let the oppressed go free,
and to proclaim a year acceptable to
　　the Lord." (Luke 4:18–19)

After reading this passage, Jesus announced to all present, "Today this scripture passage is fulfilled in your hearing" (Luke 4:21). And indeed it was. Jesus was the Anointed One, who had come to fulfill those words of Isaiah—liberating people, setting them free from sickness, from hunger, from fear, from exclusion and injustice, and even from sin and death. What an extraordinary mission Jesus took on! He ushered in the Kingdom of God. He offered freedom from sin and the gift of God's life to everyone.

From the beginning of his ministry, Jesus gathered a community of disciples. These disciples were men and women who traveled with Jesus, witnessed his healings and miracles, and heard his preaching. Twelve of Jesus' disciples shared his mission in a special way. These men were Jesus' **Apostles**. The

The Calling of the Apostles Peter and Andrew by Duccio di Buoninsegna (1255–1318)

first two whom Jesus called to be his Apostles were fishermen named Simon and Andrew, who were brothers. Amazingly, they immediately left everything and followed Jesus. Then Jesus called two more brothers who were fishermen— James and John, the sons of Zebedee. They too followed Jesus' call, as did "Philip and Bartholomew, Thomas and Matthew the tax collector; James, the son of Alphaeus, and Thaddeus; Simon the Cananean, and Judas Iscariot" (Matthew 10:3–4).

The word *apostle* means "one who is sent." Jesus sent his Apostles out to share his message of God's love. And when it was time for Jesus to return to his Father, the Apostles would lead and serve the whole community of Jesus' disciples. They would heal and forgive people in Jesus' name and spread the Kingdom of Go

Faith Words
Sabbath
Apostles

Activity work continues in the Church today through bishops, who are the successors of the Apostles. With your group find out the name of the bishop of your diocese. In what ways does he carry on Jesus' mission of freedom and life? How is his office, or role, unique in the Church?

Grow where you're planted

The Church is "the seed and beginning" of God's Kingdom on earth (CCC, 567). Like a seed that

is planted into the earth and grows, the Church has been planted into the world by Christ and helps the Kingdom of God to grow. As the seed of God's Kingdom, we are called to make the power of God's love active in our lives and in the world. We are called to share the good news of Christ. And we are called to be healers and forgivers. To do this, we:

• help people in need
• forgive people who have hurt us
• show compassion for people who are hurting or sad

• treat the people in our lives with kindness
• find peaceful solutions to conflicts and encourage others to do the same
• pray for others as well as for ourselves
• and, when we sin, repair our friendship with God and those we have hurt, receiving the Sacrament of Penance and Reconciliation.

Think of another way that you can be a healer and forgiver.

> **"Y todos quedaron admirados al ver la grandeza de Dios".**
> (Lucas 9:37–39, 42–43)

Jesús sana y perdona.

Durante su ministerio Jesús perdonó los pecados a aquellos que pedían el perdón de Dios y sanó a los que estaban sufriendo enfermedades. La sanación y el perdón de Jesús eran signos especiales de que él no sólo era humano sino también divino. Eran signos del poder del amor de Dios activo en el mundo. Por medio de los milagros de perdón y sanación de Jesús, él compartió la vida y el amor de Dios con otros. Esos milagros mostraron que el reino de Dios había empezado.

No había ningún tipo de enfermedad que Jesús no pudiera sanar, porque en Jesús el poder de Dios estaba trabajando. Jesús sanó a la gente físicamente—restaurándola de enfermedades, debilidades, sufrimientos e impedimentos. También sanó espiritual y emocionalmente a la gente—perdonó sus pecados, y removió sus culpas, heridas, soledad y ansiedad. Estos son algunos ejemplos:

"Se le acercó mucha gente trayendo cojos, ciegos, sordos, mancos y otros muchos enfermos; los pusieron a sus pies y Jesús los sanó. La gente se maravillaba al ver que los mudos hablaban, los mancos quedaban sanos, los cojos caminaban y los ciegos recobraban la vista; y se pusieron a alabar al Dios de Israel". (Mateo 15:30–31)

"Vino a su encuentro mucha gente. Y un hombre de entre la gente gritó: 'Maestro, por favor, haz algo por este hijo mío, que es el único que tengo; un espíritu se apodera de él y, de repente, lo hace gritar y lo zarandea con violencia haciéndole echar espuma por la boca, y aún después de haberlo maltratado, con dificultad lo deja' . . . Cuando el niño se acercaba, el demonio lo tiró por tierra y lo sacudió violentamente. Pero Jesús ordenó salir al espíritu impuro, sanó al niño y se lo entregó a su padre. Y todos quedaron admirados al ver la grandeza de Dios". (Lucas 9:37–39, 42–43)

Jesús hizo esos milagros no para llamar la atención hacía sí mismo sino para llevar la fe al pueblo y mejorar sus vidas.

Actividad Imagina que estás viviendo en tiempos de Jesús. Ves el sufrimiento y la pena de las personas. Ves a Jesús responder a esa situación. Describe tus pensamientos y sentimientos sobre esos eventos.

Jesus heals and forgives.

During Jesus' ministry he forgave the sins of those who asked for God's forgiveness, and he healed those who were suffering from illnesses. Jesus' healing and forgiveness were special signs that he was not only human but divine. They were signs of the power of God's love active in the world. Through Jesus' miracles of healing and forgiveness, he shared the life and love of God with others. These miracles showed that God's Kingdom had begun.

There was no type of suffering that Jesus couldn't heal, because in Jesus the power of God was at work. Jesus healed people physically—restoring them from sickness, weakness, suffering, and disability. He also healed people spiritually and emotionally, too—forgiving their sins and removing their guilt, their hurt, their loneliness, and their anxiety. Here are two examples:

"Great crowds came to him, having with them the lame, the blind, the deformed, the mute, and many others. They placed them at his feet, and he cured them. The crowds were amazed when they saw the mute speaking, the deformed made whole, the lame walking, and the blind able to see, and they glorified the God of Israel." (Matthew 15:30–31)

"A large crowd met him. There was a man in the crowd who cried out, 'Teacher, I beg you, look at my son; he is my only child. For a spirit seizes him and he suddenly screams and it convulses him until he foams at the mouth; it releases him only with difficulty, wearing him out.' . . . Jesus rebuked the unclean spirit, healed the boy, and returned him to his father. And all were astonished by the majesty of God.'" (Luke 9:37–39, 42–43)

Jesus performed these miracles not to draw attention to himself but to bring people to faith and to enhance their lives.

> **"And all were astonished by the majesty of God."**
> (Luke 9:37–39, 42–43)

Activity Imagine that you are living during Jesus' time. You see the hurts and hardships of the people. And you see Jesus responding to these hurts and hardships. Describe your thoughts and feelings about these events.

CREYENDO...

Jesús nos llama a la fe.

¿Qué significa ser sanado? ¿Perdonado?

En los evangelios leemos que Jesús sanó a los que confiaron en él. Los que tenían fe sincera y su habilidad para ayudarlos. Frecuentemente Jesús les decía cuando los sanaba: "Tu fe te ha salvado" (Marcos 5:34). Jesús nos enseña que cuando buscamos su sanación, ya sea por enfermedad física, del corazón o por el sufrimiento causado por el pecado, debemos tener fe:

"Bartimeo, un mendigo ciego, estaba sentado junto al camino. Cuando se enteró de que era Jesús de Nazaret quien pasaba, se puso a gritar: '¡Hijo de David, Jesús ten compasión de mí!'. . . Jesús, dirigiéndose a él, le dijo: '¿Qué quieres que haga por ti?' El ciego le contestó: 'Maestro, que recupere la vista'. Jesús le dijo: 'Vete, tu fe te ha salvado'. Y al momento recuperó la vista y lo seguía por el camino". (Marcos 10:46, 47, 51–52)

Durante su ministerio Jesús liberó a muchas personas de sus cargas para que vivieran vida nueva. Cuando los sanaba Jesús decía con frecuencia: "Tus pecados te son perdonados" (Lucas 7:48). Jesús como Hijo único de Dios, dio al pueblo una nueva libertad—librándolos de sus cargas y, más importante aún, de sus pecados. Después que eran perdonados y sanados alcanzaban nueva vida y fortaleza:

"Después de algunos días entró de nuevo en Cafarnaún y corrió la voz de que estaba en casa. Acudieron tantos, que ya no había lugar ni siquiera junto a la puerta. Jesús se puso a anunciarles el mensaje. En ese momento le trajeron un paralítico entre cuatro. Pero, como no podían llegar hasta Jesús a causa del gentío, levantaron el tejado de la casa donde estaba, y por el boquete que abrieron, descolgaron la camilla en que yacía el paralítico. Jesús, viendo la fe que tenían, dijo al paralítico: 'Hijo, tus pecados te son perdonados'. . . El paralítico se puso en pie, tomó en seguida la camilla y salió a la vista de todos". (Marcos 2:1–5, 12)

Actividad ¿Qué mensaje de estas historias de sanación se aplican a tu vida hoy?

Jesus calls us to faith.

How does it feel to be healed? to be forgiven?

In the Gospels we find that Jesus healed those who trusted in him, those who had a sincere faith in his ability to help them. Often, as Jesus healed them, he said, "Your faith has saved you" (Mark 5:34). Jesus teaches us that when we seek his healing, whether from physical ills, from hurt, or from the suffering caused by sin, we must have faith:

"Bartimaeus, a blind man, the son of Timaeus, sat by the roadside begging. . . . He began to cry out and say, 'Jesus, son of David, have pity on me.' . . . Jesus said to him in reply, 'What do you want me to do for you?' The blind man replied to him, 'Master, I want to see.' Jesus told him, 'Go your way; your faith has saved you.' Immediately he received his sight and followed him on the way." (Mark 10:46, 47, 51–52)

During his ministry Jesus freed many people from their burdens to live their lives anew. And in healing them, Jesus often said to them, "Your sins are forgiven" (Luke 7:48). Jesus, as God's only Son, gave people a newfound freedom—taking away their burdens and, even more important, forgiving their sins. And after they were healed and forgiven, they gained new life and strength:

"When Jesus returned to Capernaum after some days, it became known that he was at home. Many gathered together so that there was no longer room for them, not even around the door, and he preached the word to them. They came bringing to him a paralytic carried by four men. Unable to get near Jesus because of the crowd, they opened up the roof above him. After they had broken through, they let down the mat on which the paralytic was lying. When Jesus saw their faith, he said to the paralytic, 'Child, your sins are forgiven.' . . . [The paralytic] rose, picked up his mat at once, and went away in the sight of everyone." (Mark 2:1–5, 12)

Activity What message from these healing stories applies to your life today?

Los sacramentos de sanación

Hay tiempos en nuestras vidas cuando experimentamos el sufrimiento, la enfermedad y el pecado. Durante ese tiempo necesitamos ser fortalecidos, nuestra vida de gracia necesita ser restaurada. Para esos momentos la Iglesia celebra dos sacramentos de sanación especiales: el sacramento de la Penitencia y Reconciliación y el sacramento de Unción de los Enfermos. En el sacramento de la Penitencia, nuestra relación con Dios y con la Iglesia es fortalecida y restaurada. En el sacramento de Unción de los Enfermos, la gracia de Dios es dada a aquellos que están seriamente enfermos o sufriendo debido a su avanzada edad.

Por medio de estos sacramentos la Iglesia continúa el ministerio de sanación de Jesús.

¿De qué formas la Iglesia continúa el ministerio de sanación de Jesús?

IDENTIDAD CATÓLICA

Jesús muestra el poder y el amor de Dios.

Al presenciar los milagros de Jesús, sus discípulos vieron el poder de Jesús de actuar en formas que iban más allá de las leyes ordinarias de la naturaleza. Estos son dos eventos que muestran a los discípulos presenciando el extraordinario poder de Jesús.

Un día Jesús montó en un bote y sus discípulos lo siguieron. Jesús se quedó dormido y de repente se desató una violenta tormenta y el bote era sacudido por las olas. Los discípulos despertaron a Jesús diciéndole: "Señor, sálvanos que nos hundimos" (Mateo 8:25).

Jesús dijo: "¿Por qué tienen miedo, hombres de poca fe?" (Mateo 8:26), y entonces calmó la tormenta. Entonces los discípulos dijeron: "¿Qué clase de hombre es este, que hasta los vientos y el lago le obedecen?" (Mateo 8:27)

> **"¿Qué clase de hombre es este, que hasta los vientos y el lago le obedecen?"**
> (Mateo 8:27)

En otra ocasión, los discípulos de Jesús estaban en un bote mientras que Jesús oraba en una montaña. El viento estaba moviendo el bote cuando de repente Jesús empezó a caminar hacia los discípulos sobre las aguas. Los discípulos tenían miedo porque pensaron que era un fantasma. Jesús les dijo: "¡Animo! soy yo, no teman". (Mateo 14:27)

Pedro dijo: "Señor, si eres tú, mándame ir hacia ti sobre las aguas" (Mateo 14:28). Jesús lo llamó y Pedro empezó a caminar sobre las aguas.

El viento era muy fuerte y Pedro tuvo miedo y empezó a hundirse. El le gritó a Jesús: "¡Señor, sálvame!" (Mateo 14:30). Aun cuando Pedro dudó de Jesús, Jesús extendió su mano y lo salvó.

Entonces fueron al bote y el viento se calmó. Los que estaban en el bote dijeron a Jesús: "Verdaderamente eres Hijo de Dios". (Mateo 14:33)

Los discípulos de Jesús lo vieron calmar los vientos y el mar, sanar enfermos, perdonar a los pecadores y resucitar muertos. Ellos presenciaron su vida de profunda oración y sus extraordinarias enseñanzas. También vieron que Jesús era verdaderamente humano, él se cansó y tuvo hambre como ellos; él gustaba de las cosas que ellos gustaban y sentía los temores que ellos sentían; él era una persona igual que ellos. Pero había más—en Jesús ellos podían ver y sentir el poder y la gracia de Dios trabajando. Cuando Jesús estuvo con ellos, ellos sentían la sobrecogedora presencia de Dios. Jesús fortaleció su fe en el poder y el amor de Dios.

Actividad En una hoja de papel ilustra una forma en que Jesús está con nosotros hoy—fortaleciendo nuestra fe en el poder y el amor de Dios.

Jesus shows God's power and love.

In witnessing Jesus' miracles, the disciples saw Jesus' power to act in ways that went beyond the ordinary laws of nature. Here are two events that show the disciples experiencing Jesus' extraordinary power:

One day, when Jesus got into a boat, his disciples followed him. Suddenly, while Jesus slept, a violent storm began, and the boat was overtaken by waves. The disciples woke Jesus, saying, "Lord, save us! We are perishing!" (Matthew 8:25).

Jesus said, "Why are you terrified, O you of little faith?" (Matthew 8:26) and got up and calmed the storm.

Afterwards, his disciples said, "What sort of man is this, whom even the winds and the sea obey?" (Matthew 8:27).

Another time, Jesus' disciples were out in a boat while Jesus went alone to a mountain to pray. The wind was tossing the boat about, when suddenly Jesus came walking toward the disciples on the sea. The disciples were fearful, thinking it was a ghost. Jesus told them, "Take courage, it is I; do not be afraid" (Matthew 14:27).

Peter said, "Lord, if it is you, command me to come to you on the water" (Matthew 14:28). Jesus called Peter to come, and Peter began to walk on the water.

But the wind was strong, and Peter was afraid and began to sink. He cried to Jesus, "Lord, save me!" (Matthew 14:30). Though Peter had doubted Jesus, Jesus put out his hand and saved Peter.

Then they got into the boat, and the wind calmed down. And those in the boat said to Jesus, "Truly, you are the Son of God" (Matthew 14:33).

Jesus' disciples witnessed Jesus calming the winds and the sea, healing the sick, forgiving sinners, and even raising the dead to life. They witnessed his life of deep prayer and his extraordinary teachings. They also saw that Jesus was fully human. Jesus got hungry and tired as they did; he enjoyed what they enjoyed and feared what they feared; he was a person just like them. Yet there was more—in Jesus they could see and feel God's power and grace at work. When Jesus was with them, they had an overwhelming sense of God's presence. Jesus strengthened their belief in God's power and love.

> **"What sort of man is this, whom even the winds and the sea obey?"**
> (Matthew 8:27)

Activity On a separate sheet of paper, illustrate one way that Jesus is with us today—strengthening our belief in God's power and love.

The Sacraments of Healing

At times in our lives we experience suffering, illness, and sin. During these times we need to be strengthened and our life of grace needs to be restored. For these times the Church celebrates two special sacraments of healing and forgiveness: the Sacrament of Penance and Reconciliation, and the Sacrament of the Anointing of the Sick. In the Sacrament of Penance, our relationship with God and the Church is strengthened and restored. In the Sacrament of the Anointing of the Sick, God's grace and comfort are given to those who are seriously ill or suffering because of old age.

Through these sacraments the Church continues Jesus' healing ministry.

In what other ways does the Church continue Jesus' healing ministry?

CATHOLIC IDENTITY

RESPONDIENDO...

Reconociendo nuestra fe

Recuerda la pregunta al inicio del capítulo: *¿Cómo salgo de los tiempos difíciles y las penas?* En este capítulo aprendimos que Jesús nos sana y perdona. Escribe una corta oración en el espacio pidiendo sanación a Jesús ya sea para ti o para alguien que conoces. No firmes tu oración. Tu grupo puede hacer un libro de oración con todas y rezarlas con frecuencia.

Viviendo nuestra fe

Piensa en una forma en que puedes ser un ejemplo de la sanación, el perdón y compasión de Jesús—hazlo.

Beato Francisco Xavier Seelos

Compañeros en la fe

Francisco Xavier Seelos llegó a los Estados Unidos desde Alemania en el tiempo en que muchos europeos emigraron a América en búsqueda de oportunidad y libertad. Francisco quería servir a los emigrantes y se ordenó sacerdote en el 1844 y empezó a trabajar en Pittsburgh, Pennsylvania.

Alegre y bondadoso, el padre Francisco llevó consuelo a los corazones entristecidos. Su presencia y oración fueron conocidas por sus efectos de sanación en los enfermos por quienes oraba. Fuente de adecuados consejo, tenía el don especial de llevar la paz, la sanación y el consuelo de Dios a los que esperaban en largas filas para confesar sus pecados y recibir la absolución.

Beatificado por el papa Juan Pablo II en el 2000, el beato Francisco Xavier Seelos, nos recuerda la paz y la sanación que viene de Jesucristo.

¿De qué manera recuerdas a otros el poder sanador de Jesucristo?

Recognizing Our Faith

Recall the question at the beginning of this chapter: *How do I get beyond hardships and hurts?* In this chapter we learned that Jesus heals and forgives us. In the space here, write a short prayer that asks Jesus for healing, whether for yourself or for someone you know. Keeping your prayers anonymous, your group can compile these prayers into a book of prayers to pray regularly.

Living Our Faith

Think of a way to be an example of Jesus' healing, compassion, and forgiveness—and do it.

Blessed Francis Xavier Seelos

Partners in FAITH

Francis Xavier Seelos came to the United States from Germany during a time when many Europeans were immigrating to America in search of opportunity and freedom. Francis, wanting to serve these immigrants, was ordained a priest in 1844. Father Francis began his work in Pittsburgh, Pennsylvania.

Funny and kind, Father Francis brought comfort to troubled hearts. His presence and prayers were soon known for their healing effects on those who were sick or hurting. A source of sound advice, he had a special gift for bringing God's peace, comfort, and healing to those who waited for hours on long lines to confess their sins and receive absolution.

Beatified by Pope John Paul II in 2000, Blessed Francis Xavier Seelos reminds us of the peace and healing that come from Jesus Christ.

In what ways can you remind others of the healing power of Jesus Christ?

@ ✶ **For additional ideas and activities, visit www.weliveourfaith.com.**

RESPONDIENDO...

✝ ENCUENTRO CON LA PALABRA DE DIOS

**"Señor, Dios mío,
a ti grité y
me sanaste".**

(Salmo 30:3)

➡ **LEE** la cita bíblica.

➡ **REFLEXIONA** en estas preguntas:
¿Qué situación puede causar que alguien quiera "gritar" como la persona en la cita bíblica? ¿Cómo se puede encontrar la sanación en esta situación?

➡ **COMPARTE** tus reflexiones con un compañero.

➡ **DECIDE** buscar la sanación en Dios cuando lo necesites. ¿Cómo expresarás tus necesidades a Dios?

Poniendo la fe en acción

Conversa sobre lo que has aprendido en este capítulo:

 Entendemos que Jesús tiene el poder de sanar y perdonar y que durante su ministerio él llamó apóstoles y discípulos para compartir su misión.

 Apreciamos que Jesús nos llama a tener fe en su habilidad de sanarnos y perdonarnos.

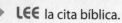 **Llegamos** a otros con el ofrecimiento de sanación, compasión y perdón de Jesús.

Decide en que formas vas a vivir lo que has aprendido.

Repaso del capítulo 10

Subraya la respuesta correcta:

1. Cumpliendo con las costumbres judías, Jesús observó (**el Sabat/la misión/la sinagoga**) como día separado para descansar y honrar a Dios.

2. La palabra (**comunidad/apóstol/cristiano**) significa "enviado".

3. EL perdón y la sanación que Jesús hacía era señal de que él no sólo era humano sino también (**divino/apostólico/sufrido**).

4. Jesús fortaleció la fe de los discípulos en el poder y (**el amor/la fe/la misión**) de Dios.

Completa lo siguiente:

5. Los _____ fueron doce hombres que Jesús escogió para compartir su misión de manera especial.

6. Por medio de los milagros de Jesús de _____ y de _____ él compartió la vida y el amor de Dios con otros.

7. Jesús nos enseña que cuando buscamos su sanación debemos tener _____.

8. En los milagros de Jesús, los discípulos vieron el poder de Jesús de actuar en forma que iba más allá _____.

9–10. **Contesta en un párrafo:** Explica esta oración: *Jesús sanó a las personas física, emocional y espiritualmente.*

Putting Faith to Work

Talk about what you have learned in this chapter:

We understand that Jesus has the power to heal and to forgive and that during his ministry he called Apostles and disciples to share in his mission.

We appreciate that Jesus calls us to have faith in his ability to heal us and forgive us.

We reach out to others with Jesus' offer of healing, compassion, and forgiveness.

Decide on ways to live out what you have learned.

✝ ENCOUNTERING GOD'S WORD

"O Lord, my God, I cried out to you and you healed me."

(Psalm 30:3)

➡ **READ** the quotation from Scripture.

➡ **REFLECT** on these questions:
What situations might cause someone to want to "cry out" like the person in the quotation? How could healing be found in these situations?

➡ **SHARE** your reflections with a partner.

➡ **DECIDE** to turn to God for healing when you need it. How will you express your need to God?

Underline the correct answer.

1. Following Jewish custom, Jesus observed the (**Sabbath/synagogue/mission**), a day set apart to rest and honor God.

2. The word (*community/apostle/Christian*) means "one who is sent."

3. Jesus' healing and forgiveness were special signs that he was not only human but (**divine/apostolic/suffering**).

4. Jesus strengthened his disciples' belief in God's power and (**love/faith/mission**).

Complete the following.

5. The _____ were twelve men with whom Jesus chose to share his mission in a special way.

6. Through Jesus' miracles of _____ and _____, he shared the life and love of God with others.

7. Jesus teaches us that when we seek his healing, we must have _____.

8. In Jesus' miracles, the disciples witnessed Jesus' power to act in ways that went beyond the ordinary _____.

9–10. ESSAY: Explain this statement: *Jesus healed people physically, emotionally, and spiritually.*

RESPONDIENDO...

Comparte la fe con tu familia

Conversa con tu familia sobre lo siguiente:

- Jesús ofrece libertad y vida.
- Jesús sana y perdona.
- Jesús nos llama a la fe.
- Jesús muestra el poder y el amor de Dios.

Reúne a tu familia y nombren personas enfermas que conocen o que están pasando momentos difíciles. Escriban los nombres en un pedazo de papel. Túrnese para tomar un pedazo de papel y rezar por la persona cuyo nombre está escrito. También pueden enviar una nota de aliento a esa persona.

Conexión con la liturgia

En la misa, antes de ir a comulgar rezamos:

"Señor, no soy digno de que entres en mi casa, pero una palabra tuya bastará para sanarme". (Misal Romano)

Para explorar

Muchos grupos católicos trabajan para ayudar a personas que están pasando trabajo en todo el mundo. Investiga sobre esos grupos para ver como continúan haciendo el trabajo de sanación de Jesús

Doctrina social de la Iglesia ☑ Cotejo

Tema de la doctrina social de la Iglesia:
Vida y dignidad de la persona humana

Cómo se relaciona con el capítulo 10: Como católicos somos llamados a promover el bienestar de todos, desde el momento de la concepción hasta la muerte natural. Toda persona merece nuestra ayuda para sobrellevar los momentos difíciles.

Cómo puedes hacer esto en

☐ la casa:
_____

☐ la escuela/trabajo:
_____

☐ la parroquia:
_____

☐ la comunidad:
_____

Chequea cada acción cuando la termines.

Sharing Faith with Your Family

Discuss the following with your family:
- Jesus offers freedom and life.
- Jesus heals and forgives.
- Jesus calls us to faith.
- Jesus shows God's power and love.

Gather with your family and name people you know who are sick, in the hospital, or going through a difficult time. Write each name on a slip of paper. Take turns drawing these slips of paper from a bowl. Pray for the person whose name you drew. You might also send an encouraging note or get-well wishes to this person.

Catholic Social Teaching
☑ Checklist

Theme of Catholic Social Teaching:
Life and Dignity of the Human Person

How it relates to Chapter 10: As Catholics we are called to promote the well-being of all, from the moment of their conception through their natural death. All people deserve our help to get beyond their hardships and hurts.

How can you do this?

☐ At home:

_____

☐ At school/work:

_____

☐ In the parish:

_____

☐ In the community:

_____

Check off each action after it has been completed.

The Worship Connection

At Mass, before going forward to receive the Eucharist, we pray:

"Lord, I am not worthy that you should enter under my roof, but only say the word and my soul shall be healed." (Roman Missal)

More to Explore

Many Catholic groups work to help people throughout the world to get through various hardships. Research one group and find out how it continues the healing ministry of Jesus.

11
Jesús, el Pan de Vida

"Yo soy el pan de vida. El que viene a mí no volverá a tener hambre; el que cree en mí nunca tendrá sed".

(Juan 6:35)

✝ **Líder:** Jesús, por tu venida al mundo, no tenemos hambre o sed por la presencia, misericordia, justicia, paz, vida, verdad, o amor de Dios. Eres el Hijo de Dios, el pan de vida, que comparte la vida de Dios con todos. Por eso oramos:

Líder: Señor Jesucristo, tu presencia nunca le falla a los que te aman. Reina por siempre en unión con Dios el Padre y el Espíritu Santo. Amén.

(Basado en la letania del Santo Nombre)

Líder:	**Todos:**
Jesús, pan de Vida	ten piedad de nosotros
Jesús, Hijo de Dios	ten piedad de nosotros
Jesús, camino y vida	ten piedad de nosotros
Jesús, camino y paz	ten piedad de nosotros
Jesús, hijo de María	ten piedad de nosotros
Jesús, luz eterna	ten piedad de nosotros
Jesús, verdad eterna	ten piedad de nosotros

LA gRan pREGunTa:
¿Estará Dios siempre ahí para mí?

Descubre lo que significa "estar ahí" para otra persona.

Alguien que está ahí para nosotros:

1. escucha sin juzgar
2. se ríe con nosotros, no de nosotros
3. nos ofrece un hombro para apoyarnos
4. está siempre a la disposición para ofrecer una mano
5. nos protege
6. va una milla extra por nosotros y camina en nuestros zapatos.

Piensa en las formas en que has sido ese tipo de persona para otros.

En este capítulo descubriremos que Jesús es el Pan de Vida, está siempre presente con sus discípulos y cumple con el plan de salvación de Dios.

11
Jesus, the Bread of Life

"I am the bread of life; whoever comes to me will never hunger, and whoever believes in me will never thirst."

(John 6:35)

+ **Leader:** Jesus, because of your coming into the world, we need not hunger nor thirst for God's presence, mercy, justice, peace, life, truth, or love. You are the Son of God, the Bread of Life, who shares God's life with all. And so we pray:

Leader: Jesus, Bread of Life,	**All:** have mercy on us.
Jesus, Son of God,	have mercy on us.
Jesus, Our Way and Our Life,	have mercy on us.
Jesus, Prince of Peace	have mercy on us.
Jesus, Son of Mary,	have mercy on us.
Jesus, Eternal Light,	have mercy on us.
Jesus Eternal Truth	have mercy on us.

Leader: Lord Jesus Christ, your presence never fails those who love you. In union with God the Father and the Holy Spirit, may you live and reign now and forever. Amen.

(based on the Litany of the Holy Name)

The BIG Question:
Will God always be there for me?

Discover what "being there" is all about.

Someone who is there for us:

1. listens without judging
2. laughs with us, not at us
3. gives us a shoulder to lean on
4. is always ready to lend a helping hand
5. stands by us
6. would go the extra mile for us and walk in our shoes.

Think about the ways you have been this kind of person for others.

In this chapter we discover that Jesus is the Bread of Life, is always present with his disciples, and accomplished God's plan of salvation.

199

Piensa en los inicios y finales por los que pasas en la vida. La vida está llena de ellos. Inicios incluyen experiencias tales como empezar un año escolar, ir de vacaciones, cumplir años, empezar un nuevo equipo o club en la escuela. Cada vez que empiezas algo nuevo, cambias, creces y te fortaleces, te haces más capaz y adquieres conocimientos.

Pero los finales son también parte de la vida. Cada año escolar, cada vacación termina, tus actividades cambian, alguien se muda, o algunas veces los finales son tristes, alguien muere o hay un divorcio en la familia. No importa cual sea el final, con cada uno continúas cambiando, fortaleciéndote, te haces más capaz y adquieres conocimientos. A través de todos estos inicios y finales ayuda el tener amigos que están ahí para ayudarnos.

Actividad Piensa en alguien que está ahí siempre para ti, no importa lo que pase en tu vida. Completa este certificado de aprecio para esa persona.

> *En aprecio a*
> _____
>
> *por*
> _____
> _____
> _____
>
> *Con gratitud*
> _____
> (tu nombre)

Think of all the beginnings and endings that you go through in life. Life is full of them. Beginnings include experiences such as starting a new school year, going on vacation, turning another year older, and belonging to a new team or afterschool club. Each time you start something new, you change, grow, and become stronger, more capable, and more knowledgeable.

But endings are a part of life, too. Every school year ends, every vacation comes to a close, your activities change, someone moves away, or sometimes you face even sadder endings, such as a death or a divorce in your family. But no matter how sad life's endings can be, with each ending you continue to change, to grow, and to become stronger, more capable, and more knowledgeable. And throughout all of these beginnings and endings, it helps to have friends who are always there for you.

Activity Think of someone who is always there for you, no matter what is happening in your life. Complete the certificate of appreciation for this person below.

In Appreciation of

My Sister

for

Because no matter how bad the situation is she finds away to Forgive me

Gratefully,

Stacy Linares

(your signature)

Jesús prepara a sus discípulos para lo que ha de venir.

Un día, camino a una región llamada Cesarea de Felipo, Jesús cuestionó a sus discípulos. El trataba de saber lo que ellos pensaban de él. Los discípulos le dijeron que algunas personas decían que él era "Juan el Bautista; otros que Elías; otros que Jeremías o uno de los profetas" (Mateo 16:14). Jesús les preguntó de nuevo: "Según ustedes, ¿quién soy yo?" (Mateo 16:15)

Fue el apóstol Simón, llamado también Pedro, quien contestó por todos los discípulos: "Tú eres el Mesías, el Hijo de Dios vivo" (Mateo 16:16). Jesús bendijo a Pedro por reconocer esa verdad. Pero Jesús, sabía que su papel como Mesías no estaba claro para el pueblo, dijo a los discípulos que por el momento no dijeran a nadie sobre eso.

Los discípulos siguieron mirando las habilidades de Jesús de ayudar al pueblo a vivir vidas plenas y santas. Ellos vieron como él llevó esa "plenitud de vida" a aquellos con quienes hablaba, comía, rezaba, perdonaba y sanaba. Ellos vieron y escucharon a Jesús invitar a todo el mundo a vivir fielmente la vida que los llevaría a la felicidad con Dios. Pero Jesús sabía que los eventos futuros de su vida podían no ser vistos como "vida plena" para sus discípulos. Sabía que algunos se opondrían, cuestionarían sus enseñanzas y amenazarían su vida. Sabía que su misión de salvación requeriría que él sufriera y muriera. Sus discípulos encontrarían estos eventos difíciles de entender. Así Jesús empezó a prepararlos para lo que había de venir.

Vocabulario
vida eterna

Jesús dijo a sus discípulos que su sufrimiento y muerte estaban por venir. Pero también les dijo que al tercer día él resucitaría. El cumpliría la promesa que Dios había hecho a su pueblo durante siglos. Con su vida, muerte y resurrección, Jesús salvaría a todo el mundo *del* pecado y del poder que el pecado tiene sobre la humanidad y salvarlos para que tengan una vida *plena* en Dios.

Jesús retó a los discípulos para que vivieran su vida en completo compromiso al mensaje de su evangelio. Jesús enseñó que una vida vivida en verdadero discipulado lleva a la **vida eterna**, una vida de felicidad con Dios por siempre.

Actividad
Basado en lo que has aprendido sobre Jesús, ¿cómo estuvo él "siempre presente" para sus discípulos?

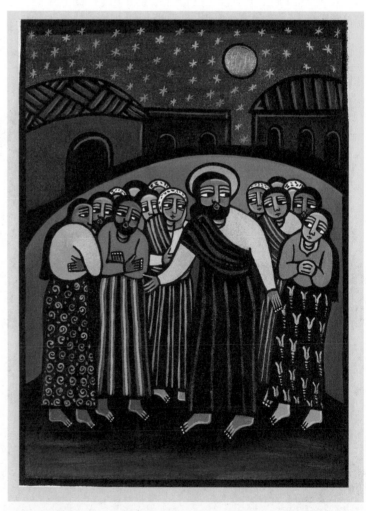

Jesús saliendo de la cuidad con sus discípulos (acrílico en lienzo) James, Laura (artista contemporánea)/colección privada/Librería de arte Bridgeman

Jesus prepares his disciples for all that is to come.

One day, on the way to a region called Caesarea Philippi, Jesus questioned his disciples. He tried to find out what they were thinking about him. Jesus' disciples told him that some people said that he was "John the Baptist, others Elijah, still others Jeremiah or one of the prophets" (Matthew 16:14). Jesus asked them again, "But who do you say that I am?" (Matthew 16:15).

It was his Apostle Simon, also called Peter, who replied for all of the disciples. Peter said, "You are the Messiah, the Son of the living God" (Matthew 16:16). Jesus blessed Peter for recognizing this truth. But Jesus, knowing that his role as Messiah was not yet clear to the people, warned all of the disciples not to tell anyone about this for the time being.

Yet the disciples continued to witness Jesus' ability to help people to live full and holy lives. They saw him bring this "fullness of life" to those he spoke to, ate with, prayed with, forgave, and healed. They saw and heard Jesus invite all people to live faithfully the life that would bring them happiness with God. But Jesus knew that the future events of his life might not seem so "full of life" to his disciples. He knew that people would oppose him, question his teachings, and threaten his life. He knew that his mission of salvation would require him to suffer and die. His disciples would find all of these events difficult to understand. So, Jesus began to prepare them for all that was to come.

Jesus told his disciples that his suffering and death were coming. But he also told them that on the third day he would rise. He would fulfill the promise that had been made to God's people throughout the ages. Through his life, death, and rising from the dead, Jesus would save all people *from* sin

and the power that sin has over humanity, and save them *for* fullness of life with God.

Jesus challenged his disciples to live their lives in complete commitment to his Gospel message. Jesus taught that a life lived in true discipleship leads to **eternal life**, a life of happiness with God forever.

Faith Word

eternal life

Activity

Based on what you have learned about Jesus, how was he "always there" for his disciples?

Jesus gave them a lot of advice he also conforted them.

Jesús dice a sus discípulos que él siempre estará con ellos.

Jesús centró su ministerio público en permitir a la gente tener vida, ahora y eternamente. Jesús dijo las siguientes palabras a sus discípulos, hablándoles de la nueva vida que sólo él, como divino Hijo de Dios, podría dar:

"Yo soy el pan de vida. El que viene a mí no volverá a tener hambre, el que cree en mí nunca tendrá sed". (Juan 6:35)	Jesús quería que sus discípulos supieran que creer en él era necesario para tener vida en Dios.
"Yo soy el pan vivo bajado del cielo. El que come de este pan, vivirá para siempre. Y el pan que yo daré es mi carne. Yo lo doy para la vida del mundo". (Juan 6:51)	Al llamarse pan de vida, Jesús estaba diciendo a sus discípulos que él era verdaderamente el Hijo de Dios enviado a traerles la vida de Dios.
"El que come mi carne y bebe mi sangre tiene vida eterna. . . . Como el Padre que me envió posee la vida y yo vivo por él, así también, el que me come vivirá por mí". (Juan 6:54–57)	Jesús enseñó que sus discípulos tendrían vida con Dios por siempre si verdaderamente creían que él era el Hijo de Dios y vivían como discípulos suyos.

Sólo Jesús puede satisfacer el hambre y la sed de Dios de la gente—él era toda la comida que necesitaban para la vida eterna. Cuando Jesús habló de sí mismo como el pan de vida y como comida y bebida, muchos se preguntaron, "¿Cómo puede este darnos a comer su carne?" (Juan 6:52). En su última comida con los discípulos, Jesús ofreció nueva luz al significado de sus palabras.

En la comida, conocida como la última cena, Jesús dio a los discípulos una forma especial para que lo recordaran. "Después tomó pan, dio gracias, lo partió y lo dio a sus discípulos diciendo: 'Esto es mi cuerpo, que se entrega por ustedes; hagan esto en memoria mía. Y después de la cena, hizo lo mismo con el cáliz diciendo: Este es el cáliz de la nueva alianza sellada con mi sangre, que se derrama por ustedes'" (Lucas 22:19–20). Jesús partió y compartió el pan ofreciéndose a sí mismo para nuestra salvación. Esta fue la Eucaristía, el regalo de Jesús mismo a todos sus discípulos.

Por medio de la Eucaristía, Jesús está verdaderamente presente en el pan y el vino que se convierten en su Cuerpo y Sangre. Esta

> **"Y el pan que yo daré es mi carne. Yo lo doy para la vida del mundo".**
> (Juan 6:51)

verdadera presencia de Jesucristo en la Eucaristía es llamada **Presencia Real**. Por medio de la Eucaristía, el Hijo de Dios, el pan de vida, une las vidas de los que lo reciben a la presencia y vida eterna de Dios—Padre, Hijo y Espíritu Santo.

Vocabulario

Presencia Real

Identidad católica

Durante la misa, el sacerdote dice y hace lo que Jesús hizo y dijo en la última cena. Por medio de las palabras y los gestos del sacerdote y por el poder del Espíritu Santo, el pan y el vino se convierten en el Cuerpo y la Sangre de Cristo. Jesús se hace verdaderamente presente en la Eucaristía, bajo las apariencias de pan y vino. Este cambio del pan y el vino es llamado *transustanciación*. *Trans* significa "cambiar",-*sustancia* significa "sustancia";-*ción* significa "actuar". Lo que realmente son el pan y el vino—sustancias—se convierten en el Cuerpo y la Sangre de Cristo, aunque parecen y saben a pan y a vino—su apariencia—sigue siendo la misma.

Cada vez que recibes la comunión recuerda que Jesús está verdaderamente presente en lo que parece pan y vino, pero es realmente su Cuerpo y Sangre. Estás recibiendo a Jesús mismo.

IDENTIDAD CATÓLICA

Jesus tells his disciples he will always be with them.

Jesus focused his public ministry on enabling people to have life, both here and hereafter. Jesus spoke the following words to his disciples, telling them about the new life that only he, as God's divine Son, could give:

"I am the bread of life; whoever comes to me will never hunger, and whoever believes in me will never thirst." (John 6:35)	Jesus wanted his disciples to know that belief in him is needed in order to have life with God.
"I am the living bread that came down from heaven; whoever eats this bread will live forever; and the bread that I will give is my flesh for the life of the world." (John 6:51)	By calling himself the Bread of Life and the Living Bread, Jesus was telling his disciples that he was truly the Son of God sent to bring God's life to them.
"Whoever eats my flesh and drinks my blood has eternal life. … Just as the living Father sent me and I have life because of the Father, so also the one who feeds on me will have life because of me". (John 6:54, 57)	Jesus taught that his disciples would have life with God forever if they truly believed that he was the Son of God and if they lived as his disciples.

Only Jesus could satisfy people's hunger and thirst for God—he was all the food they needed for eternal life. But when Jesus spoke of himself as the Bread of Life and as food and drink, many people asked themselves, "How can this man give us [his] flesh to eat?" (John 6:52). At his last meal with his disciples, Jesus shed new light on the meaning of his words.

At that meal, known as the Last Supper, Jesus gave his disciples a special way to remember him and to be with him. Jesus "took the bread, said the blessing, broke it, and gave it to them, saying, 'This is my body, which will be given for you; do this in memory of me.' And likewise the cup after they had eaten, saying, 'This cup is the new covenant in my blood, which will be shed for you'" (Luke 22:19–20). Jesus' breaking of the bread and sharing of the cup was an offering of himself for our salvation. It was the Eucharist, Jesus' gift to all of his disciples.

Through the Eucharist Jesus is wholly and completely present in the bread and wine that become his Body and Blood. This true presence of Jesus Christ in the Eucharist is called the **Real Presence**. Through the Eucharist, the Son of God, the Bread of Life, joins the lives of those who receive him to the eternal life and presence of God—Father, Son, and Holy Spirit.

> **"The bread that I will give is my flesh for the life of the world."**
> (John 6:51)

Activity Write and title a poem about Jesus, who is always present to us in the Eucharist.

Faith Word
Real Presence

Truly present

During Mass the priest does and says what Jesus did and said at the Last Supper. Through the priest's words and actions, and by the power of the Holy Spirit, the bread and wine are changed into the Body and Blood of Christ. Jesus truly becomes present to us in the Eucharist under the appearances of bread and wine. This change that the bread and wine undergo is called *transubstantiation*. *Trans* means "change"; *-substantia* means "substance"; *-tion* means "the act of." What the bread and wine really are—their substance—becomes the Body and Blood of Christ, yet what they look like and taste like—their appearances—remain the same.

Each time you receive Holy Communion, remember that Jesus is truly present in what looks like bread and wine, but is really his Body and Blood. You are receiving Jesus himself.

CATHOLIC IDENTITY

Jesús sufre por el pecado de la humanidad.

¿Cuándo rezas? ¿Por qué rezas?

Después que Jesús compartió la última cena con sus discípulos, se fue solo a un jardín para rezar a su Padre. Jesús se había dado a sí mismo a los discípulos en la Eucaristía y ahora se estaba preparando para dar su vida por toda la humanidad. El rezó: "Padre, si quieres aleja de mí este cáliz de amargura; pero no se haga mi voluntad, sino la tuya" (Lucas 22:42). Jesús confió en Dios, su Padre, y sabía que Dios estaba con él en su sufrimiento. Mientras Jesús le rezaba estaba: "Lleno de angustia . . . y comenzó a sudar como gotas de sangre que corrían hasta el suelo". (Lucas 22:44)

Más tarde, Judas Iscariote, uno de sus apóstoles, lo traicionó en el jardín saludándolo con un beso. Esa era la señal que le había dado a los que iban a apresarlo. Los hombres se llevaron a Jesús. Lo presentaron ante el Sanedrín, la corte religiosa suprema judía y ante Caifás, el sumo sacerdote. Caifás dijo a Jesús: "Te conjuro por Dios vivo; dinos si tú eres el Mesías, el Hijo de Dios". (Mateo 26:63)

Jesús dijo: "Tú lo has dicho" (Mateo 26:64). El sumo sacerdote dijo: "¡Ha blasfemado!" (Mateo 26:65). Caifás estaba acusando a Jesús de blasfemia al referirse a Dios en una forma irrespetuosa o irreverente. Los demás dijeron: "Merece la muerte" (Mateo 26:66). Jesús fue llevado ante el gobernador romano, Poncio Pilato. Cuando Judas escuchó todo eso se arrepintió de lo que había hecho. Judas estaba tan dolido que se quitó la vida ahorcándose.

Al principio Pilato quería dejar libre a Jesús, pero sus enemigos lo acusaron de tratar de iniciar una revolución en contra del emperador. Pilato dejó que la multitud decidiera la suerte de Jesús. Ellos gritaban pidiendo la crucifixión de Jesús. Pilato les entregó a Jesús para ser crucificado.

Actividad ¿Por qué sufrió Jesús en el jardín? ¿Cómo Jesús encontró ayuda durante su sufrimiento?

¿Cómo te ayuda el saber que Dios está siempre contigo?

Jesus suffers for the sins of humanity.

When do you pray? What do you pray for?

After Jesus shared the Last Supper with his disciples, he went alone to a garden to pray to his Father. Jesus had given himself to his disciples in the Eucharist and was now preparing to give his life for all of humanity. He prayed, "Father, if you are willing, take this cup away from me; still, not my will but yours be done" (Luke 22:42). Jesus trusted in God his Father and knew that God was with him in his suffering. As Jesus prayed he "was in such agony . . . that his sweat became like drops of blood falling on the ground" (Luke 22:44).

Later that night, Judas Iscariot, one of Jesus' own Apostles, betrayed Jesus in the garden by greeting him with a kiss. By this sign that he had arranged, Judas identified Jesus to those who had come to arrest him. These men took Jesus. They brought him before the Sanhedrin, the supreme religious court of the Jews, and before Caiaphas, the high priest. Caiaphas said to Jesus, "I order you to tell us under oath before the living God whether you are the Messiah, the Son of God" (Matthew 26:63).

Jesus said, "You have said so" (Matthew 26:64). The high priest said, "He has blasphemed!" (Matthew 26:65). Caiaphas was accusing Jesus of blasphemy, of referring to God in a disrespectful or irreverent way. And the rest replied, "He deserves to die!" (Matthew 26:66). Jesus was then taken before the Roman governor, Pontius Pilate. When Judas heard of all this, he regretted what he had done. Judas was so overtaken with grief that he went off and took his own life.

At first Pontius Pilate wanted to release Jesus, but Pilate's enemies accused him of trying to stir up a rebellion against the emperor. So Pilate let the crowds decide Jesus' fate. They shouted out for Jesus' crucifixion. And thus Pilate handed Jesus over to them to be crucified.

Activity Why was Jesus suffering in the garden? How did Jesus find help when suffering?

How does knowing that God is with you help you?

Pilate presents Jesus to the crowd. Based on the painting *Ecce Homo* (*Behold the Man*) by Antonio Ciseri (1821–1891).

CREYENDO...

Jesús cumple el plan de salvación de Dios.

En los evangelios podemos encontrar detalles del sufrimiento que Jesús experimentó antes de morir. Leemos que los soldados romanos lo maltrataron cruelmente. Se mofaron de él, lo abofetearon y le pusieron una corona de espinas en la cabeza. Después lo forzaron a cargar la cruz hasta el Gólgota, una colina en Jerusalén, cuyo nombre significa "lugar de las calaveras". Hoy ese lugar se conoce como el calvario. Ahí los soldados pusieron a Jesús en una cruz, clavaron sus manos y pies y pararon la cruz en la cima.

Jesús estuvo colgado ahí sufriendo desesperadamente mientras su madre, María, y otras mujeres discípulas estaban paradas al pie de la cruz. Gente pasaba e insultaba a Jesús. Algunos incluso se mofaban diciéndole: "¡A otros salvó y a sí mismo no puede salvarse!" (Marcos 15:31)

Aproximadamente a las tres de la tarde, cuando Jesús exhalaba el último suspiro: "La cortina del Templo se rasgó en dos de arriba abajo" (Marcos 15:38). Un soldado romano que estaba parado frente a Jesús mientras moría dijo: "Verdaderamente este hombre era Hijo de Dios" (Marcos 15:39). José de Arimatea,

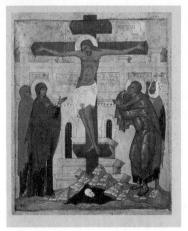

Icono bizantino de la crucifixión, siglo XVI

> **"Verdaderamente este hombre era Hijo de Dios".**
> (Marcos 15:39)

un judío miembro del consejo y quien no estaba de acuerdo con crucificar a Jesús, pidió a Pilato que le dejara reclamar el cuerpo de Jesús. Entonces mientras las mujeres miraban, José bajó el cuerpo de la cruz, lo envolvió en una manta, lo puso en un sepulcro nuevo y colocó una enorme piedra en la entrada. Todo eso sucedió el viernes, el día antes del Sabat judío.

Como católicos recordamos ese día como el Viernes Santo, porque fue el día en que Jesús sacrificó su vida en la cruz. Jesús, nuestro Redentor, murió para cumplir el plan de salvación de Dios y para ofrecernos vida eterna con Dios. Con la muerte de Jesús, empieza el milagro de nuestra salvación.

Actividad La Iglesia reza esta oración el Viernes Santo. Rézala ahora con tu grupo.

Tu Cruz adoramos, Señor,
y tu santa resurrección alabamos y glorificamos,
pues del árbol de la Cruz
ha venido la alegría al mundo entero.

Que el Señor se apiade de nosotros y nos bendiga,
que nos muestre su rostro radiante y misericordioso.

Tu Cruz adoramos, Señor,
y tu santa resurrección alabamos y glorificamos:
pues del árbol de la Cruz
ha venido la alegría al mundo entero
(Misal Romano)

Una ciudad santa

La crucifixión de Jesús tuvo lugar en Jerusalén. Esta ciudad de Israel, es lugar espiritual para tres de las religiones más importantes del mundo: judaísmo, cristianismo e islamismo.

Las raíces del judaísmo en Jerusalén fueron plantadas hace más de 3,000 años. En ese tiempo el rey David recuperó a Jerusalén e hizo de esta un centro cultural y espiritual para el judaísmo. El primer templo judío fue construido en Jerusalén. Después, durante varios siglos, la ciudad estuvo bajo el gobierno de diferentes grupos, incluyendo los persas y los romanos. La ciudad y el templo fueron destruidos más de una vez. El pueblo judío fue exiliado, para regresar a su patria en corto tiempo. Como el lugar de la muerte y resurrección de Jesús, Jerusalén se hizo importante como la nación donde nació el cristianismo. En el 313 D.C., el emperador Constantino nombró el cristianismo la religión oficial del imperio romano, que incluía a Jerusalén.

En el 638 D.C. una armada de musulmanes invadió a Jerusalén. Los musulmanes, cuya religión es el islamismo, creían que su profeta, Mahoma, había subido al cielo desde la ciudad de Jerusalén.

Por años, la ciudad ha experimentado conflictos religiosos entre los tres grupos que reclaman la ciudad como centro espiritual: judíos, musulmanes y cristianos. En artículos noticiosos puedes encontrar historias sobre las tensiones y conflictos alrededor de Jerusalén. ¿Cuáles son algunas formas en que se puede lograr la paz?

Jesus fulfills God's plan of salvation.

In the Gospels we can find many details about the suffering that Jesus experienced before he died. We read that the Roman soldiers took Jesus and cruelly mistreated him. They mocked him, spat in his face, and placed a crown of thorns on his head. Then they forced Jesus to carry his cross to Golgotha, a hillside in Jerusalem whose name means "place of the skull." Today this place is called Calvary. There the soldiers laid Jesus on the cross, nailed his hands and feet to it, and hoisted the cross up onto the hill.

Jesus hung there in desperate suffering while his mother, Mary, and some of the women disciples stood helplessly at the foot of the cross. Bystanders insulted the dying Jesus. Some even mocked Jesus, saying, "He saved others; he cannot save himself" (Mark 15:31).

At about three o'clock in the afternoon, as Jesus took his last breath, within the Temple "the veil of the sanctuary was torn in two from top to bottom" (Mark 15:38). A Roman officer standing at the foot of the cross, having watched Jesus die, was heard to say, "Truly this man was the Son of God!" (Mark 15:39). Joseph of Arimathea, a Jewish

Detail of Sixteenth-century Byzantine icon of the crucifixion

"Truly this man was the Son of God!"
(Mark 15:39)

member of the council who had not agreed with the plan for Jesus' death, went to Pilate and requested the body of Jesus. Then, as the women disciples looked on, Joseph took Jesus' body, wrapped it for burial, laid it in an unused tomb, and had a huge stone rolled across the entrance. This all happened on Friday, the day before the Jewish Sabbath.

As Catholics, we recall this day as Good Friday because it was the day on which Jesus sacrificed his life on the cross. Jesus, our Redeemer, died to fulfill God's plan of salvation and to offer us eternal life with God. In Jesus' dying, the miracle of our salvation had just begun!

Activity The Church sings the words below on Good Friday. Pray them now with your group.

We worship you, Lord.
We venerate your cross,
we praise your resurrection.
Through the cross you brought joy to the world.

May God be gracious and bless us;
and let his face shed its light upon us.

We worship you, Lord.
We venerate your cross,
we praise your resurrection.
Through the cross you brought joy to the world.
(Roman Missal)

A holy city

Jesus' crucifixion took place in Jerusalem. This city, located in Israel, is a spiritual home for three of the world's major religions: Judaism, Islam, and Christianity.

Judaism's roots in Jerusalem were planted more than 3,000 years ago. At that time, according to biblical accounts, King David captured Jerusalem and made it a cultural and spiritual center for Judaism. The first Jewish Temple was built in Jerusalem. Over the next several hundred years, the city fell under siege by numerous groups, including the Persians and the Romans. More than once the city and the Temple were destroyed. The Jewish people were exiled only to return shortly thereafter. As the location of Jesus' crucifixion and Resurrection, Jerusalem also became important as the birthplace of Christianity. In 313 A.D., Emperor Constantine made Christianity the official religion of the Roman Empire, which included Jerusalem.

In 638 A.D., Jerusalem was captured by armies of Muslims. Muslims, whose religion is called Islam, believe that their prophet, Mohammed, rose to heaven from the city of Jerusalem.

Throughout the ages the city has experienced religious conflicts among the three groups who hold claim to the city and its spiritual significance: Jews, Muslims, and Christians. In news articles you will find stories about the tensions and conflicts in and around Jerusalem today. What are some ways that peace might be reached?

Reconociendo nuestra fe

Recuerda la pregunta al inicio del capítulo: *¿Estará Dios siempre ahí para mí?* Jesús dio su vida por nosotros para que pudiéramos tener vida en Dios por siempre. Dios siempre está ahí para nosotros. Escoge una forma creativa de mostrar esto a otros. Escribe tu plan aquí:

Viviendo nuestra fe

En este capítulo aprendimos que Dios está siempre con nosotros por medio de la vida y el amor de Jesucristo. Esta semana, recuerda y consuélate en saber que Dios está siempre contigo.

El movimiento hospicios

Compañeros en la fe

Un *hospicio* es un lugar o programa que ofrece cuidado y ayuda a las personas que están muriendo debido a una enfermedad. Un hospicio anima a las familias a "estar ahí" para sus seres queridos afectados de una enfermedad incurable. La misión de un hospicio es mejorar la calidad de vida de las personas afectadas por la enfermedad y el dolor. La palabra *hospicio* viene del latín *hospitium* y significa "casa de huéspedes". Muchos años atrás, cuando el viajar era difícil y algunas veces peligroso, los que peregrinaban a los lugares santos, podían refugiarse en un hospicio, administrado por un monasterio u orden religiosa local.

Al final de la década de 1870, la hermana Mary John Gaynor y las hermanas de la caridad abrieron un hogar para los enfermos incurables de Dublín, Irlanda, y así el nombre *hospicio* se asoció al cuidado de los moribundos. Por medio del trabajo del doctor Cicely Saunders en la década de 1960, el movimiento hospicio empezó a crecer. Saunders, médico inglés, ayudó a incorporar la comodidad del hogar y la familia a los cuidados y ayuda de los doctores y profesionales.

¿Cómo puedes ofrecer ayuda a los afectados por enfermedades incurables?

@* Para más ideas y actividades visita www.vivimosnuestrafe.com.

Recognizing Our Faith

Recall the question at the beginning of this chapter: *Will God always be there for me?* Jesus gave us his life so that we could have life with God forever. God is always there for us. Choose a creative way to present this truth to others. Write your plan here.

Living Our Faith

In this chapter we learned that God is with us always through the life and love of Jesus Christ. This week, remember and take comfort in knowing that God is always with you.

The Hospice Movement

A *hospice* is a facility or program that provides care and support for people who are dying from an illness. A hospice encourages family members to "be there" for a loved one who is afflicted with a terminal illness. The mission of a hospice is to enhance the quality of life for all persons affected by dying and grief. The word *hospice* comes from the Latin word *hospitium*, which means "guesthouse." Centuries ago, when travel was often difficult and dangerous, someone making a pilgrimage to a holy place could find refuge in a hospice kept by a local monastery or religious order.

In the late 1870s Sister Mary John Gaynor and the Sisters of Charity opened a home for the terminally ill in Dublin, Ireland, and the name *hospice* became associated with the care of those who were dying. Through the work of Doctor Cicely Saunders in the 1960s, the hospice movement grew. Saunders, a British physician, helped to incorporate the comforts of family and home care with the attention and support of doctors and professionals.

How can you show care and support for those who are afflicted with a terminal illness?

@* **For additional ideas and activities, visit www.weliveourfaith.com.**

✚ ENCUENTRO CON LA PALABRA DE DIOS

"Yo soy el pan vivo bajado del cielo. El que come de este pan, vivirá para siempre".

(Juan 6:51)

➡ **LEE** la cita bíblica.

➡ **REFLEXIONA** en lo siguiente:

El pan es una comida básica de la que mucha gente depende. ¿Por qué crees que Jesús se comparó con el pan? Algunos discípulos que escucharon a Jesús hacer esta comparación no creyeron lo que decía y se marcharon. (Ver Juan 6:60–71). ¿Cómo reaccionarías a las palabras de Jesús?

➡ **COMPARTE** tus reflexiones con un compañero.

➡ **DECIDE** dar gracias a Jesús por ofrecerse como pan de vida.

Poniendo la fe en acción

Habla sobre lo aprendido en este capítulo:

 Entendemos que Jesús quiere que sus discípulos tengan vida en Dios por siempre.

 Apreciamos el que Jesús se da a sí mismo como pan de vida y como nuestro Salvador.

 Proclamamos la verdad de que Dios está siempre presente con nosotros por medio de la persona de Jesucristo.

Decide en que formas vas a vivir lo que has aprendido.

Repaso del capítulo 11

Escribe *verdadero* o *falso* en la raya al lado de cada oración. Cambia la oración falsa en verdadera y escríbela en una hoja de papel.

1. _____ Vida eterna es la presencia verdadera de Jesús en la Eucaristía.

2. _____ Jesús murió para cumplir con el plan de salvación de Dios, para ofrecernos vida eterna con Dios por siempre.

3. _____ La Presencia Real de Jesús se refiere a la vida de felicidad eterna con Dios.

4. _____ Por su vida, muerte y resurrección, Jesús salvó a todo el mundo de sus pecados.

Contesta lo siguiente:

5. ¿Qué nombre damos los católicos al día en que Jesús, nuestro redentor, murió? _____

6. ¿Cuál fue la respuesta de Pedro en nombre de los discípulos cuando Jesús les preguntó: "Y según ustedes, ¿quién soy?" (Mateo 16:15) _____

7. ¿Qué le regaló Jesús a todos sus discípulos en la última cena? _____

8. ¿Qué apóstol traicionó a Jesús dándole un beso en el jardín? _____

9–10. Contesta en un párrafo: ¿Por qué Jesús se llamó el Pan de Vida?

Putting Faith to Work

Talk about what you have learned in this chapter:

 We realize that Jesus wants his disciples to have life with God forever.

 We revere Jesus' giving of himself as the Bread of Life and as our Savior.

 We proclaim the truth that God is always present with us through the person of Jesus Christ.

Decide on ways to live out what you have learned.

ENCOUNTERING GOD'S WORD

"I am the living bread that came down from heaven; whoever eats this bread will live forever."

(John 6:51)

➡️ **READ** the quotation from Scripture.

➡️ **REFLECT** on the following:
Bread is a basic food on which many people depend for nourishment. Why do you think Jesus compared himself to bread? Some disciples who heard Jesus make this comparison did not believe what he said, and they walked away. (See John 6:60–71.) How would you react to Jesus' words?

➡️ **SHARE** your reflections with a partner.

➡️ **DECIDE** to thank Jesus for sharing himself with you as the Bread of Life.

Write *True* or *False* next to the following sentences. On a separate sheet of paper, change the false sentences to make them true.

1. _____ Eternal life is the true presence of Jesus Christ in the Eucharist.

2. _____ Jesus died to fulfill God's plan of salvation and to offer us eternal life with God forever.

3. _____ Jesus' Real Presence refers to a life of happiness with God forever.

4. _____ Through his life, death, and rising from the dead, Jesus saved all people from sin.

Short Answers

5. What do we, as Catholics, call the day that Jesus, our Redeemer, died? _____
_____

6. What was Peter's response on behalf of the disciples when Jesus asked them, "But who do you say that I am?" (Matthew 16:15)? _____

7. What gift did Jesus give to all of his disciples at the Last Supper? _____
_____

8. Which Apostle betrayed Jesus in the garden by greeting him with a kiss? _____
_____

9–10. ESSAY: Why did Jesus call himself the Bread of Life?

Comparte la fe con tu familia

Conversa con tu familia sobre lo siguiente:

- Jesús prepara a sus discípulos para lo que ha de venir.
- Jesús dice a sus discípulos que él siempre estará con ellos.
- Jesús sufre por el pecado de la humanidad.
- Jesús cumple el plan de salvación de Dios.

Es importante recordar que Dios siempre está con nosotros en nuestras familias. Es importante estar a la disposición de los que están con nosotros y recordar a los que han muerto. ¿Cuáles son algunas cosas que siguen conectadas con nuestros seres queridos?

- Exhibe tus fotos favoritas de tus familiares.

- _____
- _____

Conexión con la liturgia

En la misa el domingo, escucha las palabras *vida eterna*. Alaba y da gracias a Jesús por el don de la vida eterna.

Para explorar

Dios está siempre presente en la persona de Jesucristo. Usa el Internet, periódicos, revistas o libros para buscar ilustraciones o música que te comuniquen la presencia de Dios.

Doctrina social de la Iglesia ☑ Cotejo

Tema de la doctrina social de la Iglesia:
Cuidado de la creación de Dios.

Cómo se relaciona con el capítulo 11: Dios está siempre ahí para nosotros. El nos pide, a cambio, cuidar, ser responsables de su creación. Como católicos somos llamados a proteger nuestro planeta, viviendo nuestra fe en relación con toda la creación de Dios.

Cómo puedes hacer esto en

☐ la casa:

_____

☐ la escuela/trabajo:

_____

☐ la parroquia:

_____

☐ la comunidad:

_____

Chequea cada acción cuando la termines.

Sharing Faith with Your Family

Discuss the following with your family:

- Jesus prepares his disciples for all that is to come.
- Jesus tells his disciples he will always be with them.
- Jesus suffers for the sins of humanity.
- Jesus fulfills God's plan of salvation.

It is important to remember that God is always with us in our families. And it is important not only to "be there" for those still among us but to remember family members who have passed away. What are some ways to stay connected to these loved ones?

- Display favorite photos of these family members.
- _____
- _____

Catholic Social Teaching
☑ Checklist

Theme of Catholic Social Teaching:
Care for God's Creation

How it relates to Chapter 11: God is always there for us. In return, he asks us to take care of, or be stewards of, his creation. As Catholics we are called to protect our planet, living our faith in relationship with all of God's creation.

How can you do this?

☐ At home:

_____

☐ At school/work:

_____

☐ In the parish:

_____

☐ In the community:

_____

Check off each action after it has been completed.

The Worship Connection

At Mass this Sunday, listen for the words *eternal life*. Praise and thank Jesus for this gift of unending life.

More to Explore

God is always present through the person of Jesus Christ. Use the Internet, periodicals, and reference books to find examples of art and music that communicate God's presence to you.

12
Jesucristo el Salvador

"Yo he venido para dar vida a los hombres y para que la tengan en plenitud".

(Juan 10:10)

Líder: Señor Jesucristo, eres el Salvador del mundo quien trae nueva vida para todos.

Todos: Señor Jesucristo, eres el Salvador del mundo quien trae nueva vida para todos.

Líder: Señor, ofreciste tu vida en la cruz por nuestra salvación. Que nuestras vidas te honren y te alaben por tu santo sacrificio.

Todos: Señor Jesucristo, eres el Salvador del mundo quien trae nueva vida para todos.

Líder: Todo honor y toda gloria a ti, ahora y siempre.

Todos: Amén.

La gran pregunta:
¿Por qué la vida merece vivirse?

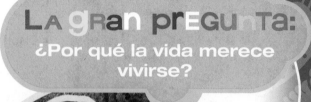

Descubre que es importante en tu vida. Imagina que estás en una isla desierta con sólo tres cosas. Si pudieras escoger esas tres posesiones, ¿qué escogerías? Escríbelas abajo.

1

2

3

Resultados:

Repasa tu lista y piensa en lo que te movió a escoger esas cosas entre todas las demás cosas en tu vida.

¿Por qué esas cosas son importantes en tu vida? ¿Qué crees hace que la vida merezca la pena?

En este capítulo aprenderemos que Jesucristo es el Salvador, por su muerte y resurrección, él nos libró del pecado y nos abrió el camino a una nueva vida.

GATHERING...

"I came so that they might have life and have it more abundantly."

(John 10:10)

Leader: Lord Jesus Christ, you are the Savior of the world who brings new life to all.

All: Lord Jesus Christ, you are the Savior of the world who brings new life to all.

Leader: Lord, you gave your life on the cross for our salvation. May our lives give you honor and praise for your holy sacrifice.

All: Lord Jesus Christ, you are the Savior of the world who brings new life to all.

Leader: All praise and honor and glory be yours, now and forever.

All: Amen.

The BIG Question:
Why is life worth living?

Discover what is important to your life. Imagine yourself stranded on a desert island with only three of your possessions. If you could choose these three possessions, what would they be? List them below.

1. Food including water

2. Clothes

3. book i guess

Results:

Review your list and think about what moved you to choose these items over everything else in your life.

Why are these things important to your life? What would you say makes life worth living?

In this chapter we learn that Jesus Christ is the Savior; by his death and Resurrection he freed us from sin and opened for us the way to new life.

217

Había una vez un joven granjero llamado Simón. Le gustaba la vida en el campo, pero también soñaba con nuevas aventuras. Una vez, mientras araba el campo, encontró un mapa de un tesoro. Viendo la oportunidad de explorar el mundo y hacerse rico, Simón se embarcó en busca del tesoro.

El primer lugar de su viaje involucraba un viaje largo en un bote. En el mismo había todo tipo de personas interesantes, desde exploradores, cazadores, buscadores de riquezas. Simón tuvo un tiempo maravilloso conociendo a todas esas personas y preguntándoles sobre sus vidas. Cuando se quedaba solo miraba su mapa y soñaba con las riquezas y tesoros. No podía esperar.

Sin embargo, Simón nunca llegó a su destino. Un día, el bote encontró una terrible tormenta. Simón fue tirado fuera del bote, perdió su mapa en el mar y fue a parar a las playas de un pequeño pueblo. Simón fue cuidado por la familia del herrero del pueblo. La familia le cogió cariño a Simón.

El herrero le enseñó a hacer herraduras, muebles y otros artículos de metal. Simón trabajó en la herrería y aprendió lo suficiente para vivir de su cuenta. Simón también se enamoró de la hija mayor del herrero. Se casaron y tuvieron un hijo.

Eventualmente, Simón se hizo cargo del negocio de herrería y su familia creció. El vivió una vida larga y feliz. Nadie nunca le escuchó mencionar el mapa, de vez en cuando llamaba a sus hijos y nietos, "mi tesoro".

Actividad Conversa sobre lo siguiente:

- ¿Cómo puede Simón contestar la pregunta "¿Por qué la vida merece vivirse?"

- Si Simón hubiera llegado al destino soñado y hubiera encontrado el tesoro, ¿sería su respuesta diferente?

- ¿Cuál es la lección de esta historia? ¿Puedes relacionarla a tu vida de alguna forma?

Long ago, there lived a young farmer named Simon. He enjoyed life on the farm, but he also dreamed of new adventures. One day, while out plowing the field, Simon found a treasure map. Seeing an opportunity to explore the world and become rich, Simon set out in search of the treasure.

The first part of his journey involved a long boat trip. On board were all kinds of interesting people, from explorers to hunters to wealthy thrill-seekers. Simon had a wonderful time meeting all the people and asking them about their lives. When he was alone, he kept looking at his map and dreaming of riches and treasure. He couldn't wait!

However, Simon never reached his intended destination. One day, the boat encountered a terrible storm. Simon was knocked overboard, lost his map in the sea, and was washed up on the shores of a small town. Simon was taken in and cared for by the family of the town blacksmith. The family took a liking to Simon. The blacksmith taught Simon how to make horseshoes, furniture, and other metal crafts. Simon worked for the blacksmith and eventually earned enough to be able to live on his own. Simon also fell in love with the blacksmith's eldest daughter. They were married and had a son.

Simon eventually took over the blacksmith's business, and his family grew. Simon lived a long and happy life. And though no one ever heard him mention a map, from time to time he could be heard to call his children and grandchildren "my treasure."

Activity Discuss the following:

- **How might Simon answer the question "Why is life worth living?"**

- **If Simon had reached his intended destination and located the treasure, how might his answer be different?**

- **What do you think the lesson of this story is? Can you relate it to your own life in any way?**

Jesucristo resucita de la muerte.

Muy temprano, al tercer día de la muerte de Jesús en la cruz, algunos de los discípulos de Jesús fueron a su tumba y la encontraron vacía. El Evangelio de Marcos identifica a las mujeres discípulos, María Magdalena, María, la madre de Santiago y Salomé. Un joven vestido de blanco estaba en la tumba y les dijo: "No se asusten. Buscan a Jesús de Nazaret, el crucificado. Ha resucitado; no está aquí. Miren el lugar donde lo pusieron. Vayan, pues, a decir a sus discípulos y a Pedro: El va camino de Galilea, allí lo verán, tal como les dijo" (Marcos 16:6–7). Este joven era realmente un ángel.

Al principio, todo eso era increíble para los discípulos de Jesús. Es entonces cuando Cristo resucitado se aparece a María Magdalena y otros discípulos, mostrándoles sus heridas y comiendo con ellos. ¡Qué extraordinaria experiencia debió haber sido ver a Cristo resucitado vivo y lleno de gloria! Sin embargo, algunos a pesar de que escucharon esas noticias no creyeron que Jesús había resucitado.

Luego, cuando los once apóstoles estaban reunidos para comer, Cristo resucitado se les apareció. El pidió a los que tenían poca fe a creer en él y en su resurrección. Entonces le dijo a sus apóstoles: "Vayan por el mundo y proclamen la buena noticia a toda criatura. El que crea y se bautice, se salvará, pero el que no crea se condenará". (Marcos 16: 15–16)

Cristo resucitado también le dijo a los apóstoles que ellos serían capaces de hacer muchas cosas en su nombre, incluyendo sacar demonios, hablar nuevas lenguas y sanar a los enfermos. El los *comisionó*, envió, a continuar la obra de salvación y liberación que él había empezado. Armados con el evangelio de Cristo ellos fueron a evangelizar al pueblo.

Actividad El Cristo resucitado también te pide hacer ese trabajo. ¿Cómo puedes evangelizar proclamando el evangelio de Cristo? ¿A quién predicarás primero?

Vida eterna

Al resucitar de la muerte, Jesucristo vence la muerte y nos promete una nueva vida. Por nuestro bautismo en Cristo somos atados a su muerte y resurrección. Esto nos da esperanza. Aunque podemos preocuparnos por la muerte, nuestra fe en Cristo resucitado puede ayudarnos a enfrentarla con menos miedo. Sabemos que todos los que han respondido a la gracia de Dios y se han mantenido en su amistad tendrán vida eterna cuando mueran. Debido a nuestra fe en la muerte y resurrección de Jesús podemos tener la esperanza de la vida eterna y de nuestra resurrección al final de los tiempos.

Al momento de morir, los que han vivido vidas de santidad en la tierra, inmediatamente comparten el gozo del cielo y la vida eterna. Aquellos cuyos corazones tienen que purificarse se prepararán para ir al cielo en el purgatorio. Ahí lograrán la santidad necesaria para gozar de la felicidad en el cielo. Desafortunadamente, los que han escogido alejarse de la misericordia de Dios y han rechazado su perdón se mantendrán por siempre separados de Dios y no compartirán la vida eterna. Esta separación eterna de Dios es llamada infierno.

IDENTIDAD CATÓLICA

Dios siempre quiere que escojamos el tipo de vida que lleva al gozo del cielo. Reza para que tu familia y tus amigos compartan la vida eterna con Dios.

Jesus Christ is risen from the dead.

Early on the third day after Jesus' death on the cross, some of Jesus' disciples went to his tomb and found the stone rolled away and the tomb empty. In his Gospel, Mark identifies these as the women disciples Mary Magdalene, Mary, the mother of James, and Salome. A young man in a white robe was at the tomb and told them, "Do not be amazed! You seek Jesus of Nazareth, the crucified. He has been raised . . . Go and tell his disciples and Peter, 'He is going before you to Galilee; there you will see him, as he told you'" (Mark 16:6–7). The young man referred to here was really an angel.

At first all of this was unbelievable to Jesus' disciples. Then the risen Christ appeared to Mary Magdalene and to some of the other disciples, showing them his wounds and even eating with the disciples. What an extraordinary experience it must have been to see the risen Christ alive and full of glory! But still some who heard about these appearances could not believe that Jesus was risen.

Then, as the eleven Apostles were gathered for a meal, the risen Christ appeared to them all together. He urged those who were weak in faith to now believe in him and in his Resurrection. He then said to his Apostles, "Go into the whole world and proclaim the gospel to every creature. Whoever believes and is baptized will be saved; whoever does not believe will be condemned" (Mark 16:15–16).

The risen Christ also told the Apostles that they would be able to do many things in his name, including driving out demons, speaking new languages, and healing the sick. He *commissioned* them, or sent them out, to carry on the work of salvation and liberation that he had begun. Armed with the Gospel of Christ, they were to evangelize all people.

Noli me tangere, Fra Angelico (ca. 1440–1445)

Life without end

In rising from the dead, Jesus Christ overcame death and promised new life. By our Baptism into Christ, we are bonded to his dying and rising. This can give us such a sense of hope! Though we may worry about death, our faith in the risen Christ can help us to face it with less fear. We know that all those who have responded to God's grace and have remained in his friendship will have eternal life when they die. And because of our belief in Jesus' death and rising, we can have the hope of eternal life and of our own resurrection at the end of time.

At death those who have lived lives of holiness on earth will immediately share the joy of heaven and eternal life. Those whose hearts need to be made perfectly pure will prepare for heaven in purgatory. There they will grow in the holiness necessary to enjoy the happiness of heaven. Unfortunately, those who have chosen to turn from God's mercy and have refused his forgiveness will remain forever separated from God and will not share in eternal life. This eternal separation from God is called hell.

God always wants us to choose the kind of life that will lead to the joy of heaven. Pray that all of your family and friends will share in eternal life with God.

CATHOLIC IDENTITY

Activity The risen Christ commissions you to do his work, too. How can you be an evangelizer, proclaiming the Gospel of Christ? To whom would you make your first proclamation?

La obra de salvación de Cristo se cumplió.

Jesús dijo a sus discípulos que llegaría el momento en que él los dejaría para regresar con su Padre al cielo. Ese tiempo llegó. Cristo resucitado llevó a sus discípulos: "Hasta un lugar cercano a Betania y, alzando las manos, los bendijo. Y mientras los bendecía se separó de ellos y fue llevado al cielo" (Lucas 24:50–51). Este evento, sobre el que leemos en el Evangelio de Lucas se conoce como la **ascensión**. Marca el regreso de Jesús en toda su gloria y poder en el cielo.

Lucas también escribió sobre la ascensión en Hechos de los Apóstoles. En este libro de la Biblia descubrimos que el Cristo resucitado se quedó con sus apóstoles durante cuarenta días antes de ascender al cielo. El les habló del poder del Espíritu Santo. El les enseñó sobre el reino de Dios. Y los preparó para que siguieran su misión.

Llenos del valor, la fortaleza y la sabiduría que habían recibido de Jesús, los apóstoles empezaron a contar a todos sobre el sufrimiento de Jesús, su muerte, resurrección y ascensión. El sufrimiento, muerte, resurrección y ascensión de Jesucristo se conoce como **misterio pascual**. Fue por este misterio pascual que Jesucristo completó el trabajo de salvación. Como nos recuerda el *Catecismo*:

> **"Por su muerte nos libera del pecado, por su Resurrección nos abre el acceso a una nueva vida".**
> *(CIC, 654)*

"Hay un doble aspecto en el misterio pascual: por su muerte nos libera del pecado, por su Resurrección nos abre el acceso a una nueva vida". (654)

En Hechos de los Apóstoles también podemos leer que después de la ascensión de Jesús, dos hombres vestidos de blanco se pararon entre los apóstoles y les dijeron: "Galileos, ¿por qué se han quedado mirando al cielo? Este Jesús que de entre ustedes ha sido llevado al cielo, vendrá de la misma manera que lo han visto irse." (Hechos de los Apóstoles 1:11)

Esos hombres, que eran verdaderamente ángeles, mensajeros de Dios, estaban diciendo a los apóstoles que Jesús vendría de nuevo. Jesús prometió eso a sus discípulos. En la última cena, Jesús había dicho: "Una vez que me haya ido y les haya preparado el lugar, regresaré y los llevaré conmigo, para que puedan estar donde voy a estar yo" (Juan 14:3). Con esas palabras, Jesús estaba hablando con sus discípulos sobre su segunda venida al final de los tiempos. Como discípulos de Jesús, también nosotros esperamos con gozo y esperanza el regreso de Jesús en su segunda venida al final de los tiempos.

Vocabulario

ascensión
misterio pascual

Actividad Un tríptico es un conjunto de tres paneles que muestran imágenes relacionadas a un tema central. Diseña un tríptico mostrando tres imágenes relacionas con el misterio pascual.

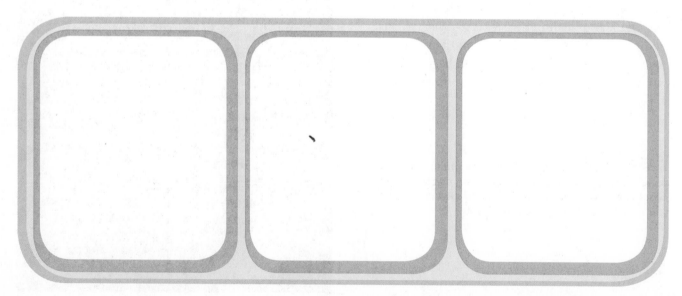

Christ's work of salvation is accomplished.

Jesus once told his disciples that a time would come when he would leave them and return to his Father in heaven. Now this time had come. The risen Christ led the disciples "as far as Bethany, raised his hands, and blessed them. As he blessed them he parted from them and was taken up to heaven" (Luke 24:50–51). This event, which we read about in Luke's Gospel, is known as the **Ascension**. It marks Jesus' return in all his glory to his Father in heaven.

Luke also wrote about the Ascension in the Acts of the Apostles. In this book of the Bible we discover that the risen Christ remained with his Apostles for forty days before he ascended to heaven. He spoke to them about the power of the Holy Spirit. He taught them about the Kingdom of God. And he prepared them to carry on his mission.

Empowered by the courage, strength, and wisdom that they had received from Jesus, the Apostles began to tell everyone about his suffering, death, Resurrection, and Ascension. The suffering, death, Resurrection, and Ascension of Jesus Christ are known as the **Paschal Mystery**. It was through the Paschal Mystery that Jesus Christ accomplished his work of salvation. As the *Catechism* reminds us,

> **"By his death, Christ liberates us from sin; by his Resurrection, he opens for us the way to a new life."**
>
> (CCC, 654)

"The Paschal mystery has two aspects: by his death, Christ liberates us from sin; by his Resurrection, he opens for us the way to a new life" (654).

In the Acts of the Apostles we can also read that, after Jesus' Ascension, two men dressed in white garments stood beside the Apostles, saying, "Men of Galilee, why are you standing there looking at the sky? This Jesus who has been taken up from you into heaven will return in the same way as you have seen him going into heaven" (Acts of the Apostles 1:11). These men, who were really angels, God's messengers, were telling the Apostles that Jesus would come back to them again. Indeed Jesus had already promised this to his disciples. At the Last Supper, Jesus had said, "And if I go and prepare a place for you, I will come back again and take you to myself, so that where I am you also may be" (John 14:3). With these words, Jesus was speaking to his disciples of his second coming at the end of time. And, as disciples of Jesus, we too wait in joyful hope for Jesus' return at his second coming at the end of time.

Faith Words
Ascension
Paschal Mystery

Activity A triptych is a set of three side-by-side panels showing images that relate to a central theme. Design a triptych showing three images that relate to the Paschal Mystery.

Jesús está con nosotros

En el Evangelio de Mateo, las palabras de Jesús nos recuerdan que, cuando nos reunimos en su nombre, él está en medio de nosotros. Verdaderamente, cuando los miembros de la Iglesia se reúnen para aprender y reflexionar, a rezar y celebrar, Jesús está ahí. No importa donde en el mundo la misa se esté celebrando, en esa celebración del sacramento de la Eucaristía, Jesús está verdaderamente presente en la comunidad reunida, en la palabra de Dios proclamada, en el sacerdote y al recibir el Cuerpo y la Sangre de Cristo en la comunión. Cuando el sacerdote consagra el pan y el vino, él siempre reza las palabras que Jesús pronunció en la última cena. Y es Jesucristo quien actúa por medio del sacerdote y por el poder del Espíritu Santo, quien transforma el pan y el vino en su Cuerpo y Sangre.

Cuando recibimos el Cuerpo y la Sangre de Cristo en la misa, Jesús vive en nosotros y nosotros en él. Jesús nos alimenta con su palabra y nos une como el cuerpo de Cristo, la Iglesia. La gracia que recibimos en el Bautismo crece en nosotros. Somos fortalecidos para amar y servir a los demás, especialmente a los pobres y necesitados.

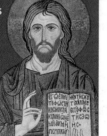

¿Cómo puedes mostrar que la presencia de Jesús en tu vida permite que la vida valga la pena?

La vida y la misión de Cristo continúan en la Iglesia.

¿Qué da fortaleza en la vida?

Fortalecidos por la venida del Espíritu Santo en Pentecostés, los apóstoles y toda la comunidad de discípulos tomaron la tarea de continuar la misión de Jesús. Este fue el inicio de la Iglesia. Todos los creyentes confiaron en que el Espíritu Santo los guiaría. Recuerden "aparecieron lenguas como de fuego, . . .y se posaban sobre cada uno de ellos. Todos quedaron llenos de Espíritu Santo". (Hechos de los Apóstoles 2:3–4)

Los apóstoles establecieron muchas comunidades cristianas que se reunían regularmente para celebrar la Eucaristía. Alimentados por la Eucaristía podían vivir lo que Jesús había predicado; servir y sanar a otros y compartir la buena nueva de la salvación, llevando más y más personas a Cristo. "Los que habían sido bautizados se dedicaban con perseverancia a escuchar la enseñanza de los apóstoles, vivían unidos y participaban en la fracción del pan y en las oraciones. Todos estaban impresionados, porque eran muchos los prodigios y señales realizadas por los apóstoles. Todos los creyentes vivían unidos y lo tenían todo en común. Vendían sus posesiones y haciendas y las distribuían entre todos, según las necesidades de cada uno. Con perseverancia acudían diariamente al templo, partían el pan en las casas y compartían los alimentos con alegría y sencillez de corazón, alababan a Dios y se ganaban el aprecio de todo el pueblo. Por su parte, el Señor cada día agregaba al grupo de los creyentes aquellos que aceptaban la salvación". (Hechos de los Apóstoles 2:42–47)

La Eucaristía, que se conocía en esa época como partir el pan, era y continúa al centro de la vida de la Iglesia. Y continúa siendo el centro de la vida de la Iglesia hoy. San Agustín dijo: "La Eucaristía es nuestro pan diario . . . . Nos une como su cuerpo y nos hace sus miembros, nos convertimos en lo que recibimos"—el Cuerpo de Cristo. Vivimos como Jesús vivió, sirviendo a otros e invitándolos a escuchar la buena nueva de salvación. Así que la vida y la misión de Jesús continúa por medio de cada uno de nosotros, sus discípulos.

Actividad Usa el código para revelar palabras de Jesús tomadas del Evangelio de Mateo.

A	B	D	E	I	L	M	N	O	R	S	T	U	Y
1	2	3	4	5	6	7	8	9	10	11	12	13	14

"
3 9 8 3 4   4 11 12 1 8   3 9 11   9   12 10 4 11

10 4 13 8 5 3 9 11   4 8   7 9   8 9 7 2 10 4

1 6 6 5   4 11 12 9 14   14 9 ".

(Mateo 18:20)

Jesus is with us

In Matthew's Gospel, Jesus' words remind us that when we gather in his name, he is with us. Indeed, when members of the Church are gathered to learn and reflect, and to pray and celebrate, Jesus is there. No matter where in the world the Mass is taking place, in this celebration of the Sacrament of the Eucharist, Jesus is truly present in the community gathered, in the word of God proclaimed, in the priest, and in the reception of Jesus' Body and Blood in Holy Communion. When the priest consecrates the bread and wine, he always prays the words that Jesus said at the Last Supper. And it is Jesus Christ, acting through the priest and by the power of the Holy Spirit, who transforms the bread and wine into his Body and Blood.

When we receive the Body and Blood of Christ at Mass, Jesus lives in us, and we in him. Jesus nourishes us with his word and joins us together as the Body of Christ, the Church. The grace that we first received in Baptism grows in us. And we are strengthened to love and serve others, especially those who are poor or in need.

How can you show that Jesus' presence in your life makes life worth living?

Christ's life and mission continue in the Church.

What gives you strength in your life?

Empowered by the Holy Spirit's coming at Pentecost, the Apostles and the whole community of disciples took up the task of carrying on the mission of Jesus. This was the beginning of the Church. All the believers were confident that the Spirit would guide them; remember, the tongues of fire "came to rest on each one . . . . And they were all filled with the holy Spirit" (Acts of the Apostles 2:3–4).

The Apostles established many communities of Christians, who all met regularly to celebrate the Eucharist. Nourished by the Eucharist, they were able to live what Jesus preached, serve and heal others, and share the good news of salvation, leading more and more people to Christ. "They devoted themselves to the teaching of the apostles and to the communal life, to the breaking of the bread and to the prayers. Awe came upon everyone, and many wonders and signs were done through the apostles. All who believed were together and had all things in common; they would sell their property and possessions and divide them among all according to each one's need. Every day they devoted themselves to meeting together in the temple area and to breaking bread in their homes. They ate their meals with exultation and sincerity of heart, praising God and enjoying favor with all the people. And every day the Lord added to their number those who were being saved." (Acts of the Apostles 2:42–47)

The Eucharist, known at that time as the breaking of the bread, was and continues to be at the center of the life of the Church. And it continues to be the center of the Church's life today. Saint Augustine once said, "The Eucharist is our daily bread . . . . Gathered into his Body and made members of him, we may become what we receive"—the Body of Christ. We live as Jesus did, serving others and inviting them to hear the good news of salvation. Thus the life and mission of Jesus continue through each one of us, his disciples.

Activity Use the code to reveal words of Jesus taken from the Gospel of Matthew.

A	D	E	G	H	I	M	N	O	R	T	W	Y
1	2	3	4	5	6	7	8	9	10	11	12	13

" $\overline{12}$ $\overline{5}$ $\overline{3}$ $\overline{10}$ $\overline{3}$ $\overline{11}$ $\overline{12}$ $\overline{9}$ $\overline{9}$ $\overline{10}$ $\overline{11}$ $\overline{5}$ $\overline{10}$ $\overline{3}$ $\overline{3}$ $\overline{1}$ $\overline{10}$ $\overline{3}$

$\overline{4}$ $\overline{1}$ $\overline{11}$ $\overline{5}$ $\overline{3}$ $\overline{10}$ $\overline{3}$ $\overline{2}$ $\overline{11}$ $\overline{9}$ $\overline{4}$ $\overline{3}$ $\overline{11}$ $\overline{5}$ $\overline{3}$ $\overline{10}$ $\overline{6}$ $\overline{8}$

$\overline{7}$ $\overline{13}$ $\overline{8}$ $\overline{1}$ $\overline{7}$ $\overline{3}$, $\overline{11}$ $\overline{5}$ $\overline{3}$ $\overline{10}$ $\overline{3}$ $\overline{1}$ $\overline{7}$ $\overline{6}$."

(See Matthew 18:20.)

La Iglesia es el cuerpo de Cristo.

El Bautismo da a cada miembro de la comunidad cristiana la responsabilidad de participar en la misión de Jesús. Desde el inicio Pedro dijo a los miembros de la comunidad cristiana: "Ustedes. . . son descendencia elegida, reino de sacerdotes y nación santa, pueblo adquirido en posesión para anunciar las grandezas del que los llamó" (1 Pedro 2:9). Y Pedro les recordó: "Cada uno ha recibido su don; pónganlo al servicio de los demás". (1 Pedro 4:10)

Antes, igual que ahora, todos los ministerios y los esfuerzos de la Iglesia son dirigidos a compartir el amor de Dios predicando el reino de Dios. El Bautismo llama a cada persona a participar plenamente en la misión salvadora y libertadora de Jesús. El darse cuenta de esto hace que la vida valga la pena.

Cada miembro tiene algo para contribuir en el trabajo de la comunidad de fe. Cada uno de noso-tros tiene dones para construir el cuerpo de Cristo—la Iglesia unida en Cristo: "Formamos un solo cuerpo al quedar unidos a Cristo, y somos miembros los unos de los otros" (Romanos 12:5), y Cristo es: "El es también la cabeza del cuerpo, que es la Iglesia" (Colosenses 1:18). Unidos como

> **"Formamos un solo cuerpo al quedar unidos a Cristo".**
> (Romanos 12:5)

cuerpo de Cristo en el mundo, juntos podemos continuar la obra salvadora de Cristo:

• llevando a otros a creer en Jesucristo como el Salvador del mundo

• llevando la sanación y el perdón de Jesús a otros

• viviendo una vida de oración, santidad y buenas obras

• trabajando para establecer paz, reconciliación y justicia donde se necesite

• ayudando a los pobres, los afligidos, los que están solos, los oprimidos, los pobres y desamparados

• proclamando la buena nueva de la salvación por medio de lo que hacemos y decimos.

La Iglesia, el cuerpo de Cristo, es un signo al mundo de la salvación, el perdón, la libertad y la nueva vida que Cristo ofrece. Tú también puedes participar en esta obra de salvación. ¿En qué formas puedes contribuir?

Actividad Diseña un atractivo anuncio para desplegar en un taxi, autobús o tren que muestre que ser discípulo de Cristo hace que la vida valga la pena vivirla.

The Church is the Body of Christ.

Baptism gives each member of the Christian community the responsibility to participate in the mission of Jesus. From the very beginning, Peter told the members of the Christian community that they were now "a chosen race, a royal priesthood, a holy nation, a people of his own" (1 Peter 2:9). And Peter instructed, "As each one has received a gift, use it to serve one another" (1 Peter 4:10).

Then, as now, all of the Church's ministries and efforts were directed toward sharing God's love and spreading God's Kingdom. Baptism calls each person to participate fully in Jesus' saving and liberating mission. Realizing this makes life worth living.

Every member has something to contribute to the work of the faith community. Every one of us has gifts for building up the Body of Christ—the Church united together in Christ: "We, though many, are one body in Christ and individually parts of one another" (Romans 12:5), and Christ is the

> "We, though many, are one body in Christ."
> (Romans 12:5)

"head of the body, the church" (Colossians 1:18). Joined as the Body of Christ in the world, together we can continue Christ's work of salvation by:

- leading others to believe in Jesus Christ as Savior of the world
- bringing Jesus' healing and forgiveness to others
- living a life of prayer, holiness, and good works
- working to establish peace, reconciliation, and justice where they are needed
- reaching out to those who are poor, sick, lonely, oppressed, and rejected
- proclaiming, by all we say and do, the good news of salvation.

The Church, the Body of Christ, is a sign to the world of the salvation, forgiveness, freedom, and new life that Christ offers. You too can participate in this saving work. In what ways do you contribute?

Activity Design an eye-catching advertisement to display on a cab, bus, or train that shows that being a disciple of Christ makes life worth living.

RESPONDIENDO...

Reconociendo nuestra fe

Recuerda la pregunta al inicio del capítulo: *¿Por qué la vida merece vivirse?* ¿Cómo tu respuesta a esta pregunta cambió después de leer este capítulo? Escoge una melodía y ponle letras que expresen tu respuesta a la pregunta.

Viviendo nuestra fe

En este capítulo aprendimos que Jesucristo dio a la Iglesia, el cuerpo de Cristo, la responsabilidad de continuar su misión. Decide de que forma puedes cumplir con esa responsabilidad.

Compañeros en la fe

Santa María Magdalena

Santa María Magdalena fue una fiel discípula de Jesús. Ella acompañó a Jesús y los apóstoles cuando viajaban por pueblos y villas anunciando la buena nueva del reino de Dios. Ella fue testigo de la vida y las enseñanzas de Cristo. Estuvo presente en la crucifixión de Jesús y permaneció al pie de la cruz cuando otros huían. Sufrió la muerte de Jesús y lloró cuando fue puesto en la tumba. En la Escritura leemos que cuando ella y otras mujeres fueron a la tumba para ungir el cuerpo de Jesús con especias, descubrieron que la tumba estaba vacía y que Jesús había resucitado de la muerte. Después leemos que María Magdalena fue una de las primeras personas en ver a Cristo resucitado, cuando las demás mujeres corrieron a Galilea a dar la noticia a los apóstoles. Por su fidelidad como discípulo y su papel como testigo de la resurrección de Jesús, Santa María Magdalena se conoce en los primeros escritos de los cristianos como "el discípulo de los discípulos". La Iglesia celebra y recuerda a María Magdalena el 22 de julio.

Santa María Magdalena fue un testigo de la vida y las enseñanzas de Cristo. ¿Cuáles son algunas cosas que puedes hacer para ser testigo de Cristo?

Recognizing Our Faith

Recall the question at the beginning of this chapter: *Why is life worth living*? How has your response to the question changed after reading this chapter? Choose a favorite song or tune, and write new words for it that express your response to this question.

Living Our Faith

In this chapter we learned that Jesus Christ gave the Church, the Body of Christ, the responsibility to carry on his mission. Decide on one way you can live out this responsibility.

Saint Mary Magdalene

Saint Mary Magdalene was a faithful disciple of Jesus. She accompanied Jesus and his Apostles as they traveled to many towns and villages to preach the good news of the Kingdom of God. She was witness to Christ's life and teachings. She was present at Jesus' crucifixion and stood at the cross when others had fled. At Jesus' death she mourned, and she wept as he was laid in the tomb. In Scripture we read that when she and other women returned to the tomb to anoint Jesus with spices, they discovered the tomb empty and learned that Jesus had risen from the dead. We then read that Mary Magdalene was one of the first people to see the risen Christ as the women made their way back to Galilee to tell Peter and the other Apostles the news about Jesus. Because of her faithfulness as a disciple and her role as a witness to Jesus' Resurrection, Saint Mary Magdalene became known in early Christian writings as "the apostle to the Apostles." The Church celebrates and remembers Saint Mary Magdalene on July 22.

Partners in FAITH

Saint Mary Magdalene was a witness to Christ's life and teaching. What are some things you can do to be a witness to Christ?

@ For additional ideas and activities, visit www.weliveourfaith.com.

✝ ENCUENTRO CON LA PALABRA DE DIOS

"Yo estoy con ustedes todos los días hasta el final de los tiempos".
(Mateo 28:20)

➡ **LEE** la cita bíblica.

➡ **REFLEXIONA** en estas preguntas:
¿Cómo te sientes al saber que Jesús está siempre contigo? ¿Te has detenido a pensar que Jesús está verdaderamente contigo en los eventos diarios? ¿Cómo su presencia cambia tu vida? ¿Cómo hace que la vida merezca vivirse?

➡ **COMPARTE** tus reflexiones con un compañero.

➡ **DECIDE** Estar más consciente de que Jesús está siempre contigo.

Poniendo la fe en acción

Conversa sobre lo que has aprendido en este capítulo:

 Sabemos que Jesucristo, por medio del misterio pascual—su sufrimiento, muerte, resurrección y ascensión—cumplió con la obra de Salvación.

 Abrimos nuestros corazones al llamado de Jesús de compartir nuestros dones como Cuerpo de Cristo en el mundo.

✋ **Continuamos** la obra salvadora de Cristo por medio de lo que decimos y hacemos.

Decide como vivirás lo aprendido.

Repaso del capítulo 12

Subraya la respuesta correcta.

1. El **(primer/segundo/tercer)** día después de la muerte de Jesús en la cruz, algunos discípulos fueron a la tumba y vieron removida la piedra que la cerraba y la encontraron vacía.

2. Como discípulos de Jesús esperamos con gozo su regreso en su **(primera/segunda/tercera)** venida al final de los tiempos.

3. Los **(apóstoles/ángeles/fariseos)** establecieron muchas comunidades cristianas que se reunían regularmente para celebrar la Eucaristía.

4. **(Bautismo/Misterio pascual/Resurrección)** da a cada miembro de la comunidad de la Iglesia la responsabilidad de participar en la misión de Jesús.

Completa lo siguiente:

5. La Iglesia unida en Cristo es llamada _____

6. El regreso de Jesús en gloria a su Padre en el cielo cuarenta días después de su resurrección es conocido como _____

7. El sufrimiento, muerte, resurrección y ascensión de Jesucristo, por medio del cual se completa la salvación del mundo se conoce como _____

8. La Eucaristía que se conocía como _____ era el centro de la vida de la comunidad de fe al inicio de la Iglesia.

9–10 Contesta en un párrafo: ¿Cuáles son algunas formas en que nosotros, el cuerpo de Cristo, podemos continuar la obra de salvación de Cristo?

RESPONDING...

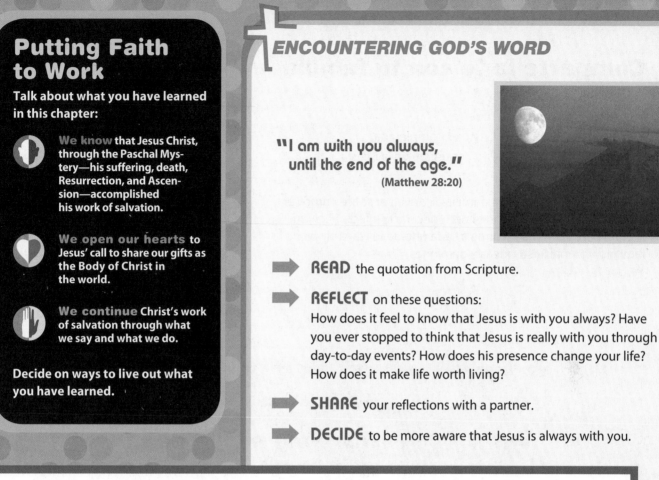

Putting Faith to Work

Talk about what you have learned in this chapter:

We know that Jesus Christ, through the Paschal Mystery—his suffering, death, Resurrection, and Ascension—accomplished his work of salvation.

We open our hearts to Jesus' call to share our gifts as the Body of Christ in the world.

We continue Christ's work of salvation through what we say and what we do.

Decide on ways to live out what you have learned.

ENCOUNTERING GOD'S WORD

"I am with you always, until the end of the age."
(Matthew 28:20)

➡ **READ** the quotation from Scripture.

➡ **REFLECT** on these questions:
How does it feel to know that Jesus is with you always? Have you ever stopped to think that Jesus is really with you through day-to-day events? How does his presence change your life? How does it make life worth living?

➡ **SHARE** your reflections with a partner.

➡ **DECIDE** to be more aware that Jesus is always with you.

Underline the correct answer.

1. On the **(first/second/third)** day after Jesus' death on the cross, some of Jesus' disciples went to his tomb and found the stone rolled away and the tomb empty.

2. As disciples of Jesus we wait in joyful hope for Jesus' return in his **(first/second/third)** coming at the end of time.

3. The **(Apostles/angels/Ascension)** established many communities of Christians who all met regularly to celebrate the Eucharist.

4. **(Baptism/Paschal Mystery/Resurrection)** gives each member of the Christian community the responsibility to participate in the mission of Jesus.

Complete the following.

5. The Church united together in Christ is called the _____.

6. Jesus' return, in all his glory, to his Father in heaven forty days after his Resurrection is known as the

_____.

7. Jesus Christ's suffering, death, Resurrection, and Ascension, through which he accomplished his work of salvation, are known as the _____.

8. The Eucharist, which at that time was known as _____, was at the center of the life of the early Church.

9–10. ESSAY: What are some ways that we, the Body of Christ, can continue Christ's work of salvation?

Comparte la fe con tu familia

Conversa con tu familia sobre lo siguiente:

- Jesucristo resucita de la muerte.
- La obra de salvación de Cristo es completada.
- La vida y la misión de Cristo continúan en la Iglesia.
- La Iglesia es el cuerpo de Cristo.

Invita a los miembros de tu familia a conversar sobre como ser discípulos de Cristo y como el pertenecer a la Iglesia hace que la vida merezca vivirse. Anima a cada uno de los miembros de la familia a compartir sus ideas y opiniones.

Conexión con la liturgia

Esta semana en la misa mira como celebramos la presencia y el amor de Cristo en nuestras vidas.

Para explorar

¿Qué servicio hace tu parroquia o comunidad para ayudar a que la vida tenga más valor? Haz una lista de los servicios en los que tú y tus amigos pudieran donar tiempo.

Doctrina social de la Iglesia
☑ Cotejo

Tema de la doctrina social de la Iglesia:
Dignidad del trabajo y derechos de los trabajadores.

Cómo se relaciona con el capítulo 12: Los empleadores deben ofrecer un ambiente seguro, salario y horas de trabajo justos. Como católicos apoyamos las cosas que mejoran la calidad de la vida y mejoran la vida de los trabajadores en el mundo.

Cómo puedes hacer esto en

☐ la casa:

_____

☐ la escuela/trabajo:

_____

☐ la parroquia:

_____

☐ la comunidad:

_____

Chequea cada acción cuando la termines.

Sharing Faith with Your Family

Discuss the following with your family:

- Jesus Christ is risen from the dead.
- Christ's work of salvation is accomplished.
- Christ's life and mission continue in the Church.
- The Church is the Body of Christ.

Invite your family to discuss ways that being Christ's disciples and belonging to the Church makes life worth living. Encourage each family member to share his or her ideas and opinions.

Catholic Social Teaching
☑ Checklist

Theme of Catholic Social Teaching:
Dignity of Work and the Rights of Workers

How it relates to Chapter 12: Employers should provide a safe working environment, just wages, and fair working hours. As Catholics, we support the things that improve quality of life and make life worth living for workers throughout the world.

How can you do this?

☐ At home:

_____

☐ At school/work:

_____

☐ In the parish:

_____

☐ In the community:

_____

Check off each action after it has been completed.

The Worship Connection

This week at Mass notice the ways that we celebrate Christ's presence and love in our lives.

More to Explore

What services does your parish or community provide to help make life more worthwhile for people? Make a list of a few services to which you and your friends could donate your time.

Escribe en la raya la letra de la definición.

1. _____ consagrar

2. _____ reino de Dios

3. _____ libre albedrío

4. _____ apóstoles

5. _____ ascensión

6. _____ vida eterna

7. _____ pecado

8. _____ Presencia Real

a. criaturas creadas por Dios como espíritus puros sin cuerpos físicos

b. pensamiento, palabra, obra u omisión, contra la ley de Dios que nos daña y daña nuestra relación con Dios y los demás

c. hacer algo sagrado para Dios

d. el poder del amor de Dios activo en nuestra vida y el mundo

e. regalo de Dios a los seres humanos para ser libres y tener la habilidad de escoger

f. doce hombres escogidos por Jesús para compartir su misión de forma especial

g. la verdadera presencia de Jesús en la Eucaristía

h. regreso de Jesús en gloria a su Padre en el cielo

i. enseñanzas de Jesús que describen como debemos vivir como sus discípulos

j. vida de felicidad eterna con Dios

Escribe *falso* o *verdadero* en la raya al lado de las oraciones. Cambia las oraciones falsas en verdaderas.

9. _____ Jesús cumplió su obra de salvación por medio del misterio pascual, o enseñanza que describe como vivir como discípulo de Jesús.

_____

_____

10. _____ Por medio de los milagros de sanación y perdón de Jesús, él compartió la vida y el amor de Dios con otros.

_____

_____

11. _____ En el Río Jordán, Jesús dio a los discípulos una forma especial para que lo recordaran, la Eucaristía.

_____

_____

12. _____ La Iglesia es el cuerpo de Cristo.

_____

_____

13. _____ Dios prometió un Mesías a su pueblo, dándonos a todos la esperanza de la salvación.

_____

_____

Completa lo siguiente.

14. En todo el Antiguo Testamento el mismo patrón surge, una y otra vez—la lucha del pueblo, alejado de Dios, _____

15. Desde el momento de su concepción Dios creó a María libre del pecado original y de todo pecado. Esta verdad es llamada _____.

16. El _____ es el resumen de todo el evangelio.

17. Como católicos, recordamos _____ como el día en que Jesús, nuestro redentor, sacrificó su vida en la cruz para cumplir con el plan de salvación de Dios y ofrecernos vida eterna con Dios.

18. Fortalecidos por el _____ en Pentecostés, los apóstoles y toda la comunidad de discípulos tomaron la tarea de continuar la misión de Jesús.

Responde lo siguiente.

19. Explica la siguiente oración: *Jesús sanó a las personas física, espiritual y emocionalmente.*

_____

_____

_____

_____

20. En el libro de Isaías, en el Antiguo Testamento, encontramos muchas imágenes proféticas sobre el Mesías. Explica como en Jesús se cumple la siguiente profecía: "Cuando era maltratado, él se sometía, y no abría su boca; como cordero llevado al matadero". (Isaías 53:7)

_____

_____

_____

_____

Write the letter of the answer that best defines each term.

1. _____ consecrate

2. _____ Kingdom of God

3. _____ free will

4. _____ Apostles

5. _____ Ascension

6. _____ eternal life

7. _____ sin

8. _____ Real Presence

a. the creatures created by God as pure spirits, without physical bodies

b. a thought, word, deed, or omission against God's law that harms us and our relationship with God and others

c. to make sacred for God

d. the power of God's love active in our lives and in our world

e. God's gift to human beings of the freedom and ability to choose what to do

f. twelve men chosen by Jesus to share his mission in a special way

g. the true presence of Jesus Christ in the Eucharist

h. Jesus' return in all his glory to his Father in heaven

i. Jesus' teachings that describe the way to live as his disciples

j. a life of happiness with God forever

Write *True* or *False* next to the following sentences. Then, on the lines provided, change the false sentences to make them true.

9. _____ Jesus accomplished his work of salvation through the Paschal Mystery, or teachings that describe how to live as Jesus' disciples.

_____

_____

10. _____ Through Jesus' miracles of healing and forgiveness, he shared the life and love of God with others.

_____

_____

11. _____ At the Jordan River, Jesus gave his disciples a special way to remember him and to be with him: the Eucharist.

_____

_____

12. _____ The Church is the Body of Christ.

_____

_____

13. _____ God promised his people a Messiah, giving all of us the hope of salvation.

_____

_____

Complete the following.

14. Throughout the Old Testament the same pattern emerges again and again—people struggle, even turn away from God, _____

_____.

15. God made Mary free from original sin and all sin from the very moment she was conceived; this truth is called the _____.

16. The _____ is a summary of the entire Gospel.

17. As Catholics, we recall _____ as the day that Jesus, our Redeemer, sacrificed his life on the cross to fulfill God's plan of salvation and to offer us eternal life with God.

18. Empowered by the _____ at Pentecost, the Apostles and the whole community of disciples took up the task of carrying on the mission of Jesus.

Respond to the following.

19. Explain the following statement: _Jesus healed people physically, spiritually, and emotionally._

_____

_____

_____

_____

20. In the Old Testament Book of Isaiah, we find many images of prophecies about the Messiah. Explain how Jesus fulfilled the following prophecy: a suffering servant who, "like a lamb led to the slaughter," was "harshly treated" but "opened not his mouth" (Isaiah 53:7).

_____

_____

_____

_____

13
Los siete sacramentos

"¿Es que no lleno yo los cielos y la tierra? Oráculo del Señor".

(Jeremías 23:24)

✛ Líder: Dios Padre, siempre estás aquí. Nos envuelves, nos llamas y quieres que te conozcamos.

Lector: "El Señor es mi pastor, nada me falta.
En prados de hierba fresca me hace descansar;
me conduce junto a aguas tranquilas, y renueva mis fuerzas.
Me guía por la senda del bien, haciendo honor a su nombre.
Aunque pase por un valle tenebroso, ningún mal temeré,
porque tú estás conmigo; tu vara y tu bastón me dan seguridad".

(Salmo 23:1–4)

Todos: Señor, abre nuestros ojos a tu presencia, abre nuestros oídos a tu voz, abre nuestras mentes a tu palabra, abre nuestras manos para servir a otros. Amén.

La gran pregunta:
¿Cómo puedo reconocer a Dios en mi vida?

Descubre si puedes reconocer cada objeto ordinario en las fotografías que se muestran. Las fotografías son close up.

① _____

② _____

③ _____

④ _____

Respuestas:
1. hilo pasando por el ojo de una aguja; 2. ojo de una polilla; 3. una hoja; 4. pelo y piel humana.

¿Reconociste cada uno de estos objetos ordinarios por lo que son? ¿Es lo extraordinario ver lo ordinario en forma diferente? ¿Has tenido esa experiencia antes? Conversa con tu grupo.

En este capítulo aprenderemos sobre los sacramentos. Por medio de esos signos efectivos, Dios llega a nosotros en Jesucristo.

"Do I not fill
both heaven and earth? says the LORD."

(Jeremiah 23:24)

✛ **Leader:** Lord God, you are always here. You surround us, you call us, and you want us to know you.

Reader: "The LORD is my shepherd;
there is nothing I lack.
In green pastures you let me graze;
to safe waters you lead me;
you restore my strength.
You guide me along the right path
for the sake of your name.
Even when I walk through a
dark valley
I fear no harm for you are at
my side."

(Psalm 23:1–4)

All: O God, open our eyes to your presence, open our ears to your voice, open our minds to your word, open our hands to service of others. Amen.

The BIG Question:
How can I recognize God in my life?

Discover whether you can recognize and identify the ordinary objects in the photographs below. Hint: Each ordinary thing is shown very close up.

   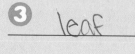

① Needle & thread   **②** Moths eye   **③** leaf   **④** human hair & skin

Answers:
1. needle and thread 2. moth's eye 3. leaf 4. human hair and skin

Did you recognize each of these ordinary things for what they were? Extraordinary, isn't it, to see ordinary things in a new way? Have you ever had experiences such as that before? Discuss with your group.

In this chapter we learn about the sacraments. Through these effective signs, God reaches out to us in Jesus Christ.

Hay una cómica historia sobre unas personas que fueron de excursión. Después de la comida alrededor de la fogata se fueron a descansar. Horas más tarde uno se despertó y despertó a otro preguntándole: "¿Mira hacia el cielo y dime lo que ves?"

El otro le contestó: "Veo millones y millones de estrellas".

Entonces le hizo otra pregunta: "¿Y qué te dice todo eso?"

El le contestó: "Astronómicamente me dice que hay millones y millones de galaxias y potencialmente billones de planetas. Teológicamente me dice que Dios es grande y que nosotros somos pequeños. Meteorológicamente me dice que mañana tendremos un hermoso día. Y ¿qué te dice a ti?"

El amigo le contestó: "Me dice que alguien nos robó la tienda!"

Con frecuencia es fácil perder de vista las cosas obvias de la vida. Aun cuando tenemos grandes preguntas sobre nuestras vidas y el mundo, no necesitamos ir muy lejos para reconocer algunas respuestas.

Actividad ¿Dónde crees que puedes empezar a reconocer a *Dios* en tu vida? Incluye una respuesta obvia y otra no tan obvia. Compara tus respuestas con las de tu grupo.

Nueva visión

En el 1874 un grupo de artistas sorprendió a la gente cuando llevaron sus pinturas a una exhibición en París, Francia. Estos artistas, conocidos como impresionistas, se separaron de las reglas establecidas de estilo y color seguidas por los artistas de su tiempo. Los impresionistas pintaron el mundo en una forma que la gente nunca había visto. En vez de tratar de pintar escenas reales y convencionales, trataron de pintar la vida moderna—y en una forma que la gente viera su importancia. Ellos pintaron en estilo creativo, usando muchos colores, luz y textura para expresar las emociones de cada escena que presentaban. Sus pinturas presentaron una visión revolucionaria del arte y la vida.

Aunque los impresionistas no nos sorprenden ahora, ellos fueron considerados escandalosos en su tiempo. El arte impresionista no fue popular entre los críticos y el público a mediados del 1800 y no eran escogidos para exhibir. Sin embargo, los artistas impresionistas se mantuvieron firmes en su estilo de pintar a pesar de la impopularidad de sus obras. Hoy las obras impresionistas valen millones de dólares y se exhiben en los museos más famosos del mundo.

¿Cuáles son algunos puntos de vistas positivos y valiosos que los artistas hoy, incluyendo músicos y directores de cine, pueden mostrarnos por medio de su trabajo?

El Jardín de las Tullerías, por Claude Monet (1840–1926)

There's a funny story about some people who went on a camping trip. After a meal by the campfire, they settled down for the night and went to sleep. Some hours later, one of the campers awoke and nudged another, saying, "Hey, look up at the sky and tell me what you see."

The other camper replied, "I see millions and millions of stars."

The first camper asked, "And what does that tell you?"

The other camper replied, "Astronomically, it tells me that there are millions of galaxies and potentially billions of planets. Theologically, it tells me that God is great and that we are small. Meteorologically, it tells me that we will have a beautiful day tomorrow. What does it tell you?"

The first camper said, "It tells me that somebody stole our tent!"

It is often easy to miss the things in life that are the most obvious. Even when we have big questions about life and the world, we may not need to search very far to begin to recognize some answers.

Activity Where do you think you can begin to look in order to recognize *God* in your life? In your answer include one obvious response and one not-so-obvious response. Then compare your responses with those of your group.

A new view

In 1874 a group of artists shocked people when they unveiled their paintings in an exhibit in Paris, France. These artists, known as Impressionists, had broken free from the established rules of style and color followed by artists at the time. The Impressionists painted the world in a way that people had never seen. Rather than trying to paint realistic, conventional scenes, the Impressionists tried to paint modern life—and in a way that people would recognize as meaningful. They painted in a creative style, using lots of color, light, and texture to express the mood and emotions of each scene they depicted. Their paintings presented a revolutionary new view of art and life.

Although Impressionist paintings are not shocking to us now, they were considered scandalous at the time. Impressionist art was unpopular with critics and the public in the mid-1800s, and it was not chosen for display in major art exhibitions. However, Impressionist artists remained true to their style of painting despite the unpopularity of their works. Today Impressionist works are worth millions of dollars and are displayed in the most famous museums in the world.

What are some positive and valuable points of view that artists today, including musical artists and filmmakers, can show us through their works?

Hoarfrost by Camille Pissarro (1830–1903)

241

Por medio de los sacramentos compartimos la vida y el amor de Dios.

Todo en la creación existe por el poder de Dios y refleja la bondad de Dios. Pero el que lo reconozcamos o no depende de nuestra fe en Dios y en todas sus bendiciones. Por ejemplo, mira una hermosa puesta de sol. Puede que sepamos la explicación científica de esto pero como personas de fe

reconocemos en ello la maravillosa presencia de Dios en nuestro mundo. Así que por el gran don de la fe de Dios, reconocemos que Dios nos busca—invitándonos a compartir su vida y amor y ayudándonos a verlo en todas las cosas.

Jesucristo es el hecho más importante de Dios buscándonos, porque en Jesucristo, Dios está con nosotros. El reino de Dios, el poder del amor de Dios activo en nuestra vida y el mundo, está presente en nosotros por medio de la vida y el amor de Jesús. Los primeros discípulos de Jesús experimentaron esta presencia del amor de Dios porque ellos pudieron *ver* a Jesús. El fue parte de sus vidas. Después de su muerte y resurrección, Jesús se apareció a sus discípulos y les prometió: "Y sepan que yo estoy con ustedes todos los días hasta el final de los tiempos" (Mateo 28:20). Aun después que Jesús ascendió al cielo con su Padre, esta promesa aseguró a los discípulos que Dios estaría siempre con ellos. Por medio del Espíritu Santo la presencia de Jesús continuaría en sus vidas.

Como discípulos de Jesús y miembros de la Iglesia, hemos recibido la misma promesa. Gradualmente en un período largo de tiempo la Iglesia católica reconoció algunas acciones simbólicas, o *ritos* como signos poderosos de la presencia de Cristo resucitado en la comunidad por medio del poder del Espíritu Santo. La Iglesia también reconoció esos ritos como fuente de ayuda especial para vivir como comunidad de discípulos. Eventualmente la Iglesia llamó sacramentos a esos siete signos que había recibido de Cristo y que celebramos hoy.

Cada uno de los sacramentos es un signo de la presencia de Dios en nuestras vidas. Pero los sacramentos son diferentes a otros signos. Un **sacramento** es un signo efectivo dado a nosotros por Jesucristo por medio del cual compartimos la vida de Dios. Así, en el sacramento del Bautismo no sólo celebramos ser hijos de Dios, realmente nos *hacemos* hijos de Dios. Y en el sacramento de la Penitencia y Reconciliación no sólo celebramos el perdón de Dios, sino que verdaderamente *recibimos* el perdón de Dios. Los sacramentos verdaderamente ofrecen los *efectos* que representan, por eso son las celebraciones más importantes de la Iglesia.

Vocabulario

sacramento

Actividad Haz una lista de los sacramentos que has recibido. ¿Cómo te han ayudado a experimentar la vida de Dios?

Through the sacraments we share in God's life and love.

Everything in creation exists by God's power and reflects God's goodness. But whether we recognize this or not depends on our faith in God and in all of his blessings. Take a beautiful sunset, for example. We may know the scientific explanation for it, but as people of faith we also recognize in it the wonder of God's presence in our world. So, through God's great gift of faith, we recognize God's outreach to us—God reaching out, inviting us to share in his life and love, and helping us to see him in all things.

Jesus Christ is the high point of God's outreach to us, for in Jesus Christ, God is with us. And God's Kingdom, the power of God's love active in our lives and in the world, is present and among us through the life and love of Jesus. Jesus' first disciples experienced this presence of God's love because they could actually *see* Jesus. He was part of their lives. After he died and rose from the dead, Jesus appeared to his disciples and promised them, "I am with you always, until the end of the age" (Matthew 28:20). And even after Jesus ascended to his Father, this promise to the disciples assured them that God would always be with them. Through the Holy Spirit, Jesus' presence would continue in their lives.

As Jesus' disciples and members of the Church, we have received this same promise. And, gradually, over a long period of time, the Catholic Church recognized certain symbolic actions, or *rituals*, as powerful signs of the risen Christ made present in the community through the power of the Holy Spirit. The Church also recognized these rituals as sources of special help for living as a community of disciples. Eventually the Church named seven special signs it had received from Christ as the seven sacraments that we celebrate in the Church today.

> ### Faith Word
> sacrament

Each of the sacraments is a sign of God present in our lives. But the sacraments are different from all other signs. A **sacrament** is an effective sign given to us by Jesus Christ through which we share in God's life. So, in the Sacrament of Baptism, we not only celebrate being children of God, we actually

become children of God. And in the Sacrament of Penance, we not only celebrate that God forgives, we actually *receive* God's forgiveness. Sacraments truly bring about, or *effect*, what they represent, and thus they are the most important celebrations of the Church.

> **Activity** List the sacraments you have received. How have they helped you to experience God in your life?

La gracia de los sacramentos nos permite responder al amor de Dios.

En cada sacramento podemos identificar formas específicas en la que la vida de Jesús nos revela la presencia y el poder del amor de Dios. En cada sacramento por el Espíritu Santo, Jesús comparte la vida de Dios con nosotros y efectúa cambios en nuestras vidas. Sólo tenemos que responder a la gracia de Dios.

> **"Los siete sacramentos son los signos y los instrumentos mediante los cuales el Espíritu Santo distribuye la gracia de Cristo, que es la Cabeza, en la Iglesia que es su Cuerpo".**
> (*CIC*, 774)

Jesús acogió a los que querían seguirlo.	En el sacramento del Bautismo somos acogidos en la Iglesia, nos hacemos hijos de Dios.	
Jesús envió al Espíritu Santo a sus discípulos.	En el sacramento de la Confirmación, somos sellados con el don del Espíritu Santo.	
Jesús alimentó el cuerpo y el alma de la gente.	En el sacramento de la Eucaristía recibimos a Jesucristo, el Pan de Vida.	
Jesús tuvo compasión por los pecadores y les aseguró la misericordia de Dios.	En el sacramento de la Penitencia y Reconciliación nos dirigimos a Dios arrepentidos de nuestros pecados y recibimos su perdón y amor.	
Jesús tuvo especial preocupación por los enfermos y los que sufren y los sanó.	En el sacramento de Unción de los Enfermos los que están sufriendo enfermedades terminales son ayudados y fortalecidos.	
Jesús escogió a los apóstoles para ser líderes y los fortaleció para servir a toda la Iglesia.	En el sacramento del Orden, hombres bautizados son ordenados para dirigir y servir en la Iglesia.	
Jesús amó a su familia y aprendió sobre el fiel amor que se tenían.	En el sacramento del Matrimonio un hombre y una mujer bautizados son fortalecidos para la vida y el servicio a la familia por su fiel amor.	

Por el poder del Espíritu Santo, cada sacramento nos da gracia. La gracia que recibimos en cada sacramento es llamada **gracia santificante**. La gracia santificante nos permite amar a Dios, amarnos como Dios nos ama y amar a los demás como a nosotros mismos y a vivir como Dios quiere que vivamos. Como leemos en el *Catecismo*: "Los siete sacramentos son los signos y los instrumentos mediante los cuales el Espíritu Santo distribuye la gracia de Cristo, que es la Cabeza, en la Iglesia que es su Cuerpo". (774)

Vocabulario
gracia santificante

Los siete sacramentos nos permiten responder a la gracia salvadora de Dios en los eventos diarios de la vida. El Espíritu Santo trabaja por medio de los sacramentos para fortalecernos para vivir como fieles discípulos de Cristo. Los sacramentos reflejan los valores y ministerio de Jesús. Somos llamados a vivir esos valores y a continuar la obra de salvación de Jesús, compartiendo con otros la buena nueva de que Dios siempre está con nosotros.

Actividad En cada cuadrito del cuadro, diseña un logo que represente el sacramento descrito.

The grace of the sacraments enables us to respond to God's love.

In each sacrament we can recognize particular ways that Jesus' life reveals God's presence and the power of God's love. And in each sacrament Jesus, through the Holy Spirit, shares God's life with us and effects change in our lives. We need only to respond to God's grace.

> **"The seven sacraments are the signs and instruments by which the Holy Spirit spreads the grace of Christ the head throughout the Church which is his Body."**
>
> (CCC, 774)

Jesus welcomed all those who wanted to follow him.	In the Sacrament of Baptism, we are welcomed into the Church, becoming children of God.	✓
Jesus sent the Holy Spirit to his disciples.	In the Sacrament of Confirmation, we are sealed with the Gift of the Holy Spirit.	✓
Jesus nourished people's bodies and souls.	In the Sacrament of the Eucharist, we receive Jesus Christ, the Bread of Life.	
Jesus had compassion for sinners and assured them of God's mercy.	In the Sacrament of Penance, we turn to God with sorrow for sin and receive his love and forgiveness.	
Jesus had special concern for the sick and the suffering, and healed them.	In the Sacrament of Anointing of the Sick, people who are sick and suffering are helped and comforted.	
Jesus chose the Apostles as leaders and empowered them to serve the whole Church.	In the Sacrament of Holy Orders, baptized men are ordained to lead and serve the Church.	
Jesus loved his family and learned from their faithful love for one another.	In the Sacrament of Matrimony, a baptized man and woman are strengthened for family life and service by their faithful love.	

Through the power of the Holy Spirit, each sacrament gives us grace. The grace that we receive in the sacraments is called **sanctifying grace**. Sanctifying grace enables us to love God, to love ourselves as God loves us, to love others as we love ourselves, and to live as God calls us to live. As the *Catechism* states, "The seven sacraments are the signs and instruments by which the Holy Spirit spreads the grace of Christ the head throughout the Church which is his Body" (774).

Faith Word

sanctifying grace

The seven sacraments enable us to respond to God's saving grace in the everyday events of life. The Holy Spirit works through the sacraments to empower us to live as faithful disciples of Christ. The sacraments reflect the values and ministry of Jesus. We are called to live out those values and continue Jesus' work of salvation, sharing with others the good news that God is with us always.

Activity Inside each square in the chart, design a logo to represent the sacrament described.

Como la Iglesia estamos unidos en Cristo y celebramos su misterio pascual.

¿Cuáles son algunas cosas que celebras?

Como católicos sabemos que por el misterio pascual de Jesús podemos ver el mundo de una forma totalmente nueva. Es por este misterio que Jesús trajo la salvación al mundo. Para cada uno de nosotros descubrir y vivir el significado del misterio pascual de Cristo es una obra de toda la vida. En la **liturgia**, la oración pública y oficial de la Iglesia, damos el primer paso para vivirlo, rezando juntos y mostrando lo que creemos. La liturgia incluye la celebración de la Eucaristía, llamada también la misa, y los demás sacramentos. También incluye la Liturgia de las Horas.

> **Vocabulario**
>
> liturgia

A cada celebración litúrgica llevamos nuestro propio ser, nuestra relación con Dios, nos unimos como discípulos y amigos de Jesús, como lo hicieron los primeros seguidores de Jesús. Proclamamos la buena nueva de Jesucristo y celebramos el misterio pascual.

Dondequiera que la liturgia es celebrada, toda la Iglesia celebra. Así que toda la Iglesia celebra cada sacramento. Por medio de los sacramentos nos unimos en Cristo, no sólo con los que están celebrando los sacramentos con nosotros, sino con la Iglesia en todo el mundo. Los sacramentos unen a los católicos en todo el mundo con Jesús y unos con otros. Los sacramentos nos unen como el cuerpo de Cristo, toda la Iglesia unida en Cristo.

Es dentro de la vida de la Iglesia que nos encontramos y celebramos el gran don de la gracia de Dios que recibimos por medio de los siete sacramentos. Esta gracia nos permite responder a la presencia de Dios en nuestras vidas. Aunque la gracia de Dios nos prepara para responder a Dios por medio de los sacramentos, debemos estar abiertos, debidamente *dispuestos* a recibir esta gracia. El *Catecismo* afirma que: "Dan fruto en quienes los reciben con las disposiciones requeridas" (1131). Una de estas disposiciones requeridas es el compromiso de vivir de acuerdo a la gracia de cada sacramento.

El Espíritu Santo nos ayuda a vivir de esa forma, con conciencia de que Dios está trabajando en nuestras vidas. Por el poder del Espíritu Santo seguimos el ejemplo de Jesús y su mandamiento de amarnos unos a otros. Así podemos vivir como discípulos de Jesús. Al mirar la vida a través del lente de la fe nos hacemos conscientes de la presencia de Dios en nuestras vidas—Dios amorosamente buscándonos cada día.

Actividad ¿Quién en tu vida consideras un ejemplo de alguien que está consciente de la presencia de Dios y que vive como discípulo de Jesús? Explica por qué escogiste a esa persona. ¿Qué puedes aprender del ejemplo de esa persona?

As the Church we are united in Christ and celebrate his Paschal Mystery.

What are some things that you celebrate?

As Catholics we know that, because of Jesus' Paschal Mystery, we can see the world in a whole new way. It is through this mystery that Jesus brought salvation to the world. For each of us, discovering and living out the meaning of Christ's Paschal Mystery is the work of a lifetime. We take our first step in living it out through the **liturgy**, the official public prayer of the Church, by praying together and showing what we believe. The liturgy includes the celebration of the Eucharist, also called the Mass, and the other sacraments. It also includes the Liturgy of the Hours. To every celebration of the liturgy, we bring our own selves and our relationship with God, and we join together as Jesus' own friends and disciples, just as Jesus' first followers did. We proclaim the good news of Jesus Christ and celebrate the Paschal Mystery.

Faith Word

liturgy

Whenever the liturgy is celebrated, it is the whole Church who celebrates. Thus, the whole Church celebrates each sacrament. By the sacraments we are joined together in Christ, not only with those who are celebrating the sacraments with us, but with the whole Church throughout the world.

The sacraments join Catholics all over the world with Jesus and with one another. They unite us as the Body of Christ, the entire Church united together in Christ.

It is within the life of the Church that we encounter and celebrate the great gift of God's grace that we receive through the seven sacraments. Through this grace, we are able to respond to the presence of God in our lives. Though God's grace prepares us to respond to him through the sacraments, we must be open, or properly *disposed*, to receive this grace. The *Catechism* states that the sacraments "bear fruit in those who receive them with the required dispositions" (1131). And one of these required dispositions is a commitment to live according to the grace of each sacrament.

The Holy Spirit helps us to live this way, with awareness of God working in our lives. Through the power of the Holy Spirit, we follow Jesus' example and his commandment to love one another. In this way we can live as disciples of Jesus. And, looking at life through the lens of faith, we become aware of God's presence in our lives—of God reaching out to us each day in love.

Activity Who in your life would you consider to be an example of someone who is aware of God's presence and lives as a disciple of Jesus? Explain your choice. Reflect on the reason for your choice. What might you learn from this person's example?

Los sacramentos nos santifican y nos fortalecen como Cuerpo de Cristo.

En el *Catecismo* leemos: "Los sacramentos están ordenados a la santificación de los hombres, a la edificación del Cuerpo de Cristo y, en definitiva, a dar culto a Dios" (1123). Como actos litúrgicos celebrados por la Iglesia, por el poder del Espíritu Santo, los sacramentos tienen un propósito triple:

• **santificarnos**, hacernos santos, dándonos la gracia que necesitamos para vivir como discípulos de Jesús y miembros de la Iglesia

> "Los sacramentos están ordenados a la santificación de los hombres, a la edificación del Cuerpo de Cristo y, en definitiva, a dar culto a Dios".
>
> (*CIC*, 1123)

• construir la Iglesia como cuerpo de Cristo, haciendo de la Iglesia un signo efectivo del reino de Dios en el mundo

Vocabulario
santificarnos

• adorar a Dios, llevándonos a Dios con gracias y alabanzas y regresándonos la gracia que necesitamos para vivir como pueblo de Dios.

Los sacramentos se agrupan en tres categorías. Estas representan tres etapas importantes de la vida cristiana: (1) nacimiento y crecimiento, (2) sanación y (3) misión. Los sacramentos del Bautismo, la Confirmación y la Eucaristía son llamados *sacramentos de iniciación cristiana*. Por medio de ellos nacemos en la Iglesia, somos fortalecidos y alimentados. El sacramento de la Penitencia y Reconciliación y el sacramento de Unción de los Enfermos son conocidos como *sacramentos de sanación*. Por medio de ellos experimentamos el perdón, la paz y la sanación de Dios. Los sacramentos del Orden y el Matrimonio son llamados *sacramentos de servicio a la comunión*. Por medio de ellos somos fortalecidos para servir a Dios y a la Iglesia sirviendo a otros.

Como católicos celebramos todos los sacramentos en comunidad. Con la ayuda y el apoyo de los demás, crecemos en *santidad*—compartimos la bondad de Dios y respondemos a su amor de la forma en que vivimos. Todos los sacramentos nos llaman a vivir amando a Dios y sirviendo a los demás. Por medio de los sacramentos de iniciación cristiana somos llamados a una vocación común de santidad y a la misión de evangelizar el mundo. En los sacramentos de sanación somos fortalecidos para enfrentar y vencer el poder del mal y la enfermedad y somos llamados a restablecer nuestra relación con Dios y la Iglesia. En los sacramentos de servicio a la comunión, algunos miembros de la Iglesia son llamados por Dios a servir a la Iglesia por medio de una vocación particular, el matrimonio o la ordenación. En los siete sacramentos, el Espíritu Santo trabaja por medio de la Iglesia para comunicar la gracia de Jesucristo y llevar su obra salvadora.

¿Qué son los sacramentales?

Bendiciones, acciones y objetos que nos ayudan a responder a la gracia de Dios recibida en los sacramentos son llamados *sacramentales*. Sacramentales, signos sagrados instituidos por la Iglesia, son usados en la liturgia y oraciones personales. Estos son algunos ejemplos:

• bendiciones de personas, cosas, lugares y comida

• objetos tales como rosarios, medallas, crucifijos, cenizas benditas, palma bendita, estatuas e imágenes de Jesús, María y otros santos

• acciones tales como hacer la señal de la cruz y rociar agua bendita.

Muchos sacramentales nos recuerdan los sacramentos y lo que Dios hace por nosotros por medio de los sacramentos. Bendiciones de la comida que consumimos, hacer la señal de la cruz cuando entramos a la iglesia y el crucifijo colgado en nuestras casas nos recuerdan nuestra fe y confianza en Dios. Los sacramentales no nos dan la gracia santificante, nos ayudan a responder a la gracia que recibimos en los sacramentos y nos hacen más conscientes de la presencia de Dios en nuestras vidas. Los sacramentales nos mantienen centrados en Dios y nos ayudan a crecer en santidad.

IDENTIDAD CATÓLICA

¿Cuáles son algunos sacramentales específicos que usas?

Actividad Con un compañero escriban y presenten una charla sobre el triple propósito de los sacramentos o las tres etapas de la vida que reflejan.

The sacraments sanctify us and build up the Body of Christ.

In the *Catechism* we read, "The purpose of the sacraments is to sanctify men, to build up the Body of Christ and, finally, to give worship to God" (1123). Thus, as acts of liturgy celebrated by the Church through the power of the Holy Spirit, the sacraments have a threefold purpose:

- to **sanctify** us, or make us holy, giving us the grace we need to live as disciples of Jesus and members of the Church

- to build up the Church as the Body of Christ, making the Church an effective sign of God's Kingdom in the world

- to offer worship to God, bringing us to God with thanks and praise and returning to us the grace we need to live as God's people.

> **"The purpose of the sacraments is to sanctify men, to build up the Body of Christ and, finally, to give worship to God."**
>
> (CCC, 1123)

The sacraments can be grouped into three categories. These categories reflect three important stages of Christian life: (1) birth and growth, (2) healing, and (3) mission. The Sacraments of Baptism, Confirmation, and Eucharist are called the *Sacraments of Christian Initiation*. Through them we are born into the Church, strengthened, and nourished. The Sacraments of Penance (also called Reconciliation) and Anointing of the Sick are known as the *Sacraments of Healing*. Through them we experience God's forgiveness, peace, and healing. The Sacraments of Holy Orders and Matrimony are called *Sacraments at the Service of Communion*. Through them we are strengthened to serve God and the Church through service to others.

As Catholics we celebrate all of the sacraments as a community. With the help and support of one another, we grow in *holiness*—sharing in God's goodness and responding to his love by the way we live. All of the sacraments call us to live with love for God and in service to others. Through the Sacraments of Christian Initiation we are all called to a common vocation of holiness and to the mission of evangelizing the world. In the Sacraments of Healing

Faith Word

sanctify

we are strengthened to face and overcome the power of sin and sickness and are called to restore our relationship with God and the Church. And in the Sacraments at the Service of Communion, certain members of the Church are called by God to serve the Church through the particular vocations of marriage and ordained ministry. Yet in all the seven sacraments, the Holy Spirit works through the Church to communicate the graces of Jesus Christ and to carry on his saving work.

Activity With a partner write and present a speech about the sacraments' threefold purpose or about the three stages of life they reflect.

What are sacramentals?

Blessings, actions, and objects that help us to respond to the grace of God that we receive in the sacraments are called *sacramentals*. Sacramentals, sacred signs instituted by the Church, are used in liturgy and in personal prayer. Some examples are:

- blessings of people, places, food, and objects

- objects such as rosaries, medals, crucifixes, blessed ashes, blessed palms, and statues or images of Jesus or Mary and the other saints

- actions such as making the sign of the cross and sprinkling blessed water.

Many sacramentals remind us of the sacraments and of what God does for us through the sacraments. Blessing the food we eat, making the sign of the cross as we enter or leave a church, and seeing a crucifix in our home are all reminders of our faith and trust in God. Though sacramentals do not give us sanctifying grace, they help us to respond to the grace we receive in the sacraments and make us more aware of God's presence in our lives. Sacramentals keep us focused on God and help us to grow in holiness.

What are some specific sacramentals you have used?

CATHOLIC IDENTITY

Reconociendo nuestra fe

Recuerda la pregunta al inicio del capítulo: *¿Cómo puedo reconocer a Dios en mi vida?* Responde esta pregunta haciendo un mural que responda a la presencia de Dios por medio de diferentes etapas de tu vida y tu vida en la Iglesia. Haz un esquema de tu mural aquí.

Viviendo nuestra fe

Un propósito de los sacramentos es construir el cuerpo de Cristo. ¿Dé que forma tu parroquia responde a este propósito? ¿Qué puedes hacer para participar?

Olivier Messiaen

Cuando niño, Olivier Messiaen se maravillaba con el canto de las aves y escuchaba música en el sonido de la naturaleza. Su fascinación con la música en el mundo a su alrededor lo motivó a componer su propia música. A la edad de once años, sus padres lo inscribieron en el conservatorio de París para estudiar música. Al terminar sus estudios se convirtió en el organista de la catedral de París.

Durante la Segunda Guerra Mundial Messiaen fue reclutado por la armada francesa. Cuando luchaba contra las fuerzas alemanas, fue capturado y enviado a prisión en un campamento en Polonia. Ahí continúo componiendo música inspirada por la naturaleza y su amor a Dios. Usando papel que le regalaba un guarda alemán compuso su *Cuarteto para el fin de los tiempos,* uno de sus más celebrados trabajos. Los guardas alemanes le permitían tocar para los demás prisioneros. Después de la guerra, Messiaen regresó a París para enseñar en el conservatorio de París. Hasta su muerte en el 1992, estuvo componiendo la música que el amaba.

Olivier Messiaen vio lo extraordinario en lo ordinario. Reconoció la presencia de Dios en su propia vida, ¿cómo puedes tratar de hacer lo mismo?

@✴ **Para más ideas y actividades visita www.vivimosnuestrafe.com.**

Recognizing Our Faith

Recall the question at the beginning of this chapter: *How can I recognize God in my life?* Respond to this question by making a mural representing God's presence throughout different stages of your life and membership in the Church. Sketch your ideas for your mural here.

Living Our Faith

One of the purposes of the sacraments is to build up the Body of Christ. In what ways does your parish respond to this purpose? What can you do to participate?

Olivier Messiaen

As a child, Olivier Messiaen was awed by the songs of birds and heard music in the sounds of nature. His fascination with the music in the world around him motivated him to compose his own music. When he was eleven, his parents enrolled him in the Paris Conservatory to study music. After completing his studies, he became an organist for a cathedral in Paris.

When World War II began, Messiaen was drafted into the French army. While fighting the German forces, he was captured and sent to a prison camp in Poland. Yet he continued to compose music arising from a fascination with nature and a love for God. Using paper borrowed from a sympathetic German guard, he composed *Quartet for the End of Time*, one of his most celebrated works. The German guards allowed him to perform this music for his fellow prisoners. After the war, Messiaen returned to Paris and became a professor at the Paris Conservatory. Until his death in 1992, he continued to compose the music that he loved.

Olivier Messiaen saw the extraordinary in ordinary life. He recognized the presence of God. In your own life, how can you try to do the same?

@* **For additional ideas and activities, visit www.weliveourfaith.com.**

RESPONDIENDO...

"Te doy gracias porque eres sublime, tus obras son prodigiosas. Tú conoces lo profundo de mi ser".

(Salmo 139:14)

➡ **LEE** la cita bíblica.

➡ **REFLEXIONA** en esta pregunta:
¿Qué obra prodigiosa te recuerda a Dios? Piensa en ejemplos de la naturaleza y de tu vida diaria.

➡ **COMPARTE** tus reflexiones con un compañero.

➡ **DECIDE** como alabar a Dios por sus maravillosas obras cada día de esta semana.

Poniendo la fe en acción

Conversa sobre lo que has aprendido en este capítulo:

 Entendemos que por medio de los sacramentos Dios comparte su vida y su amor con nosotros.

 Apreciamos el don de los sacramentos y su importancia para nosotros como miembros del cuerpo de Cristo, la Iglesia.

 Respondemos al regalo de los sacramentos participando en ellos con fe y viviendo lo que celebramos.

Decide formas de vivir lo que has aprendido.

Escribe en la raya la letra al lado de la frase que mejor define el término.

1. _____ liturgia

2. _____ gracia santificante

3. _____ sacramento

4. _____ santificar

a. la gracia que recibimos, por el poder del Espíritu Santo, en los sacramentos

b. una acción simbólica

c. oración oficial y pública de la Iglesia

d. hacer santo

e. signo efectivo dado por Jesucristo por medio del cual compartimos la vida de Dios

Completa.

5. Los sacramentos reflejan tres etapas importantes de la vida cristiana.

(1) _____

(2) _____

(3) _____

6. Son los sacramentos de sanación _____

7. Son los sacramentos de iniciación cristiana _____

8. Son los sacramentos de servicio a la comunión _____

9–10. Contesta en un párrafo: ¿Qué quiere decir que los sacramentos son signos *efectivos*? Da un ejemplo específico.

Repaso del capítulo 13

Putting Faith to Work

Talk about what you have learned in this chapter:

 We understand that, through the sacraments, God shares his life and love with us.

 We appreciate the gift of the sacraments and their importance for us as members of the Body of Christ, the Church.

 We respond to the gift of the sacraments by participating in them with faith and living what we celebrate.

Decide on ways to live out what you have learned.

✝ ENCOUNTERING GOD'S WORD

"I praise you, so wonderfully you made me; wonderful are your works!"
(Psalm 139:14)

➡ **READ** the quotation from Scripture.

➡ **REFLECT** on the following question:
What "wonderful works" remind you of God? Think of examples from nature and your everyday life.

➡ **SHARE** your reflections with a partner.

➡ **DECIDE** on one way to praise God for his wonderful works each day this week.

Write the letter of the answer that best defines each term.

1. ___C___ liturgy
2. ___A___ sanctifying grace
3. ___b___ sacrament
4. ___d___ sanctify

a. the grace we receive, through the power of the Holy Spirit, in the sacraments

b. a symbolic action

c. the official public prayer of the Church

d. to make holy

e. an effective sign given to us by Jesus Christ through which we share in God's life

Complete the following.

5. The sacraments reflect three important stages of Christian life:

(1) _blessings of People, Places, Food and objects_,

(2) _Objects such as Rosaries medals, crucifixes blessed palms_, and

(3) _STatues or images of Jesus or mary and the other Saints_.

6. The Sacraments of Healing are _____.

7. The Sacraments of Christian Initiation are _____.

8. The Sacraments at the Service of Communion are _____.

9–10. **ESSAY:** What does it mean to say that the sacraments are *effective* signs? Give one specific example.

Comparte la fe con tu familia

Conversa con tu familia sobre lo siguiente:

- Por medio de los sacramentos compartimos la vida y el amor de Dios.
- La gracia de los sacramentos nos permite responder al amor de Dios.
- Como la Iglesia estamos unidos en Cristo y celebramos su misterio pascual.
- Los sacramentos nos santifican y nos fortalecen como cuerpo de Cristo.

La entrada hacia todos los sacramentos es el Bautismo. Busca la fecha en que tú y otros miembros de tu familia fueron bautizados. Planifiquen una comida para conmemorar cada bautismo y su nueva vida como hijos de Dios.

Conexión con la liturgia

Mira el boletín de tu parroquia para ver cuando los sacramentos de Unción de los Enfermos o Matrimonio serán celebrados. Si es posible planifica asistir con tu familia.

Para explorar

Investiga cómo se celebra uno de los siete sacramentos en la Iglesia Católica Oriental. Comparte con tu grupo tus descubrimientos.

Doctrina social de la Iglesia ☑ Cotejo

Tema de la doctrina social de la Iglesia:
Cuidado de la creación de Dios

Cómo se relaciona con el capítulo 13: En este capítulo aprendimos que todo en la creación existe por el poder de Dios y refleja su presencia. Somos llamados a proteger y cuidar toda la creación de Dios.

Cómo puedes hacer esto en

☐ la casa:

_____

☐ la escuela/trabajo:

_____

☐ la parroquia:

_____

☐ la comunidad:

_____

Chequea cada acción cuando la termines.

Sharing Faith with Your Family

Discuss the following with your family:

- Through the sacraments we share in God's life and love.
- The grace of the sacraments enables us to respond to God's love.
- As the Church we are united in Christ and celebrate his Paschal Mystery.
- The sacraments sanctify us and build up the Body of Christ.

The gateway to all the sacraments is Baptism. Find out the dates on which you and others in your family were baptized. Have a special family meal to commemorate each Baptism and your new life as children of God.

Catholic Social Teaching
☑ Checklist

Theme of Catholic Social Teaching:
Care for God's Creation

How it relates to Chapter 13: In this chapter we learned that everything in creation exists by God's power and reflects God's presence. We are called to protect and care for all of God's creation.

How can you do this?

☐ At home:

_____

☐ At school/work:

_____

☐ In the parish:

_____

☐ In the community:

_____

Check off each action after it has been completed.

The Worship Connection

Check your parish bulletin to learn when a sacrament such as Anointing of the Sick or Matrimony will be celebrated. If possible, plan to attend with your family.

More to Explore

Research how one of the seven sacraments is celebrated in an Eastern Catholic Church. Share your findings with your group.

14
El Bautismo

"Hemos recibido un mismo Espíritu en el bautismo".

(1 Corintios 12:13)

✛ Líder: En el Bautismo nacemos de nuevo. Demos gracias a Jesús por su regalo de nueva vida.

Todos: "Nadie puede entrar en el reino de Dios, si no nace del agua y del Espíritu". (Juan 3:5)

Lector 1: Padre, por medio de los signos sacramentales, nos das gracia y nos revelas las maravillas de tu poder.

Lector 2: Nos has dado el regalo del agua y la haz hecho un poderoso signo de la gracia que nos das en el Bautismo.

Todos: "Nadie puede entrar en el reino de Dios, si no nace del agua y del Espíritu". (Juan 3:5)

Lector 3: Tu Espíritu sopló sobre las aguas al inicio de la creación y la hiciste santa.

Lector 4: Hiciste del agua del gran diluvio un signo del agua del Bautismo, lavando el pecado y trayendo bondad nueva.

Todos: "Nadie puede entrar en el reino de Dios, si no nace del agua y del Espíritu". (Juan 3:5)

La gran pregunta: ¿Por qué ansío formar parte?

Descubre los nombres de los grupos a los que pertenecen estos animales. Mira a ver si puedes aparear cada grupo de animales al nombre común con el que lo conoces.

un grupo de pollos	banco
un grupo de monos	cría
un grupo de peces	bandada
un grupo de perros	bando
un grupo de elefantes	cría
un grupo de gansos	jauría
un grupo de gorilas	manada
un grupo de ostras	manada
un grupo de leones	rebaño
un grupo de ovejas	manada

Puntuación:

Anótate un punto por cada respuesta correcta. Las respuestas correctas son: grupo de pollos—cría; monos—manada; peces—bando; perros—jauría; elefantes—manada; gansos—bandada; gorilas—manada; ostras—banco; leones—manada; ovejas—rebaño.

6 puntos o más: Fantástico, puedes competir en programas de televisión sobre adivinanzas.

4–5 puntos: Muy bien, puedes impresionar a tus amigos cuando vayas al zoológico.

1–3 puntos: Buen trabajo. Puedes investigar algunos programas de naturaleza.

¿Cuáles son algunos grupos a los que pertenecen las personas?

En este capítulo aprenderemos que el Bautismo nos libra del pecado y nacemos en la familia de Dios por medio de Jesucristo.

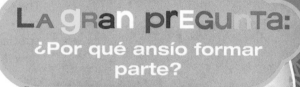

"For in one Spirit we were all baptized into one body."

(1 Corinthians 12:13)

✚ **Leader:** At Baptism, we were born again. Let us thank Jesus for this great gift of new life.

All: "No one can enter the kingdom of God without being born of water and Spirit." (John 3:5)

Reader 1: Father, through sacramental signs, you give us grace and reveal the wonders of your power.

Reader 2: You have given us the gift of water and have made it a powerful sign of the grace that you give us in Baptism.

All: "No one can enter the kingdom of God without being born of water and Spirit." (John 3:5)

Reader 3: Your Spirit breathed upon the waters at the very beginning of creation and made them holy.

Reader 4: You made the waters of the great flood a sign of the waters of Baptism, washing away sin and bringing a new beginning of goodness.

All: "No one can enter the kingdom of God without being born of water and Spirit." (John 3:5)

The BiG Question:

Why do I long to belong?

Discover the names of the groups to which these animals belong. See if you can match each group of animals below to the name by which we commonly know it.

a group of chicks

a group of baboons

a group of fish

a group of dogs

a group of elephants

a group of geese

a group of gorillas

a group of oysters

a group of lions

a group of sheep

band

bed

fold

pride

brood

gaggle

herd

pack

school

tribe

Scoring:

Give yourself one point for each correct answer. The correct answers are as follows: chicks—brood; baboons—tribe; fish—school; dogs—pack; elephants—herd; geese—gaggle; gorillas—band; oysters—bed; lions—pride; sheep—fold.

6 or more points: Wow! You may want to compete on a television game show one day.

4–5 points: Great! You'll impress your friends the next time you go to the zoo.

1–3 points: Good work. You may want to investigate some nature programs.

What are some groups that people belong to?

In this chapter we learn that, in Baptism, we are freed from sin and born into the family of God through Jesus Christ.

Un bebé es uno de los seres más indefensos en el mundo, ¿lo sabías? Un becerro puede pararse más o menos una hora después de su nacimiento. Los gatos aprenden a cazar su propia comida dos semanas después de nacer. Los osos pardos están supuestos a independizarse a los siete meses. Un bebé depende de su familia y otros por muchos años, durante un largo período de su infancia y niñez. De hecho, como humanos generalmente no nos independizamos por lo menos en diez y ocho años.

Los científicos llaman a ese lazo entre un infante y su familia "unión". El potencial para esa unión es innato en cada ser humano. Los científicos han encontrado que de todos las imágenes y objetos mostrados a los bebés, la que más les atraen son las que se asemejan a la cara humana. No es de extrañar el fuerte lazo con otros humanos.

Nuestro apego a nuestra familia es primordial, pero al crecer también formamos lazos con otros en nuestras vidas—familia extendida (abuelos, primos, tíos) y nuestros amigos, compañeros de clase, de clubes, de trabajo y otras personas con las que convivimos. Así mientras nacemos individualmente, también nacemos para acompañar a otros.

Actividad Un árbol de familia traza las raíces de tu familia. Diseña un árbol representando a todas las personas en tu vida, incluyendo a tus familiares.

Would it surprise you to know that a human baby is one of the most helpless beings on earth? A baby calf can stand on its own within an hour or so of its birth. Kittens learn to hunt for their own food within weeks of being born. Black bear cubs are expected to strike out on their own about seventeen months after they are born. But a human baby totally depends on its family and other caregivers for many years, during a long period of infancy and childhood. In fact, as humans we usually do not become totally independent for at least eighteen years.

Scientists call the bond between an infant and its family or caregivers "attachment." The potential for attachment is inborn in each human being. Scientists have found that, of all the pictures and objects shown to infants, the ones they are most attracted to are those that resemble, in some way, the outline of a human face. No wonder we form such strong bonds with other human beings!

Our attachment to our family is foremost, but as we grow we also form bonds with others in our lives—extended family (grandparents, cousins, aunts, uncles), and then friends, classmates, club members, co-workers, and other people who come into our lives. So, while we were born as individuals, we were also born for companionship with others.

Activity A family tree traces the roots of your family. Design a relationship tree representing all the people in your life, including family members.

En el Bautismo recibimos nueva vida en Cristo.

En la liturgia, especialmente durante el tiempo de Pascua, celebramos la resurrección de Cristo a una nueva vida. Celebramos la victoria de Jesús sobre el pecado y la muerte que hace posible nuestra salvación—el perdón de los pecados y la restauración de la amistad de la humanidad con Dios. Nos regocijamos en que toda la creación es renovada y que se nos da la esperanza de la felicidad en el reino de Dios ahora y por siempre. Como le dijo Jesús a Nicodemo, un miembro del Sanedrín, "El que no nazca de lo alto no puede ver el reino de Dios . . . si no nace del agua y del Espíritu". (Juan 3:3, 5)

El sacramento del Bautismo es nuestro renacer en agua y en el Espíritu. Es en el Bautismo donde el pecado, original y personal, es perdonado. En el Bautismo, la inmersión en el agua simboliza que damos muerte al pecado y nacemos a una nueva vida en Cristo. Somos purificados y renovados. Pertenecemos a Cristo, somos llamados "cristianos" y Dios nos da su gracia, su propia vida y amor.

Dios envió a su Hijo, Jesucristo, para traer la buena nueva de su amor a todo el mundo. Mientras Jesús predicaba la buena nueva, él invitaba a la gente a que se uniera a él. Jesús quería que todo el mundo conociera a Dios y compartiera su vida y amor. Jesús predicó a todo el mundo, incluyendo aquellos que eran discriminados y aislados, leprosos, recaudadores de impuestos y todos los que tenían necesidad de ser sanados de cuerpo, alma y espíritu. Los que siguieron a Jesús se hicieron parte de su comunidad de discípulos. Jesús mostró que todos son invitados a su comunidad. Después de su muerte y resurrección, antes de regresar con su Padre en el cielo, Jesús dio el poder de continuar con su misión a los apóstoles. Jesús pidió a sus apóstoles hacer más discípulos cuando les dijo: "Vayan por todo el mundo y proclamen la buena noticia a toda criatura. El que cree y se bautice, se salvará" (Marcos 16:15–16). Por medio de los apóstoles, la buena nueva de la salvación se ofreció a todo aquel que creyera en Jesús y se bautizara.

En la Iglesia hoy, por medio del sacramento del Bautismo, Jesús, por el poder del Espíritu Santo, continúa incluyendo y acogiendo a todos los que creen en él. Por medio del sacramento del Bautismo nos hacemos miembros de la comunidad de creyentes en Jesús, la Iglesia, y se nos da la esperanza de la vida eterna. Como escribió San Pablo: "Por su unión con Adán todos los hombres mueren, así también por su unión con Cristo, todos retornarán a la vida" (1 Corintios 15:22). En el Bautismo somos librados del pecado y entramos en la familia de Dios, unidos a Jesucristo y llenos del Espíritu Santo. Nos hacemos parte del cuerpo de Cristo y unidos a todos los bautizados en Cristo. Por medio del Bautismo, somos llamados a la misión de compartir la buena nueva de Cristo y predicar el reino de Dios.

Actividad Como parte del esfuerzo evangelizador de tu parroquia, conversa sobre formas en que puedes ayudar a tu parroquia a invitar a personas a ser discípulos de Jesús.

Circunstancias extraordinarias

Un obispo, un sacerdote o un diácono son los ministros ordinarios del Bautismo. Pero, en caso de emergencia, como una muerte inminente, cualquiera puede bautizar. Quien bautiza derrama agua sobre la cabeza de la persona a ser bautizada y dice: "Yo te bautizo en el nombre del Padre, y del Hijo, y del Espíritu Santo". ¿Qué sucede si un niño muere sin haber sido bautizado? Aunque "El Señor mismo afirma que el Bautismo es necesario para la salvación" (*CIC*, 1257), Dios mismo es libre de hacer lo que cree es mejor en cada situación. Las palabras de Jesús: "Dejen que los niños vengan a mí; no se lo impidan" (Marcos 10:14) nos dan esperanza de que la misericordia de Dios es un camino de salvación para esos niños. La Iglesia también reconoce que los que ofrecen su vida como testimonio de la fe sin haber recibido el sacramento del Bautismo son "Bautizados por su muerte con Cristo y por Cristo" (*CIC*, 1258). Este es el *bautismo de sangre*. La Iglesia reconoce el *deseo del bautismo*, el cual sucede cuando alguien "Busca la verdad y hace la voluntad de Dios según él la conoce" (*CIC*, 1260). Cada uno de ellos "Produce los frutos del Bautismo sin ser sacramento". (*CIC*, 1258)

¿Sabes cómo bautizar en caso de energencia?

In Baptism we receive new life in Christ.

In the liturgy, especially during the Easter season, we celebrate the Resurrection, Christ's rising from death to new life. We celebrate that Jesus' victory over sin and death makes possible our salvation—the forgiveness of sins and the restoration of humanity's friendship with God. We rejoice that all creation is made new and that we are given the hope of happiness in God's Kingdom both now and forever. Yet, as Jesus told Nicodemus, a member of the Sanhedrin, "No one can see the kingdom of God without being born from above . . . of water and Spirit" (John 3:3, 5).

The Sacrament of Baptism is our rebirth in water and the Spirit. Baptism, like faith, is necessary for salvation. It is in Baptism that sin, both original sin and personal sin, is taken away. In Baptism, the immersion into, or plunging into, water symbolizes that we die to sin and rise to new life in Christ. We are purified and renewed. Belonging to Christ, we are called "Christian," and God gives us his grace, his own life and love.

God sent his Son, Jesus Christ, to bring the good news of his love to the whole world. As Jesus journeyed to preach the good news, he invited people to join him. Jesus wanted everyone to know God and to share his life and love. Jesus reached out to all people, including those who were discriminated against and isolated—Samaritans, lepers, tax collectors, women, and all those who were in need of healing, whether of body, mind, or spirit. Those who followed Jesus became part of his community of disciples. Jesus showed that everyone is to be invited into this community. After his death and Resurrection, before he returned to his Father in heaven, Jesus gave his Apostles the power to continue his mission. Jesus asked the Apostles to make new disciples, saying to them, "Go into the whole world and proclaim the gospel to every creature. Who ever believes and is baptized will be saved" (Mark 16:15–16). Through the Apostles, the good news of salvation was offered to anyone who believed in Jesus and was baptized.

In the Church today, through the Sacrament of Baptism, Jesus, by the power of the Holy Spirit, continues to include and welcome all those who believe in him. Through the Sacrament of Baptism, we are made members of Jesus' community of believers, the Church, and given the hope of eternal life. As Saint Paul wrote, "For just as in Adam all die, so too in Christ shall all be brought to life" (1 Corinthians 15:22). In Baptism we are freed from sin and born into the family of God, joined to Jesus Christ, and filled with the Holy Spirit. We become part of the Body of Christ and are united with all those who have been baptized in Christ. And through Baptism, we too are called to the mission of sharing the good news of Christ and spreading the Kingdom of God.

Activity As part of your parish's evangelization effort, brainstorm ways you can help your parish invite people to become disciples of Jesus.

Extraordinary circumstances

A bishop, priest, or deacon is the ordinary minister of Baptism. However, in emergencies, such as the immediate danger of death, anyone can baptize. In such cases, a person baptizes by pouring water over the head of the person to be baptized and saying, "I baptize you in the name of the Father, and of the Son, and of the Holy Spirit."

But what happens if infants or children die without being baptized? Though "the Lord himself affirms that Baptism is necessary for salvation" (CCC, 1257), God himself is free to do what he thinks best in every situation. Jesus' own words—"Let the children come to me; do not prevent them" (Mark 10:14)—give us hope that through God's mercy there is a way of salvation for these children.

The Church also recognizes that those who give their lives in witness to the faith without having received the Sacrament of Baptism are "baptized by their death for and with Christ" (CCC, 1258). This is the *Baptism of blood.* And the Church recognizes the *desire for Baptism,* which happens when someone "seeks the truth and does the will of God in accordance with his understanding of it" (CCC, 1260). Each of these "brings about the fruits of Baptism without being a sacrament" (CCC, 1258).

Would you know how to baptize someone in an emergency?

Somos lavados y ungidos.

En el ritual judío el agua era un poderoso símbolo de salvación y purificación del pecado. Durante los tiempos de Jesús, el pueblo judío practicaba un ritual de lavarse con agua para prepararse para los eventos y tiempos sagrados. Juan el Bautista animó al pueblo a participar en este ritual, bautizando en el río Jordán y urgiéndolo a prepararse para la venida del reino de Dios.

> **"El que crea y se bautice, se salvará".**
>
> (Marcos 16:16)

Cuando algunas de las autoridades judías le preguntaron a Juan quién era él y por qué estaba bautizando, él reconoció que él no era el Mesías. El dijo: "Yo bautizo con agua, pero en medio de ustedes hay uno a quien no conocen. El viene detrás de mí, aunque yo no soy digno de desatar la correa de sus sandalias" (Juan 1:26–27). Al siguiente día cuando Jesús se encontró con él en el Jordán, Juan dejó saber que Jesús era aquel a quien él se había referido. Juan dijo: "Este es el Cordero de Dios, que quita el pecado del mundo" (Juan 1:29). Juan añadió: "Yo mismo no lo conocía; pero la razón por la cual yo bautizo con agua es para que él se manifieste a Israel". (Juan 1:31)

Después que Juan bautizó a Jesús dijo: "Yo he visto que el Espíritu bajaba desde el cielo como una paloma y permanecía sobre él . . . el que me envió a bautizar con agua me dijo: 'Aquél sobre quien veas que baja el Espíritu y permanece sobre él ese es quien bautizará con Espíritu Santo'. Y como lo he visto, doy testimonio de que este es el Hijo de Dios" (Juan 1:32–34). Esta unción bautismal del Espíritu hizo público que Jesús es el Mesías, el Ungido. La relación de Jesús con Dios su Padre fue revelada y Dios el Espíritu Santo vino sobre Jesús, ungiéndolo y estableciéndolo como sacerdote, profeta y rey.

En el sacramento del Bautismo también nosotros somos ungidos, bendecidos con óleo santo. Como miembros bautizados de la Iglesia, Jesús nos llama a compartir su sacerdocio. Este sacerdocio no es la ordenación sacerdotal sino el *sacerdocio de los fieles*, en el que todos podemos participar—en la liturgia, especialmente la Eucaristía, en la oración y ofreciendo nuestras vidas a Dios. Jesús también nos llama a ser profetas proclamando la buena nueva y dando testimonio de su verdad. Y Jesús, quien ejerció su reinado llamando a toda la humanidad a seguirle, nos llama a ser reyes, pidiéndonos responder al amor de Dios y cuidar de los demás, especialmente a los pobres y los que sufren.

En el Bautismo somos sellados, o marcados por siempre, como pertenecientes a Cristo. Esta marca espiritual, o carácter, nunca se borra. Una vez hemos recibido el sacramento del Bautismo, no importa lo que pase, pertenecemos a Cristo y a la Iglesia. El Bautismo es un sacramento que no se repite. Una vez hemos sido bautizados, somos marcados permanentemente con el signo de la fe y tenemos la esperanza de vivir en el amor de Dios por siempre.

Actividad Si la marca del Bautismo se pudiera representar visualmente, ¿cómo crees que sería? Dibuja tu idea aquí.

We are washed and anointed.

In Jewish ritual, water was a powerful symbol of salvation and purification from sin. During the time of Jesus, Jewish people practiced a ritual of washing in water to prepare for sacred times or events. John the Baptist encouraged people to participate in this ritual washing, baptizing them in the waters of the Jordan River and urging them to prepare themselves for the coming of God's Kingdom.

> **"Whoever believes and is baptized will be saved."**
> (Mark 16:16)

When some of the Jewish authorities asked John who he was and why he was baptizing, he acknowledged that he was not the Messiah. And he said, "I baptize with water; but there is one among you whom you do not recognize, the one who is coming after me, whose sandal strap I am not worthy to untie" (John 1:26–27). The next day, when Jesus came toward him at the Jordan River, John made it known that Jesus was the one of whom he had spoken. John said, "Behold, the Lamb of God, who takes away the sin of the world" (John 1:29). And John added, "I did not know him, but the reason why I came baptizing with water was that he might be made known to Israel" (John 1:31).

After Jesus' baptism by John, John also said, "I saw the Spirit come down like a dove from the sky and remain upon him . . . The one who sent me to baptize with water told me, 'On whomever you see the Spirit come down and remain, he is the one who will baptize with the holy Spirit.' Now I have seen and testified that he is the Son of God" (John 1:32–34). Thus, this baptismal anointing by the Spirit made public that Jesus

Baptism of Jesus, **Byzantine (mid-1600s)**

Christ is the Messiah, the Anointed One. Jesus' relationship with God his Father was revealed, and God the Holy Spirit came upon Jesus, anointing him and establishing him as priest, prophet, and king.

In the Sacrament of Baptism, we too are anointed, blessed with holy oil. As baptized members of the Church, Jesus calls all of us to share in his priesthood. This priesthood is not the ordained priesthood but the *priesthood of the faithful*, in which we can all participate—in the liturgy, especially the Eucharist, in prayer, and in the offering of our lives to God. Jesus also calls us as prophets to proclaim the good news and give witness to his truth. And Jesus, who exercised his kingship by drawing all of humanity to himself, calls us to kingship, asking us to respond to God's love and to care for others, especially those who are poor and suffering.

At Baptism we are sealed, or marked forever, as belonging to Christ. This spiritual mark, or character, can never be erased. Once we have received the Sacrament of Baptism, no matter what may happen, we belong to Christ and the Church. Thus, Baptism is a sacrament that is never repeated. Once we have been baptized, we are permanently marked with the sign of faith and have the hope of living in God's love forever.

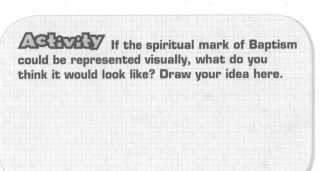

Activity If the spiritual mark of Baptism could be represented visually, what do you think it would look like? Draw your idea here.

CREYENDO...

En el Bautismo somos acogidos en la Iglesia.

¿Cómo puedes hacer que alguien se sienta acogido?

Por medio del Bautismo somos acogidos como miembros de la Iglesia. "El Bautismo es el fundamento de toda la vida cristiana . . . y la puerta que abre el acceso a los otros sacramentos (*CIC*, 1213). El Bautismo es el primer sacramento que celebramos y nos dirige hacia otros dos sacramentos de iniciación cristiana, la Confirmación y la Eucaristía. No todo el mundo empieza o completa la iniciación cristiana al mismo tiempo. Muchas personas son bautizadas cuando bebés o niños. Otras son bautizadas cuando son adolescentes o adultos. Nadie es muy joven o muy viejo para empezar una nueva vida con Cristo.

Desde el principio, la Iglesia ha iniciado adultos. De hecho familias enteras han sido bautizadas y acogidas en la Iglesia. Hoy adultos y niños son bautizados en forma similar a la practicada por la Iglesia en sus inicios. Después de un período de información, son aceptados para prepararse para celebrar los sacramentos de iniciación en un proceso de formación llamado **catecumenado**. Este incluye oración y liturgia, instrucción religiosa basada en la Escritura y la Tradición y servicio a los demás. Los que entran al catecumenado con llamados **catecúmenos**. Estos adultos o niños mayores participan en el Rito de Iniciación Cristiana para Adultos (RICA). Participan en celebraciones que los introducen en el significado de los sacramentos y la vida de la Iglesia. Generalmente se unen a la asamblea para la Liturgia de la Palabra durante la celebración de la Eucaristía los

domingos. Reciben los tres sacramentos de iniciación cristiana a la vez en una celebración, generalmente en la Vigilia Pascual. Toda la parroquia participa en la formación de los catecúmenos—algunos miembros sirven como padrinos y madrinas, otros enseñan la fe a los catecúmenos, otros rezan por ellos y todos deben ser ejemplos como discípulos de Cristo.

Los bebés o niños muy pequeños también pueden ser bautizados en la fe de la Iglesia. Como leemos en el *Catecismo*: "La práctica de bautizar a los niños pequeños es una tradición inmemorial de la Iglesia" (1252). Cuando los bebés o niños pequeños son bautizados, los padres escogen una madrina y un padrino para el niño. Los padrinos deben ser ejemplos de discipulado cristiano y prometer apoyar el crecimiento en la fe del niño. Los padres, los padrinos y toda la comunidad parroquial, acuerdan ayudar al niño a crecer en la fe. Como el Bautismo es un sacramento que da testimonio de la fe de la Iglesia, es celebrado en la comunidad de creyentes. Los participantes en el sacramento incluyen el niño a ser bautizado, los padres, los padrinos, el resto de la familia del niño, la comunidad parroquial y el **celebrante**. El **celebrante** es un obispo, un sacerdote o un diácono quien celebra el sacramento para y con la comunidad.

> **Vocabulario**
> catecumenado
> catecúmenos
> celebrante

Actividad La comunidad de la Iglesia comparte la responsabilidad por la fe de los que han sido bautizados. Escribe una nota a alguien que se esté preparando para el bautismo, asegurándole a esa persona que rezarás por ella.

El catecumenado

i Cómo un adulto se hace católico? Generalmente la persona empieza visitando la parroquia. Después de que decide dar un paso formal hacia el catolicismo, la persona es aceptada en el catecumenado y se convierte en un catecúmeno.

La palabra *catecúmeno* viene de una palabra griega que significa "eco". En tiempos antiguos los estudiantes "eco", repetían lo que decía el maestro. Los catecúmenos aumentan sus conocimientos de la vida cristiana de manera importante:

- *instrucción:* Son invitados a considerar el impacto de la fe católica en sus vidas.
- *conversión moral:* Son invitados a volverse a Dios y cambiar sus vidas.
- *adoración:* Generalmente participan en la misa dominical, pero

son despedidos después de la homilía para reflexionar juntos en la palabra de Dios. Hasta que no son bautizados no pueden participar en la Liturgia de la Eucaristía.

- *ministerio:* Aprenden a servir participando en grupos parroquiales que llegan a los necesitados.

¿Cómo tu discipulado refleja estas cuatro partes del catecumenado?

At Baptism we are welcomed into the Church.

How can you make someone feel welcomed?

We are welcomed as members of the Church through Baptism. Baptism is "the basis of the whole Christian life, the gateway to life in the Spirit . . . and the door which gives access to the other sacraments" (*CCC*, 1213). Baptism is the very first sacrament that we celebrate, and it leads us to the other two Sacraments of Christian Initiation, Confirmation and Eucharist. But not everyone begins or completes Christian initiation at the same time. Many people are baptized as infants or young children. Others are baptized as older children, adolescents, or adults. No one is ever too old or too young to begin a new life in Christ.

From the beginning, the Church has initiated adults. In fact, whole families have been baptized and welcomed into the Church. Today adults and children of catechetical age are baptized in a way very similar to that practiced by the early Church. After a period of inquiry, they are welcomed to prepare for and celebrate the Sacraments of Initiation in a process of formation called the **catechumenate**. This includes prayer and liturgy, religious instruction based on Scripture and Tradition, and service to others. Those who enter the catechumenate are called **catechumens**. These adults and older children participate in the Rite of Christian Initiation of Adults (RCIA). They participate in prayer celebrations that introduce them to the meaning of the sacraments and the life of the Church. They usually join the assembly for the Liturgy of the Word during the Sunday celebration of the Eucharist. And they receive the three Sacraments of Initiation in one celebration, usually at the Easter Vigil. The entire parish takes part in the formation of catechumens—some members serve as sponsors and godparents, others teach the catechumens about the Catholic faith, others pray for them, and all are to act as examples of discipleship to Jesus.

> **Faith Words**
> catechumenate
> catechumens
> celebrant

Infants or very young children can also be baptized into the faith of the Church. As we can read in the *Catechism*, "The practice of infant Baptism is an immemorial tradition of the Church" (1252). When infants and young children are baptized, the parents choose a godmother and godfather for the child. The godparents are to be examples of Christian discipleship and promise to support the child as he or she grows in faith. The parents, godparents, and the entire parish community agree to help the children grow in faith. Since Baptism is a sacrament that gives witness to the faith of the Church, it is celebrated within the community of believers. The participants in the sacrament include the child being baptized, the parents of the child, the godparents, the rest of the child's family, the parish community, and the celebrant. The **celebrant** is the bishop, priest, or deacon who celebrates the sacrament for and with the community.

Activity The Church community shares responsibility for the faith of those to be baptized. Write a note to someone preparing for Baptism, assuring that person of your prayers.

The catechumenate

How does an adult become a Catholic? Usually the person begins by contacting a parish. After deciding to take formal steps toward becoming a Catholic, the person is accepted into the catechumenate and becomes a catechumen.

The word *catechumen* comes from a Greek word meaning "to echo." In ancient times, students "echoed," or memorized and recited, what the teacher said. Catechumens grow in their understanding of the Christian life in important ways:

- *instruction:* They are invited to ponder the impact of Catholic beliefs on their lives.

- *moral conversion:* They are invited to turn toward God and change their way of life.

- *worship:* They usually participate in Sunday Mass but are dismissed after the homily to reflect together on the word of God. Until they are baptized, they do not participate in the Liturgy of the Eucharist.

- *ministry:* They learn to serve by assisting parish groups with outreach to those in need.

How does your own discipleship reflect these four parts of the catechumenate?

CATHOLIC IDENTITY

Celebramos el sacramento del Bautismo.

El rito del bautismo para varios niños, celebrado fuera de la misa, se ofrece abajo. Los símbolos escritos en itálica en la columna de la izquierda, son explicados en la columna de la derecha.

ACOGIDA DEL NIÑO

El celebrante pregunta el nombre del niño y qué piden los padres a la Iglesia para el niño. Los padres responden "el Bautismo". El celebrante les recuerda a los padres y padrinos su responsabilidad de enseñar la fe cristiana al niño. El celebrante da la bienvenida al niño en nombre de toda la comunidad de la Iglesia. Entonces, con las palabras: "Os signo con la señal de Cristo Salvador", con su pulgar, el celebrante traza la *señal de la cruz* en la frente del niño. Los padres y los padrinos son invitados a hacer lo mismo.

Signo de la nueva vida que Jesús ha ganado para nosotros

LITURGIA DE LA PALABRA

El celebrante lee de la Biblia. Otros también leen, luego se reza un salmo. El celebrante ofrece una homilía. Se hace la oración de los fieles; la comunidad reza por el niño a ser bautizado, por la Iglesia y el mundo.

El celebrante dirige a la comunidad en una letanía pidiendo la ayuda de los santos. El celebrante reza por el niño a ser bautizado pidiendo a Dios lo libre del pecado original y que envíe al Espíritu Santo sobre el niño.

Después el celebrante unge al niño con el *óleo de los catecúmenos*. El celebrante también impone su mano sobre el niño en silencio. Los participantes pasan a la fuente bautismal.

Oleo santo que representa fortaleza contra el mal y limpieza del pecado

LITURGIA DEL SACRAMENTO

El celebrante bendice el *agua bautismal*. Si el agua ha sido bendecida en la Vigilia Pascual, el celebrante puede hacer otro tipo de bendición.

EL celebrante hace a los padres y padrinos una serie de preguntas tales como: "¿Renunciáis al pecado, para vivir en la libertad de los hijos de Dios? ¿Creéis en Dios, Padre todopoderoso, creador del cielo y de la tierra?" Al responder "creemos" a cada pregunta, los padres y padrinos renuevan sus promesas bautismales y afirman la fe de la Iglesia.

El celebrante bautiza al niño en la fuente o piscina bautismal, derramando agua o sumergiendo al niño tres veces mientras dice: "Yo te bautizo en el nombre del Padre, y del Hijo y del Espíritu Santo".

Agua bendita en la fuente bautismal o la piscina. Los bautizados dan muerte al pecado y resucitan desde el agua a una nueva vida como hijos de Dios.

RITOS COMPLEMENTARIOS

El celebrante unge al niño con *crisma*.

El celebrante da al recién bautizado una *vestidura blanca* y dice: "Esta vestidura blanca sea signo de la dignidad de cristiano".

El celebrante toma el cirio pascual y dice: "Recibid la luz de Cristo". Un padre o un padrino enciende *la vela* del niño desde el cirio pascual. El celebrante dice: "Que estos niños iluminados por Cristo, caminen siempre como hijos de la luz y, perseverando en la fe". El celebrante puede hacer una oración especial en el oído y la boca del niño.

Aceite perfumado que ha sido bendecido por el obispo y que es signo del don del Espíritu Santo. La unción significa que el recién bautizado comparte la misión de Cristo.

Signo de la nueva vida del bautizado en Cristo y la llamada universal a la santidad y pureza. El blanco simboliza la pureza de Cristo.

Un signo de la luz y la bondad de Cristo y la luz de la fe compartida por el recién bautizado

CONCLUSION DEL RITO

El celebrante se reúne con la familia cerca del altar para rezar el Padrenuestro y luego ofrece una oración final. El celebrante despide a toda la comunidad diciendo: "Podéis ir en Paz". Todos responden: "Demos gracias a Dios".

> **"Os signo con la señal de Cristo Salvador".**
>
> (Rito del Bautismo, varios niños)

Actividad Junto con un compañero subraya cada símbolo y acción del bautismo. Conversa sobre su significado.

We celebrate the Sacrament of Baptism.

The Rite of Baptism for Several Children, as celebrated outside the Mass, is outlined below. Symbols shown in italics in the left column are defined in the right column.

RECEPTION OF THE CHILDREN

The celebrant asks the name of the child and what the parents seek from the Church for the child. The parents respond, "Baptism." The celebrant reminds the parents and godparents of their duty to teach the child about the Christian faith. The celebrant welcomes the child on behalf of the Church community. Then, with the words "I claim you for Christ our Savior by the sign of the cross," the celebrant traces the *sign of the cross* on the child's forehead with his thumb. The parents and godparents are invited to do the same.

Sign of the new life Christ has won for us

LITURGY OF THE WORD

The celebrant reads from Scripture. Others also read, and a psalm or song follows. The celebrant then gives the homily. The prayer of the faithful is said; the community prays for the child about to be baptized, for the whole Church, and for the world.

The celebrant leads the community in a litany asking the saints for their help. The celebrant prays for the child to be baptized, asking God to free the child from original sin and to send the Holy Spirit to be with the child.

Then the celebrant anoints the child with the *oil of catechumens*. The celebrant also lays his hand on the child in silence. The participants move to the baptismal font or pool.

Holy oil that represents a strengthening against evil and a cleansing from sin

THE CELEBRATION OF THE SACRAMENT

The celebrant blesses the *baptismal water*. If this water was already blessed at the Easter Vigil, the celebrant may say another kind of blessing.

The celebrant asks the parents and godparents a series of questions, such as, "Do you reject sin so as to live in the freedom of God's children?" and "Do you believe in God, the Father almighty, creator of heaven and earth?" By responding "I do" to each question, the parents and godparents renew their baptismal promises and affirm the faith of the Church.

The celebrant baptizes the child in the water of the baptismal font or pool by immersing or pouring water over the child three times while saying, "I baptize you in the name of the Father, and of the Son, and of the Holy Spirit."

Blessed water in a baptismal font or pool. Those being baptized die to sin and rise up from the water into new life as children of God.

EXPLANATORY RITES

The celebrant anoints the child with *chrism*.

The celebrant gives the newly baptized a *white garment* and says, "See in this white garment the outward sign of your Christian dignity."

The celebrant takes the Easter candle, saying, "Receive the light of Christ." A parent or godparent lights the child's *candle* from the Easter candle. The celebrant says, "These children of yours have been enlightened by Christ. . . . May they keep the flame of faith alive in their hearts." The celebrant may pray a special prayer over the child's ears and mouth.

Perfumed oil that has been blessed by the bishop and is a sign of the Gift of the Holy Spirit. The anointing signifies that the newly baptized person shares in the mission of Christ.

An outward sign of the baptized person's new life in Christ and the universal call to holiness and purity. White symbolizes the purity of Christ.

A sign of the light and goodness of Christ and the light of faith shining in the newly baptized

CONCLUSION OF THE RITE

The celebrant gathers with the family near the altar to pray the Lord's Prayer and then offers a final blessing. The celebrant dismisses the whole community, saying, "Go in peace." All respond, "Thanks be to God."

Activity With a partner highlight or underline each symbol and action of Baptism. Discuss what each signifies.

> **"I claim you for Christ our Savior by the sign of the cross."**
> (Rite of Baptism for Several Children)

Reconociendo nuestra fe

Recuerda la pregunta al inicio del capítulo: *¿Por qué ansío formar parte?* Planifica una oración sobre pertenecer a Cristo por medio del Bautismo. Usa el cuadro presentado abajo como esquema. Trata de incorporar algunos símbolos de la celebración del Bautismo.

Lectura bíblica	Oraciones	Música/canciones	Símbolos y acciones

Viviendo nuestra fe

En nuestra vida diaria, ¿cuáles son algunas formas en que mostramos que pertenecemos a Cristo y a la Iglesia?

Compañeros en la fe

Marla Ruzicka

Marla Ruzicka nació el 31 de diciembre del 1976. Desde muy temprana edad respondió a la gracia del Bautismo trabajando por la justicia. Hizo campaña por la igualdad atlética de las niñas de su pueblo, Lakeport, California.

También despertó la conciencia en las injustas condiciones de trabajo de los *trabajadores de las fábricas.* Interesada en aprender sobre diferentes culturas, estudió en Cuba y Jerusalén.

Ruzicka estaba siempre dispuesta a hacer una diferencia en las vidas de los demás. Viajó para ayudar a otros—víctimas de huracanes en Honduras, víctimas del SIDA en Africa y personas afectadas por la guerra en Afganistán e Irak. A la edad de veinte y seis años fundó una compañía para las víctimas inocentes en conflictos. Esta organización trabaja para dar una voz a las víctimas inocentes de las guerras.

Ruzicka fue una católica que vivió su compromiso bautismal y actuó como discípula de Cristo en el mundo. El 16 de abril del 2005, murió cuando estalló un carro bomba mientras trabajaba para su organización.

¿Cómo Marla Ruzicka vivió sus promesas bautismales? ¿Cómo vives las tuyas?

@ **Para más ideas y actividades visita www.vivimosnuestrafe.com.**

Recognizing Our Faith

Recall the question at the beginning of this chapter: *Why do I long to belong?*
Plan a prayer service about belonging to Christ through Baptism. Use the chart below
as an outline. Try to incorporate some symbols from the celebration of Baptism.

Scripture Readings	Prayers	Music/Songs	Symbols and Actions

Living Our Faith

In our daily lives what are some ways that we show we belong to Christ and his Church? Choose one of these to act on today.

Marla Ruzicka

Marla Ruzicka was born on December 31, 1976. At an early age, she was already responding to the grace of Baptism by working for justice. She campaigned for equal athletic opportunities for girls in her hometown of Lakeport, California. She also raised awareness about the unfair working conditions of factory workers. Eager to learn about different cultures, she studied abroad in Cuba and Jerusalem.

Ruzicka was always ready to make a difference in the lives of others. She continued to travel to help people—hurricane victims in Honduras, AIDS victims in Africa, and people affected by war in Afghanistan and Iraq. At the age of twenty-six, she founded the Campaign for Innocent Victims in Conflict (CIVIC). This organization worked to give a voice to innocent victims of war.

Ruzicka was a Catholic who lived her baptismal promises and acted as a disciple of Christ in the world. On April 16, 2005, she was killed by a car bomb while working with CIVIC.

How did Marla Ruzicka live out her baptismal promises? How can you live out yours now?

For additional ideas and activities, visit www.weliveourfaith.com.

RESPONDIENDO...

✝ ENCUENTRO CON LA PALABRA DE DIOS

"Si conocieras el don de Dios . . . me pedirías a mí y yo te daría agua viva".

(Juan 4:10)

➡ **LEE** la cita bíblica.

➡ **REFLEXIONA** en esta pregunta:
¿Qué significa llamar agua viva a Jesús?

➡ **COMPARTE** tus reflexiones con un compañero.

➡ **DECIDE** hacer algo esta semana para compartir tu fe en Jesús con alguien.

Poniendo la fe en acción

Conversa sobre lo que has aprendido en este capítulo:

 Reconocemos que en el Bautismo nos hacemos miembros de la Iglesia y se nos ofrece la salvación del pecado.

 Apreciamos que por medio del Bautismo pertenecmos a Cristo por siempre.

 Proclamamos la gracia del Bautismo amando a los demás.

Decide una forma de vivir lo que has aprendido.

Encierra en un círculo la letra que completa la oración.

1. El _____ es el obispo, el sacerdote o el diácono que celebra un sacramento por y con la comunidad.
   a. celebrante   **b.** catecúmeno   **c.** catecumenado   **d.** padrino

2. En el sacramento del Bautismo somos sellados, marcados para siempre como pertenecientes a _____.
   a. el RICA   **b.** el Sanedrín   **c.** Jesucristo   **d.** Juan el Bautista

3. En el río Jordán, la unción bautismal por el Espíritu hizo público que _____ es el Mesías.
   a. Jesucristo   **b.**. Juan   **c.** Pablo   **d.** Nicodemo

4. El Bautismo, igual que _____ es necesario para la salvación.
   a. la amistad   **b.** la fe   **c.** la comunidad   **d.** el catecumenado

Contesta

5. ¿Qué hace Dios por nosotros en el sacramento del Bautismo? _____
   _____

6. ¿Qué significan en el Bautismo la vestidura blanca y la luz de la vela? Explica. _____
   _____

7. ¿Qué se le pide a los padrinos del niño a ser bautizado? _____

8. ¿Qué es el catecumenado? _____

9–10. Contesta en un párrafo: Usa lo que has aprendido en este capítulo para explicar la siguiente afirmación: *Nadie es tan joven o tan viejo para empezar una nueva vida en Cristo.*

Putting Faith to Work

Talk about what you have learned in this chapter:

 We recognize that, in Baptism, we become members of the Church and are offered salvation from sin.

 We appreciate that, through Baptism, we belong forever to Christ.

 We respond to the grace of Baptism by reaching out with love to others.

Decide on ways to live out what you have learned.

✝ ENCOUNTERING GOD'S WORD

"If you knew the gift of God . . . you would have asked . . . and he [Jesus] would have given you living water."

(John 4:10)

➡ **READ** the quotation from Scripture.

➡ **REFLECT** on the following question: What does it mean to call Jesus the living water?

➡ **SHARE** your reflections with a partner.

➡ **DECIDE** to do something this week to share your faith in Jesus with someone else.

Circle the letter of the correct answer.

1. The _____ is the bishop, priest, or deacon who celebrates a sacrament for and with the community.
   a. celebrant   **b.** catechumen   **c.** catechumenate   **d.** godparent

2. In the Sacrament of Baptism we are sealed, or marked forever, as belonging to _____.
   a. the RCIA   **b.** the Sanhedrin   **c.** Jesus Christ   **d.** John the Baptist

3. At the Jordan River the baptismal anointing by the Spirit made public that _____ is the Messiah.
   a. Jesus Christ   **b.** John   **c.** Paul   **d.** Nicodemus

4. Baptism, like _____, is necessary for salvation.
   a. friendship   **b.** faith   **c.** community   **d.** catechumenate

Short Answers

5. What does God do for us in the Sacrament of Baptism? _____

6. What do the white garment and the lighted candle signify in Baptism? Explain. _____

   _____

7. What is required of the godparents of a child who is baptized? _____

   _____

8. What is the catechumenate? _____

9–10. ESSAY: Use what you have learned in this chapter to explain the following statement: *No one is ever too old or too young to begin a new life in Christ.*

Comparte la fe con tu familia

Conversa con tu familia sobre lo siguiente:

- En el Bautismo recibimos nueva vida en Cristo.
- Somos lavados y ungidos.
- En el Bautismo somos acogidos en la Iglesia.
- Celebramos el sacramento del Bautismo.

Comparte recuerdos e historias de tu bautismo con tu familia. Puedes ver fotos o videos de la familia. Conversen sobre como pueden ayudarse a vivir sus promesas bautismales.

Conexión con la liturgia

Mientras te bendices con agua bendita a la entrada de la iglesia este domingo, recuerda dar gracias a Dios por tu bautismo.

Para explorar

Visita el lugar donde se celebran los bautismos en tu parroquia. Busca la fuente bautismal y otros símbolos.

Doctrina social de la Iglesia ☑ Cotejo

Tema de la doctrina social de la Iglesia:
Llamado a la familia, la comunidad y la participación

Cómo se relaciona con el capítulo 14: Somos creados como seres sociales, necesitamos estar con otros y estar involucrados en la vida de la familia y la comunidad. Como católicos bautizados, somos llamados a vivir como hijos de Dios y miembros responsables de la Iglesia y la sociedad.

Cómo puedes hacer esto en

☐ la casa:

_____

☐ la escuela/trabajo:

_____

☐ la parroquia:

_____

☐ la comunidad:

_____

Chequea cada acción cuando la termines.

Sharing Faith with Your Family

Discuss the following with your family:

- In Baptism we receive new life in Christ.
- We are washed and anointed.
- At Baptism we are welcomed into the Church.
- We celebrate the Sacrament of Baptism.

Share memories and stories of Baptisms in your family. You might look through family photos, videos, or mementos. Discuss how you can help each other to live your baptismal promises.

Catholic Social Teaching
☑ Checklist

Theme of Catholic Social Teaching:
Call to Family, Community, and Participation

How it relates to Chapter 14: We are all created as social beings, needing to be with others and to be involved in family life and our community. As baptized Catholics, we are called to live as children of God and as responsible members of the Church and society.

How can you do this?

☐ At home:

_____

☐ At school/work:

_____

☐ In the parish:

_____

☐ In the community:

_____

Check off each action after it has been completed.

The Worship Connection

As you bless yourself with holy water at the entrance to the church this Sunday, make a point of thanking God for your Baptism.

@

More to Explore

Visit the place where Baptisms are celebrated in your parish. Note the placement of the baptismal font and any symbols.

15 Confirmación

"Si vivimos gracias al Espíritu, comportémonos también según el Espíritu".

(Gálatas 5:25)

✚ Líder: Cuando nos bautizamos y se nos dio una nueva vida como miembros del cuerpo de Cristo, fuimos bautizados en nombre del Padre, y del Hijo, y del Espíritu Santo.

Dios Padre todopoderoso,
quien os hizo renacer del agua
    y del Espíritu Santo
y os hizo hijos suyos adoptivos,
os bendiga y os proteja,
para que seáis siempre digno de su amor.
(Rito de la Confirmación)

Todos: Amén

Líder: Jesucristo el Hijo de Dios prometió que el Espíritu de verdad estaría con su Iglesia siempre; que él te bendiga y te dé el valor de profesar la verdadera fe.

Todos: Amén.

La gran pregunta:
¿Qué buenas cualidades poseo?

D escubre algo más de ti. Usa las letras de tu nombre para escribir cuatro de tus cualidades o dones.

¿Cuáles de tus buenas cualidades o dones te hacen una persona más amorosa?

En este capítulo aprendemos sobre el sacramento de la Confirmación y su papel en fortalecernos para vivir como discípulos de Jesucristo.

"If we live in the Spirit, let us also follow the Spirit."

(Galatians 5:25)

Leader: When we were baptized and given new life as members of the Body of Christ, we were baptized in the name of the Father, and of the Son, and of the Holy Spirit.

God our Father
made you his children by water
and the Holy Spirit:
may he bless you
and watch over you with his fatherly love.
(Rite of Confirmation)

All: Amen.

Leader: Jesus Christ the Son of God promised that the Spirit of truth would be with his Church for ever: may he bless you and give you courage in professing the true faith.

All: Amen.

The BIG Question:
What good qualities do I have?

Discover more about yourself. Use the letters of your name to write four qualities or gifts you have.

Which of your good qualities, or gifts, make you a more loving person?

In this chapter we learn about the Sacrament of Confirmation and its role in strengthening us to live as disciples of Jesus Christ.

Narrador: Una vez, un majestuoso león, el rey de las bestias, vivía en las hermosas planicies de Africa. Era altamente conocido en toda la región como un gran cazador quien nunca falló en llevar comida a su familia. Al despertar de una siesta un día vio que un ratón estaba subiendo por una de sus patas.

León: Ajá pequeño ratón, ¿qué estás haciendo y dónde vas?

Ratón: Buenas tardes, rey león. Estoy llevando granos para mi familia.

León: Bueno, sucede que tengo ganas de una merienda. Te derribaré con mi gran pata y te comeré.

Ratón: Oh, por favor rey León. No hagas eso. Mi familia tiene mucha hambre y ha esperado muchos días por estos granos que tengo aquí. Sé que eres un gran cazador. Puedes cazar algo mucho más grande si te dispones. Por favor, déjame ir.

León: Lo que dices tiene sentido, pequeño ratón. Soy un gran cazador, por ahora voy a dejar que mi compasión y misericordia sobrepase mi instinto cazador. Sigue tu camino y dale mis saludos a tu familia.

Narrador: El ratón siguió su camino. Unos días después, en otro viaje en busca de comida, el ratón escuchó un fuerte grito que venía de un hoyo en el suelo. Al mirar vio con sorpresa al rey león amarrado con sogas y metido en un gran hoyo.

Ratón: Rey león, es tu amigo, el ratoncito. ¿Qué te ha pasado?

León: Oh, pequeño ratón, estoy acabado. Me han capturado. Me llevarán lejos de estas hermosas planicies africanas. Ellos me pondrán en una jaula, y quien sabe lo que me deparará después. No puedo liberarme y nadie puede ayudarme.

Ratón: Yo puedo ayudarte, rey león. Tengo dientes bien afilados. Estas cuerdas son fuertes pero con sabiduría y paciencia puedo masticarlas y liberarte. Quédate tranquilo y déjame trabajar.

Narrador: El ratón empezó a masticar. Masticó toda la noche, cuerda por cuerda, nudo por nudo, hasta que la trampa se rompió. El gran león se paró en sus patas, salió del hoyo y se paró al lado del ratón.

León: Gracias ratoncito, por usar tus dones de paciencia e inteligencia para ayudarme. Nunca olvidaré tu bondad.

Ratón: Gracias a ti rey león, por perdonarme la vida. Usaste tus dones de misericordia y compasión y por eso yo sigo vivo y pude ayudarte hoy. Nunca olvidaré tu bondad.

Actividad ¿Qué enseña esta historia sobre usar las buenas cualidades? Diseña una tarjeta para tu billetera haciendo una lista de tus buenas cualidades. Mantenla contigo para que te recuerde los dones que tienes a la disposición para ayudar a otros.

Narrator: Once upon a time, a majestic lion, the King of Beasts, lived on the beautiful plains of Africa. He was known far and wide as a mighty hunter who never failed to provide food for his family. Waking from a nap one day, he noticed a mouse scampering at his feet.

Lion: Aha, Little Mouse! What are you doing, and where are you going?

Mouse: Good afternoon, King Lion. I am carrying grains home to my family.

Lion: Well, it so happens that I am in the mood for a snack. I will whack you with my great paw and eat you up!

Mouse: Oh, please, King Lion! Don't do that! My family is very hungry and they have waited a long time for this good grain that I have here. I know you are a mighty hunter. You could catch something much bigger than I if you tried. Please let me go!

Lion: What you say makes sense, Little Mouse. I am a great hunter, but I will allow my compassion and mercy to overrule my hunting instinct, just for now. Go on your way, and give my best to your family!

Narrator: The mouse went on his way. Some days later, on another trip to find food, the mouse heard a loud moaning coming from a hole in the ground. Looking down, he was shocked to see King Lion bound by thick ropes and stuck in a deep pit.

Mouse: King Lion, it is your friend, Little Mouse. What happened to you?

Lion: Oh, Little Mouse, I am done for! They have caught me! They will take me away from the beautiful African plains! They will put me in a cage, and who knows what will happen to me after that? I cannot get free, and no one can help me!

Mouse: I can help you, King Lion. I have very sharp teeth. These ropes are strong, but with cleverness and patience, I can chew through them and set you free. Hold still, now. Let me get to work!

Narrator: The mouse began to chew. He chewed all night, rope by rope, knot by knot, until the trap simply fell apart. The mighty lion leapt to his feet, jumped out of the pit, and stood before Little Mouse.

Lion: Thank you, Little Mouse, for using your gifts of patience and cleverness to help me. I will never forget your kindness!

Mouse: And thank you, King Lion, for sparing my life. You used your gifts of mercy and compassion, and so I was still alive to help you today. I will never forget your kindness!

Activity What does this tale teach about using one's good qualities? Design a card for your wallet that lists your good qualities. Keep it with you as a reminder of the gifts that you have at your disposal for helping others.

Los discípulos reciben el Espíritu Santo.

Jesús quería que sus discípulos fueran sus testigos. El los llamó a continuar su misión de compartir en el amor de Dios y de predicar sobre el reino de Dios. Ellos no estarían solos en ese trabajo, porque Jesús les prometió enviarles al Espíritu Santo para que los guiara y los ayudara. La presencia del Espíritu Santo es una de las formas en que Dios siempre ha expresado su amor a la humanidad. Pero en Jesucristo la presencia del Espíritu Santo se conoció verdaderamente. Como leemos en el *Catecismo*, Jesús: "Habiendo sido concebido por obra del Espíritu Santo, toda su vida y toda su misión se realizan en una comunión total con el Espíritu Santo que el Padre le da 'sin medida'". (1286)

Un día Jesús dijo a sus discípulos: "Como dice la Escritura, de lo más profundo de todo aquél que crea en mí brotarán ríos de agua viva". (Juan 7:38)

Jesús se refería al don del Espíritu Santo. Igual que el agua viva, el Espíritu Santo vendría a los discípulos si creían en Jesús. Después de la ascensión de Jesús, Pedro y los discípulos estaban reunidos en Jerusalén para la fiesta judía de Pentecostés. La palabra *Pentecostés* viene de una palabra griega que significa "cincuenta". A los cincuenta días después de la Pascua, los judíos celebraban el festival de la cosecha. Daban gracias a Dios por las bendiciones, especialmente los frutos de la tierra. Fue durante esta fiesta que el Espíritu fue derramado como lo prometió Jesús.

Después de recibir el don del Espíritu Santo, Pedro se levantó y frente a una multitud proclamó las palabras del profeta Joel: "En los últimos días, dice Dios, derramaré mi Espíritu sobre todo hombre . . . Y todo el que invoque el nombre del Señor, se salvará". (Hechos 2:17, 21)

Pedro también dijo a la multitud que Dios el Padre verdaderamente había resucitado a Jesús y que lo que había tenido lugar en ese momento era el derrame del Espíritu. Sorprendida la gente les preguntó a Pedro y los demás discípulos que tenían que hacer. Pedro les dijo que se arrepintieran y que se bautizaran en nombre de Jesús y recibieran el don del Espíritu Santo. Aproximadamente tres mil personas creyeron y se convirtieron en discípulos ese día.

Cada año, el domingo de Pentecostés—cincuenta días después de la Pascua—celebramos la venida del Espíritu Santo a los apóstoles y los discípulos de Cristo. En ese tiempo damos gracias a Dios por el don del Espíritu Santo. Nos reunimos para celebrar que por medio de los apóstoles y sus sucesores todo el que cree en Jesucristo puede recibir el mismo derramamiento del Espíritu Santo.

Actividad Imagina que eres un reportero en el tiempo de Pentecostés ¿Qué dos preguntas harías a Pedro? ¿Cómo crees que las respondería? Escenifica tu entrevista.

The disciples receive the Holy Spirit.

Jesus wanted all of his disciples to be his witnesses. He called them to continue his mission of sharing God's love and spreading God's Kingdom. Yet they would not be alone in this work, for Jesus promised to send the Holy Spirit to guide and help them. The presence of the Holy Spirit was one of the ways that God had always expressed his love for humanity. But in Jesus Christ, the Spirit's presence truly became known. As we read in the *Catechism*, Jesus "was conceived of the Holy Spirit; his whole life and his whole mission are carried out in total communion with the Holy Spirit whom the Father gives him 'without measure'" (1286).

One day Jesus spoke to his disciples, saying, "Whoever believes in me, as scripture says:
'Rivers of living water will flow from
within him'" (John 7:38).
Jesus was referring to the Gift of the Holy Spirit. Like living water, the Holy Spirit would come to the disciples if they believed in Jesus. After Jesus' Ascension, Peter and the disciples were gathered in Jerusalem for the Jewish feast of Pentecost. The word *Pentecost* comes from a Greek word meaning "fiftieth." On the fiftieth day after Passover the Jews celebrated a harvest festival. They thanked God for all their blessings, especially the fruits of the earth. It was during this feast that the outpouring of the Holy Spirit that Jesus had promised took place.

After he had received the Gift of the Spirit, Peter got up to address the large crowd that had gathered. He proclaimed the words of the prophet Joel,
"'It will come to pass . . . ,' God says,
'that I will pour out a portion of my spirit
upon all flesh . . . . and it shall be that
everyone shall be saved
who calls on the name of the Lord'"
(Acts of the Apostles 2:17, 21).
Peter also told the crowd of people that God the Father had indeed raised Jesus and that what had just taken place had been the outpouring of the Holy Spirit. The people were amazed and asked Peter and the others what they should do. Peter told them to repent and to be baptized in Jesus' name and receive the Gift of the Holy Spirit. About three thousand people believed and became disciples that day.

Each year on Pentecost Sunday—fifty days after Easter—we celebrate the outpouring of the Holy Spirit upon the Apostles and upon all Christ's disciples. It is a time for us to thank God for the Gift of the Holy Spirit. We gather to celebrate that through the Apostles and their successors, all those who believe in Jesus Christ can receive this same outpouring of the Holy Spirit.

Activity Imagine you are a reporter at the time of Pentecost. What two questions would you ask Peter? How do you think he would respond? Role-play your interview.

CREYENDO...

La imposición de las manos y la unción son signos de la presencia del Espíritu Santo.

Fortalecidos y guiados por el Espíritu Santo, los apóstoles bautizaron a muchos que creyeron en Jesús. Los recién bautizados también recibieron el poder fortalecedor del Espíritu Santo, cuando los apóstoles les impusieron las manos. Estos primeros miembros de la Iglesia entendieron la importancia de imponer las manos. Esta antigua acción era una señal poderosa de la bendición de Dios y por su autoridad y gracia eran dadas en nombre de Dios. "Los apóstoles, en cumplimiento de la voluntad de Cristo, comunicaban a los neófitos, mediante la imposición de las manos, el don del Espíritu Santo, destinado a completar la gracia del Bautismo" (*CIC*, 1288). Así que desde el inicio de la Iglesia, hubo una conexión entre el Bautismo y la imposición de las manos por los apóstoles. La imposición de las manos es reconocida al inicio de la celebración de la Confirmación: "el cual perpetúa, en cierto modo, en la Iglesia, la gracia de Pentecostés". (*CIC*, 1288)

> **"el cual perpetúa, en cierto modo, en la Iglesia, la gracia de Pentecostés".**
> (*CIC*, 1288)

Al inicio de la Iglesia, la unción iba acompañada de la imposición de las manos. Esta unción con **crisma**, óleo perfumado consagrado, o bendecido por el obispo, "Esta unción ilustra el nombre de "cristiano" que significa "ungido" y que tiene su origen en el nombre de Cristo, al que "Dios ungió con el Espíritu Santo" (*CIC*, 1289). Con el tiempo la unción se convirtió en signo esencial del don del Espíritu Santo. Como el Bautismo y la Confirmación eran celebrados juntos, la persona bautizada recibía una unción doble. La primera unción después del Bautismo era dada por el sacerdote y completada por una segunda unción dada por el obispo.

> **Vocabulario**
> crisma
> diócesis

Con el crecimiento de la Iglesia, el territorio de la **diócesis**, área local de la Iglesia dirigida por un obispo, se extendió grandemente. El obispo no siempre estaba disponible para celebrar todos los bautismos. La Iglesia Oriental continuó celebrando el Bautismo y la Confirmación juntos. Un sacerdote podía conferir ambos sacramentos, pero para las unciones después del Bautismo tenía que usar crisma o jrismón, bendecido por el obispo.

La Iglesia Occidental, sin embargo, para poner énfasis en la unidad de los católicos con su obispo, reservó la celebración de la Confirmación para el obispo. Así empezó la separación entre la celebración del Bautismo y la Confirmación. El ministro original de la Confirmación es el obispo, quien puede, si es necesario, otorgar permiso a un sacerdote para celebrar el sacramento.

Ya sea que los sacramentos del Bautismo y la Confirmación sean celebrados al mismo tiempo o en tiempo diferente, el sacramento de la Confirmación: "Confirma el Bautismo y robustece la gracia bautismal". (*CIC*, 1289)

Actividad ¿Quién es el obispo de tu diócesis? Haz un signo en tu unidad con él y reza por él.

Este y Oeste

En los primeros días de la Iglesia, no había Iglesias del "Este" o del "Oeste" (Romana) oficiales. Era simplemente la Iglesia. Las iglesias que conocemos hoy como iglesias orientales se originaron en el este del imperio romano. Muchas de ellas fueron fundadas por los apóstoles. Gradualmente, diferencias crearon tensiones entre las iglesias del este y la Iglesia de Roma. En el 1054 hubo una trágica división o *cisma*. Este *cisma* dura hasta el día de hoy. Las iglesias del Este que se separaron de la Iglesia Católica son hoy llamadas colectivamente, la Iglesia Ortodoxa del este. Las iglesias del Este que escogieron mantenerse en unión con Roma, o que se reunieron después con la Iglesia Católica de Roma y su papa y sus obispos son llamadas Iglesias Católicas del Este. Son *iglesias* porque cada iglesia sigue su propia tradición ancestral, con su propio obispo, lenguaje y costumbres litúrgicas.

La Iglesia Católica hoy consiste de veinte y dos iglesias: La Católica Romana y veinte y una Católicas del Este. Investiga sobre esto.

The laying on of hands and anointing are signs of the Holy Spirit's presence.

Strengthened and guided by the Holy Spirit, the Apostles baptized many who came to believe in Jesus. The newly baptized received the strengthening power of the Holy Spirit, too, when the Apostles placed their hands on them. These early Church members understood the importance of this laying on of hands. This ancient action was a powerful sign of God's blessing, and by it authority and grace were given in God's name. "The apostles, in fulfillment of Christ's will, imparted to the newly baptized by the laying on of hands the gift of the Spirit that completes the grace of Baptism" (*CCC*, 1288). So, from the very beginning of the Church, there was a connection between Baptism and the laying on of hands by the Apostles. This laying on of hands is recognized as the beginning of the Sacrament of Confirmation, which "perpetuates the grace of Pentecost in the Church" (*CCC*, 1288).

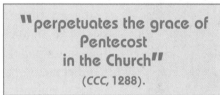

"perpetuates the grace of Pentecost in the Church" (*CCC*, 1288).

In the early days of the Church, an anointing was joined to the laying on of hands. This anointing with **chrism**, perfumed oil consecrated, or blessed, by a bishop, "highlights the name 'Christian,' which means 'anointed' and derives from that of Christ himself whom God "anointed with the Holy Spirit'" (*CCC*, 1289). In time the anointing became the essential sign of the Gift of the Holy Spirit. And since Baptism and Confirmation were usually celebrated together, the baptized person received a double anointing with chrism. The first anointing after Baptism was given by the priest and was completed through a second anointing by the bishop.

Faith Words

chrism
diocese

As the Church grew, the territory covered by a **diocese**, a local area of the Church led by a bishop, greatly expanded. When the dioceses grew, the bishops were not always able to be present at all baptismal celebrations. The Church in the East continued to celebrate Confirmation and Baptism at the same time. A priest could confer both sacraments, but, for the anointings after Baptism, he needed to use chrism, or myron, that had been blessed by the bishop.

The Church in the West, however, to emphasize the unity of Catholics with their bishop, reserved the celebration of Confirmation to the bishop himself. Thus, the separation between the celebration of Baptism and that of Confirmation began.

The original minister of Confirmation is the bishop, who may, if there is a need, grant that a priest confer this sacrament.

Whether the Sacraments of Baptism and Confirmation are celebrated at the same time or at different times, the Sacrament of Confirmation "confirms baptism and strengthens baptismal grace" (*CCC*, 1289).

Activity Who is the bishop of your diocese? As a sign of your unity with him, pray for him.

East and West

In the earliest days of the Church, there was no official "Eastern" or "Western" (Roman) Church. There was simply the Church. The Churches that we now know as the Eastern Churches originated in the eastern half of the Roman Empire. Many of them were founded by the Apostles. Gradually, differences created tensions between the Churches of the East and the Church in Rome. In 1054, a tragic split, or *schism,* came about within the Church. This schism has lasted to this day. The Eastern Churches that split from the Catholic Church are now called, collectively, the Eastern Orthodox Church. The Eastern Churches that chose to remain in union with or were later reunited with the Church of Rome and its pope and bishops are called the Eastern Catholic Churches. They are *Churches* because each Church follows its own ancient tradition, retaining its own bishops, language, and liturgical customs.

The Catholic Church today consists of twenty-two Churches: The Roman Catholic Church and twenty-one Eastern Catholic Churches. Research them!

El sacramento de la Confirmación completa el Bautismo.

¿Qué cosas en la vida necesitan preparación?

Prepararse para el sacramento de la Confirmación es muy importante. Se debe estar en *estado de gracia* para recibir plenamente sus efectos. Celebrar el sacramento de la Reconciliación prepara a la persona para celebrar la Confirmación. Los que se están preparando para la Confirmación son llamados **candidatos**. Los candidatos se preparan rezando y reflexionando en la vida de Jesucristo, la misión de la Iglesia y el don del Espíritu Santo. Ellos descubren el significado de ser ungido con crisma y son dirigidos hacia ver como esta unción cambiará sus vidas. Aprenden que la Confirmación completa su bautismo. La relación de cada candidato con Cristo, que empezó con el Bautismo, es fortalecida por esta preparación para la Confirmación.

Durante esta preparación los candidatos escogen un nombre, generalmente el de un santo, cuyo ejemplo ellos pueden seguir. Aun cuando pueden elegir el nombre de cualquier santo, se anima a los candidatos a escoger su nombre de Bautismo. Esto destaca el lazo entre los sacramentos del Bautismo y la Confirmación. También escogen un **padrino**, alguien que pueda involucrarse en su preparación para la Confirmación y que le ayudará a crecer en la fe. Un padrino debe ser un católico de por lo menos 16 años y que haya recibido los sacramentos de iniciación, alguien en quien el candidato confía y respeta y es un ejemplo de vida cristiana. Para poner énfasis en el lazo entre el Bautismo y la Confirmación, se anima a los candidatos a seleccionar sus padrinos de Bautismo como padrinos de Confirmación. Sin embargo, los candidatos pueden escoger a un amigo o un familiar diferente a sus padres, o alguien de la parroquia. Los padrinos juegan un papel importante en la celebración de la Confirmación porque ellos presentan a los candidatos al obispo para ser ungidos.

Como en todos los sacramentos, toda la comunidad parroquial participa en la preparación de los candidatos a la Confirmación. Algunos miembros son parte de la preparación directa. Ellos les enseñan sobre la fe católica y el sacramento que van a recibir. Les ayudan a prepararse para la venida del Espíritu Santo animándolos a hacer buenas obras. Toda la comunidad parroquial reza con y por los candidatos. Algunas personas en la parroquia puede que hablen con los candidatos sobre su propia fe y los ayuden a buscar formas de servir a otros en la parroquia, la comunidad y el mundo. Todos en la parroquia son llamados a ser ejemplo de discipulado cristiano y estar abiertos al Espíritu Santo.

> **Vocabulario**
> candidatos
> padrino

> **Actividad** Diseña una tarjeta electrónica para un candidato a la Confirmación. Incluye un mensaje adecuado, un poema o una oración.

The Sacrament of Confirmation completes Baptism.

What things in life require preparation?

Preparation for the Sacrament of Confirmation is very important. One must be in a *state of grace* in order to be fully open to its effects. Receiving the Sacrament of Penance readies one for the celebration of Confirmation. Those preparing for Confirmation are called **candidates**. Candidates prepare by praying and reflecting on the life of Jesus Christ, the mission of the Church, and the Gift of the Holy Spirit. They discover what it means to be anointed with chrism and are led to see how this anointing will change their lives. They learn how Confirmation will complete their Baptism. Each candidate's relationship with Christ, begun at Baptism, is strengthened through this preparation for Confirmation.

During this preparation candidates choose a name, usually that of a saint, whose example they can follow. Although they can choose the name of any saint, candidates are encouraged to take their baptismal names. This highlights the link between the Sacraments of Baptism and Confirmation. When candidates prepare for Confirmation, they also choose a **sponsor**, someone who can be involved in their preparation for Confirmation and who will help them to grow in faith. A sponsor needs to be a Catholic who is at least 16 years of age and who has received the Sacraments of Initiation, is respected and trusted by the candidate, and is an example of Christian living. To emphasize the link between Baptism and Confirmation, candidates are encouraged to select one of their godparents as a sponsor. However, candidates may choose a friend, someone from the parish, or a relative other than a parent. Sponsors play an important role in the celebration of Confirmation since they present the candidates to the bishop for anointing.

As in all of the sacraments, the entire parish community participates in the preparation of the candidates for Confirmation. Some members are part of the direct preparation of the candidates. They teach them more about the Catholic faith and the sacrament they are about to receive. They help the candidates to prepare themselves for the outpouring of the Holy Spirit by encouraging them to do good works. The whole parish community prays with and for the candidates. Some people in the parish may meet with candidates to talk about their faith, and some may help the candidates to find meaningful ways to serve other people in the parish, in the local community, and in the world. All of the people in the parish are called on to be examples of Christian discipleship and openness to the Holy Spirit.

Faith Words

candidates
sponsor

Activity Design an e-card for a Confirmation candidate. Include an appropriate message, poem, or prayer of support.

CREYENDO...

Somos sellados con el don del Espíritu Santo en la Confirmación.

Porque la Confirmación nos dirige a la Eucaristía y a la iniciación total en la Iglesia, generalmente se celebra dentro de una misa. Después de las lecturas de la Escritura, el párroco o un líder de la parroquia presenta los candidatos al obispo. El obispo da una homilía, reflexionando en las lecturas y el sacramento de la Confirmación. El obispo puede hacer algunas preguntas sobre la fe y su entendimiento de la Confirmación a los candidatos. Los candidatos se ponen de pie y renuevan sus promesas bautismales, reafirmando la fe que profesaron en el Bautismo. Después el obispo invita a todo el pueblo a pedir por el derramamiento del Espíritu Santo sobre los candidatos. Todos rezan en silencio.

El obispo y los sacerdotes celebrantes imponen las manos sobre los candidatos extendiendo sus manos sobre ellos. El obispo reza para que el Espíritu Santo venga sobre los candidatos y para que ellos reciban sus dones. Cada candidato, presentado por su padrino, se acerca al obispo para ser ungido. El padrino pone su mano derecha en el hombro del candidato como señal de apoyo y guía. El obispo confirma a cada candidato imponiendo su mano en la cabeza del candidato, trazando la señal de la cruz con crisma en la frente del candidato y llamando al candidato por su nombre diciendo: "Recibe el don del Espíritu Santo" (Rito de la Confirmación). La persona confirmada responde: "Amén". Esta unción confirma y completa la unción bautismal. Igual que el carácter o marca del Bautismo, el sello de la Confirmación está siempre con nosotros. Por eso la Confirmación se celebra sólo una vez.

> **"Recibe el don del Espíritu Santo".**
> (Rito de la Confirmación)

El obispo comparte el saludo de la paz con los recién confirmados. Esta acción nos recuerda la unión de toda la Iglesia con el obispo. La asamblea hace la oración de los fieles y continúa alabando a Dios en la Liturgia de la Eucaristía.

Cuando nuestro bautismo es completado por el sacramento de la Confirmación, recibimos un derrame especial del Espíritu Santo. Igual que los apóstoles en Pentecostés, se nos da la fortaleza para predicar y defender la fe con nuestras palabras y obras. La Confirmación nos une más a Cristo y a la Iglesia, y también fortalece los dones del Espíritu Santo dentro de nosotros. Cuando respondemos al Espíritu Santo y usamos los dones que hemos recibido, los resultados, o frutos del Espíritu Santo, son evidentes en nuestras vidas. Los frutos del Espíritu Santo son: "Caridad, gozo, paz, paciencia, longanimidad, bondad, benignidad, mansedumbre, fidelidad, modestia, continencia y castidad". (*CIC*, 1832)

Actividad Piensa en un fruto del Espíritu Santo que puedes vivir hoy.

Los dones del Espíritu Santo

En el Bautismo el Espíritu Santo comparte siete dones espirituales con nosotros. Estos dones nos ayudan a seguir las enseñanzas de Cristo y a dar testimonio de nuestra fe. Los dones del Espíritu Santo son:

- **Sabiduria**, el conocimiento y la habilidad de reconocer y seguir la voluntad de Dios en nuestra vidas
- **Inteligencia**, habilidad de amar a los demás como Jesús nos pide
- **Consejo**, habilidad de tomar buenas decisiones
- **Fortaleza**, valor de dar testimonio de nuestra fe en Jesucristo
- **Ciencia**, la habilidad de aprender más sobre Dios y su plan, dirigiéndonos con sabiduría e inteligencia
- **Piedad**, amor y respeto por todo lo que Dios ha creado
- **Temor de Dios**, reconocer que la presencia y el amor de Dios llena toda la creación.

En el sacramento de la Confirmación estos siete dones del Espíritu Santo aumentan en nosotros. Cuando somos llenos de estos dones del Espíritu, otros ven el gozo del reino de Dios en nosotros.

¿Cuáles son algunas formas en que el mundo puede cambiar si todos estuviéramos llenos de los dones del Espíritu Santo?

IDENTIDAD CATÓLICA

We are sealed with the Gift of the Holy Spirit in Confirmation.

Because Confirmation leads us to the Eucharist and full initiation into the Church, it is usually celebrated within Mass. After the Scripture readings, the pastor or a parish leader presents the candidates to be confirmed to the bishop. The bishop then gives the homily, reflecting on the readings and on the Sacrament of Confirmation. The bishop may ask the candidates about their faith and their understanding of Confirmation. The candidates then stand and renew their baptismal promises, reaffirming the faith that was professed at Baptism. Then the bishop invites all the people to pray for the outpouring of the Holy Spirit on the candidates. All pray in silence. The bishop and the priests celebrating with him then lay hands upon the candidates by extending their hands over them. The bishop prays that the Holy Spirit will come upon the candidates and that they will receive the gifts of the Holy Spirit. Each candidate, presented by a sponsor, approaches the bishop for anointing. The sponsor places his or her right hand on the candidate's shoulder as a sign of support and guidance.

> **"Be sealed with the Gift of the Holy Spirit."**
> (Rite of Confirmation)

The bishop confirms each candidate by laying his hand on the candidate's head, tracing the sign of the cross on the candidate's forehead with chrism, and calling the candidate by name, saying, "Be sealed with the Gift of the Holy Spirit" (Rite of Confirmation). The person confirmed responds, "Amen." This anointing confirms and completes the baptismal anointing. Like the character or mark of Baptism, the seal of Confirmation is with us always. Because of this we receive Confirmation only once.

The bishop then shares a sign of peace with the newly confirmed. This action reminds us of the union of the whole Church with the bishop. The assembly then prays the prayer of the faithful, and all assembled continue to worship God in the Liturgy of the Eucharist.

When our Baptism is completed through the Sacrament of Confirmation, we receive a special outpouring of the Holy Spirit. Like the Apostles on Pentecost, we are given the strength to spread and defend the faith by our words and actions. Confirmation not only unites us more closely to Christ and the Church, it also strengthens the gifts of the Holy Spirit within us. When we respond to the Holy Spirit and use the gifts we have received, the results, or fruits of the Holy Spirit, are evident in our lives. The fruits of the Holy Spirit are: "charity, joy, peace, patience, kindness, goodness, generosity, gentleness, faithfulness, modesty, self-control, chastity" (*CCC*, 1832).

Activity Think about one fruit of the Holy Spirit that you can live out today.

The gifts of the Holy Spirit

In Baptism the Holy Spirit shares seven spiritual gifts with us. These gifts help us to follow Christ's teachings and to give witness to our faith. The gifts of the Spirit are:

- **wisdom,** the knowledge and ability to recognize and follow God's will in our lives
- **understanding,** the ability to love others as Jesus calls us to

- **counsel** (right judgment), the ability to make good choices
- **fortitude** (courage), the strength to give witness to our faith in Jesus Christ
- **knowledge,** the ability to learn more about God and his plan, leading us to wisdom and understanding
- **piety** (reverence), a love and respect for all that God has created
- **fear of the Lord** (wonder and awe), a recognition that God's presence and love fills all creation.

In the Sacrament of Confirmation, these seven gifts of the Holy Spirit are increased in us. And when we are filled with the gifts of the Spirit, others see in us the joy of God's Kingdom.

What are some ways the world would be changed if everyone were filled with the gifts of the Holy Spirit?

CATHOLIC IDENTITY

RESPONDIENDO...

Reconociendo nuestra fe

Recuerda la pregunta al inicio del capítulo:
¿Qué buenas cualidades poseo?
Imagina que fuiste seleccionada "Persona del año". Diseña la portada de una revista que te celebra y la forma en que has usado tus buenas cualidades, los dones que Dios te ha dado.

PERSONA del año

Viviendo nuestra fe

En este capítulo aprendimos que la Confirmación nos ayuda a vivir como fieles testigos de Cristo. ¿Qué puedes hacer esta semana para ser un fiel testigo?

Beato Miguel Pro

Compañeros en la fe

Miguel Pro nació en México en el 1891. Sus dos hermanas, quienes dedicaron sus vidas a servir a Dios, tuvieron una influencia positiva en él. En el 1911, durante el tiempo en la historia de México en que los católicos, especialmente los sacerdotes y los miembros de comunidades religiosas, eran perseguidos por el gobierno, Miguel entró a la Sociedad de Jesús. Para continuar sus estudios, Miguel y otros seminaristas tuvieron que salir de México. En el 1925 fue ordenado sacerdote en Bélgica. Regresó a México en el 1926, corriendo el riesgo de ser torturado, arrestado y ejecutado por seguir su vocación. A pesar de la persecución del gobierno él pensó en formas de servir a Dios. Se disfrazaba para no ser reconocido como sacerdote para celebrar los sacramentos. En el 1927 el padre Pro fue falsamente acusado de intentar hacer estallar una bomba y fue sentenciado a muerte. Al enfrentar el escuadrón él perdonó a sus ejecutores y murió gritando *"¡Viva Cristo Rey!"* La Iglesia recuerda al beato Miguel Pro el 23 de noviembre.

Reflexiona en el valor del padre Pro y el pueblo mexicano de vivir su fe. ¿Dónde se necesita ese don del Espíritu Santo hoy?

@ Para más ideas y actividades visita www.vivimosnuestrafe.com.

Recognizing Our Faith

Recall the question at the beginning of this chapter: *What good qualities do I have?* Imagine that you have been selected "Person of the Year." Design a magazine cover that celebrates you and the ways you have used your good qualities, the gifts, that God has given you.

PERSON of the Year

Living Our Faith

In this chapter we learned that Confirmation helps us to live as faithful witnesses to Christ. What can you do this week to be a faithful witness?

Blessed Miguel Pro

Miguel Pro was born in Mexico in 1891. His two sisters, who dedicated their lives to serving God, were a positive example for him. In 1911, during a time in Mexican history when Catholics, especially priests and members of religious communities, were being persecuted by the government, Miguel entered the Society of Jesus. In order to continue their studies, Miguel and other seminarians had to flee Mexico. In 1925 Miguel was ordained a priest in Belgium. He returned to Mexico in 1926, even though he risked torture, arrest, and even execution for following his vocation. But he thought of ways to serve God despite the watchful eyes of the government. He disguised himself to be unrecognizable as a priest in order to celebrate the sacraments. In 1927 Father Pro was falsely accused of a bombing attempt and sentenced to death. As he faced the firing squad he forgave his executioners and died shouting, "*¡Viva Cristo Rey!*"—meaning "Long live Christ the King!" The Church remembers Blessed Miguel Pro on November 23.

Reflect on the courage of Father Pro and the Mexican people in living their faith. Where is this gift of the Holy Spirit needed today?

RESPONDIENDO...

"Hay diversidad de carismas, pero el Espíritu es el mismo. Hay diversidad de servicios, pero el Señor es el mismo".

(1 Corintios 12:4–5)

LEE la cita bíblica.

REFLEXIONA en lo siguiente:

San Pablo escribió estas palabras a los primeros cristianos de Corinto, Grecia. El les recuerda que todos los dones que reciben del Espíritu Santo tienen el mismo valor y deben compartirse para servir a los demás. ¿Qué dones del Espíritu Santo puedes usar para servir a otros?

COMPARTE tus reflexiones con un compañero.

DECIDE de que forma usarás tus dones para servir a otros esta semana.

Poniendo la fe en acción

Habla sobre lo que has aprendido en este capítulo:

 Entendemos que el sacramento de la Confirmación completa el Bautismo y nos sella con el don del Espíritu Santo.

 Deseamos responder al Espíritu Santo usando nuestros dones para servir a otros.

 Respondemos a la guía del Espíritu Santo por medio de una vida de fe y testimonio.

Decide formas en que vas a vivir lo aprendido.

Escribe en la raya la letra que está al lado de la frase que mejor define el término.

1. _____ candidato
2. _____ crisma
3. _____ padrino
4. _____ diócesis

a. área local de la Iglesia dirigida por un obispo

b. alguien involucrado en la preparación del candidato a la Confirmación quien ayuda al candidato a crecer en la fe

c. alguien que se prepara para celebrar el sacramento de la Confirmación

d. aceite perfumado bendecido por el obispo

e. palabra griega que significa "cincuenta"

Completa.

5. En la Confirmación la _____ y la _____ son signos de la presencia del Espíritu Santo.

6. Durante la preparación para la Confirmación la relación con Cristo que cada candidato empezó con el _____ es fortalecida.

7. Somos sellados con el _____ del _____ en la Confirmación.

8. La presencia del _____ fue una de las formas en que Dios ha expresado siempre su amor por la humanidad.

9–10. Contesta en un párrafo: ¿Cómo se prepara un candidato para la Confirmación?

Repaso del capítulo 15

Putting Faith to Work

Talk about what you have learned in this chapter:

 We understand that the Sacrament of Confirmation completes Baptism and seals us with the Gift of the Holy Spirit.

 We desire to respond to the Holy Spirit by using our gifts to serve others.

 We respond to the guidance of the Holy Spirit through a life of faith and witness.

Decide on ways to live out what you have learned.

✝ ENCOUNTERING GOD'S WORD

"There are different kinds of spiritual gifts but the same Spirit; there are different forms of service but the same Lord."

(1 Corinthians 12:4–5)

➡ **READ** the quotation from Scripture.

➡ **REFLECT** on the following:
Saint Paul wrote these words to the first Christians in Corinth, Greece. He was reminding these Christians that all the gifts that we receive from the Holy Spirit have the same value and are meant to be shared to serve others. What gifts of the Holy Spirit can you use to serve others?

➡ **SHARE** your reflections with a partner.

➡ **DECIDE** on a way to use your gifts and serve others this week.

Chapter 15 Assessment

Write the letter of the answer that best defines each term.

1. _____ candidate
2. _____ chrism
3. _____ sponsor
4. _____ diocese

a. local area of the Church led by a bishop

b. someone involved in a candidate's preparation for Confirmation who will help the candidate to grow in faith

c. someone preparing for the Sacrament of Confirmation

d. perfumed oil blessed by a bishop

e. Greek word meaning "fiftieth"

Complete the following.

5. In Confirmation, the _____ and _____ are signs of the Holy Spirit's presence.

6. Through preparation for Confirmation each candidate's relationship with Christ, begun at _____, is strengthened.

7. We are sealed with the _____ of the _____ in Confirmation.

8. The presence of the _____ was one of the ways that God had always expressed his love for humanity.

9–10. ESSAY: How does a candidate prepare for Confirmation?

Comparte la fe con tu familia

Conversa con tu familia sobre lo siguiente:

- Los discípulos reciben el Espíritu Santo.
- La imposición de las manos y la unción son signos de la presencia del Espíritu Santo.
- El sacramento de la Confirmación completa el Bautismo.
- Somos sellados con el don del Espíritu Santo en la Confirmación.

Escribe los doce frutos del Espíritu Santo en pedacitos de papel. Ponlos en un tazón grande en el lugar de oración de tu familia. Invita a cada miembro de tu familia a tomar un pedazo de papel y pensar en ese fruto del Espíritu Santo. Pídeles reflexionar en la forma en que este es evidente o no en sus vidas o la vida de otros. Al final de la semana, en familia, conversen sobre sus experiencias y observaciones.

Conexión con la liturgia

En cada Eucaristía pedimos al Espíritu Santo que nos una. Escucha esta petición la próxima vez que vayas a misa. Decide contribuir a la unidad y la armonía en tu familia, escuela, parroquia, vecindario y diócesis.

Para explorar

Usa el Internet, el periódico de tu diócesis, o el sitio web de tu parroquia o diócesis para investigar sobre la celebración del sacramento de la Confirmación en tu diócesis.

Doctrina social de la Iglesia ☑ Cotejo

Tema de la doctrina social de la Iglesia:
Derechos y responsabilidades de la persona humana

Cómo se relaciona con el capítulo 15: Podemos responder a los dones del Espíritu Santo aceptando nuestra responsabilidad de proteger los derechos de otros y trabajando por la justicia y la calidad de vida donde haga falta.

Cómo puedes hacer esto en

☐ la casa:

_____

☐ la escuela/trabajo:

_____

☐ la parroquia:

_____

☐ la comunidad:

_____

Chequea cada acción cuando la termines.

Sharing Faith with Your Family

Discuss the following with your family:

- The disciples receive the Holy Spirit.
- The laying on of hands and anointing are signs of the Holy Spirit's presence.
- The Sacrament of Confirmation completes Baptism.
- We are sealed with the Gift of the Holy Spirit in Confirmation.

Write each of the twelve fruits of the Holy Spirit on a separate slip of paper. Place the slips in a large bowl in your family's prayer space. Invite each member of the family to take one slip each day and think about that particular fruit of the Holy Spirit. Have them reflect on ways that it is evident or missing in their lives and the lives of others. At the end of the week, as a family, discuss your experiences and observations.

Catholic Social Teaching ☑ Checklist

Theme of Catholic Social Teaching:
Rights and Responsibilities of the Human Person

How it relates to Chapter 15: We can respond to the Gift of the Holy Spirit by accepting our responsibility to protect the rights of others and by working for justice and quality of life wherever they are lacking.

How can you do this?

☐ At home:

_____

☐ At school/work:

_____

☐ In the parish:

_____

☐ In the community:

_____

Check off each action after it has been completed.

The Worship Connection

At every Eucharist, we pray that the Holy Spirit will gather us together in unity. Listen for this petition. Each time we pray it, make a decision to contribute to unity and harmony in your family, school, parish, neighborhood and diocese.

@ More to Explore

Use the Internet, your diocesan newspaper, and parish/diocesan Web sites to find out about the celebration of the Sacrament of Confirmation in your diocese.

"Permanezcan unidos a mí, como yo lo estoy a ustedes".

(Juan 15:4)

Líder: En el Evangelio de Lucas leemos que en el día de la resurrección, Jesús se encontró con dos discípulos en la vía de un pueblo llamado Emaús.

Lector: Lectura del Evangelio de Lucas 24:13–32.

Líder: Señor Jesús, ayúdanos a reconocerte cuando recibimos la Eucaristía, tu Cuerpo y Sangre bajo las apariencias de pan y vino. Ayúdanos a reconocerte en todos los miembros del cuerpo de Cristo—en nuestra familia, parroquia y el mundo. Ayúdanos a reconocerte en nuestros amigos y en los que están a nuestro alrededor. Ayúdanos a reconocerte en los pobres y los necesitados. Te lo pedimos en nombre de Jesucristo:

Todos: Ayúdanos a reconocer que estamos contigo y con los demás.
Amén.

La gran pregunta:
¿Cómo me fortalece la unidad con los demás?

Descubre el valor de la unidad en la vida. Lee este cuento chistoso.

Esta es una historia acerca de cuatro personas. Sus nombres: **Nadie, Todos, Alguien** y **Cualquiera**. La historia es sobre un trabajo importante que tenía que hacerse. Se suponía que **Todos** hiciera ese trabajo. **Cualquiera** podía hacer el trabajo, pero **Nadie** estaba dispuesto ha hacerlo. **Alguien** estaba tan enojado por la situación porque era trabajo de **Todos**. Bien, **Todos** pensó que **Cualquiera** podía hacer el trabajo.

Pero **Alguien** se dio cuenta de que **Todos** culpaba a **Cualquiera** por no haber hecho el trabajo. **Nadie** lo hizo. La discusión se hizo mayor, y finalmente **Alguien** no le hablaba a **Nadie** y **Todos** culpaba a **Cualquiera**. Que vergüenza que **Nadie** hiciera el trabajo y que **Todos** pudo haber ayudado a **Cualquiera**, y ¿quién terminó haciendo el trabajo? **Nadie**.

¿Cómo se relaciona esta historia con la necesidad de unidad? ¿De qué formas la unidad nos ayuda a lograr cosas y a hacer el trabajo para el que estamos llamados?

Nadie

Todos

Alguien

Cualquiera

En este capítulo aprenderemos que, en la Eucaristía, nos hacemos uno con Cristo y con toda la Iglesia.

16

Eucharist

> **"Remain in me, as I remain in you."**
>
> (John 15:4)

✛ **Leader:** In the Gospel of Luke we read that on the day of the Resurrection, the risen Jesus met two of his disciples on the road to a village called Emmaus.

Reader: A reading from the Gospel of Luke 24:13–32.

Leader: Lord Jesus, help us to recognize you when we receive the Eucharist, your Body and Blood under the appearances of bread and wine. Help us to recognize you in all the members of the Body of Christ—in our families, in our parish, and throughout the world. Help us to recognize you in our friends and in those we have yet to meet. Help us to recognize you in those who are poor or in need. In your name, Lord Jesus, we pray:

All: Help us to recognize that we are one with you, Lord, and with one another.
Amen.

The BiG Question:

How does unity with others strengthen me?

> **D**iscover the value of unity in life. Read this humorous tale.

There is a story about four people. Their names are **Everybody, Somebody, Anybody,** and **Nobody.** The story goes that there was a very important job that needed to be done. **Everybody** was supposed to do this job. Now **Anybody** could have done this job, but **Nobody** was willing to do it. Then **Somebody** got angry about this because it was **Everybody**'s job to do. Well, **Everybody** thought that **Anybody** could have done it!

But **Nobody** realized that **Everybody** blamed **Somebody** for not doing the job. Still **Nobody** did it. The arguing got worse, and finally **Nobody** would talk to **Anybody** and **Everybody** blamed **Somebody.** What a shame that **Anybody** could have done the job, and **Everybody** could have helped **Somebody,** but who ended up doing the job? **Nobody!**

How does this story relate to the need for unity? In what ways does unity help us to accomplish things and do the work that we are called to do?

Nobody

Everybody

Somebody

Anybody

In this chapter we learn that, in the Eucharist, we are made one with Christ and one with the entire Church.

Durante las Olimpiadas de Invierno del 1980, antes de la competencia entre los equipos de los Estados Unidos y Rusia, un artículo en el *New York Times* declaró que ciertamente el equipo de hockey ruso ganaría la medalla de oro a menos que el hielo se derritiera o el equipo de los Estados Unidos obrara un milagro. El equipo de los Estados Unidos estaba compuesto de amateurs y estudiantes universitarios, mientras que el equipo ruso consistía de veteranos y profesionales. Todos pensaron que la posibilidad de que el equipo de los Estados Unidos ganara era muy poca.

Desafiando todo expectativa, el equipo de los Estados Unidos derrotó a la Unión Soviética. ¿Se derritió el hielo, o fue un milagro? Ninguna de las dos cosas. El equipo de los Estados Unidos—compuesto de jugadores de diferentes partes del país y diversa experiencia—se unió y trabajó duro para ganar el juego. Pero no paró ahí. Unidos en esfuerzo y corazón en la meta común de la victoria, ellos le ganaron al equipo más fuerte en el último juego para ganar la medalla de oro. Esa medalla de oro es considerada por muchos como el mayor logro de los Estados Unidos en el deporte en el siglo XX. Es también un poderoso ejemplo de como la gente puede unirse para lograr una meta común.

Actividad ¿Qué papel ha jugado la unidad en tu vida? Escribe una historia sobre una experiencia positiva de trabajar junto con otros para lograr una meta común. La historia puede basarse en tu propia vida o en otros eventos. Después escribe un lema que resuma la experiencia, o escoge uno de los lemas en esta página. Comparte tu lema y la historia con el grupo.

"Unirnos es empezar. Mantenernos juntos es progresar y trabajar juntos es tener éxito".
(Atribuido a Henry Ford, inventor y negociante de los Estados Unidos)

"Soy porque somos".
(Proverbio africano)

"Unidos permanecemos, divididos caemos".
(Esopo, famoso fabulista antiguo)

"Poco peso es pesado cuando pocos cargan".
(Anónimo)

"Muchos de nosotros somos más capaces que otros ... pero ninguno de nosotros es tan capaz como todos juntos".
(Tom Wilson, autor de una tira cómica)

"Ningún camino es largo si hay buena compañía".
(Proverbio turco)

During the 1980 Winter Olympics, on the day before the hockey match between the U.S. and Soviet Union teams, an article in *The New York Times* declared that the Soviet team would certainly win the Olympic gold medal unless the ice melted, or unless the U.S. team performed a miracle. The U.S. team was made up of amateur and college hockey players, while the Soviet team consisted of highly skilled, professional players. Everyone thought that the odds of the U.S. hockey team winning this match were slim to none.

Yet, defying all expectations, the U.S. hockey team defeated the Soviet team. Did the ice melt, or was it a miracle? Neither! The U.S. hockey players—though from all different parts of the country, with varying levels of hockey experience—banded together and worked hard to win the game. But it didn't stop there. With one united effort and with their hearts set on a common goal of victory, they beat the Finnish team in the final game for the gold medal! Their gold-medal win is considered by many to be the greatest American sports achievement of the twentieth century. It is also a powerful example of how people can come together as one to achieve a common goal.

American hockey team at Olympic award ceremony, Lake Placid, New York, 1980

Activity What role has unity played in your life? Write a story about a positive experience of working together with others to meet a common goal. The story can be based on your own life or on other events. Then write a slogan to summarize this experience, or choose one of the slogans on this page. Share your slogan and story with your group.

"Coming together is a beginning, keeping together is progress, and working together is success."
(attributed to Henry Ford, American inventor and businessman)

"I am because we are."
(African proverb)

"United we stand, divided we fall."
(Aesop, famous ancient fable-writer)

"Few burdens are heavy when everyone lifts."
(Anonymous)

"Many of us are more capable than some of us ... but none of us is as capable as all of us!"
(Tom Wilson, author of the comic strip *Ziggy*)

"No road is long with good company."
(Turkish proverb)

Somos alimentados por el Cuerpo y la Sangre de Cristo.

A través de la historia de la salvación, el pan y el vino han sido una fuente de vida para el pueblo de Dios. Durante el ministerio público de Jesús, cuando milagrosamente alimentó una multitud reunida para escuchar sus palabras y ver sus obras, Jesús mostró la importancia de sustanciar la vida, de alimentar al hambriento. El "Tomó los panes y después de haber dado gracias a Dios, los distribuyó" (Juan: 6:11). Jesús también compartió la importancia de sustanciar la vida de Dios en nosotros. El enseñó: "Mi carne es verdadera comida y mi sangre es verdadera bebida. El que come mi carne y bebe mi sangre vive en mí y yo en él . . . . el que coma de este pan, vivirá para siempre". (Juan 6:55–56, 58)

Por medio del sacramento de la Eucaristía recibimos alimento eterno—el pan y el vino que por el poder del Espíritu Santo se convierten en el Cuerpo y la Sangre de Cristo. Y como nos hacemos uno en Cristo, compartimos en su Cuerpo y Sangre en el sacramento de la Eucaristía, completamos nuestra iniciación en el cuerpo de Cristo y su Iglesia. Como los primeros apóstoles y discípulos, nos reunimos como una comunidad para compartir la vida de Jesús, hacernos uno con él y con los demás. Por medio de nuestra unidad en la Eucaristía somos el cuerpo de Cristo en el mundo. Somos su presencia viva, compartiendo la vida de Dios con otros, reconociendo las necesidades en el mundo tal como Jesús lo hizo, y buscando como satisfacer las necesidades de los demás en su nombre. Alimentados por el Cuerpo y la Sangre de Cristo nos comprometemos a vivir como Cristo vivió y a trabajar por la verdadera justicia y la paz. También tratamos de alimentar a los que tienen hambre, consolar a los afligidos y buscar formas de sanar a los enfermos. Por medio de nuestra unidad con Jesucristo, realmente presente en la Eucaristía, podemos vivir la plenitud de la vida de Dios en nosotros—con el Espíritu fortaleciéndonos y preparándonos para proclamar "el misterio pascual de Jesús 'hasta que venga'" al final de los tiempos. (CIC, 1344)

Actividad Nuestra unidad con Jesucristo en la Eucaristía nos llama a ser Cristo para otros y a trabajar por la justicia y la paz como lo hizo él. Hay mucha injusticia en el mundo hoy. ¿Cuáles son algunas cosas que podemos hacer para trabajar por la justicia como lo hizo Jesús? Completa el cuadro, nombra algunas injusticias y las formas que, alimentado por Cristo, puedes trabajar para vencerlas.

INJUSTICIA	FORMA DE VENCERLA

We are nourished by the Body and Blood of Christ.

Throughout the history of salvation, bread and wine were a source of life for God's people. During Jesus' public ministry, when he miraculously fed a crowd of people assembled to hear his words and see his works, Jesus showed the importance of sustaining life, of feeding the hungry. He "took the loaves, gave thanks, and distributed them" (John 6:11). Jesus also shared the importance of sustaining God's life within us. He taught, "For my flesh is true food, and my blood is true drink. Whoever eats my flesh and drinks my blood remains in me and I in him . . . Whoever eats this bread will live forever" (John 6:55–56, 58).

Through the Sacrament of the Eucharist we receive everlasting nourishment—the bread and wine that by the power of the Holy Spirit become the Body and Blood of Christ. And as we become one with Christ, sharing in his Body and Blood in the Sacrament of the Eucharist, we complete our initiation into Christ and his Church. Like the first Apostles and disciples we gather as a community to share the life of Jesus, to become one with him and with one another. Through our unity in the Eucharist we are the Body of Christ in the world. We are his living presence, sharing God's life with others, recognizing needs in the world just as Jesus did, and reaching out to meet the needs of others in his name. Nourished by the Body and Blood of Christ we commit ourselves to living as Christ lived and to working for true justice and peace. We too try to feed those who are hungry, reach out to comfort those who are sorrowful, and seek ways to heal those who are ill. Through our unity with Jesus Christ, really present in the Eucharist, we are able to live the fullness of God's life in us—with the Spirit strengthening and preparing us to "proclaim the Paschal mystery of Jesus 'until he comes'" at the end of time (CCC, 1344).

Activity Our unity with Jesus Christ in the Eucharist calls us to be Christ for others and to work for justice and peace as he did. There are many injustices in the world today. What are some things we can do to work for justice as Jesus did? Complete the chart below, naming some injustices and ways that, nourished by Christ, you can work to overcome them.

INJUSTICE	OVERCOMING INJUSTICE
People with no food	Helding making sandwiches and giving it out

Jesús hizo una nueva alianza con sus discípulos.

La noche en que los católicos ahora celebramos el Jueves Santo, Jesús y sus discípulos estaban en Jerusalén. Se reunieron en el aposento alto de una casa para celebrar la Pascua. En esta fiesta los judíos recordaban la forma en que Dios los había liberado de la esclavitud y la muerte en Egipto. Ellos recordaban la noche cuando Dios le había pedido a los hebreos en Egipto sacrificar un cordero y marcar sus puertas con su sangre. En esa noche una plaga pasó por Egipto matando a todos los primogénitos de los egipcios. Pero *pasó de largo* por las puertas marcadas con la sangre del cordero, salvando así a los primogénitos hebreos. En su miedo, los egipcios, permitieron a los hebreos salir de Egipto, y así empezaron los hebreos su peregrinaje, o *éxodo*, hacia la libertad.

Vocabulario

Pascual

Pascual significa, o está "relacionado con Pascua". En la comida de Pascua, todo lo que Jesús y los discípulos comieron—pan sin levadura, cordero, hierbas amargas y el vino—tenía un significado especial a la luz del éxodo de Egipto. Para Jesús y sus discípulos, esta comida de Pascua era un recordatorio, y lo sigue siendo para los judíos hoy, de la alianza de Dios con su pueblo.

Esta comida de pascua fue la última comida que Jesús compartió con sus discípulos antes de su muerte. Jesús: "Tomó pan, dio gracias, lo partió y lo dio a sus discípulos diciendo: 'Esto es mi cuerpo, que se entrega por ustedes; hagan esto en memoria mía'. Y después de la cena, hizo lo mismo con el cáliz diciendo: 'Este es el cáliz de la nueva alianza sellada con mi sangre, que se derrama por ustedes'" (Lucas 22:19–20). Como lo explica el *Catecismo*: "La Eucaristía que instituyó en este momento será el "memorial" de su sacrificio" (611) porque como sacerdote de la nueva alianza, Jesús se ofreció como cordero pascual y se sacrificó partiendo el pan pascual, su cuerpo. Por medio de su sufrimiento y muerte en la cruz, la nueva alianza entre Dios y su pueblo fue sellada con la sangre de Cristo.

> **"El que coma de este pan, vivirá para siempre".**
> (Juan 6:58)

Dios llevó la libertad al pueblo de Israel, y así, Cristo nos libró del pecado y la esclavitud. Podemos de nuevo compartir en el amor y la amistad con Dios. Jesucristo se nos da como libertador, no sólo en un momento del tiempo sino todo el tiempo en el sacrificio eucarístico. En el sacramento de la Eucaristía, todo el que comparte el Cuerpo y la Sangre de Cristo alcanza esa esperanza—una nueva libertad y una nueva vida.

La Ultima Cena (1498) por Leonardo da Vinci (1452-1519)

Actividad Escribe una oración a Jesús que puedes decir cuando lo recibas en la Eucaristía.

Sacramento de la redención

El *Catecismo* llama a la Eucaristía "el sacramento de la redención" (1846). En la Eucaristía recibimos el Cuerpo y la Sangre de Jesucristo, que él ofrece por nuestra redención y el perdón de nuestros pecados. Como dijo Jesús:

"Esto es mi cuerpo, que se entrega por ustedes . . . mi sangre, que se derrama por ustedes". (Lucas 22:19, 20)

Por la celebración de la Eucaristía, recibimos el perdón de nuestros *pecados veniales*, nuestros pecados menos serios. La Eucaristía también fortalece nuestro amor por Dios, nuestro prójimo y por nosotros mismos y nos ayuda a vivir unidos a Dios. Sin embargo, no podemos estar unidos a Dios a menos que libremente escojamos amarlo.

Así que si pecamos *seriamente* contra él, cometemos un *pecado mortal* y no podemos recibir la Eucaristía, antes tenemos que ser absueltos en el sacramento de la Reconciliación. Sólo así restauramos nuestra amistad con Dios y estamos listos para recibir a Cristo en la Eucaristía. Los niños que se preparan para recibir la primera comunión también deben primero celebrar el sacramento de la Reconciliación.

Agradece el perdón que recibes por medio de la Eucaristía.

Jesus gives his disciples a new covenant.

On the night that we, as Catholics, now celebrate as Holy Thursday, Jesus and his disciples were in Jerusalem. They gathered in the upper room of a house to celebrate the Passover. On this Jewish feast they remembered the way God had delivered their people from slavery and death in Egypt. They recalled the night on which God had told the Hebrews in Egypt to sacrifice a lamb and mark their doorways with its blood. On that night, a plague swept through Egypt, killing all of the Egyptians' firstborn sons. But it *passed over* the homes marked with blood, thus sparing the Hebrews. The Egyptians, in their fear, allowed the Hebrews to leave Egypt, and so the Hebrews began their journey, or *exodus,* to freedom.

> **"Whoever eats this bread will live forever."**
> (John 6:58)

Paschal means "of or relating to the Passover." At the Passover meal that Jesus and his disciples ate, everything—the unleavened bread, the wine, the lamb, the bitter herbs—had special meaning in light of the Exodus from Egypt. And for Jesus and his disciples, this Paschal meal was a reminder, as it still is for Jews today, of God's covenant with his people.

This Paschal meal was the last meal that Jesus would share with his disciples before his death. Jesus "took the bread, said the blessing, broke it, and gave it to them, saying, 'This is my body, which will be given for you; do this in memory of me.' And likewise the cup after they had eaten, saying, 'This cup is the new covenant in my blood, which will be shed for you'" (Luke 22:19–20). As it is explained in the *Catechism,* "The Eucharist that Christ institutes at that moment will be the memorial of his

sacrifice" (611), for, as the priest of the new covenant, Jesus offered himself as the Paschal lamb and sacrificed himself in the breaking of the Paschal bread, his Body. And through the suffering and death on the cross that Jesus endured, the new covenant between God and his people was sealed with Jesus' Blood.

God brought freedom to the people of Israel, and then, through Christ, freed us from the slavery of sin. We can again share in God's love and friendship. Jesus Christ is given as our deliverance, not just at a point in time, but for all time in the Eucharistic sacrifice. In the Sacrament of the Eucharist, all who share the Body and Blood of Christ come to the fulfillment of hope—to new freedom and new life.

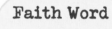

Faith Word

Paschal

The Last Supper from the movie *King of Kings* (1961)

Activity Write a prayer to Jesus that you can say after you receive him in the Eucharist.

Sacrament of redemption

The *Catechism* calls the Eucharist "the sacrament of redemption" (1846). In the Eucharist we receive the Body and Blood of Jesus Christ, which he offers for our redemption and the forgiveness of our sins. As Jesus said, "This is my body, which will be given for you . . . . my blood, which will be shed for you" (Luke 22:19, 20).

Through the celebration of the Eucharist, we receive forgiveness for our *venial sins,* our less serious sins. The Eucharist also strengthens our love for God, our neighbor, and ourselves and helps us to live united to God. However, we cannot be united to God unless we freely choose to love him. So, if we *seriously* sin against him, we commit a *mortal sin* and cannot receive Holy Communion before first being absolved in the Sacrament of

Penance. Only then will we be restored to God's friendship and ready to receive Christ in the Eucharist. Children who are preparing for First Holy Communion also must first receive the Sacrament of Penance.

Give thanks for the forgiveness you receive through the Eucharist.

CATHOLIC IDENTITY

299

CREYENDO...

Somos uno en Jesucristo.

¿Cómo puedes compartir con otros la presencia de Cristo?

Después de la resurrección unos discípulos de Jesús caminaban hacia el pueblo de Emaús, Jesús resucitado caminaba con ellos, pero ellos no lo reconocieron. En la comida Jesús: "Tomó el pan, lo bendijo, lo partió y lo dio a ellos. Entonces se les abrieron los ojos y lo reconocieron". (Lucas 24:30–31)

Después de la ascensión, sus discípulos serían iluminados por el Espíritu Santo, permitiéndoles entender las palabras y obras de Cristo más plenamente. Llenos del Espíritu, los discípulos pudieron reconocer la Eucaristía como la presencia real de Cristo al partir el pan.

Haciendo el pan del altar

Pan del altar, u hostias sin consagrar, son pequeños pedazos de pan que se consagrarán en la misa, convirtiéndose en el Cuerpo y la Sangre de Cristo. Este pan es horneado muchas veces por comunidades religiosas dedicadas a la oración. Estas comunidades hornean el pan para venderlo como forma de mantener su forma de vida. Las Hermanas Benedictinas de la Adoración Perpetua, por ejemplo, hornean alrededor de dos millones de panes para el altar cada semana. Este pan es enviado a las parroquias en los Estados Unidos, Haití, México, Nicaragua, Canadá, Irlanda, Rusia, Nueva Zelanda, Australia y Japón—y también a algunos barcos en alta mar.

El pan para el altar es hecho de harina de trigo y agua. Porque Jesús usó pan sin levadura en la cena de pascua en la última cena, la masa para el pan eucarístico es también sin levadura, así que no sube.

¿Sabes quién hace el pan eucarístico usado en tu parroquia? Trata de descubrirlo. Haz una oración de acción de gracias por esas personas, la próxima vez que comulgues.

En Hechos de los Apóstoles podemos leer que en la pequeña comunidad cristiana, la Iglesia primitiva, la Eucaristía se siguió celebrando por medio del poder del Espíritu Santo, partiendo el pan. Como miembros de la Iglesia nosotros también nos reunimos en comunidad para celebrar la Eucaristía. Nos reunimos los domingos o los sábados en la tarde para la **misa**, la celebración de la Eucaristía. En esta celebración Cristo está presente en la persona del sacerdote, en la asamblea, en la palabra de Dios y muy especialmente bajo las apariencias de pan y vino. Escuchamos historias sobre Dios y como los discípulos en el camino hacia Emaús, reconocieron al partir el pan la verdadera presencia de Cristo—su Cuerpo y Sangre bajo las apariencias de pan y vino. Participamos del Cuerpo de Cristo como él nos lo pidió y tomamos el cáliz de su Sangre, compartiendo en su vida. Por medio de la presencia real de Cristo, su Cuerpo y Sangre, que recibimos en la Eucaristía, somos alimentados para vivir como discípulos de Jesús y llevar a cabo su misión. En la Eucaristía, la presencia de Cristo se hace real en nuestras vidas. Y por medio de este "sacramento de sacramentos" (*CIC*, 1211), se nos permite compartir en la realidad de la presencia de Cristo en cada uno de nosotros.

Vocabulario
misa

Actividad Diseña un concepto para un juego de vídeo cuyo personaje principal tiene como misión compartir las formas en que Cristo está presente en el mundo. Incluye obstáculos o retos que este personaje tiene que vencer, además de buenas obras o acciones que tiene que hacer. En una hoja de papel haz una lista de tus ideas y dibuja escenas para tu juego y comparte con un compañero. No olvides poner el nombre a tu juego y a los personajes.

We are one with Jesus Christ.

How can we share Christ's presence with others?

After the Resurrection, as some of Jesus' disciples were walking to the village of Emmaus, the risen Jesus walked with them, though they did not know it was he. At supper Jesus "took bread, said the blessing, broke it, and gave it to them. With that their eyes were opened and they recognized him" (Luke 24:30–31).

After Christ's Ascension, his disciples would be enlightened by the Holy Spirit, enabled to understand Christ's words and actions more completely. Filled with the Spirit, the disciples would recognize the Eucharist as the reality of Christ's presence in the breaking of the bread.

We read in the Acts of the Apostles that in the small Christian community, the early Church, the Eucharist continued to be celebrated, through the power of the Holy Spirit, in the breaking of the bread. As members of the Church, we too gather in community for the Eucharist. We gather on Sunday or Saturday evening for **Mass**, the celebration of the Eucharist. At this celebration Christ is present in the person of the priest, in the assembly, in God's word, and most especially under the appearances of bread and wine. We hear the stories about God, and, just as the disciples on the road to Emmaus, we recognize in the breaking of the bread the true presence of Christ—his Body and Blood under the appearances of bread and wine. We partake of Christ's Body as he commanded us and drink the cup of his Blood, sharing in his life.

> **Faith Word**
>
> Mass

Through the Real Presence of Christ, Body and Blood, which we receive in the Eucharist, we are nourished to live as Jesus' disciples and carry on his mission. In the Eucharist Christ's presence becomes a reality in our lives. And through this "Sacrament of sacraments" (*CCC*, 1211), we are enabled to share the reality of Christ's presence with one another.

The making of altar breads

Altar breads, or unconsecrated hosts, are the small round wafers of bread that are later consecrated at Mass, becoming the Body of Christ. Altar breads are often made by religious communities dedicated to a life of prayer. These communities bake and sell altar breads as a way to support themselves in their way of life. The Benedictine Sisters of Perpetual Adoration, for example, bake two million altar breads each week at their monastery in Clyde, Missouri. They send these altar breads to parishes in the United States, Haiti, Mexico, Nicaragua, Canada, Ireland, Russia, New Zealand, Australia, and Japan—and even to ships at sea.

Altar breads are made of wheat flour and water. Because Jesus used unleavened Passover bread at the Last Supper, the dough for the Eucharist bread is also unleavened—in other words, baked without yeast so that it does not rise.

Do you know who makes the altar breads that your parish uses? Try to find out. Say a special prayer in thanksgiving for these people the next time you receive the Eucharist.

Activity Design a concept for a video game that has a main character whose mission is to share the ways Christ is present in the world. Include obstacles or challenges this character has to overcome, plus good works or actions the character has to perform. On a separate sheet of paper, list your ideas or draw some scenes from your game, and share with a partner. Don't forget to name your video game and character(s).

CREYENDO...

Celebramos la Eucaristía.

Nos reunimos como asamblea en nombre de la Santísima Trinidad, un Dios en tres Personas, para celebrar la Eucaristía. Y "Todos los que comen de este único pan, partido, que es Cristo, entran en comunión con él y forman un solo cuerpo en él" (*CIC*, 1329). En la asamblea, junto con el sacerdote, somos el cuerpo de Cristo. Juntos en la misa adoramos y rezamos.

LA MISA: LA CELEBRACIÓN DE LA EUCARISTÍA	
Ritos iniciales Canto de entrada Gloria Saludo Colecta Acto penitencial	Juntos rezamos. Confesamos nuestros pecados, buscando santificarnos para participar en el sacrificio de Cristo que se hará presente para nosotros.
Liturgia de la Palabra Primera lectura Evangelio Salmo responsorial Homilía Segunda lectura Credo Aleluya, aclamación Oración de los fieles	Glorificamos a Dios y escuchamos historias sobre la alianza de Dios con su pueblo. Nos ponemos de pie para escuchar el evangelio, la buena nueva de la presencia de Jesús con nosotros. En la homilía, el diácono o el sacerdote explica con más detalle el significado de las lecturas para nosotros hoy. Afirmamos nuestra fe en Dios y la historia de salvación. Rezamos, como cuerpo de Cristo, por nuestra comunidad, la Iglesia y todo el pueblo de Dios.
Liturgia de la Eucaristía Preparación de las ofrendas Oración sobre las ofrendas Plegaria eucarística Rito de la comunión Padrenuestro Saludo de la paz Partir el pan Comunión	Preparados para sanar, escuchar, compartir y rezar, ofrecemos nuestras ofrendas de pan y vino como lo hizo Cristo y nos unimos a él. Alabamos las grandezas y maravillas de Dios. Por el poder del Espíritu Santo y las acciones y palabras del sacerdote, el pan y el vino se convierten en el Cuerpo y la Sangre de Cristo. Aclamamos la vida, muerte y resurrección de Jesús. El está presente en el altar para la gloria de Dios y nosotros cantamos de gozo. Pedimos al Padre nos fortalezca con las palabras que Jesús nos enseñó y compartimos el saludo de la paz. Recibimos a Cristo en la comunión. Santificados por su Cuerpo y Sangre nos hacemos uno en y con Cristo. Juntos reflexionamos en nuestra unidad con Jesús.
Ritos de conclusión Saludos Bendición Despedida	El sacerdote nos bendice en el nombre del Padre y del Hijo y del Espíritu Santo y el diácono o el sacerdote nos despide para ir en paz, hacer buenas obras y alabar y bendecir al Señor. La historia de la salvación es completada en la celebración eucarística de Jesús y somos comisionados para compartir su cumplimiento con los miembros de la comunidad que no están con nosotros. También compartimos con todo el mundo, por medio de lo que hacemos en nombre de Jesús.

Nota: Ver la página 470 para una descripción de cada una de las partes.

"**Todos los que comen de este único pan, partido, que es Cristo, entran en comunión con él y forman un solo cuerpo en él**".
(*CIC*, 1329)

Actividad ¿Cómo cumplirás con el mandato del rito de conclusión?

We celebrate the Eucharist.

We gather as an assembly in the name of the Blessed Trinity, the Triune God, to celebrate the Eucharist. And "all who eat the one broken bread, Christ, enter into communion with him and form but one body in him" (*CCC*, 1329). In assembly with the priest we are the Body of Christ. Together at Mass we worship and pray.

THE MASS: THE CELEBRATION OF THE EUCHARIST

Introductory Rites *Entrance Chant* *Gloria* *Greeting* *Collect* *Act of Penitence*	Together we enter into prayer. We confess our unworthiness, seeking to be made holy to participate in the sacrifice of Christ that will be made present for us.
Liturgy of the Word *First Reading* *Gospel* *Responsorial Psalm* *Homily* *Second Reading* *Profession of Faith* *Alleluia or Gospel Acclamation* *Prayer of the Faithful*	We glorify God and listen to the stories of God's covenant with his people. We rise at the reading of the Gospel, the good news of Jesus' presence with us. In the words of the homily the priest or deacon explains more fully what the Scripture readings mean for us today. We affirm our belief in God and the history of salvation. We pray, as the Body of Christ, for our community, the whole Church community, and all God's people.
Liturgy of the Eucharist *Preparation of the Gifts* *Prayer over the Offerings* *Eucharistic Prayer* *Communion Rite* *Lord's Prayer* *Rite of Peace* *Breaking of the Bread* *Holy Communion*	Prepared by healing, listening, sharing, and prayer, we offer the gifts, bread and wine, as Christ did, and we join ourselves to him. We praise the greatness and wonder of God. By the power of the Holy Spirit, through the words and actions of the priest, the bread and wine become the Body and Blood of Christ. We acclaim the life, death, and Resurrection of Jesus. He is present on the altar for the glory of God, and we shout out in joy. We beg the Father's strength and support in the words Jesus gave us and we share a sign of peace. We receive Christ in Holy Communion. Sanctified by his Body and Blood, we become one with and in Christ. Together we reflect on our oneness with Jesus.
Concluding Rites *Greeting* *Blessing* *Dismissal*	The priest blesses us in the name of the Father, the Son, and the Holy Spirit and the priest or deacon dismisses us to go in peace, do good works, and praise and bless the Lord. Salvation history is fulfilled in the eucharistic celebration of Jesus, and we are commissioned to share this fulfillment with those community members who could not be with us. We also share it with the whole world—through what we do in Jesus' name.

Note: Also see page 471 for a description of each of these individual parts.

> **"All who eat the one broken bread, Christ, enter into communion with him and form but one body in him."**
> (CCC, 1329)

Activity How can you fulfill the commission which is given to you during the Concluding Rites?

Reconociendo nuestra fe

Recuerda la pregunta al inicio del capítulo: *¿Cómo me fortalece la unidad con los demás?* En este capítulo aprendimos que por medio de la Eucaristía nos unimos a Cristo y a los demás. ¿Cómo esa unidad nos fortalece? Diseña un volante para incluir en el boletín de tu parroquia que responda a esa pregunta.

Viviendo nuestra fe

Esta semana decide una manera en que compartirás la presencia de Cristo con otra persona.

Compañeros en la fe

CARE

CARE es una organización sin fines de lucro fundada en el 1943 para ayudar a los desamparados y los pobres que viven fuera de los Estados Unidos. Empezó primero ayudando a personas refugiadas como resultado de la Segunda Guerra Mundial (1939–1945). *Refugiados* son aquellos que salen de sus países debido a las guerras, hambrunas u opresión. La organización ayuda a los refugiados a asentarse en los Estados Unidos y otros países libres.

CARE sigue su buen trabajo en el mundo ayudando a los pobres o los que tienen hambre, trabajando para remover la pobreza y ayudando a los necesitados sin importar donde vivan. CARE ha ayudado a personas afectadas por persecución religiosa, guerras civiles, desastres naturales tales como terremotos y huracanes. Con esas acciones, CARE promueve la justicia y la paz alrededor del mundo.

La Eucaristía nos pide trabajar por la justicia y la paz. Decide una manera en que harás esto esta semana.

@ Para más ideas y actividades visita www.vivimosnuestrafe.com.

Recognizing Our Faith

Recall the question at the beginning of this chapter: *How does unity with others strengthen me?* In this chapter we learned that through the Eucharist we are united to Christ and to one another. How does this unity strengthen us? Design a flier or an insert for your parish's weekly bulletin that answers this question.

Living Our Faith

This week decide on one way you can share Christ's presence with another person.

Catholic Relief Services

Catholic Relief Services (CRS) is a nonprofit organization that was founded in 1943 to help poor, homeless, and disadvantaged people living outside the United States. CRS first began by helping people who became refugees as a result of World War II (1939–1945). *Refugees* are people who must leave their own countries due to war, famine, or oppression. The organization helped refugees settle in the United States and in other free countries.

Today CRS continues its good works around the world by helping people who are poor or hungry, working to remove the causes of poverty, and giving aid to people in need, no matter where they live. CRS has helped people affected by religious persecution, civil wars, and natural disasters such as earthquakes and tsunamis. Through these actions, CRS promotes justice and peace around the world.

The Eucharist calls us to work for justice and peace. Decide on one thing you will do this week to promote justice and peace.

@ **For additional ideas and activities, visit www.weliveourfaith.com.**

RESPONDIENDO...

✛ ENCUENTRO CON LA PALABRA DE DIOS

En la última cena, después que Jesús lavó los pies de sus discípulos, dijo:

"Pues bien, si yo, que soy el Maestro y el Señor, les he lavado los pies, ustedes deben hacer lo mismo unos con otros. Les he dado ejemplo, para que hagan lo mismo que yo he hecho con ustedes".

(Juan 13:14–15)

➡ **LEE** la cita bíblica.

➡ **REFLEXIONA** en esta pregunta:
Durante la liturgia del Jueves Santo, la Iglesia cumple el mandato de Jesús de hacer lo que él hizo haciendo el ritual del lavado de los pies. Pero, ¿cómo podemos nosotros, la Iglesia, cumplir con el mandamiento de Jesús en la vida diaria?

➡ **COMPARTE** tus reflexiones con un compañero.

➡ **DECIDE** una forma en que verdaderamente servirás a otros esta semana.

Poniendo la fe en acción

Habla sobre lo que has aprendido en este capítulo:

 Reconocemos a Jesús en la Eucaristía y en su cuerpo, la Iglesia.

 Agradecemos el regalo de Jesús mismo en la Eucaristía.

 Compartimos la fortaleza y el amor de Jesús con otros.

Decide una manera en que vivirás lo que has aprendido.

Repaso del capítulo 16

Contesta con una corta oración.

1. ¿Cuál es otro nombre para la celebración de la Eucaristía? _____

2. ¿Qué significa la palabra *Pascual*? _____

3. ¿Cómo Jesús nos alimenta? _____

4. ¿Cómo se selló la nueva alianza entre Dios y su pueblo? _____
_____

Completa lo siguiente.

5. La Liturgia de la Palabra consiste en las siguientes partes: _____
_____

6. La Liturgia de la Eucaristía consiste en las siguientes partes: _____
_____

7. En el sacramento de la Eucaristía, por el poder del _____ y las palabras y gestos del sacerdote, el pan y el vino se convierten en el Cuerpo y la Sangre de Cristo.

8. En el Rito de Conclusión el sacerdote nos bendice en el nombre _____
_____

9–10. Contesta en un párrafo: ¿Cómo la Eucaristía nos une a Cristo y a los demás?

RESPONDING...

Putting Faith to Work

Talk about what you have learned in this chapter:

 We recognize Jesus in the Eucharist and in his Body, the Church.

 We are thankful for Jesus' gift of himself in the Eucharist.

 We share the strength and love of Jesus with others.

Decide on ways to live out what you have learned.

✝ ENCOUNTERING GOD'S WORD

At the Last Supper, after Jesus washed the feet of the disciples, he said,

"If I, therefore, the master and teacher, have washed your feet, you ought to wash one another's feet. I have given you a model to follow, so that as I have done for you, you should also do"

(John 13:14–15)

➡ **READ** the quotation from Scripture.

➡ **REFLECT** on the following:
During the Holy Thursday liturgy, the Church follows Jesus' command to do as he did by performing the ritual action of the washing of the feet. But how do we, the Church, carry out Jesus' command in everyday life?

➡ **SHARE** your reflections with a partner.

➡ **DECIDE** on one way to truly serve others this week, and make it happen!

Short Answers

1. What is another name for the celebration of the Eucharist? _____

2. What does the word *Paschal* mean? _____

3. How does Jesus nourish us?_____

4. How was the new covenant between God and his people sealed? _____
_____

Complete the following.

5. The Liturgy of the Word consists of the following parts:_____
_____.

6. The Liturgy of the Eucharist consists of the following parts:_____
_____.

7. In the Sacrament of the Eucharist, by the power of the _____, through the words and actions of the priest, the bread and wine become the Body and Blood of Christ.

8. In the Concluding Rites the priest blesses us in the name of the _____
_____.

9–10. ESSAY: How does the Eucharist unite us to Christ and to each other?

RESPONDIENDO...

Comparte la fe con tu familia

Conversa con tu familia sobre lo siguiente:

- Somos alimentados por el Cuerpo y la Sangre de Cristo.
- Jesús hizo una nueva alianza con sus discípulos.
- Somos uno en Jesucristo.
- Celebramos la Eucaristía.

Piensa en como ayudar a tu familia a estar más conciente de la celebración de la Eucaristía el domingo como un tiempo especial para fortalecer tu unidad con Cristo y con otros. Puedes encontrar una actividad simple para hacer con tu familia después de la misa y que se convierta en una costumbre. ¿Qué haría eso para tu familia?

Conexión con la liturgia

En cada misa rezamos el Padrenuestro, pidiendo nuestro "pan diario", recuerdo de la Eucaristía que vamos a recibir y pidiendo perdón "así como nosotros perdonamos". Entonces estamos listos para ser uno con Cristo y con los demás en la comunión.

Para explorar

Investiga las formas en que las culturas afectan la celebración de la Eucaristía aquí y alrededor del mundo.

Doctrina social de la Iglesia
☑ Cotejo

Tema de la doctrina social de la Iglesia:
Opción por los pobres y vulnerables

Cómo se relaciona con el capítulo 16: Para Jesús, ayudar a los pobres, los débiles, los necesitados y los desamparados fue siempre una prioridad. Como su Iglesia, el cuerpo de Cristo, tenemos la obligación de continuar su labor.

Cómo puedes hacer esto en

☐ la casa:
_____

☐ la escuela/trabajo:
_____

☐ la parroquia:
_____

☐ la comunidad:
_____

Chequea cada acción cuando la termines.

Sharing Faith with Your Family

Discuss the following with your family:

- We are nourished by the Body and Blood of Christ.
- Jesus gives his disciples a new covenant.
- We are one with Jesus Christ.
- We celebrate the Eucharist.

Think of a way to help your family become more aware of the Sunday celebration of the Eucharist as a special time to strengthen your unity with Christ and one another. You might want to find a simple family activity that could become an "after-Mass" custom. What could that be for your family?

Catholic Social Teaching
☑ Checklist

Theme of Catholic Social Teaching:
Option for the Poor and Vulnerable

How it relates to Chapter 16: For Jesus, helping people who were poor, weak, disadvantaged, and in need was always a top priority. As his Church, the Body of Christ, we have an obligation to continue his work.

How can you do this?

☐ At home:

_____

☐ At school/work:

_____

☐ In the parish:

_____

☐ In the community:

_____

Check off each action after it has been completed.

The Worship Connection

At every Mass, we pray the Lord's Prayer, asking for our "daily bread," a reminder of the Eucharist we are soon to receive, and asking for forgiveness "as we forgive." We are then ready to become one with Christ and one another in Holy Communion.

More to Explore

Research the way cultures affect the celebration of the Eucharist in this country and around the world.

17
La Reconciliación y la Unción de los Enfermos

"Vengan a mí todos los que están fatigados y agobiados, y yo los aliviaré".

(Mateo 11:28)

✚ **Líder:** Confiados en el amor de Jesús, rogamos por los necesitados de su cuidado.

Todos: Señor Jesús, invitas a todos los que están fatigados y agobiados a ir a ti.
Permite que tu mano sanadora los sane.
Toca nuestras almas con tu compasión por ellos;
toca nuestros corazones con tu valor y amor infinito por todos;
toca nuestras mentes con tu sabiduría para que podamos proclamar tu alabanza.
Amén.

(basada en una oración del monasterio del Sagrado Corazón en Hales Corners, Wisconsin)

LA gran preGunTa:
¿Quién me ayuda a sanar cuando estoy sufriendo?

Descubre una palabra para describir algunas cosas que las personas pueden hacer para promover la sanación. Estas son algunas claves:

- La palabra tiene seis letras.

- La primera letra se encuentra en *padre* pero no en *madre*.

- La segunda letra se encuentra en *José* pero no en *María*.

- La tercera letra se encuentra en *catre* pero no en *café*.

- La cuarta letra se encuentra en *acordeón* pero no en *violín*.

- La quinta letra se encuentra en *león* pero no en *tigre*.

- La sexta letra se encuentra en *cana* pero no en *pelo*.

La palabra es:

_____.

Resultado:
Perdón

Conversa sobre el por qué es importante perdonar. ¿Cómo el perdonar promueve la sanación?

En este capítulo aprenderemos sobre la paz, la sanación y el perdón que están disponibles para nosotros en los sacramentos de la Penitencia y Reconciliación y la Unción de los Enfermos.

> "Come to me, all you who labor and are burdened, and I will give you rest."
>
> (Matthew 11:28)

✛ **Leader:** Confident that Jesus loves each person, let us pray for those in need of his care.

All: Lord Jesus, you invite all who are
burdened to come to you.
Allow your healing hand to heal them.
Touch our souls with your compassion
for others;
touch our hearts with your courage and
infinite love for all;
touch our minds with your wisdom,
and may we always proclaim your praise.
Amen.

(based on a prayer by the Sacred Heart Monastery in Hales Corners, Wisconsin)

The BIG Question:
Who helps to heal me when I am suffering?

Discover a word that describes something people can do to promote healing. Here are some clues:

- The word is seven letters long.

- The first letter of the word can be found in the word *raffle* but not in the word *laughter*.

- The second letter can be found in *roman* but not in *manner*.

- The third letter can be found in *mentor* but not in *memento*.

- The fourth letter can be found in *elegant* but not in *elephant*.

- The fifth letter can be found in *interest* but not in *restaurant*.

- The sixth letter can be found in *vain* but not in *animal*.

- The seventh letter can be found in *pace* but not in *captor*.

The word is:

_____.

Answer: forgive

Discuss why it is important to forgive. How does forgiving someone promote healing?

In this chapter we learn about the peace, healing, and forgiveness that are available to us in the Sacraments of Penance and Anointing of the Sick.

"Soy un policía de la ciudad de Nueva York. El 12 de julio del 1986, estaba patrullando en el Parque Central y me detuve a interrogar a tres adolescentes. Mientras les preguntaba, Shavod Jones, de quince años, sacó una pistola y me disparó en la cara y la nuca.

"Gracias a la rápida acción de mis compañeros, fui llevado al hospital. Una vez que estuvo claro que iba a sobrevivir, el cirujano entró a mi habitación y nos dijo a mi esposa, Patti Ann, y a mí que quedaría paralítico desde la nuca hacia abajo por el resto de mi vida. Sólo teníamos ocho meses de casados y mi esposa tenía tres meses de embarazo.

"Nuestra fe, de repente se hizo muy importante para nosotros: la misa, las oraciones, nuestra necesidad de Dios. Fue el amor de Dios que me reconstituyó. Pasé los próximos dieciocho meses en el hospital. En ese tiempo mi esposa tuvo a nuestro hijo, Connor. En su bautismo les dije a todos que había perdonado al joven que me disparó.

"Peor que la bala en mi espina dorsal sería alimentar la revancha en mi corazón. Esa actitud hubiera extendido mi trágica herida a mi alma, hiriendo más a mi esposa, a mi hijo y a otros. Es suficientemente malo que los efectos son permanentes, pero por lo menos puedo escoger prevenir la herida espiritual.

"Con frecuencia se me pregunta si perdoné a Shavod enseguida o si me tomó tiempo. Durante catorce años he evolucionado. Pienso en esto casi todos los días. Estaba enojado con él, pero también estaba desconcertado, porque no podía odiarlo. La mayoría de las veces sentía pena por él. Quiero que encuentre la paz y el propósito de su vida. Quiero que cambie su vida y ayude a la gente en vez de herirla. Es por eso que lo perdoné. Es también una forma de seguir adelante, de dejar atrás ese terrible accidente". (Cita de "Why I Forgave My Assaltant". Discurso del detective Steven McDonald)

El detective Steven McDonald, confinado a una silla de ruedas y a una máquina de respiración artificial, espera que su historia tenga un impacto en los que están en necesidad de paz y reconciliación. El habla a los jóvenes del área metropolitana de Nueva York y ha viajado a Irlanda e Israel promoviendo la paz.

Actividad Haz una lista de las razones por las que las personas se perdonan unas a otras.

"I am a New York City Police Officer. On July 12, 1986, I was on patrol in Central Park and stopped to question three teenagers. While I was questioning them, the oldest, Shavod Jones, a fifteen-year-old, took out a gun and shot me in the head and neck.

"Thanks to the quick action of my fellow police officers, I was rushed to a hospital. Once it became clear I was going to survive, the surgeon came into my room and told my wife, Patti Ann, and me that I would be paralyzed from the neck down for the rest of my life. I was married just eight months, and my wife, twenty-three years old, was three months pregnant.

"Our faith suddenly became very important to us: the Catholic Mass, prayers, our need for God. It was God's love that put me back together. I spent the next eighteen months in the hospital. While I was there, my wife gave birth to our son, Connor. At his baptism, I told everyone I forgave the young teen who shot me.

"The only thing worse than a bullet in my spine would have been to nurture revenge in my heart.

Such an attitude would have extended my tragic injury into my soul, hurting my wife, son, and others even more. It is bad enough that the physical effects are permanent, but at least I can choose to prevent spiritual injury.

"People often ask if I forgave Shavod right away, or if it took time. It has evolved over fourteen years. I think about it almost every day. I was angry at him but I was also puzzled, because I found I couldn't hate him. More often than not I felt sorry for him. I wanted him to find peace and purpose in his life. I wanted him to turn his life to helping and not hurting people. That's why I forgave him. It was also a way of moving on, a way of putting the terrible incident behind me." (excerpts from "Why I Forgave My Assailant," a speech by Detective Steven McDonald)

Detective Steven McDonald, confined to a wheelchair and a breathing machine, hopes his story will have an impact on all who need peace and reconciliation. He speaks to young people at school assemblies in the New York metropolitan area and has traveled to Northern Ireland and Israel to promote peacemaking.

Activity List some of the reasons that people forgive one another.

Regreso del hijo prodigo, 2005, Dinah Roe Kendall

Dios ama y perdona.

A través del tiempo los profetas han llamado al pueblo a vivir su alianza con Dios. Han llamado al pueblo al arrepentimiento y a la conversión. **Conversión** es volver a Dios con todo el corazón. Jesús también quiso que el pueblo abandonara el pecado y se acercara más a Dios. De la forma en que vivió, Jesús ayudó a la gente a regresar a Dios, su Padre. El mostró como cumplir la ley de Dios. También enseñó que Dios nos ama y valora, aun cuando pequemos.

Cada pecado debilita nuestra amistad con Dios. Un pecado no muy serio, **pecado venial**, no nos aleja totalmente de Dios. El pecado serio o **pecado mortal**, nos aleja totalmente de Dios, porque escogemos libremente hacer algo que sabemos es seriamente malo y en contra de la voluntad de Dios. Sin embargo, aun cuando cometamos pecados serios Dios nunca deja de amarnos y siempre nos perdona si estamos arrepentidos. Jesús usó la siguiente parábola para enseñarnos sobre esta verdad:

Vocabulario

conversión
pecado venial
pecado mortal

"Un hombre tenía dos hijos. El menor dijo a su padre: Padre, dame la parte de la herencia que me corresponde. Y el padre les repartió los bienes. A los pocos días, el hijo menor recogió sus cosas, partió a un país lejano y allí despilfarró toda su fortuna viviendo como un libertino. Cuando lo había gastado todo, sobrevino una gran escasez en aquella región, y el muchacho comenzó a pasar necesidad. Entonces fue a servir a casa de un hombre de aquel país, quien lo mandó a sus campos a cuidar cerdos. Para llenar su estómago, habría comido hasta el alimento que daban a los cerdos, pero no se lo permitían. Entonces reflexionó y se dijo: "¡Cuántos jornaleros de mi padre tienen pan de sobra, mientras que yo aquí me muero de hambre! Me pondré en camino, regresaré a casa de mi padre y le diré: Padre, pequé contra el cielo y contra ti. Ya no merezco llamarme hijo tuyo; trátame como a uno de tus jornaleros".

Se puso en camino y se fue a casa de su padre. Cuando aún estaba lejos, su padre lo vio, y, profundamente conmovido, salió corriendo a su encuentro, lo abrazó y lo cubrió de besos. El hijo empezó a decirle: "Padre, pequé contra el cielo y contra ti. Ya no merezco llamarme hijo tuyo". Pero el padre dijo a sus criados: "Traigan en seguida el mejor vestido y pónganselo, pónganle también un anillo en la mano y sandalias en los pies. Tomen el ternero gordo, mátenlo y celebremos un banquete de fiesta, porque este hijo mío estaba muerto y ha vuelto a la vida, estaba perdido y lo hemos encontrado". Y comenzaron la fiesta". (Lucas 15:11–24)

Igual que el joven de la parábola quien regresó a su padre, algunas veces nosotros nos alejamos de Dios, nuestro Padre. Por medio de esta historia Jesús nos enseñó lo que necesitamos hacer para recibir el perdón de Dios en el sacramento de la Reconciliación. Igual que el joven en la parábola debemos arrepentirnos, tener *contrición*, de habernos alejado de Dios y debemos decir a Dios que estamos arrepentidos, una *confesión*. Con nuestras palabras y acciones debemos mostrar que estamos arrepentidos, hacer *penitencia* y prometer no pecar en el futuro. Entonces por medio de la persona del sacerdote, Dios nos da la *absolución*—nos perdona y nos acepta.

Actividad Lee de nuevo la parábola, pensando en el padre quien representa a Dios. ¿Cómo describirías a Dios, basado en esta parábola? Comparte tu respuesta.

God is loving and forgiving.

Throughout the ages the prophets called people to live out their covenant with God. They called people to repentance and conversion. **Conversion** is turning back to God with all one's heart. Jesus too wanted people to turn away from sin and grow closer to God. And by the way that Jesus lived, he helped people to turn to God his Father. He showed them how to follow God's law. He also taught that God loves and values all of us, even when we sin.

Every sin weakens our friendship with God. Less serious sin, **venial sin**, does not turn us completely away from God. But very serious sin, **mortal sin**, does completely turn us from God because it is a choice that we freely make to do something that we know is seriously wrong. Even if we commit serious sin, however, God never stops loving us, and he will always forgive us if we are truly sorry. Jesus used the following parable to teach us about this truth:

"A man had two sons, and the younger son said to his father, 'Father, give me the share of your estate that should come to me.' So the father divided the property between them. After a few days, the younger son collected all his belongings and set off to a distant country where he squandered his inheritance on a life of dissipation. When he had freely spent everything, a severe famine struck that country, and he found himself in dire need. So he hired himself out to one of the local citizens who sent him to his farm to tend the swine. And he longed to eat his fill of the pods on which the swine fed, but nobody gave him any. Coming to his senses he thought, 'How many of my father's hired workers have more than enough food to eat, but here am I, dying from hunger. I shall get up and go to my father and I shall say to him, "Father, I have sinned against heaven and against you. I no longer deserve to be called your son; treat me as you would treat one of your hired workers."' So he got up and went back to his father. While he was still a long way off, his father caught sight of him, and was filled

with compassion. He ran to his son, embraced him and kissed him. His son said to him, 'Father, I have sinned against heaven and against you; I no longer deserve to be called your son.' But his father ordered his servants, 'Quickly bring the finest robe and put it on him; put a ring on his finger and sandals on his feet. Take the fattened calf and slaughter it. Then let us celebrate with a feast, because this son of mine was dead, and has come to life again; he was lost, and has been found.' Then the celebration began" (Luke 15:11–24).

Just as the younger son in this parable turned from his father, we sometimes turn from God our Father. Through this story Jesus taught us what we need to do to receive God's forgiveness in the Sacrament of Penance. Like the younger son in the parable, we must have sorrow, or *contrition*, for turning away from God and must tell God that we are sorry, or make a *confession*. By our words and actions we must also show that we are sorry, or do *penance*, and resolve to avoid sin in the future. Then, through the person of the priest, God grants us *absolution*—forgives us, and welcomes us back.

Faith Words

conversion
venial sin
mortal sin

Activity Reread the parable, thinking of the father as representing God. How would you describe God, based on this parable? Share your response.

Celebramos el sacramento de la Penitencia y Reconciliación.

Jesús no sólo habló de la misericordia de Dios hacia los pecadores; Jesús puso la misericordia de Dios en acción. Como Hijo de Dios, Jesús perdonó a los pecadores como sólo Dios puede hacerlo. Jesús también, como humano, como nosotros en todo menos en el pecado, conocía nuestra humanidad. El sabía que tenemos necesidad espiritual continua de sanación y reconciliación. Así que, después de su muerte y resurrección, Jesucristo se apareció a los apóstoles y compartió con ellos su autoridad de perdonar los pecados.

"Jesús les dijo: . . . 'La paz esté con ustedes'. Y añadió: 'Como el Padre me ha enviado, yo también los envío a ustedes'. Sopló sobre ellos y les dijo: 'Reciban el Espíritu Santo. A quien les perdonen los pecados, Dios se los perdonará; y a quienes se los retengan, Dios se los retendrá'" (Juan 20:21–23). Jesús quería que todo el mundo

> **"Jesús les dijo . . . La paz esté con ustedes".**
> (Juan 20:21)

Dios nos da paz

El sacramento de la Penitencia y Reconciliación ha sido llamado de conversión, penitencia, confesión y reconciliación. Este sacramento consta de cuatro partes principales:

• *Contrición*, arrepentimiento de los pecados, con el deseo de no volver a pecar más.

• *Confesión*, el acto de decir los pecados al sacerdote, reconociendo la responsabilidad de nuestras acciones y expresando nuestro deseo del perdón de Dios. El sacerdote está obligado, por el *secreto de confesión*, a no decir a nadie los pecados que confesamos.

• *Penitencia*, oración o acción específica que el sacerdote nos pide hacer para mostrar que estamos arrepentidos.

• *Absolución*, tiene lugar cuando por medio de la persona del sacerdote, Dios perdona nuestros pecados, o somos *absueltos*.

Por medio de este poderoso sacramento de sanación, Dios nos da su paz y somos reconciliados con Dios y la Iglesia.

IDENTIDAD CATÓLICA

escuchara su llamado a la conversión y a recibir el perdón de Dios. Desde el inicio de la Iglesia, los apóstoles continuaron el llamado de Jesús a la conversión. Por medio del Bautismo otorgaban el perdón de Dios a los que creían.

El Bautismo nos libra del pecado original y de cualquier pecado que hayamos cometido. Con el Bautismo iniciamos una nueva vida. Sin embargo, después de bautizados a veces tomamos decisiones que no muestran amor a Dios, a nosotros mismos y a los demás. No seguimos nuestra conciencia. Nuestra **conciencia** es nuestra habilidad de conocer la diferencia entre el bien y el mal, lo bueno y lo malo. Algunas veces nos alejamos de Dios y de nuevo necesitamos su perdón. Igual que como lo hizo hace dos mil años, Jesús sigue perdonando a los que están arrepentidos verdaderamente. Jesús hace eso por medio de la Iglesia en el sacramento de la Penitencia y Reconciliación. El sacerdote tiene el poder de perdonar los pecados por la autoridad de Cristo dada a ellos en el sacramento del Orden. En el sacramento de la Reconciliación, el sacerdote, en nombre de Cristo y la Iglesia y por el poder del Espíritu Santo perdona nuestros pecados. En este sacramento nuestra relación con Dios y la Iglesia es fortalecida y restaurada.

El sacramento de la Reconciliación generalmente se celebra de dos formas: un individuo se reúne con un sacerdote para la celebración (Rito individual), o un grupo se reúne para celebrar el sacramento con uno o más sacerdotes (Rito comunitario de varios penitentes con confesión y absolución individuales). La confesión personal de los pecados y absolución individual forman parte de ambos ritos. Y: "El sacramento de la Penitencia es siempre, por su naturaleza misma, una acción litúrgica, por tanto, eclesial y pública" (*CIC*, 1482). Por medio de este sacramento de sanación, proclamamos nuestra fe en la misericordia de Dios, damos gracias por el don del perdón y decidimos ser más fieles discípulos de Jesús.

> **Vocabulario**
> conciencia

Actividad ¿Cómo mostrarás que, como discípulo de Cristo, compartes su misión de reconciliación?

We celebrate the Sacrament of Penance and Reconciliation.

Jesus not only spoke about God's mercy toward sinners; Jesus put God's mercy into action. As the Son of God, Jesus granted forgiveness to sinners as only God could do. Yet Jesus, also being human, like us in all ways but sin, knew our humanity. He knew that we had a need for continued spiritual healing and reconciliation. So, after his death and Resurrection, Jesus Christ appeared to his Apostles and shared with them his authority to forgive sin:

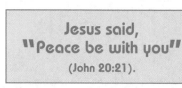

Jesus said, "Peace be with you" (John 20:21).

"[Jesus] said to them . . . , 'Peace be with you. As the Father has sent me, so I send you.' And when he had said this, he breathed on them and said to them, 'Receive the holy Spirit. Whose sins you forgive are forgiven them, and whose sins you retain are retained'" (John 20:21–23).

Jesus wanted all people to hear his call to conversion and to receive God's forgiveness. From the beginning of the Church, the Apostles continued Jesus' call to conversion. Through Baptism they granted God's forgiveness to those who believed.

Baptism frees us from original sin and any sins that we may have committed. Baptism begins our life anew. Yet, after Baptism, we sometimes make choices that do not show love for God, ourselves, and others. We do not follow our conscience. Our **conscience** is our ability to know the difference between good and evil, right and wrong. We sometimes turn from God and are again in need of his forgiveness. And just as he did more than two thousand years ago, Jesus continues to forgive those who are truly sorry. Jesus does this through the Church in the Sacrament of Penance and Reconciliation. Priests are empowered to forgive sins by the authority Christ bestows on them in the Sacrament of Holy Orders. And, in the Sacrament of Penance, the priest, in the name of Christ and the Church, and through the power of the Holy Spirit, grants the forgiveness of our sins. In this sacrament

our relationship with God and the Church is strengthened and restored.

The Sacrament of Penance is usually celebrated in one of two ways: an individual meets with a priest for the celebration (Rite of Reconciliation of Individual Penitents), or a group gathers to celebrate the sacrament with one or more priests (Rite of Reconciliation of Several Penitents with Individual Confession and Absolution). Personal confession of sins and individual absolution are always part of each of these rites. And "the sacrament of Penance is always, by its very nature, a liturgical action, and therefore an ecclesial and public action" (*CCC*, 1482). Through this Sacrament of Healing, we proclaim our faith in God's mercy, give thanks for the gift of forgiveness, and resolve to live more faithfully as Christ's disciples.

Faith Word

conscience

Activity How will you show that, as Christ's disciple, you share in his mission of reconciliation?

God gives us peace

The Sacrament of Penance and Reconciliation has been called the sacrament of conversion, of Penance, of confession, of forgiveness, and of Reconciliation. This sacrament has four main parts:

- *contrition*, a heartfelt sorrow for sins, with a desire to sin no more
- *confession*, the act of telling our sins to the priest, thus acknowledging our responsibility for our actions and expressing our desire for God's forgiveness. The priest is bound by the *seal of confession* to never reveal what is confessed.
- *penance*, prayers or acts of service that the priest will tell us to do in order to show that we are sorry
- *absolution*, which takes place when, through the person of the priest, God forgives us our sins, or *absolves* us.

Through this powerful Sacrament of Healing, God gives us his peace, and we are reconciled to God and the Church.

CATHOLIC IDENTITY

Jesús consuela a todos los necesitados.

¿Cómo podemos cuidar de los enfermos y los que sufren?

El poder sanador de Jesús fue señal de que el reino de Dios había empezado. Como Jesús quería que todo el mundo viviera el poder y la presencia de Dios en sus vidas, él compartió su ministerio con sus apóstoles. Jesús los envió a compartir el mensaje del reino de Dios. Ellos viajaron por pueblos enseñando y sanando en nombre de Jesús. "Ungían con aceite a muchos enfermos y los sanaban" (Marcos 6:13). Después de su muerte y resurrección Jesús dijo a los apóstoles que una de las señales que acompañaría a los que creyeran era que "impondrán las manos a los enfermos y estos sanarán". (Marcos 16:18)

Aunque todos los sacramentos nos acercan a Dios y a los demás, el sacramento de Unción de los Enfermos celebra de manera especial el trabajo sanador de Jesús. Desde el tiempo de los apóstoles, fieles creyentes han buscado consuelo y sanación en la Iglesia. Santiago escribió a una de las primeras comunidades cristianas sobre la necesidad de sanación. Ahí podemos ver los inicios del sacramento de Unción de los Enfermos. Santiago dice que todo el que sufre debe rezar. Cualquier enfermo debe llamar a un sacerdote de su parroquia: "Que llame a los presbíteros de la Iglesia para que oren sobre él y lo unjan con óleo en el nombre del Señor. La oración hecha con fe salvará al enfermo; el Señor lo restablecerá, y le serán perdonados los pecados que hubiera cometido". (Santiago 5:14–15)

Como todo sacramento, la Unción de los Enfermos es una celebración de toda la comunidad de la Iglesia. Recordando que Jesús nos salvó con su sufrimiento, muerte y resurrección, la comunidad pide a Dios en el sacramento de sanación salvar a los que sufren. El sacerdote administra el sacramento y los reunidos representan a toda la Iglesia, ofreciendo apoyo y consuelo. Este mensaje de esperanza y apoyo es también para las personas que cuidan de los enfermos, especialmente los familiares y amigos.

La Iglesia anima a sus miembros a aceptar la gracia de este sacramento. Por eso, en tiempos de enfermedad seria, niños, adultos y ancianos son invitados a ser fortalecidos por la gracia de Dios en la Unción de los Enfermos. Este sacramento intenta ayudar a las personas a vivir su fe en tiempos de sufrimiento y puede celebrarse más de una vez—como lo determine la necesidad de la persona.

Muchas parroquias ofrecen una celebración comunitaria de la Unción de los Enfermos en una misa. Sin embargo, este sacramento se celebra frecuentemente en hospitales, hogares y lugares de accidentes o cualquier lugar donde sea necesario. Siempre que sea posible, amigos y familiares deben estar presentes en la celebración apoyando a los enfermos y continuando el trabajo salvador de sanación de Jesús.

Actividad Haz una lista, junto con el grupo, de algunas personas en tu familia o comunidad que están sufriendo enfermedades graves. Juntos recen por esas personas. Después diseñen tarjetas para enviarles.

Jesus comforts all who are in need.

How can we cope with suffering and sickness?

Jesus' healing power was a sign that in him God's Kingdom had begun. And since Jesus wanted all people to experience God's power and presence in their lives, he shared his ministry with his Apostles. Jesus sent them out to share the message of the Kingdom of God. They traveled throughout the land, teaching and healing in Jesus' name. "They anointed with oil many who were sick and cured them." (Mark 6:13) After Jesus' death and Resurrection, Jesus told the Apostles that one of the signs that would "accompany those who believe" was that they would "lay hands on the sick, and they will recover" (Mark 16:17, 18).

While all of the sacraments bring us closer to God and one another, the Sacrament of the Anointing of the Sick celebrates in a special way Jesus' work of healing. And from the time of the Apostles, faithful believers have turned to the Church for this healing and comfort. In fact, in Saint James's writing to one of the early Christian communities about the need for healing, we can see the beginnings of the Sacrament of the Anointing of the Sick. James said that anyone who is suffering should pray. Anyone who is sick should call on the priests of the Church, "and they should pray over him and anoint [him] with oil in the name of the Lord, and the prayer of faith will save the sick person, and the Lord will raise him up" (James 5:14–15).

As all sacraments, the Anointing of the Sick is a celebration of the whole Church community. Recalling that Jesus saves us by his suffering, death, and Resurrection, the community asks God, in this Sacrament of Healing, to save those who are suffering. The priest who administers the sacrament and those gathered represent the whole Church, offering comfort and support to those who are sick and encouraging them. This message of hope and support is also for people who care for those who are sick, especially for their families and friends.

The Church encourages its members to welcome the grace of this sacrament. Thus, in times of serious sickness, children, adults, and the elderly are all invited to be strengthened by God's grace in the Anointing of the Sick. This sacrament is meant to help people in living their faith during times of suffering and so can be celebrated more than once—as determined by each person's needs.

Many parishes offer a communal celebration of the Anointing of the Sick at Mass. However, this sacrament is often celebrated in hospitals, in homes, at the site of an accident, or wherever someone is in need of it. Whenever possible, friends and family members should be present for the celebration, supporting those who are ill and continuing Jesus' saving work of healing.

Activity With your group list some people in your family or community who are suffering from a serious illness. Together pray for these people. Then design get-well cards to send to them.

Celebramos el sacramento de Unción de los Enfermos.

En el sacramento de Unción de los Enfermos, la gracia y el consuelo de Dios es otorgado a los que están seriamente enfermos o sufriendo por avanzada edad. Reciben la paz, el valor y la fuerza para enfrentar las dificultades que llegan con las enfermedades serias o la vejez. La gracia del sacramento de Unción de los Enfermos puede restaurar la salud física de los enfermos.

Pero, para los que reciben el sacramento este:

- renueva su confianza y fe en Dios
- los une a Cristo y a su sufrimiento
- los prepara, cuando es necesario, para la muerte y la esperanza de la vida eterna con Dios.

> **"La oración hecha con fe salvará al enfermo".**
> (Santiago 5:15)

Como el sacramento de la Unción generalmente se celebra fuera de la misa, generalmente empieza con la Liturgia de la Palabra seguido de la comunión. Así los ungidos son doblemente fortalecidos y alimentados por la palabra de Dios y por el Cuerpo y la Sangre de Cristo. La comunión también los une a su comunidad parroquial con la que no pueden celebrar la Eucaristía.

A los gravemente enfermos, cercanos a la muerte, se les da el Cuerpo de Cristo en la Eucaristía como *viaticum*, o "comida para el viaje". El viaticum fortalece a los moribundos mientras se preparan para la muerte y la esperanza de la vida eterna. Recibir el Cuerpo de Cristo puede darles valor ya que Jesús dijo: "El que come mi carne y bebe mi sangre tiene vida eterna, y yo lo resucitaré el último día". (Juan 6:54)

Cuando los sacramentos de la Reconciliación, Unción de los Enfermos y la Eucaristía son celebrados juntos como viaticum, son llamados "Los últimos sacramentos". Por medio de esos sacramentos, Jesús nos ayuda a reconocer que el sufrimiento y la muerte son sólo experiencias temporales en el camino hacia la felicidad eterna con Dios.

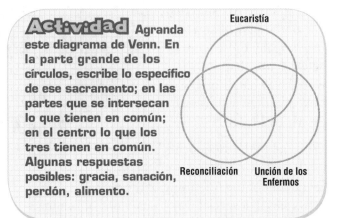

Actividad Agranda este diagrama de Venn. En la parte grande de los círculos, escribe lo específico de ese sacramento; en las partes que se intersecan lo que tienen en común; en el centro lo que los tres tienen en común. Algunas respuestas posibles: gracia, sanación, perdón, alimento.

Eucaristía

Reconciliación   Unción de los Enfermos

Santos óleos

Todos los años, en la misa del Crisma, una misa especial celebrada generalmente el Jueves Santo, el obispo de cada diócesis bendice los aceites que serán usados para ungir en los sacramentos celebrados en la diócesis. Esta misa es celebrada generalmente en la catedral de la diócesis. Se bendicen tres tipos de aceites:

- El óleo de los catecúmenos, que es usado para ungir a las personas que se están preparando para el Bautismo.
- El óleo de los enfermos, usado para ungir a las personas en la Unción de los Enfermos.
- El crisma es un óleo perfumado usado para ungir en el Bautismo, la Confirmación y el Orden. Cada parroquia recibe el aceite que necesita en esta misa.

Describe las diferencias y similitudes de la Unción de los Enfermos y la unción que aprendiste en el capítulo 14, "Bautismo" y en el capítulo 15, "Confirmación".

PARTES PRINCIPALES DE LA UNCIÓN DE LOS ENFERMOS

Letanía: Toda la Iglesia es representada por el sacerdote, la familia, los amigos y otras personas de la parroquia reunidas para orar. Confiando en la misericordia de Dios ellos le piden ayudar a los enfermos. Varias intenciones son ofrecidas. Los presentes contestan: "Señor, ten piedad". (Rito de Unción de los Enfermos)

Imposición de las manos: En silencio, el sacerdote impone sus manos en la persona enferma. El sacerdote impone las manos como señal de bendición y para pedir al Espíritu Santo que venga al enfermo.

Sagrada Unción: Usando óleo de los enfermos, el sacerdote primero unge la frente de la persona diciendo: "Por esta santa unción y por su bondadosa misericordia te ayude el Señor con la gracia del Espíritu Santo".
Respuesta: "Amén". (Rito de Unción de los Enfermos)

Después el sacerdote unge a las manos de la persona diciendo: "Para que libre de tus pecados, te conceda la salvación y te conforte en tu enfermedad".
Respuesta: "Amén". (Rito de Unción de los Enfermos)

We celebrate the Sacrament of the Anointing of the Sick.

In the Sacrament of the Anointing of the Sick, God's grace and comfort are given to those seriously ill or suffering because of their old age. They receive strength, peace, and courage to face the difficulties that come from serious illness or old age. The grace of the Sacrament of the Anointing of the Sick may even restore to physical health those who are ill. But for all those who receive this sacrament, it:

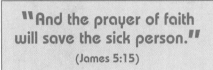

> **"And the prayer of faith will save the sick person."**
> (James 5:15)

- renews their trust and faith in God
- unites them to Christ and to his suffering
- prepares them, when necessary, for death and the hope of life forever with God.

Since the Anointing of the Sick often takes place outside the celebration of the Mass, the sacrament usually begins with the Liturgy of the Word and is followed by Holy Communion. In this way those being anointed are further strengthened and nourished by the word of God and by the Body and Blood of Christ. Holy Communion also joins them to their parish community with whom they are unable to celebrate the Eucharist.

As those who are very ill approach the hour of death, they are given the Body of Christ in the Eucharist as *viaticum*, or "food for the journey." Viaticum strengthens those who are dying as they prepare for death and the hope of eternal life. Receiving the Body of Christ, they can be encouraged, for Jesus said, "Whoever eats my flesh and drinks my blood has eternal life, and I will raise him on the last day" (John 6:54).

When the Sacraments of Penance, Anointing of the Sick, and the Eucharist as viaticum are celebrated together, they are called the "last sacraments." Through these sacraments, Jesus helps us to recognize that suffering and death are only temporary experiences on the path toward eternal happiness with God.

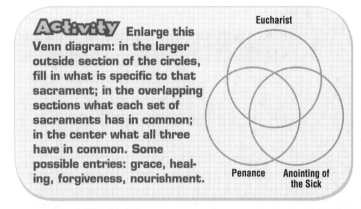

Activity Enlarge this Venn diagram: in the larger outside section of the circles, fill in what is specific to that sacrament; in the overlapping sections what each set of sacraments has in common; in the center what all three have in common. Some possible entries: grace, healing, forgiveness, nourishment.

Eucharist

Penance   Anointing of the Sick

THE MAIN PARTS OF THE ANOINTING OF THE SICK

The Prayer of Faith: The whole Church is represented by the priest, family, friends, and other parish members gathered to pray. Trusting in God's mercy, they ask for help for those who are sick. Several intentions are offered. After each one, those present answer, "Lord, have mercy." (Rite of Anointing of the Sick)

The Laying On of Hands: In silence the priest lays his hands on the person who is sick. The priest's laying on of hands is a sign of blessing and a calling of the Holy Spirit upon the person.

The Anointing with Oil: Using the oil of the sick, the priest anoints the person's forehead first, saying, "Through this holy anointing may the Lord in his love and mercy help you with the grace of the Holy Spirit."
Response: "Amen." (Rite of Anointing of the Sick)

Then the priest anoints the person's hands, saying, "May the Lord who frees you from sin save you and raise you up."
Response: "Amen." (Rite of Anointing of the Sick)

Holy oils

Each year at the Chrism Mass, a special Mass held before Easter, the bishop of each diocese blesses oil that will be used for anointing in sacraments in the diocese. The Chrism Mass is usually held in the diocesan cathedral. Three types of oils are blessed:

- the oil of catechumens, which is used to anoint people in preparation for Baptism
- the oil of the sick, which is used to anoint people in the Anointing of the Sick
- the chrism oil, which is a fragrant oil used to anoint in Baptism, Confirmation, and Holy Orders. Each parish will receive a supply of these oils following the Mass.

Describe how the anointing that takes place in the Anointing of the Sick is similar to or different from the anointing that you learned about in Chapter 14, "Baptism," and Chapter 15, "Confirmation."

RESPONDIENDO...

Reconociendo nuestra fe

Recuerda la pregunta al inicio del capítulo:
¿Quién me ayuda a sanar cuando estoy sufriendo?
¿Cuál es tu respuesta? Ahora cambia la pregunta:
¿A quién ayudo a sanar cuando sufre? Reflexiona
por unos minutos en las formas en que has
promovido y continuado promoviendo la
sanación en otros.

Viviendo nuestra fe

La confesión frecuente fortalece nuestra
relación con Cristo y la Iglesia. Haz un
esfuerzo para celebrar el sacramento de
la Reconciliación regularmente.

San Peregrino

Compañeros en la fe

Cuando joven, en Italia en el siglo XIII, Peregrino Laziosi pertenecía a un
grupo político contrario a la Iglesia y al papa. Durante una manifestación
política con orgullo abofeteó a un sacerdote de la orden de los servitas. Este
sacerdote, conocido como San Felipe Benizi, rezó por Peregrino en vez de contestar su
ofensa. Este acto cambió la forma en que Peregrino veía
la vida. Pidió perdón y eventualmente se hizo católico.
Con la intención de hacer penitencia por su forma
pasada, hizo votos de servir a Dios y la Iglesia como un
servita. Durante sus años de servicio vivió la sanación
de una condición cancerosa en una de sus piernas, recuperación que agradeció a Dios.

San Peregrino es el patrón de los pacientes de cáncer. Su fiesta se celebra el 1 de mayo.
Los servitas continúan el trabajo de San Peregrino. Una forma de servir es trabajando para
ayudar a los enfermos graves, y a quienes los cuidan, a encontrar sanación, apoyo, paz y a
Dios en sus vidas.

¿De qué forma puedes ofrecer apoyo a alguien que necesita sanación?

Recognizing Our Faith

Recall the question at the beginning of this chapter: *Who helps to heal me when I am suffering?* What was your answer? Now turn the question around: *Whom do I help to heal when they are suffering?* Reflect for a few moments on the ways you may have promoted, and can continue to promote, the healing of others.

Living Our Faith

Frequent confession strengthens our relationship with Christ and the Church. Make an effort to receive the Sacrament of Penance on a regular basis.

Saint Peregrine

As a young man in Italy in the thirteenth century, Peregrine Laziosi belonged to a political group that was against the Church and the pope. During one political rally he angrily struck the face of a priest who belonged to an order known as the Servites. This priest, now known as Saint Philip Benizi, prayed for Peregrine instead of striking back at him. This merciful act changed Peregrine's outlook on life. He sought forgiveness and also eventually became a Catholic. In an attempt to do penance for his old ways, he vowed to "stand up" and serve God and the Church as a Servite. During his years of service he experienced the healing of a cancerous condition in his leg, a recovery for which he was grateful to God.

Saint Peregrine is the patron saint of cancer patients. His feast day is May 1. The Servites continue the work of Saint Peregrine. One way they serve is by working to help seriously ill people and their caregivers to find healing, support, peace, and God in their daily lives.

In what way can you offer support to someone in need of healing?

@✵ For additional ideas and activities, visit www.weliveourfaith.com.

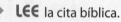

✝ ENCUENTRO CON LA PALABRA DE DIOS

"El Señor es bondadoso y justo, nuestro Dios es compasivo. Caminaré en presencia del Señor en el mundo de los vivos".

(Salmo 116:5, 9)

➡ **LEE** la cita bíblica.

➡ **REFLEXIONA** en esta pregunta:
¿Puedes recordar un momento cuando Dios fue misericordioso contigo?

➡ **COMPARTE** tus reflexiones con un compañero.

➡ **DECIDE** dar gracias a Dios por su misericordia ahora y siempre.
Si quieres puedes decir las dos primeras líneas de la cita bíblica como una oración de acción de gracias.

Poniendo la fe en acción

Conversa sobre lo que has aprendido en este capítulo:

 Sabemos que Jesucristo ofrece el perdón y la sanación de Dios de todos nuestros pecados y sufrimientos.

 Apreciamos el poder sanador de Jesucristo que recibimos en los sacramentos de sanación de la Iglesia.

 Promovemos sanación, perdón y reconciliación en el mundo a nuestro alrededor.

Decide formas en que vas a vivir lo aprendido.

Completa el siguiente párrafo.

Jesús nos enseñó lo que tenemos que hacer para recibir el perdón de Dios en el sacramento de la Penitencia y Reconciliación. Debemos tener _____ (1) por habernos alejados de Dios y debemos decir a Dios que estamos arrepentidos haciendo una _____ (2). Con nuestras palabras y acciones debemos mostrar que estamos arrepentidos o hacer _____ (3), y decidir evitar el pecado en el futuro. Después por medio de la persona del sacerdote Dios nos da _____ (4) perdonándonos y aceptándonos.

Contesta con cortas oraciones.

5. ¿Cuáles son las partes principales de la Unción de los Enfermos? _____
_____

6. ¿Qué es el viaticum? _____

7. ¿Cuáles sacramentos son llamados "últimos sacramentos" cuando se celebran juntos? _____
_____

8. Explica que es la conversión. _____
_____

9–10 Contesta en un párrafo: ¿Cómo se relacionan los sacramentos de la Penitencia y Reconciliación y Unción de los Enfermos?

Putting Faith to Work

Talk about what you have learned in this chapter:

We know that Jesus Christ offers God's forgiveness and healing for all our sins and sufferings.

We appreciate the healing power of Jesus Christ that we receive in the Sacraments of Healing through the Church.

We promote healing, forgiveness, and reconciliation in the world around us.

Decide on ways to live out what you have learned.

✝ ENCOUNTERING GOD'S WORD

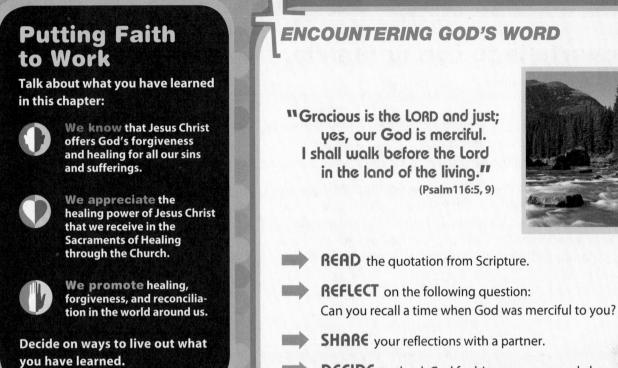

"*Gracious is the LORD and just; yes, our God is merciful. I shall walk before the Lord in the land of the living.*"
(Psalm 116:5, 9)

➡ **READ** the quotation from Scripture.

➡ **REFLECT** on the following question:
Can you recall a time when God was merciful to you?

➡ **SHARE** your reflections with a partner.

➡ **DECIDE** to thank God for his mercy now and always. You might wish to pray the first two lines of the Scripture quotation as a prayer of thanksgiving.

Complete the following paragraph.

Jesus taught us what we need to do to receive God's forgiveness in the Sacrament of Penance. We must have sorrow, or _____ (1) _____, for turning away from God and must tell God that we are sorry, or make a _____ (2) _____. By our words and actions we must also show that we are sorry, or do _____ (3) _____, and resolve to avoid sin in the future. Then, through the person of the priest, God grants us _____ (4) _____—forgives us, and welcomes us back.

Short Answers

5. What are the main parts of the Anointing of the Sick? _____
_____

6. What is viaticum? _____

7. Which sacraments, when celebrated together, are called the "last sacraments"? _____
_____

8. Explain what conversion is. _____
_____

9–10. ESSAY: How are the Sacraments of Penance and Anointing of the Sick related?

Comparte la fe con tu familia

Conversa con tu familia sobre lo siguiente:

- Dios ama y perdona.
- Celebramos el sacramento de la Penitencia y Reconciliación.
- Jesús consuela a todos los necesitados.
- Celebramos el sacramento de Unción de los Enfermos.

Esta semana, antes de comer, pide a cada miembro de tu familia pensar en algo que tengan que perdonar o alguien a quien necesiten perdonar. Piensa en los que en la comunidad y el mundo necesitan la sanación de Dios. Recen pidiendo para que la misericordia y sanación de Dios toque a todo el que lo necesite, incluyendo a tu familia.

Conexión con la liturgia

En cada misa rezamos por las personas enfermas y por los muertos en la comunidad de la Iglesia. Recuerda en silencio personas enfermas o aquellos cuyas vidas en la tierra han terminado.

Para explorar

Muchas parroquias tienen celebraciones comunitarias de Unción de los Enfermos. Averigua cuando habrá una en tu parroquia o una cercana. ¿Cómo puede tu grupo ayudar en la celebración?

Doctrina social de la Iglesia ☑ Cotejo

Tema de la doctrina social de la Iglesia:
Vida y dignidad de la persona humana

Cómo se relaciona con el capítulo 17: Todo ser humano tiene dignidad humana porque ha sido creado a imagen y semejanza de Dios y redimido por Jesucristo. Toda persona tiene el derecho a la vida, salud y compasión. Como católicos respetamos y promovemos estos derechos.

Cómo puedes hacer esto en

☐ la casa:

_____

☐ la escuela/trabajo:

_____

☐ la parroquia:

_____

☐ la comunidad:

_____

Chequea cada acción cuando la termines.

Sharing Faith with Your Family

Discuss the following with your family:

- God is loving and forgiving.
- We celebrate the Sacrament of Penance and Reconciliation.
- Jesus comforts all who are in need.
- We celebrate the Sacrament of the Anointing of the Sick.

This week, before sharing a meal together, ask each member of your family to think of something for which you need forgiveness or of someone you need to forgive. Then think of all those in the community and world who need God's healing. Pray together that God's forgiveness and healing touch all those who are in need of it, including your family.

Catholic Social Teaching ☑ Checklist

Theme of Catholic Social Teaching:
Life and Dignity of the Human Person

How it relates to Chapter 17: All human beings have human dignity because they are created in God's image and redeemed by Jesus Christ. All people have the right to life, healing, and compassion. As Catholics we respect and promote this right.

How can you do this?

☐ At home:
_____

☐ At school/work:
_____

☐ In the parish:
_____

☐ In the community:
_____

Check off each action after it has been completed.

The Worship Connection

At every Mass we pray for people in the Church community who are sick or who have died. Remember in silent prayer people in your own life who are sick or whose lives on earth have come to an end.

More to Explore

Many parishes hold communal celebrations of the Anointing of the Sick. Find out when one of these is to be held in yours or a nearby parish. How can your group help with the celebration?

18
Orden Sagrado y Matrimonio

"Amémonos los unos a los otros, porque el amor procede de Dios".

(1 Juan 4:7)

✝ **Líder:** Jesús dijo: "Estoy entre ustedes como el que sirve" (Lucas 22:27). Jesús llamó a la gente a amarse y servirse. Vamos a rezar por los que escuchan su llamado.

Lector 1: Por el santo padre, el papa (nombre del papa) para que encuentre el gozo y apoyo para dirigir la Iglesia como quiere Cristo, roguemos al Señor.

Todos: Señor, escucha nuestra oración.

Lector 2: Por nuestro obispo (nombre del obispo), los sacerdotes y diáconos, para que dirijan, enseñen y sirvan con la ayuda del Espíritu Santo, roguemos al Señor.

Todos: Señor, escucha nuestra oración.

Líder: Te lo pedimos en el nombre de Jesucristo, quien sirve.

Todos: Amén.

La gran pregunta:
¿Qué quiere Dios que haga con mi vida?

Descubre La persona que llegarás a ser. ¿Cómo crees que será tu vida cuando tengas veinte y cinco años?

Nombre: _____ **Edad:** 25

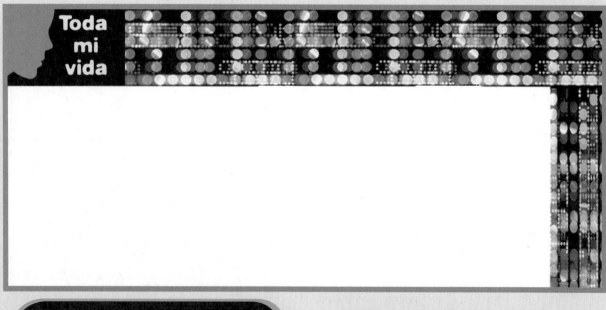

Toda mi vida

En este capítulo aprenderemos sobre los sacramentos de servicio a la comunión: Matrimonio y Orden Sagrado.

¿En qué formas, si hay alguna, lo que serás en el futuro refleja la persona que eres hoy?

18

Holy Orders and Matrimony

"Let us love one another, because love is of God."

(1 John 4:7)

✛ **Leader:** Jesus said, "I am among you as the one who serves" (Luke 22:27). Jesus calls all people to love and serve one another. Let us pray for all who follow this call.

Reader 1: For our Holy Father, Pope (name the pope), that he may find joy and support as he leads the Church in the way of Christ, we pray to the Lord.

All: Lord, hear our prayer.

Reader 2: For our bishop, (name the bishop), and all priests and deacons, that they may lead, teach, and serve us with the help of the Holy Spirit, we pray to the Lord.

All: Lord, hear our prayer.

Leader: We ask these things in the name of Jesus Christ, the one who serves.

All: Amen.

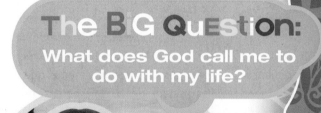

The BIG Question:
What does God call me to do with my life?

☀ **Discover** the person you will become. What do you think your life will be like when you are twenty-five years old?

Name: _____ **Age:** 25

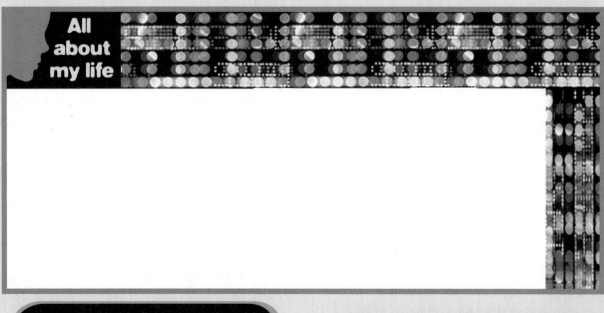

All about my life

In this chapter we learn about the Sacraments at the Service of Communion: Matrimony and Holy Orders.

In what ways, if any, does your future self reflect the person you are right now?

Dios llama a las personas a servirlo de diferentes formas. Aquí presentamos una pareja que se prepara para servir a Dios en la vida matrimonial y un hombre que se prepara para servir a Dios como ministro ordenado. Ellos comparten respuestas a algunas preguntas que puedes tener sobre estos compromisos sacramentales.

Entrevista con una pareja que se prepara para el matrimonio

1. ¿Se sintieron siempre llamados al matrimonio? Sí. No todos tenemos la misma experiencia, pero para nosotros, personalmente, que crecimos en familias grandes, nos dio la esperanza de conocer un día a la persona adecuada, casarnos, empezar una familia y compartir el amor de Dios.

2. ¿Cómo se conocieron? ¿Qué les ayudó a discernir sobre su llamado al matrimonio? Un amigo mutuo facilitó un encuentro entre nosotros. Lo que nos ayudó, quizás, fue nuestro gran amor. Sentimos la necesidad de pasar el resto de nuestras vidas juntos.

3. El matrimonio es un sacramento de servicio a la comunión. ¿De qué formas esperan que servir sea parte de su compromiso matrimonial? Esperamos que el servicio tenga un papel importante en nuestro matrimonio. Juntos estaremos listos para ayudar a nuestros amigos y familiares. Nos cuidaremos uno al otro y nos ayudaremos con nuestras necesidades diarias. Como esperamos empezar una familia, esperamos cuidar de los hijos que esperamos tener.

4. ¿Cuál creen será el reto más grande en su vida matrimonial? ¿Cuál creen será el don más grande en su vida matrimonial? Será un reto acostumbrarnos a nuestros hábitos y rutinas diarias. Esperamos que el mayor don sea ver un día la hermosa vida y familia que tenemos.

5. ¿Qué cualidades importantes creen deben tener las personas casadas? Fe en Dios, confianza, respeto, fidelidad, motivación y compasión. Necesitaremos recordar constantemente la importancia de esas cualidades, las que pueden ayudarnos a mantener el funcionamiento de un matrimonio.

6. En general, ¿qué experiencias creen les dará el futuro de su vida matrimonial? Creemos que nuestro futuro nos traerá mucho amor. Esperamos apoyarnos mutuamente en nuestras vidas diarias y tener nuestra propia familia.

Entrevista a un hombre que se está preparando para el sacerdocio

1. ¿Se sintió siempre llamado al sacerdocio? No. Cuando pequeño no estaba seguro en que dirección Dios me estaba llamando.

2. ¿Qué le ayudó a discernir su llamada al sacerdocio? En la universidad, fui inspirado por el párroco de una parroquia fuera del campus. Era lo que creía debía ser un sacerdote, amable y dispuesto a ayudar a otros a ser lo mejor que pudieran ser. Empecé como voluntario y al servir a otros me sentí llamado al sacerdocio. Fue un proceso gradual.

3. El Orden Sagrado es un sacramento de servicio a la comunión. ¿De qué forma espera que el servicio sea parte de su vida como sacerdote? Quiero ser un verdadero párroco. Espero servir a Dios y a la gente en mi futura parroquia.

4. ¿Cuál cree será el reto más grande del sacerdocio? ¿Cuál cree es el don más grande que tiene un sacerdote? Creo que el reto más grande será organizar mi tiempo de forma tal que pueda estar disponible para la mayor cantidad de personas posibles. El don más grande será compartir a Cristo con otros en los sacramentos y por medio de mi servicio.

5. ¿Cuáles cree son cualidades importantes que debe poseer un sacerdote? La habilidad de escuchar es una cualidad que un sacerdote debe tener. Un sacerdote debe también ser compasivo y un ejemplo para la comunidad parroquial de tratar de vivir como lo hizo Jesús.

6. En general, ¿qué experiencias futuras cree que le tiene el sacerdocio? Espero que mi futuro me traiga muchas experiencias de servir a la Iglesia siendo un verdadero pastor para mi parroquia.

Actividad ¿Qué nuevas ideas te ofrecen estas entrevistas sobre el Matrimonio y el Orden Sagrado? Comparte tus ideas.

God calls people to serve him in various ways. Below, a couple preparing to serve God in married life and a man preparing to serve God in ordained ministry share answers to some questions you might have about these sacramental commitments.

Interview with a couple preparing for marriage

1. Have you always felt called to be married? Yes. Not everyone's experience is the same, but, for us personally, growing up in large, supportive families gave us the hope of one day meeting the right person, getting married, starting families, and sharing God's love with each other.

2. How did you meet each other? What helped you to discern your call to marriage? We met when a mutual friend arranged a blind date between us. What helped us to discern our call was probably our great love for each other. We felt the need to spend the rest of our lives together.

3. Matrimony is one of the Sacraments at the Service of Communion. In what ways do you expect service to be a part of your marriage commitment? We expect service to have an important role in our marriage. Together we'll be there for our family and friends, and we'll take care of each other and help each other with our everyday needs. And, since we hope to start a family, we expect to take care of the children we hope to have.

4. What do you think the greatest challenge of married life will be? What do you think the greatest gift of married life will be? It will be a challenge to get accustomed to each other's daily habits and routines. The greatest gift of our marriage, we hope, will be one day seeing what a beautiful life and family we have.

5. What qualities do you think are important for married people to have? Faith in God, trust, respect, loyalty, motivation, and compassion. We'll need to constantly remind ourselves of the importance of these qualities, which can help to keep a great marriage going.

6. Overall, what experiences do you think your future as a married couple will hold? We think our future will hold lots of love. We look forward to supporting each other in our daily lives and, hopefully, having a family of our own.

Interview with a man preparing for the priesthood

1. Have you always felt called to the priesthood? No. As a young person I was not sure in what direction God would lead me.

2. What helped you to discern your call to the priesthood? During college, I was inspired by a pastor at a parish off campus. He was what I thought a priest should be, kind and able to help others to be the best they can be. I began to volunteer in the parish, and, through serving others, I felt called to the priesthood. It was a gradual process.

3. Holy Orders is one of the Sacraments at the Service of Communion. In what ways do you expect service to be a part of your life as a priest? I want to be a true pastor. I am looking forward to serving God and the people of my future parish.

4. What do you think the greatest challenge of the priesthood will be? What do you think the greatest gift of the priesthood will be? I think the greatest challenge will be scheduling my time so that I can be available to as many people as possible. The greatest gift will be sharing Christ with others in the sacraments and through my service.

5. What qualities do you think are important for priests to have? The ability to listen is one quality a priest must have. A priest must also be compassionate and an example to the parish community of trying to live as Jesus did.

6. Overall, what experiences do you think your future as a priest will hold? I hope my future will hold many experiences of serving the Church by being a true shepherd to my parish.

Activity What new insights do these interviews give you about Matrimony and Holy Orders? Share your ideas.

El Matrimonio es un sacramento de servicio a la comunión.

Por medio de los sacramentos de iniciación cristiana nos hacemos discípulos de Cristo y miembros de la Iglesia Católica. Somos llamados a la santidad. Somos llamados a compartir el amor de Dios y a predicar su reino en esta vida, preparándonos para la vida eterna y el cumplimiento del reino. Hay dos sacramentos, Orden Sagrado y Matrimonio, en los que los miembros de la Iglesia son llamados a una misión específica de servicio a otros. Por eso estos dos sacramentos son llamados de servicio a la comunión.

Por medio del sacramento del Matrimonio, un hombre y una mujer bautizados entran en un compromiso de por vida como fieles y amorosos compañeros. También se comprometen a aceptar con amor a los niños como un regalo de Dios. Por ser creados a imagen y semejanza de Dios, los humanos comparten

El rito del Matrimonio

La celebración del sacramento del Matrimonio, o rito del Matrimonio, con frecuencia tiene lugar dentro de una misa. Las lecturas bíblicas proclamadas durante la Liturgia de la Palabra pueden seleccionarse con anticipación por las parejas. Después de la lectura del evangelio, empieza el rito del Matrimonio, cuando el diácono o el sacerdote hace a la pareja tres preguntas importantes: ¿Se entregan libremente? ¿Se amarán y honrarán toda la vida? ¿Aceptarán todos los hijos que Dios les mande y los educarán en la fe? Después de contestar esas preguntas, los novios intercambian sus votos de amor y *fidelidad*.

El diácono o el sacerdote pide a Dios que fortalezca su unión. Se bendicen los anillos y la pareja se los intercambia como señal de amor y fidelidad. Toda la asamblea reza la oración de los fieles y si la celebración es dentro de una misa esta continúa con la Liturgia de la Eucaristía. Después del Padrenuestro, el sacerdote, de frente a los novios, hace una oración especial, la bendición nupcial, pidiendo la bendición de Dios para el matrimonio. Como señal de su unión con Jesús, la fuente de su amor, los novios, si son católicos, reciben la comunión.

¿Qué puedes hacer ahora para mostrar tu unión con Jesús?

la misma dignidad y Dios les da participación en su plan para continuar la familia humana. En el Antiguo Testamento leemos que Dios bendice el amor entre un hombre y una mujer diciendo: "crezcan y multiplíquense" (Génesis 1:28). El les dice: "Por esta razón deja el hombre a su padre y a su madre y se une a su mujer, y los dos se hacen uno solo". (Génesis 2:24)

Desde el inicio Dios llamó al hombre y la mujer a comprometerse en una vida de amor, que imite la alianza de fidelidad de Dios y compromiso con ellos. Su amor es signo del amor de Dios por su pueblo. Y su alianza matrimonial es modelada en el amor de Cristo por la Iglesia, algunas veces llamada la novia de Cristo. El amor de Cristo por la Iglesia es permanente e incondicional. Así el amor entre una pareja de casados debe ser permanente e incondicional.

La pareja casada se une en su servicio a los demás. El amor que ellos comparten por Dios y uno por el otro se muestra en los frutos de sus vidas—apertura a otros, sacrificio y **caridad**, o amor, que es un don de Dios que nos permite amarlo y amar a nuestro prójimo. Las expresiones de amor de una pareja de casados incluyen la procreación de nueva vida y la moral y educación espiritual de sus hijos. "En este sentido, la tarea fundamental del matrimonio y de la familia es estar al servicio de la vida". (*CIC*, 1653)

> **Vocabulario**
> caridad

Actividad ¿Sabías qué el Matrimonio es un sacramento de servicio a Cristo y a la Iglesia? Explica tu respuesta.

Matrimony is a Sacrament at the Service of Communion.

Through the Sacraments of Christian Initiation we become disciples of Christ and members of the Catholic Church. We are all called to holiness. We are called to share God's love and spread God's Kingdom in this life, preparing for eternal life and the fulfillment of the Kingdom. Yet there are two sacraments, Holy Orders and Matrimony, in which Church members are called to a specific mission of service to others. Thus, Holy Orders and Matrimony are called the Sacraments at the Service of Communion.

Through the Sacrament of Matrimony, a baptized man and woman enter a lifelong commitment to live as faithful and loving partners. They also promise to lovingly accept children as a gift from God. Being made in God's image, men and women share the same human dignity, and God gives them a part in his plan for continuing the human family. In the Old Testament we read that God blesses the love of man and woman for one another, saying, "Be fertile and multiply" (Genesis 1:28). He tells them that "a man leaves his father and mother and clings to his wife, and the two of them become one body" (Genesis 2:24).

So, from the beginning, God called men and women to commit to one another in a life-giving love, one that imitates God's covenant of faithfulness and commitment to them. Their love is a sign of God's love for all his people. And their marriage covenant is modeled on Christ's love for the Church, sometimes called the Bride of Christ. Christ's love for the Church is permanent and unconditional. Thus, a married couple's love for each other is also to be permanent and unconditional.

The married couple becomes one in their service for others. The love that they share for God and for each other is shown in the fruits of their lives together—openness to others, lifelong sacrifice, and **charity**, or love, which is a gift from God that enables us to love him and to love our neighbor. The married couple's expression of their love includes the procreation of new life and the moral and spiritual education of their children. "In this sense the fundamental task of marriage and family is to be at the service of life." (*CCC*, 1653)

> **Faith Word**
> charity

Activity Did you realize that Matrimony is a sacrament of service to Christ and the Church? Explain your answer.

The Rite of Marriage

The celebration of the Sacrament of Matrimony, or the Rite of Marriage, often takes place within the Mass. The Scripture readings proclaimed during the Liturgy of the Word may be selected in advance by the couple themselves. After the reading of the Gospel, the Rite of Marriage begins as the deacon or priest asks the couple three important questions: Are they free to give themselves in marriage? Will they love and honor each other for the rest of their lives? Will they lovingly accept children from God and raise them in the faith? After answering these questions, the bride and groom exchange vows of love and *fidelity*, or faithfulness.

The deacon or priest asks God to strengthen their union. The rings are then blessed, and the couple exchanges them as a sign of their love and fidelity. The whole assembly prays the prayer of the faithful, and, if Mass is being celebrated, the Liturgy of the Eucharist follows. After the Lord's Prayer, the priest faces the couple and prays a special prayer, the nuptial blessing, which asks for God's blessing upon the marriage. As a sign of their union with Jesus, the source of their love, the bride and the groom, if they are Catholic, each receive Holy Communion.

What can you do in your life now to show your union with Jesus?

333

En el Matrimonio, las parejas reciben gracia para una vida de amor y servicio.

Durante su ministerio público, las palabras y obras de Jesús apoyan la importancia y santidad del matrimonio. El dijo: "Lo que Dios unió, que no lo separe el hombre" (Mateo 19:6). En el Evangelio de Juan vemos que Jesús hace el primer milagro de su ministerio público en una fiesta de boda. Así confirma la bondad del matrimonio, lo apoya como una alianza indestructible y lo establece como un sacramento.

En todos los demás sacramentos Jesús ofrece la gracia de Dios por medio de un ministro ordenado, quien celebra el sacramento. En el sacramento del Matrimonio los novios se confieren el sacramento uno al otro y Jesús actúa por medio de ellos y por su promesa de siempre amarse y ser fieles uno al otro. El sacerdote o el diácono, sin embargo, es el testigo oficial del sacramento en nombre de la Iglesia. El bendice la unión de la pareja a quien Dios ha unido. Toda la Iglesia celebra el amor de Jesús, se hace presente por medio del amor de los recién casados y que su amor es bendecido y fortalecido por la gracia de ese sacramento.

Por ser humanos, toda pareja de casados puede encontrar dificultades en su relación. El *Catecismo*, citando la *Constitución pastoral de la Iglesia en el mundo moderno*, dice: "Los cónyuges cristianos, son fortificados y como *consagrados* para los deberes y dignidad de su estado por este sacramento especial" (1535). En el sacramento del Matrimonio, Jesucristo está presente en la vida y trabajo. El comparte su amor con ellos para que ellos puedan amarse y perdonarse mutuamente. Mientras tanto, él los apoya y fortalece para vivir como compañeros fieles y dignos de confianza. La gracia que reciben por medio de este sacramento los fortalece, ayudándoles a vencer sus dificultades.

> "En este sentido, la tarea fundamental del matrimonio y de la familia es estar al servicio de la vida".
>
> (*CIC*, 1653)

En todos sus problemas y retos en la vida, Dios sigue ofreciendo su sanación a la pareja si ellos se lo piden. También pueden recurrir a su familia y comunidad parroquial para pedir oración y apoyo. Deben celebrar los sacramentos de la Eucaristía y la Penitencia con frecuencia, pidiendo ayuda al Espíritu Santo para tomar decisiones que honren y protejan su matrimonio y sus familias y los fortalezcan para seguir siendo fieles a sus promesas matrimoniales.

Cuando una pareja de casados comparte las bondades de su amor con otros, crece su amor por Cristo y por cada uno. Son fortalecidos para servir a Dios y a la Iglesia—el pueblo de Dios. No sólo como fieles cristianos sino también como fieles esposos, deben compartir la buena nueva de Cristo y dar testimonio de su fe. Viviendo los votos que se hicieron en el sacramento del Matrimonio, las parejas pueden hacerlo todos los días. En el hogar, en el trabajo y en su comunidad local, las parejas pueden vivir su fidelidad a Dios y uno por el otro. Con la ayuda de Dios, ellos pueden vivir el compromiso que hicieron en este sacramento de servicio.

Actividad Piensa en una pareja de casados que conoces y que, con la ayuda de Dios, comparte la buena nueva de Cristo y da testimonio de su fe. ¿Cómo lo hacen?

In Matrimony, couples receive grace for lifelong love and service.

Throughout his public ministry, Jesus' words and actions upheld the importance and the sanctity of marriage. He said, "What God has joined together, no human being must separate" (Matthew 19:6). And in John's Gospel we find that Jesus even performed the first miracle of his public ministry at a wedding feast. In doing so, he confirmed the goodness of marriage, upheld it as a covenant not to be broken, and forever established it as a sacrament.

In all the other sacraments, Jesus offers God's grace through an ordained minister who celebrates the sacrament. But in the Sacrament of Matrimony, the bride and groom confer the sacrament on each other, and Jesus acts through them and through their promise to always love and be true to each other. The priest or deacon, however, is the official witness of the sacrament on behalf of the Church. He blesses the union of the couple whom God has joined together. The whole Church celebrates that Jesus' love is made present through the love of the newly married couple and that their love is blessed and strengthened by the grace of this sacrament.

Being human, all married couples can encounter difficulties in their relationship. Yet, as the

> **"The fundamental task of marriage and family is to be at the service of life."**
> (CCC, 1653)

Catechism, quoting the *Pastoral Constitution on the Church in the Modern World,* states, "Christian spouses are fortified and, as it were, *consecrated* for the duties and dignity of their state by a special sacrament" (1535). In the Sacrament of Matrimony, Jesus Christ remains with the couple in their lives as they live and work. He shares his love with them so that they can love and forgive each other. And he supports and strengthens them to live as loyal and trustworthy partners. The grace that they receive through this sacrament strengthens them, helping them to overcome their difficulties.

Through all of life's problems and challenges, God continues to offer the couple his healing if they call upon him. They can also turn to their family and parish community for prayer and support. And they should frequently celebrate the Sacraments of Eucharist and Penance, asking for the help of the Holy Spirit in making decisions that both honor and protect their marriage and their families, and strengthen them to remain loyal to their marriage promises and to each other.

When married couples share the goodness of their love with others, their own love for each other and for Christ grows. They are strengthened to serve God and the Church—the People of God. Not only as faithful Christians but also as faithful spouses, they are to share the good news of Christ and give witness to their faith. Living by the vows that they make in the Sacrament of Matrimony, couples can do this every day. At home, at work, and in their local community, couples can live out their fidelity to God and each other. With God's help, they can live out the commitment that they made in this sacrament of service.

Activity Think of one married couple you know of who, with God's help, shares the good news of Christ and gives witness to their faith. How do they do this?

Jesús llamó a sus apóstoles para continuar su trabajo.

¿De qué forma compartes el trabajo de Jesús?

Durante su ministerio público, Jesucristo enseñó a sus seguidores que ellos también debían compartir el amor de Dios y predicar sobre el reino de Dios. Muchos siguieron a Jesús como discípulos. Una vez Jesús subió a una montaña donde estuvo toda una noche rezando a su Padre. "Al hacerse de día, reunió a sus discípulos, eligió de entre ellos a doce, a quienes dio el nombre de apóstoles" (Lucas 6:13). Jesús compartió su ministerio con los doce apóstoles de forma especial, hablándoles sobre Dios su Padre, enseñándoles sobre el reino de Dios y mostrándoles como llevar el amor de Dios a otros. Entonces los envió a: "Predicar el reino de Dios y a sanar a los enfermos". (Lucas 9:2)

Después de su muerte y resurrección, Jesús resucitado volvió a los apóstoles y les dio la autoridad para continuar su trabajo. El los envió diciendo: "'La paz esté con ustedes'. Y añadió: 'Como el Padre me ha enviado, yo también los envío a ustedes'. Sopló sobre ellos y les dijo: 'Reciban el Espíritu Santo'" (Juan 20:21–22). Con estas palabras y gestos, Jesús instruyó a los apóstoles a hacer su trabajo. Ellos serían ministros para su comunidad, la guiarían en la alabanza, y bautizarían, sanarían y perdonarían en su nombre. Y el Espíritu Santo los guiaría para continuar su misión, invitando a otros a compartir en el reino de Dios.

Dondequiera que iban, los apóstoles reunían creyentes para la Iglesia de la comunidad local. Con la ayuda de cada iglesia local escogían líderes y ministros para la comunidad. Los apóstoles imponían las manos a los escogidos y los encargaban del grupo. De esa forma los apóstoles pasaban a otros lo que Cristo les había dado: el don del Espíritu Santo y la autoridad de continuar la misión de Jesucristo.

Estos líderes locales servían a sus comunidades de varias formas. Eran responsables del culto en la comunidad, ayudaban a cuidar de los enfermos y necesitados y dirigían a la comunidad, predicando la buena nueva de Jesucristo y compartiendo las enseñanzas de los apóstoles. Esos líderes eventualmente se conocieron como obispos, continuaron el trabajo de los apóstoles en sus comunidades locales y actuaban en nombre de los apóstoles. Otros líderes locales que trabajaban con los obispos se convirtieron en presbíteros, o sacerdotes. Y los ayudantes en el culto y el servicio a la comunidad fueron llamados diáconos.

Guiados por el Espíritu Santo los obispos, los sucesores de los apóstoles, también compartieron la autoridad de Jesús nombrando a otros a continuar el ministerio de los apóstoles. Esto era hecho imponiendo las manos al tiempo que se hacía una oración especial al Espíritu Santo. La Iglesia continúa haciendo eso hoy en el sacramento del Orden. En este sacramento, por medio de la imposición de las manos y la oración de consagración, los que reciben el Orden Sagrado son *consagrados* "en el nombre de Cristo ser los pastores de la Iglesia con la palabra y con la gracia de Dios" (*CIC*, 1535). Así, el liderazgo de la Iglesia, a través de la historia puede rastrearse hasta los apóstoles, por ende hasta Jesucristo.

Signos de servicio

En la ordenación: Los diáconos reciben una estola, que debe usarse cruzada desde el hombro izquierdo y abrochada en el lado derecho, señal de ministerio y un libro de los evangelios, señal de predicación de la buena nueva.

Los sacerdotes usan su estola en el cuello y sobre su pecho; las palmas de sus manos son ungidas para que puedan hacer santo al pueblo de Dios por medio de los sacramentos. Reciben un cáliz y una patena, signos de que van a celebrar la Eucaristía para ofrecer el sacrificio del Señor.

La cabeza de los obispos es ungida, reciben una mitra, signo del oficio de obispo, un anillo, como signo de su fidelidad a Cristo y a la Iglesia y un báculo, signo del papel del obispo como pastor de todo el rebaño de Cristo.

Busca los signos de servicio en la misa o los demás sacramentos.

IDENTIDAD CATÓLICA

Actividad ¿Cómo trabajan juntos los obispos, los sacerdotes y los diáconos para continuar el ministerio de los apóstoles? ¿Cómo puedes ayudar a apoyar sus ministerios?

Jesus called his Apostles to continue his work.

In what ways do you share the work of Jesus?

Throughout his public ministry, Jesus Christ taught his followers that they too could share in God's love and spread God's Kingdom. And many people followed Jesus as disciples. Once Jesus went to a mountain where he spent all night praying to his Father. "When day came, he called his disciples to himself, and from them he chose Twelve, whom he also named apostles." (Luke 6:13) Jesus shared his ministry with the Twelve Apostles in a special way, speaking to them about God his Father, teaching them about the Kingdom of God, and showing them ways to bring God's love to all people. He then sent the Apostles out to "proclaim the kingdom of God and to heal [the sick]" (Luke 9:2).

After his death and Resurrection, the risen Jesus returned to his Apostles and gave them the authority to continue his work. He commissioned them, saying, "'Peace be with you. As the Father has sent me, so I send you.' And when he had said this, he breathed on them and said to them, 'Receive the holy Spirit'" (John 20:21–22). Through these words and actions Jesus entrusted the Apostles with his own work. They would minister to his community, lead them in worship, and baptize, heal, and forgive in his name. And the Holy Spirit guided them to continue this mission, inviting people to share in God's Kingdom.

Everywhere they went, the Apostles gathered believers into local Church communities. With the help of each local Church, they chose leaders and ministers for the community. The Apostles laid hands on those chosen and commissioned them. In this way the Apostles handed on what Christ had given them: the Gift of the Holy Spirit and the authority to carry out the mission of Jesus Christ.

These local leaders served their communities in various ways. They were responsible for the worship within the community, assisted in caring for those who were sick or in need, and led the community by preaching the good news of Jesus Christ and sharing the teachings of the Apostles. These leaders, eventually known as bishops, continued the Apostles' work in their local communities and acted on behalf of the Apostles. Other local leaders who worked with the bishops became known as presbyters, or priests. And those who assisted in the worship and service of the community were called deacons.

Guided by the Holy Spirit, the bishops, the successors of the Apostles, also shared Jesus' authority by commissioning others to continue the ministry of the Apostles. This was done by the laying on of hands and by a special prayer to the Holy Spirit. The Church still does this today in the Sacrament of Holy Orders. In this sacrament, through the laying on of hands and the prayer of consecration, those receiving Holy Orders are "*consecrated* in Christ's name 'to feed the Church by the word and the grace of God'" (*CCC*, 1535). So, the leadership of the Church throughout history can be traced back to the Apostles, and thus to Jesus Christ!

Activity How do bishops, priests, and deacons work together to continue the ministry of the Apostles? How can you help to support their ministries?

Signs of service

At ordination: Deacons receive a stole, which is to be worn across the left shoulder and fastened at the right, a sign of ministry, and the Book of the Gospels, a sign of preaching the good news.

Priests have their stoles placed around the neck and down over the chest; have their palms anointed so that they can make the people of God holy through the sacraments. They receive a chalice and a paten, signs that they may celebrate the Eucharist to offer the sacrifice of the Lord.

Bishops' heads are anointed, and they receive a miter, or pointed hat, a sign of the office of bishop; a ring, a sign of faithfulness to Christ and the Church; and a pastoral staff, a sign of a bishop's role as shepherd of Christ's flock.

Look for these signs of service at Mass or the other sacraments.

CATHOLIC IDENTITY

Los llamados al Orden Sagrado son consagrados para servir a otros.

Por el Bautismo y la Confirmación somos consagrados al sacerdocio común de los fieles. Pero hay un *ministerio sacerdotal* específico. Por medio del sacramento del Orden, hombres llamados por la Iglesia son ordenados: sacerdotes y obispos ordenados forman el sacerdocio ministerial y hombres, ordenados como diáconos, forman parte del ministerio de servicio de la Iglesia.

Hombres bautizados que han sido aceptados como candidatos para ser ordenados pasan varios años en el seminario, un lugar donde rezan, estudian y se preparan para su ministerio particular. Como en el Bautismo y la Confirmación, los que reciben el Orden son sellados para siempre con un carácter sacramental. Esto los confiere a Cristo y los marca para siempre en el servicio de Cristo y de la Iglesia. El sacramento del Orden no se puede repetir.

> Los que reciben el Orden Sagrado son: consagrados en "el nombre de Cristo".
> (*CIC*, 1535)

Por medio del Orden Sagrado, un **diácono** comparte en la misión de Cristo ayudando a los obispos y sacerdotes en el servicio de la Iglesia. Algunos hombres, solteros o casados se hacen diáconos permanentes, son diáconos de por vida. Otros se mantienen solteros y se hacen diáconos como un paso hacia el sacerdocio. Al ser ordenados en el *diaconado* como diáconos, continúan para ser ordenados en el *presbiterado* para hacerse sacerdotes. Un **sacerdote** es ordenado para predicar el evangelio, servir a los fieles, especialmente celebrando la Eucaristía y otros sacramentos. Un sacerdote que llega a obispo es ordenado en el *episcopado*. Para ser obispo, un sacerdote debe ser escogido por el papa, con el consejo de los obispos de la Iglesia, para ser consagrado en el episcopado. Un **obispo** recibe plenamente el sacramento del Orden y continúa la misión de liderazgo y servicio de los apóstoles.

En el acto sacramental llamado ordenación, obispos, sacerdotes y diáconos reciben uno o más de esos tres grados de órdenes: *episcopado*, *presbiterado* y *diaconado*. Un obispo siempre ordena a un obispo, obispo electo, también a los candidatos a presbiterado y diaconado. La celebración del Orden Sagrado siempre tiene lugar durante una misa. La Liturgia de la Palabra incluye lecturas sobre el ministerio y el servicio.

Después de la lectura del evangelio, los que van a ser ordenados son presentados al obispo celebrante. El habla al pueblo sobre el papel que esos hombres tendrán en la Iglesia, sobre sus responsabilidades de enseñar, guiar y adorar. También habla directamente a los que van ser ordenados, pidiéndoles estar seguros de que entienden y aceptan sus responsabilidades de dirigir y servir en nombre de Jesús.

El obispo celebrante invita a toda la asamblea a pedir a Dios que bendiga a los ordenados. Entonces, en completo silencio, impone las manos sobre la cabeza de los que se van a ordenar. En la ordenación de un sacerdote, otros sacerdotes presentes también imponen sus manos sobre el candidato como señal de su unidad y servicio a la diócesis. En la ordenación de un obispo electo, otros obispos presentes imponen sus manos sobre él en señal de su unidad en el servicio a la Iglesia. Entonces el obispo celebrante reza la oración de consagración que es diferente para cada grado de ordenación, y extiende sus manos sobre cada hombre. Por el poder del Espíritu Santo cada hombre es ordenado para continuar el ministerio de Jesús en un servicio especial en la Iglesia.

Vocabulario

diácono
sacerdote
obispo

Actividad En muchas parroquias en tu diócesis hay diáconos permanentes. Investiga lo que hacen en su ministerio de servicio.

Those called to Holy Orders are consecrated to the service of others.

Through Baptism and Confirmation we are conse-crated to the common priesthood of the faithful. Yet there is a distinct *ministerial priesthood.* Through the Sacrament of Holy Orders, men who are called by the Church are ordained: Ordained priests and bishops form the ministerial priesthood, and men who are ordained as deacons become part of the ministry of service to the Church.

Baptized men who have been accepted as candidates for Holy Orders spend several years at a seminary, a place where they pray, study, and prepare for their particular minis-try. As in Baptism and Confirmation, those who receive Holy Orders are forever sealed with a sacra-mental character. This config-ures them to Christ and marks them as forever in the service of Christ and the Church. Thus, the Sacrament of Holy Orders cannot be repeated.

Through Holy Orders, a **deacon** shares in Christ's mission by assisting bishops and priests in the service of the Church. Some men, single or married, become permanent deacons, remaining deacons for life. Other men remain unmarried and become deacons as a step toward the priesthood. Having been ordained into the *diaconate* as deacons, they continue on to be ordained into the *presbyterate,* becoming priests. A **priest** is ordained to preach the Gospel and serve the faithful, especially celebrating the Eucharist and the other sacraments. A priest who becomes a bishop is ordained into the *episcopate.* To become a bishop, a priest must be chosen for episco-pal consecration by the pope, with the advice of other bishops and Church members. A **bishop** receives the fullness of the Sacrament of Holy Orders and continues the Apostles' mission of leadership and service.

Thus, in the sacramental act called ordination, bishops, priests, and deacons receive one or more of the three degrees of orders: *episcopate, presbyterate,* and *diaconate.* A bishop always ordains a newly chosen bishop, or bishop-elect, as well as candidates for the priesthood and diaconate. The celebration of Holy Orders always takes place during the Mass. The Liturgy of the Word includes readings about ministry and service. After the Gospel reading, those to be ordained are presented to the bishop celebrant. He speaks to the people about the roles these men will have in the Church, about their responsibilities to teach, to lead, and to worship. He also speaks directly to those being ordained, questioning them to make sure that they understand and accept their responsibilities to lead and serve in Jesus' name.

> In the Sacrament of Holy Orders men are "consecrated in Christ's name"
> (*CCC*, 1535).

The bishop celebrant invites the whole assembly to pray that God will bless those to be ordained. Then, in complete silence, he lays his hands over the head of those to be ordain-ed. At the ordination of a priest, other priests present also lay their hands upon the candidate as a sign of their unity and service to the diocese. At the ordination of a bishop-elect, other bishops present lay their hands upon him as a sign of their unity in service to the Church. Then the bishop celebrant prays the prayer of consecration, which is different for each of the degrees of orders, and ex-tends his hands over each man. By the power of the Holy Spirit, each man is ordained to continue Jesus' ministry in a particular service in the Church.

Faith Words
deacon
priest
bishop

Activity in many parishes in your diocese there are permanent deacons. Find out what they do in their ministry of service.

Reconociendo nuestra fe

Recuerda la pregunta al inicio del capítulo: *¿Qué quiere Dios que haga con mi vida?* Nombra tres cosas que aprendiste en este capítulo sobre el Matrimonio y el Orden Sagrado.

1.

2.

3.

¿Te animarán esas cosas a servir a Dios y a los demás por medio de uno de esos sacramentos?

Viviendo nuestra fe

Toma más conciencia y aprecio del clero y las parejas casadas quienes verdaderamente aman la vida de servicio a la Iglesia.

Papa Benedicto XVI

El 19 de abril del 2005, el cardenal Joseph Ratzinger fue electo papa—la cabeza visible de la Iglesia Católica y el obispo de Roma. Escogió como nombre Benedicto XVI, honrando a San Benedicto de Nursia y al papa Benedicto XV, ambos comprometidos con la paz.

Compañeros en la fe

El papa Benedicto XVI experimentó la necesidad de tener valor y luchar por la paz muy temprano en su vida. Nació en el 1927, creció durante el gobierno del partido nazi en su nativa Alemania. En esta turbulenta atmósfera, el papa Benedicto XVI se centró en su fe. Fue ordenado sacerdote en el 1951 y designado obispo de Munich en el 1977. Tres meses después fue nombrado cardenal.

Como cardenal fue el consejero teológico del papa Juan Pablo II durante 20 años. Con su fe en las enseñanzas de la Iglesia, el papa Benedicto trae al papado un fuerte compromiso en su papel para enseñar, gobernar y santificar la Iglesia. Busca más información sobre el papa Benedicto XVI. ¿Cómo puedes ayudarlo en su servicio a la Iglesia?

@✱ Para más ideas y actividades visita www.vivimosnuestrafe.com.

Recognizing Our Faith

Recall the question at the beginning of this chapter: *What does God call me to do with my life?* Name three things in this chapter that you learned about Matrimony and Holy Orders.

1.

2.

3.

Would these things encourage you to serve God and others through one of these sacraments?

Living Our Faith

Become more aware and appreciative of clergy and married couples who are truly living lives of service to the Church.

Pope Benedict XVI

On April 19, 2005, Cardinal Joseph Ratzinger was elected pope—the visible head of the Catholic Church and the bishop of Rome. For his name as pope, he chose Benedict XVI, honoring Saint Benedict of Nursia and Pope Benedict XV, both of whom displayed courage and a commitment to peace.

Pope Benedict XVI experienced the need for courage and peace early in his life. Born in 1927, he grew up during the rise of the Nazi political party in his native Germany. In the face of this turbulent atmosphere, Pope Benedict XVI focused on his faith. He was ordained a priest in 1951 and appointed Archbishop of Munich in 1977. Three months later he became a cardinal.

Partners in FAITH

As a cardinal he was Pope John Paul II's chief theological adviser for twenty years. With his faithfulness to Church teachings, Pope Benedict XVI brings to the papacy a strong commitment to his role to teach, govern, and sanctify the Church.

Find out more about Pope Benedict XVI. How can you support him in his service to the whole Church?

 **For additional ideas and activities, visit www.weliveourfaith.com.**

RESPONDIENDO...

ENCUENTRO CON LA PALABRA DE DIOS

"**Como elegidos de Dios, pueblo suyo y amados por él, revístanse de sentimientos de compasión, de bondad, de humildad, de mansedumbre y de paciencia. Sopórtense mutuamente y perdónense. . . . Y por encima de todo, revístanse del amor**".

(Colosenses 3:12–14)

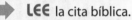 **LEE** la cita bíblica.

REFLEXIONA en lo siguiente:

En estas palabras de San Pablo, compasión, bondad, humildad y otras cualidades están escritas como cosas con las que debemos vestirnos. También se nos dice que por encima de todo debemos poner el amor. ¿Cómo esto te ayuda a entender tu llamado a amar a Dios y a los demás?

COMPARTE tus reflexiones con un compañero.

DECIDE compartir el amor del cual habla San Pablo con todas las personas que conoces.

Poniendo la fe en acción

Conversa sobre lo que has aprendido en este capítulo:

 Entendemos que los llamados a recibir los sacramentos del Matrimonio y el Orden Sagrado son llamados a amar y a servir a Cristo y a la Iglesia da una manera específica.

 Respetamos la santidad del compromiso sacramental involucrado en el Matrimonio y el Orden Sagrado.

Servimos a otros como Dios nos llama aquí y ahora.

Decide formas en que vas a vivir lo aprendido.

Repaso del capítulo 18

Subraya la respuesta correcta.

1. Por el sacramento (**de iniciación cristiana/del Matrimonio/del Orden**) un hombre y una mujer bautizados pueden hacer un compromiso de por vida para vivir como compañeros fieles y amantes.

2. Un (**obispo/sacerdote/diácono**) recibe la totalidad del sacramento del Orden y continúa la misión de los apóstoles de guiar y servir.

3. Por medio del sacramento del Orden (**una pareja se prepara para el matrimonio/presbíteros/diáconos**) comparten en la misión de Cristo de ayudar a los obispos y a los sacerdotes a servir a la Iglesia.

4. Un (**obispo/sacerdote/diácono**) es consagrado para predicar el evangelio y servir a los fieles, especialmente por medio de la Eucaristía y los demás sacramentos.

Completa lo siguiente:

5. En el sacramento del Matrimonio los _____ se confieren en matrimonio uno al otro.

6. Durante la celebración del sacramento del Orden, en el acto sacramental llamado _____, obispos, sacerdotes y diáconos reciben uno o más de los tres grados del Orden.

7. Los tres grados del sacramento del Orden son: _____ _____ y _____.

8. La alianza matrimonial es modelada en el amor de Cristo por la _____, la novia de Cristo.

9–10 Contesta en un párrafo: ¿Por qué los sacramentos del Orden y del Matrimonio son llamados de servicio a la comunión?

342

Putting Faith to Work

Talk about what you have learned in this chapter:

 We understand that those who receive Matrimony and Holy Orders are called to love and serve Christ and the Church in a particular way.

 We respect the sacredness of the sacramental commitments involved in marriage and ordained ministry.

 We serve others as God calls us, right here, right now.

Decide on ways to live out what you have learned.

✝ ENCOUNTERING GOD'S WORD

"Put on then, as God's chosen ones, holy and beloved, heartfelt compassion, kindness, humility, gentleness, and patience, bearing with one another and forgiving one another. . . . And over all these put on love." (Colossians 3:12–14)

➡ **READ** the quotation from Scripture.

➡ **REFLECT** on the following:
In these words from Saint Paul, compassion, kindness, humility, and other qualities are written about as things we can "put on" as we do clothing. And, we are told, over all of these, we must put on love. How does this quotation help you to understand your call to love God and others?

➡ **SHARE** your reflections with a partner.

➡ **DECIDE** to share this love that Saint Paul talks about with all those in your life.

Underline the correct answer.

1. Through the Sacrament of (**Christian Initiation/Matrimony/Holy Orders**) a baptized man and woman enter a lifelong commitment to live as faithful and loving partners.

2. A (**bishop/priest/deacon**) receives the fullness of the Sacrament of Holy Orders and continues the Apostles' mission of leadership and service.

3. Through Holy Orders, a (**couple preparing for marriage/presbyter/deacon**) shares in Christ's mission by assisting bishops and priests in the service of the Church.

4. A (**bishop/priest/deacon**) is consecrated to preach the Gospel and serve the faithful, especially through the Eucharist and other sacraments.

Complete the following.

5. In the Sacrament of Matrimony the _____ and _____ confer the sacrament on each other.

6. During the celebration of the Sacrament of Holy Orders, in the sacramental act called _____, bishops, priests, and deacons receive one or more of the three degrees of orders.

7. The three degrees of orders in the Sacrament of Holy Orders are _____, _____, and _____.

8. The marriage covenant is modeled on Christ's love for the _____, the Bride of Christ.

9–10. ESSAY: Why are Holy Orders and Matrimony called the Sacraments at the Service of Communion?

RESPONDIENDO...

Comparte la fe con tu familia

Conversa con tu familia sobre lo siguiente:

- El Matrimonio es un sacramento de servicio a la comunión.
- En el Matrimonio, las parejas reciben gracia para una vida de amor y servicio.
- Jesús llamó a sus apóstoles para continuar su trabajo.
- Los llamados al Orden Sagrado son consagrados para servir a otros.

Cada uno ha sido llamado para amar y servir. Juntos hagan una lista para chequear las formas en que cada persona o grupo en una familia, puede amar y servir en una parroquia, una diócesis y en la Iglesia. Vive tu amor y servicio esta semana.

Conexión con la liturgia

En la misa esta semana pon atención a los gestos del sacerdote y del diácono en la liturgia. Piensa como cada una de esas responsabilidades y funciones ayudan a la comunidad con la oración y el culto.

@ Para explorar

Busca en el Internet misiones católicas que incluyan matrimonios y sacerdotes entre sus misioneros.

Doctrina social de la Iglesia ☑ Cotejo

Tema de la doctrina social de la Iglesia:
Solidaridad con la familia humana

Cómo se relaciona con el capítulo 18: Igual que las parejas se aman, sirven y alimentan a sus familias, todos los católicos son llamados a amar y servir y construir la *familia humana*—toda persona en el mundo de cualquier raza, cultura y religión que comparte nuestra dignidad humana.

Cómo puedes hacer esto en

☐ la casa:

_____

☐ la escuela/trabajo:

_____

☐ la parroquia:

_____

☐ la comunidad:

_____

Chequea cada acción cuando la termines.

Sharing Faith with Your Family

Discuss the following with your family:

- Matrimony is a Sacrament at the Service of Communion.
- In Matrimony, couples receive grace for lifelong love and service.
- Jesus called his Apostles to continue his work.
- Those called to Holy Orders are consecrated to the service of others.

Everyone is called to love and service. Together make a checklist of ways that each person or group of persons in a family can love and serve in a parish, in a diocese, and in the Church. Live out your love and service this week.

Catholic Social Teaching
☑ Checklist

Theme of Catholic Social Teaching:
Solidarity of the Human Family

How it relates to Chapter 18: Just as married couples love, serve, and nurture their families, all Catholics are called to love, serve, and build up the *human family*—all people throughout the world from all racial, cultural, and religious backgrounds, who share our human dignity.

How can you do this?

☐ At home:

_____

☐ At school/work:

_____

☐ In the parish:

_____

☐ In the community:

_____

Check off each action after it has been completed.

The Worship Connection

At Mass this week, notice the actions of the priest and deacon in the liturgy. Think about what each of their responsibilities and functions are in helping the community with prayer and worship.

More to Explore

Explore the Internet for Catholic missions that include as missionaries both priests and married couples.

Define lo siguiente:

1. celebrante _____

_____

2. diócesis _____

_____

3. sacramento _____

_____

4. consciencia _____

_____

5. santificar _____

_____

6. liturgia _____

_____

7. misa _____

_____

Rellena el círculo al lado de la respuesta correcta.

8. En el sacramento de _____ la imposición de las manos y la unción con crisma son signos de la presencia del Espíritu Santo.

○ Bautismo   ○ Confirmación   ○ Matrimonio   ○ Eucaristía

9. En el sacramento de _____ somos bienvenidos a la Iglesia, nos hacemos hijos de Dios.

○ Bautismo   ○ Confirmación   ○ Matrimonio   ○ Eucaristía

10. En el sacramento de _____ recibimos a Jesucristo, el Pan de Vida.

○ Bautismo   ○ Confirmación   ○ Matrimonio   ○ Eucaristía

11. _____ son sacramentos de sanación.

○ Matrimonio y Orden Sagrado   ○ Penitencia y Unción de los Enfermos

○ Bautismo y Confirmación   ○ Unción de los Enfermos y Eucaristía

12. En el sacramento de _____ un hombre y una mujer bautizados son fortalecidos para la vida familiar y el servicio por su fiel amor.

○ Bautismo   ○ Confirmación   ○ Matrimonio   ○ Eucaristía

13. Por medio del poder del Espíritu Santo, recibimos _____ en los sacramentos, que nos permite amar a Dios, a nosotros mismos como Dios nos ama y amar a los demás como nos amamos a nosotros mismos y vivir vidas como Dios quiere que vivamos.

    ○ caridad   ○ conciencia   ○ crisma   ○ gracia santificante

14. _____ es volvernos a Dios con todo el corazón.

    ○ pecado mortal   ○ pecado venial   ○ conversión   ○ confesión

Completa lo siguiente:

15. Son las cuatro partes principales de la misa _____

_____

16. Son las cuatro partes principales del sacramento de la Reconciliación _____

_____

17. Son los tres grados del orden del sacramento del Orden Sagrado _____

_____

18. Las personas pueden recibir el sacramento de la Unción de los Enfermos cuando

_____

Contesta lo siguiente:

19. Usa lo que has aprendido en esta unidad para contestar la pregunta: *¿Cómo vive Jesucristo en la Iglesia hoy?*

_____

_____

_____

_____

20. Escribe el nombre de los siete sacramentos. Escoge dos y haz una lista de las cosas que tienen en común y lo que los diferencia.

_____

_____

_____

_____

Define the following.

1. celebrant _____

_____

2. diocese _____

_____

3. sacrament _____

_____

4. conscience _____

_____

5. sanctify _____

_____

6. liturgy _____

_____

7. Mass _____

_____

Fill in the circle beside the correct answer.

8. In the Sacrament of _____, the laying on of hands and anointing with chrism are signs of the Holy Spirit's presence.

○ Baptism   ○ Confirmation   ○ Matrimony   ○ Eucharist

9. In the Sacrament of _____, we are welcomed into the Church, becoming children of God.

○ Baptism   ○ Confirmation   ○ Matrimony   ○ Eucharist

10. In the Sacrament of _____, we receive Jesus Christ, the Bread of Life.

○ Baptism   ○ Confirmation   ○ Matrimony   ○ Eucharist

11. _____ are Sacraments of Healing.

○ Matrimony and Holy Orders   ○ Penance and Anointing of the Sick

○ Baptism and Confirmation   ○ Anointing of the Sick and Eucharist

12. In the Sacrament of _____, a baptized man and woman are strengthened for family life and service by their faithful love.

○ Baptism   ○ Confirmation   ○ Matrimony   ○ Eucharist

13. Through the power of the Holy Spirit, we receive _____ in the sacraments, which enables us to love God, to love ourselves as God loves us, to love others as we love ourselves, and to live as God calls us to live.

    ○ charity   ○ conscience   ○ chrism   ○ sanctifying grace

14. _____ is turning back to God with all one's heart.

    ○ Mortal sin   ○ Venial sin   ○ conversion   ○ confession

Complete the following.

15. The four main parts of the Mass are _____

_____

16. The four main parts of the Sacrament of Penance are _____

_____

17. The three degrees of orders in the Sacrament of Holy Orders are _____

_____

18. People can receive the Sacrament of the Anointing of the Sick when they are

_____

Respond to the following.

19. Use what you have learned in this unit to answer the question: *How is Jesus Christ alive in the Church today?*

_____

_____

_____

_____

20. List the seven sacraments. Choose two sacraments and list what is common to both sacraments and what is unique about each.

_____

_____

_____

_____

19
Vivimos nuestra vocación

**"Así dice el Señor; . . .
Te he llamado por tu nombre,
y eres mío".**

(Isaías 43:1)

Líder: Dios de amor, nos has llamado, como miembros de la Iglesia, a una vida de servicio. Nos has llamado a cada uno a servir en una forma especial. En el Antiguo Testamento leemos como el profeta Jeremías describe en sus propias palabras su llamado a profetizar.

Lector: Lectura del libro del profeta Jeremías 1:4–8.

Líder: Dios de amor, que también nosotros recibamos fortaleza y el valor de servir cuando nos llames. Que podamos descubrir este llamado por medio de la oración, sirviendo a otros, reflexionando en quienes somos, escuchando tu palabra y estando concientes de tu presencia, guiando nuestras vidas. Te lo pedimos.

Todos: Que podamos ser testigos de amor en el mundo y buscar con valor las cosas buenas que son eternas.
(Oración por las vocaciones religiosas después de la comunión en la misa)
Amén.

La gran pregunta:
¿Cómo me estoy preparando para mi futuro?

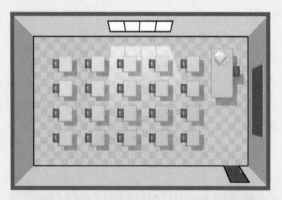

Descubre más sobre lo que eres, esto te puede ayudar a preparar para el futuro. Completa el siguiente ejercicio para ver como el lugar en el que decides sentarte en la clase revela quien eres.

Es el primer día de clase. Mira el esquema del aula. Pon una **X** en el asiento que normalmente escogerías para sentarte en clase. Después mira los resultados abajo.

Resultados:

Te gusta sentarte:	Entonces quizás tú:
delante	quieres estar cerca del maestro, eres abierto, te gusta estar al frente donde está la acción, o quieres estar seguro de escuchar lo que dice el maestro.
atrás	te gusta ver todo lo que está pasando, no te gusta ser el centro de atención pero te gusta que se vuelvan a verte cuando hablas o te sientes seguro cerca de la pared de atrás. (O quizás te gusta dormir en clase)
cerca de la ventana	te gusta soñar mientras estás en clase, te gusta el paisaje, o tener un espacio abierto a tu alrededor.
cerca de la puerta	te gusta salir rápido de las situaciones o siempre quieres hacer las cosas rápido.

¿Qué otras cosas crees dice de ti el lugar donde te sientas? ¿Cómo saber lo que eres hoy te ayuda a planificar el resto de tu vida?

En este capítulo aprenderemos que todos los miembros de la Iglesia comparten una vocación común, un llamado a la santidad y a la evangelización. Pero que también somos llamados como individuos a servir en una forma especial.

"Thus says the LORD, . . .
I have called you by name:
you are mine."

(Isaiah 43:1)

✚ **Leader:** Lord God, you call all of us, as members of the Church, to lives of service. And you call each of us, as individuals, to serve in a particular way. In the Old Testament we find the words of the prophet Jeremiah as he describes his call to become a prophet.

Reader: A reading from the book of the prophet Jeremiah 1:4–8.

Leader: Lord God, may we too receive the strength and courage to serve as you call us. And may we discover this call through prayer, serving others, reflecting on who we are, listening to your word, and being aware of your guiding presence in our lives. We pray:

All: May we be witnesses of your love to the world and strive with courage for good things which alone last for ever.

(Prayer After Communion, Mass for Religious Vocations) Amen.

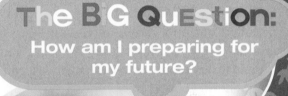

The BIG Question:
How am I preparing for my future?

Discover more about who you are; this can help you to prepare for your future. Complete the following exercise to find out what your choice of a seat in class reveals about who you are.

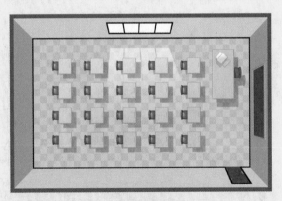

It's the first day of class. Look at the outline of a classroom here. Mark an **X** on the seat where you would normally choose to sit in class. Then check your results below.

Results:

If the seat you chose was: — *then maybe you:*

in the front . . . . want to be near the teacher, like being seen, are outgoing, like to be up front where the action is, or want to be sure you hear everything the teacher says.

in the back . . . . like to see everything that's happening in the room, dislike attention but like having everyone turn around when you talk, or feel secure near the back wall (or maybe even like to sleep in class!).

by the window . . . . like to daydream in class, like the outdoors, or like the idea of a wide-open space next to you.

by the door . . . . like having a quick way out of a situation or are often in a rush to do things.

What else do you think your choice of a seat says about who you are? How can knowing who you are today help you to plan for the rest of your life?

In this chapter we learn that all members of the Church share a common vocation, a call to holiness and evangelization. But we are also called as individuals to serve in a particular way.

Las responsabilidades futuras—mantener un trabajo, quizás mantener una familia—¿te parecen demasiado grandes o emocionantes? Quizás te puede ayudar el saber que alguien fue capaz de afrontar grandes responsabilidades aun en tiempos difíciles.

Mary Anne Madden nació en el 1820 en County Cavan, Irlanda. Tuvo que emigrar a Canadá después de la muerte de su padre, empezó a escribir poemas y artículos para una revista en Montreal. En el 1846 se casó con James Sadlier de D&J Sadlier, una editorial católica con base en Nueva York. Mary escribió artículos e historias para *Tablet*, periódico que publicaba historias educativas para los inmigrantes católicos. Mary también tradujo del francés textos espirituales y catequéticos, compilados de libros sobre el purgatorio, desarrollo y educación religiosa basados en la Biblia y escribió más de 60 novelas, incluyendo "novelas pedagógicas" y lecturas para niños en la escuela católica.

Además de su carrera como escritora—no común para las mujeres en la época—Mary tuvo seis niños. Cuando su marido murió en 1869, empezó a dirigir la editorial para sostener a su familia. Aun así, Mary encontró tiempo para hacer buenas obras. Fundó hogares para huérfanos, mujeres jóvenes y mayores. En el 1895, la universidad de Notre Dame le otorgó la medalla Laetare por su contribución a los esfuerzos humanitarios de la Iglesia. En el 1902 el papa León XIII le dio una bendición especial por su "ilustre servicio a la Iglesia Católica".

Mary Sadlier fue una católica que balanceó con éxito sus responsabilidades personales como madre con actos de caridad de servicio público y una creativa carrera. Piensa en alguien a quien conoces que tiene varias obligaciones y las hace bien. Pide consejo a esa persona, u observa como logra sus metas. Piensa sobre las formas en que puedes aplicar sus métodos a tu vida.

Actividad Mary Sadlier fue una mujer que creció aumentando sus habilidades y logros, mientras amaba a Dios y a los demás. Conversa sobre como puedes hacer lo mismo.

Do the potential responsibilities in your future—maintaining a job, perhaps supporting a family—seem overwhelming or exciting? It might help you to learn about someone who was able to manage great responsibilities even when faced with adversity.

Mary Anne Madden was born in 1820 in County Cavan, Ireland. Having immigrated to Canada following the death of her father, she began writing poems and articles for a Montreal magazine. In 1846 she married James Sadlier of D&J Sadlier, a Catholic publishing company based in New York City. Mary wrote articles and stories for the *Tablet*, a journal that published educational stories for Catholic immigrants. Mary also translated French spiritual and catechetical texts, compiled a book on purgatory, developed a Bible-based religious education instruction book, and wrote more than sixty inspirational novels, including "teaching novels" and readers for Catholic schoolchildren.

In addition to her writing career—which in itself was unusual at the time for a woman—Mary was the mother of six children. After her husband died

in 1869, leaving Mary to run the Catholic publishing business and support her family, Mary still found time for good works. She founded homes for orphans, young women, and the elderly. In 1895 the University of Notre Dame awarded Mary the Laetare Medal for her contributions to the humanitarian efforts of the Church. In 1902 Pope Leo XIII gave her a special blessing for her "illustrious service to the Catholic Church."

Mary Sadlier was a Catholic who successfully balanced her personal responsibilities as a mother with charitable acts of public service and a creative career. Think of someone you know right now who handles a variety of obligations well. Ask that person for advice, or just observe how he or she accomplishes his or her goals. Think about ways you can apply these methods to your own life.

Activity Mary Sadlier was a woman who continued to grow in her abilities and achievements while sharing God's love with others. Discuss how you can do the same.

Dios llama a cada uno a una vocación especial.

Por la fe en Cristo y nuestro bautismo, nos hacemos miembros de la Iglesia, el pueblo de Dios. Compartimos en el sacerdocio de los fieles y tenemos una vocación común. **Vocación** es un llamado a una forma de vida. Nuestra **vocación común** es nuestra llamada de Dios a la santidad y a la evangelización. Dios también nos llama a cada uno a vivir nuestra vocación en una de las siguientes vocaciones particulares:

Laicos: llamados también seglares o fieles cristianos, son miembros de la Iglesia que comparten la misión de llevar la buena nueva de Cristo al mundo. Todos los católicos empiezan su vida como laicos. Muchos permanecen como laicos toda su vida, contestando el llamado de Dios como solteros o como casados. Si se casan, reciben el sacramento del Matrimonio, hacen votos de fidelidad a su esposo(a), en nombre de Cristo y la Iglesia.

Vida consagrada: católicos que siguen el llamado de Dios en la vida consagrada y con frecuencia son llamados "religiosos" y se dice que viven "vida religiosa". En la vida consagrada, hombres y mujeres profesan, o prometen a Dios, que van a practicar la pobreza, la castidad por medio del celibato y la obediencia a la Iglesia y a sus comunidades religiosas. Pobreza, castidad y obediencia son llamados **consejos evangélicos**.

Ministro ordenado: algunos hombres bautizados católicos siguen el llamado de Dios en esta vocación especial. Por medio del sacramento del Orden Sagrado son consagrados para el ministerio del sacerdocio como sacerdotes y obispos, o para el diaconado permanente. A ellos se les da la gracia de servir al pueblo de Dios y tienen varias responsabilidades dentro de la Iglesia como líderes, ministros y en el culto.

Vocabulario

vocación
vocación común
consejos evangélicos

A la mayoría de la gente les toma varios años descubrir su vocación particular. Puede que no te des cuenta, pero las lecciones que aprendes ahora te preparan para tu vocación futura. En este momento, la forma en que respondes a Dios y a otras personas en tu vida está pavimentando el camino de tu vida futura. Escucha a tu corazón y reza para que la llamada de Dios a una vocación particular esté clara para ti. Mientras escuchas, recuerda que: "en la Iglesia hay variedad de ministerios, pero unidad de misión". (*Decreto sobre apostolado de los seglares, 2*)

Actividad Haz una lista de preguntas para entrevistar sobre las vocaciones particulares, laico, vida consagrada, diáconos y sacerdotes ordenados. Usalas para entrevistar a alguien en cada una de esas vocaciones.

Consejos evangélicos

Los votos son promesas libres, deliberadas, que se hacen a Dios en la Iglesia. Seguir los votos de pobreza, castidad y obediencia, conocidos como consejos evangélicos, pueden parecer un reto enorme y difícil en el mundo de hoy. Sin embargo, los consejos evangélicos pueden entenderse como características de la propia vida de Jesús. Con su vida y enseñanzas, Jesús estaba llamando al pueblo a dedicarse a Dios con todo su corazón. El habló de la necesidad de que el pueblo evitara distraerse con los problemas de la vida. El quería que el pueblo buscara a Dios, sirviera a los demás y atesorara el reino de Dios. El enseñó: "Si quieres ser perfecto, ve a vender todo lo que tienes y dáselo a los pobres; así tendrás un tesoro en los cielos. Luego ven y sígueme". (Mateo 19:21)

Los hombres y mujeres religiosos, que hacen votos de dejar sus pertenencias, mantenerse solteros y célibes y obedecer a Dios en sus comunidades religiosas, están haciendo un esfuerzo para centrarse en la vida de servicio que ellos han escogido. Ellos están invitando a otros a ver en ellos un ejemplo de Jesucristo. De esta forma los consejos evangélicos se practican para que hombres y mujeres religiosas puedan *evangelizar* el mundo.

IDENTIDAD CATÓLICA

Piensa en una cosa práctica que puedes hacer para evangelizar a otros con tus palabras y obras.

God calls each of us to a particular vocation.

By faith in Christ and by Baptism, we become members of the Church, the People of God. We share in the priesthood of the faithful and have a common vocation. A **vocation** is a call to a way of life. Our **common vocation** is our call from God to holiness and to evangelization. But God also calls each of us to live out our common vocation in one of the following particular vocations:

Laity: The laity are also called laypeople or the Christian faithful. They are members of the Church who share in the mission to bring the good news of Christ to the world. All Catholics begin their lives as members of the laity. Many remain members of the laity for their entire lives, following God's call either in the single life or in marriage. If they marry, receiving the Sacrament of Matrimony, they make a vow of fidelity to their spouse, in the name of Christ and the Church.

Consecrated life: Catholics who follow God's call to the consecrated life are often called "religious" and are said to be living the "religious life." In the consecrated life, men and women profess, or promise God that they will practice, poverty, chastity through celibacy, and obedience to the Church and to their religious communities. Poverty, chastity, and obedience are called the **evangelical counsels.**

Ordained ministry: Some baptized Catholic men follow God's call to this particular vocation. Through the Sacrament of Holy Orders, they are consecrated to the ministerial priesthood as priests and bishops, or to the permanent diaconate. They are given the grace to serve God's people and have various responsibilities of ministry, worship, and leadership within the Church.

Faith Words

vocation
common vocation
evangelical counsels

It takes many years for most people to discover their particular vocation. You might not realize it, but the lessons you learn now are preparing you for your future vocation. Right now, the ways that you are responding to God and other people in your life are paving the way to your future life. So, listen to your heart and pray that God's call to a particular vocation will become clear to you. As you listen, remember that "in the Church, there is diversity of service but unity of purpose" (*Decree on the Apostolate of the Laity*, 2).

Activity Write a list of interview questions about the particular vocations of the laity, the consecrated life, and the ordained priesthood or diaconate. Use them to interview someone in each of these vocations.

The evangelical counsels

Vows are deliberate, free promises that are made to God in the Church. To follow vows of poverty, chastity, and obedience, known as the evangelical counsels, may seem to be a great and difficult challenge in today's world. However, the evangelical counsels can be understood as characteristics of Jesus' own life. By his life and teachings, Jesus was calling people to dedicate themselves to God with all their hearts. He spoke of the need for people to avoid being overly distracted by the concerns of life. He wanted people to seek God, to serve others, and to treasure God's Kingdom. He taught, "If you wish to be perfect, go, sell what you have and give to [the] poor, and you will have treasure in heaven. Then come, follow me" (Matthew 19:21).

So, religious men and women, who vow to give up their personal possessions, to remain single and celibate, and to be obedient to God and their religious communities, are making an effort to focus on the life of service that they have chosen. They are inviting others to see in them an example of Jesus Christ. In this way the evangelical counsels are practices through which religious men and women can *evangelize* the world.

Think of one practical thing that you can do to evangelize others by your words and actions.

CATHOLIC IDENTITY

Algunos son llamados a servir como laicos.

Dios llama a cada uno de nosotros a amar y a servirlo a él y a la Iglesia. Personas solteras y casadas sirven a Dios y a la Iglesia de muchas formas, compartiendo el amor de Dios en su familia y parroquias. Los esposos comparten el amor de Dios de manera especial y forman una nueva familia cristiana. Aunque mucho de su tiempo y energía es dedicado a amar y sustentar a su familia, los esposos también pueden servir a otros en su vecindario, su parroquia y su comunidad de muchas formas.

Los solteros generalmente se dedican a compartir sus dones y talentos con otros por medio de su trabajo. Algunas veces cuidan de sus hermanos o toman la responsabilidad de cuidar de sus padres. También dedican parte de su tiempo a la parroquia y comunidad local. De esa forma trabajan para hacer del mundo un mejor lugar, más seguro y más santo.

Seglares, casados o solteros, viven su fe como ciudadanos, votan y trabajan. Tienen una responsabilidad de llevar la buena nueva de Cristo al lugar donde trabajan y a la comunidad local, tratando a los demás justamente. También pueden servir a la Iglesia involucrándose en trabajos gubernamentales a todos los niveles. En esas situaciones pueden tomar posiciones de liderazgo y tomar decisiones,

> **"En la Iglesia hay variedad de ministerios, pero unidad de misión"**.
> (*Decreto sobre apostolado de los seglares, 2*)

de acuerdo a las enseñanzas de Jesús y su conocimiento de la fe católica. Los fieles cristianos son también llamados a ser activos en sus parroquias. En la comunidad parroquial pueden:

• Participar en la celebración de los sacramentos.

• Servir en el consejo pastoral, como directores de escuelas, como maestros, como *catequistas*, instructores de educación religiosa, como músicos, liturgistas o ministros del pastoral juvenil.

• Ayudando en las misas como ujieres, acólitos, músicos, lectores y ministros extraordinarios de la Eucaristía. Los laicos también sirven en sus diócesis. Pueden trabajar en oficinas tales como ministerios de educación, liturgia, jóvenes y ministerios sociales.

En estos momentos eres miembro del grupo de los seglares, los fieles cristianos. Estás llamado por Cristo para vivir como uno de sus discípulos. Así participas en las celebraciones y actividades de tu parroquia. Sé un ejemplo de vida cristiana. Sigue lo que Dios te llama a hacer ahora—compartiendo la buena nueva de Jesucristo en la casa, la escuela y tu vecindario.

Actividad Puedes seguir tu vocación actual como miembro laico. Puedes trabajar por lo que es justo, ayudar a otros a ver el amor de Cristo para ellos y su presencia en el mundo. Con un compañero escojan una forma específica en que el grupo puede hacer esto hoy.

Some are called to live as laypeople.

God calls each of us to love and serve him and the Church. Single people and married people serve God and the Church in many ways, sharing God's love in their families and parishes. A husband and wife share God's love in a special way with each other and form a new Christian family. Though much of their time and energy is focused on loving and caring for their families, husbands and wives can also serve others in their neighborhoods, parishes, and communities in many ways.

Single people often devote themselves to sharing their gifts and talents with others through their work. Sometimes they care for their brothers or sisters or take on the extra responsibility of caring for their parents. They may also dedicate more of their time to their parishes and local communities. In these ways they work to make the world a better, safer, and more holy place.

Members of the laity, single or married, live their faith as citizens, voters, and workers. They have a responsibility to bring the good news of Christ to their workplaces and local communities, treating others equally, fairly, and justly. Laypeople can also serve the Church by becoming involved in city, state, and national governments. In these situations they can often take on leadership positions and make many decisions, utilizing the teachings of Jesus and their knowledge of the Catholic faith. The

> **"In the Church, there is diversity of service but unity of purpose."**
> (Decree on the Apostolate of the Laity, 2)

Christian faithful are also called to be active in their parishes, taking part in the parish community. They can:

- participate in the celebration of the sacraments and parish programs

- serve on the pastoral council, as school principals, as teachers, as *catechists*, or religious education instructors, as directors of religious education, or in music, liturgy, and youth ministry

- assist at Mass as ushers and greeters or as altar servers, musicians, readers, and extraordinary ministers of Holy Communion. The laity serve in their dioceses, too. They may work in or hold offices in such ministries as education, worship, youth, and social ministries.

Right now you are a member of the laity, the Christian faithful. You are called by Christ to live as one of his disciples. So, take part in your parish celebrations and activities. Be an example of Christian living. And follow what God calls you to do right now—sharing the good news of Jesus Christ at home, in school, and in your neighborhood.

Activity You can follow your present vocation as a member of the laity. You can stand up for what is right and just, helping others to see Christ's love for them and his presence in the world. With a partner choose one specific way your group can do this today.

CREYENDO...

Algunos son llamados a la vida consagrada.

¿Cuál es tu esperanza para el futuro?

Ley canónica es el nombre que damos al cuerpo de leyes que gobiernan la Iglesia. Los cánones, o leyes, ofrecen un buen orden de gobierno en la *eclesia*, o Iglesia. El *Catecismo* con frecuencia se refiere a los cánones contenidos en la *ley canónica*. Uno de estos cánones se refiere a tipos particulares de vocaciones y aclara que los hombres y mujeres que llegan a la vida consagrada vienen de la jerarquía y de los seglares. Los hombres y mujeres llamados por Dios a la vida consagrada profesan sus consejos evangélicos de pobreza, castidad y obediencia. "La *profesión* de estos consejos en un estado de vida estable reconocido por la Iglesia es lo que caracteriza la "vida consagrada" a Dios" (*CIC*, 915). La profesión de los consejos evangélicos se expresa haciendo **votos**, promesas deliberadas y libres hechas a Dios para practicar la:

Pobreza. Los que hacen este voto prometen vivir simples como Jesús vivió. Están de acuerdo en compartir sus pertenencias y a no poseer bienes personales. Esto los ayuda a centrar sus corazones y mentes en Dios sin ser distraídos por las cosas materiales.

Castidad. Los que hacen este voto escogen vivir una vida de amor y servir a Dios, la Iglesia y su comunidad. Viven una vida de **celibato**, manteniéndose solteros, y prometen dedicarse al trabajo de Dios y la Iglesia por el bien del reino de Dios.

Obediencia. Los que hacen este voto prometen escuchar con cuidado la guía de Dios en sus vidas y obedecer a los líderes de la Iglesia y sus comunidades. Ellos sirven donde su comunidad y la Iglesia los necesiten. Tratan de vivir como vivió Cristo y cumplir la voluntad de Dios.

Estos votos que toman los hombres y mujeres en la vida consagrada muestran que, dedicando su vida a trabajar en sus comunidades, ellos tratan de seguir el ejemplo de Jesús de compartir cada día el amor de Dios con todos.

> ### Vocabulario
> ley canónica
> votos
> celibato

Actividad En grupos, conversen sobre formas en que pueden apoyar el trabajo de sacerdotes, religiosos, hermanos y hermanas.

Muchas obras buenas

Muchos religiosos trabajan para predicar la buena nueva de Cristo viviendo en una comunidad, rezando juntos, compartiendo sus comidas y trabajando con otros miembros de su comunidad. Algunos religiosos viven fuera de su comunidad y trabajan donde se les necesite. Pero siguen siendo miembros de su comunidad. Algunas comunidades religiosas son separadas de la sociedad, usualmente viviendo en monasterios o conventos. Estos religiosos dedican sus vidas a la oración por el mundo. Ellos proveen sus necesidades por medio de la oración y su trabajo. Otras comunidades combinan la oración con la vida de servicio en los diferentes ministerios de las parroquias. También pueden ser maestros, doctores, enfermeras, trabajadores sociales. Algunos religiosos sirven como misioneros. Los misioneros pueden pasar semanas, meses o años viviendo con el pueblo al que sirven, compartiendo el amor de Dios con ellos. Aprenden la cultura y las tradiciones del pueblo al que sirven y aprenden nuevos idiomas para poder enseñar sobre Jesucristo y la fe católica.

Todos nosotros podemos trabajar como misioneros en nuestras parroquias, nuestras comunidades y el mundo. Ya seamos laicos, religiosos u ordenados, podemos servir a los pobres, los que sufren, los ancianos y los necesitados.

¿Cuáles son diferentes formas en las que puedes ayudar a servir a otros en tu vida hoy?

Some are called to the consecrated life.

What are your hopes for your future?

Canon law is the name that we give to the body of laws that govern the Church. Canons, or laws, provide for good order in *ecclesial*, or Church, governance. The *Catechism* often refers to canons contained in the *Code of Canon Law*. One of these canons refers to the types of particular vocations and clarifies that men and women come to the consecrated life from both the hierarchy or the laity.

The men and women who are called by God to the consecrated life profess the evangelical counsels of poverty, chastity, and obedience. "It is the *profession* of these counsels, within a permanent state of life recognized by the Church, that characterizes the life consecrated to God." (*CCC*, 915) Profession of the evangelical counsels is expressed by making **vows**, deliberate and free promises made to God, to practice:

Poverty. Those taking this vow promise to live simply as Jesus did. They agree to share their belongings and to own no personal property. This helps them focus their hearts and minds on God without being distracted by material things.

Chastity. Those taking this vow choose to live a life of loving service to God, the Church and their community. They live a life of **celibacy**, remaining single, and promising to devote themselves to the work of God and the Church for the sake of the Kingdom.

Obedience. Those taking this vow promise to listen carefully to God's direction in their lives by obeying the leaders of the Church and of their communities. They serve wherever their community and the Church need them. They try to live the way Christ did and follow God's will.

These vows that men and women in the consecrated life make show that, by devoting their lives to the work of their communities, they try to follow Jesus' example of sharing God's love with all people each day.

Faith Words

canon law
vows
celibacy

Activity In groups, discuss ways you can support the work of religious priests, brothers, and sisters.

Many good works

Many religious work to spread the good news of Christ by living in one community, praying together, sharing their meals, and working with other members of their community. Some religious live away from their community and work where they are needed. Yet they are still members of their community. Some religious communities are set apart from society, usually living in monasteries or convents. These religious devote their lives to praying for the world. They provide for their needs through their prayer and through their work. Whatever their work, it is always offered as another form of prayer. Other communities combine prayer with a life of service in the many different parish ministries. They may also be teachers, doctors, nurses, or social workers. Some religious serve as missionaries. Missionaries may spend weeks, months, or even years living with the people they serve and sharing God's love with them. They learn the culture and traditions of the people they serve, even learning a new language so that they can teach about Jesus Christ and the Catholic faith.

All of us can work as missionaries in our parishes, our communities, and the world. Whether we are lay-people, those in religious life, or ordained ministers, we can all serve those who are poor, suffering, elderly, or in need.

What are some of the different ways that you can help and serve others in your life today?

CREYENDO...

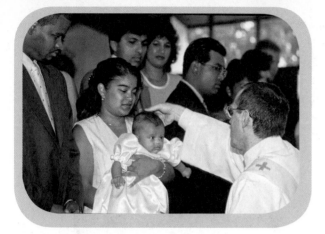

Algunos hombres son ordenados como sacerdotes y diáconos permanentes.

Dios llama a algunos hombres bautizados a servirlo por medio de la vocación del sacerdocio. Al recibir el sacramento del Orden Sagrado, esos hombres son ordenados para servir a la Iglesia por medio de la enseñanza, el culto y el liderazgo. En los sacramentos, los sacerdotes actúan en nombre y la persona de Jesucristo para ayudarnos a encontrar a Cristo personalmente y en comunidad.

Hay dos tipos de sacerdotes: diocesanos y religiosos. Los sacerdotes diocesanos son llamados a servir en una diócesis particular. Ellos ayudan al obispo de la diócesis ministrando en una parroquia. También pueden ayudar en escuelas, hospitales y cárceles, dependiendo de la necesidad local. Estos sacerdotes prometen vivir una vida célibe. También prometen respetar y obedecer a su obispo.

Los sacerdotes religiosos son llamados a una orden o congregación, tales como los franciscanos, dominicos, jesuitas. Estos sacerdotes cumplen las reglas religiosas, o plan de vida, adoptado por el fundador.

Dios también llama a algunos hombres a servirle como diáconos—reciben el sacramento del Orden, pero son ordenados para ayudar a los obispos y sacerdotes y a servir a toda la Iglesia. Los diáconos pueden predicar, bautizar, ser testigos de matrimonio, presidir funerales y ayudar al sacerdote en la misa leyendo el evangelio, preparando el altar y distribuyendo la comunión. Los diáconos no pueden administrar los sacramentos de la Penitencia, la Confirmación, Unción de los Enfermos ni el Orden. Los diáconos permanentes con frecuencia son casados y tienen un trabajo o una carrera para mantenerse. La vida de un diácono es un signo del servicio al que Cristo nos ha llamado.

Juntos, los laicos, los consagrados y los ministros ordenados, componen la Iglesia. Todos tienen un papel en la misión de la Iglesia. Ningún grupo es más importante o especial que otro. Como escribió San Pablo: "Hay diversidad de servicios, pero el Señor es el mismo" (1 Corintios 12:5). La Iglesia necesita que todos los miembros estén dispuestos a continuar el trabajo de Jesús. Cada uno de nosotros tiene un papel en la evangelización—predicar la buena nueva y compartir el gran amor de Dios con otros. Para todos los católicos, solteros, casados, sacerdotes, obispos, diáconos y miembros de comunidades o congregaciones religiosas, hay muchos retos en el camino de una vocación. Nuestra oración, obras y acciones deben mostrar a Jesucristo a otros.

> "Hay diversidad de servicios, pero el Señor es el mismo".
> (1 Corintios 12:5)

Actividad Por el Bautismo compartimos la misión evangelizadora. ¿Cómo evangelizarás? ¿A quién acudirás? ¿Con quién hablarás? Explícalo abajo.

Some men are ordained as priests and permanent deacons.

God calls some baptized men to serve him through the vocation of the priesthood. Receiving the Sacrament of Holy Orders, these men are ordained to serve the Church through teaching, worship, and leadership. In the sacraments, priests act in the name and the person of Jesus Christ to help us encounter Christ personally and communally.

There are two different types of priests: diocesan priests and religious priests. Diocesan priests are called to serve in a particular diocese. They help the bishop of that diocese by ministering in parishes. They also may assist in schools, hospitals, and prisons, depending on the local needs. Diocesan priests promise to lead a celibate life. They also promise to respect and obey their bishop.

Religious priests are called to a specific religious order or congregation, such as the Franciscans, Dominicans, or Jesuits. These priests follow the religious rule, or plan of life, adopted by their founder.

God also calls some men to serve him as deacons—men who receive the Sacrament of Holy Orders, but are ordained to assist the bishops and priests and to serve the whole Church. Deacons can preach, baptize, witness marriages, preside at burials, and assist the priest at Mass by reading the Gospel,

preparing the altar, and distributing Holy Communion. Deacons are not ministers of the Sacraments of Confirmation, Penance, Anointing of the Sick, and Holy Orders. Permanent deacons are often married and have an occupation or a career to support themselves. A deacon's life is a sign of the service to which all Christians are called.

Together, the laity, those in the consecrated life, and ordained ministers make up the Church. And all have a part in the mission of the Church. No one group is more important or special than another. As Saint Paul wrote, "There are different forms of service but the same Lord" (1 Corinthians 12:5). The Church needs all members to be able to continue Jesus' work. Each of us has a role in evangelization—spreading the good news and sharing God's great love with others. For all Catholics, whether single, married, priests, bishops, deacons, or members of a religious community or congregation, there are many challenges along the way to a particular vocation. But all along the way our prayers, words, and actions must tell others about Jesus Christ.

> **"There are different forms of service but the same Lord."**
> (1 Corinthians 12:5)

Activity By Baptism you share in the mission of evangelization. How will you evangelize? To whom will you go? With whom will you speak? Explain below.

RESPONDIENDO...

Reconociendo nuestra fe

Recuerda la pregunta al inicio del capítulo: *¿Cómo me estoy preparando para mi futuro?* ¿Qué vocación te interesa? ¿Cuáles son las tres cosas que puedes añadir a tu conocimiento de esa vocación?

1.

2.

3.

Viviendo nuestra fe

Decide estar más conciente esta semana de la vocación de aquellos con quienes compartes. Reza para que cada persona sea fortalecida para vivir su vocación.

Santa Laura Montoya

Laura Montoya nació en el 1874 en Colombia, Sur América. Su padre murió cuando tenía dos años. Tuvo que ayudar a sostener a su familia. Cuando pequeña recibió poca educación pero de mayor estudió para ser maestra. Más tarde se involucró en el trabajo misionero con las comunidades pobres. Empezó a enseñar y a evangelizar a los nativos que vivían en la selva tropical de Colombia. Para servir mejor a los nativos formó la congregación de las hermanas misioneras de María Inmaculada y Santa Catalina de Siena. Laura, conocida como la "maestra de los indios", continuó sirviendo y evangelizando hasta su muerte en el 1949.

La Iglesia beatificó a Laura Montoya en 2004 y la canonizó en 2013. Hoy, las hermanas misioneras de María Inmaculada y Santa Catalina de Siena enseñan y evangelizan en diecinueve países.

Enseñar es una forma de evangelizar. ¿Cuáles son otras formas de predicar la buena nueva de Cristo?

Recognizing Our Faith

Recall the question at the beginning of this chapter: *How am I preparing for my future?* What vocation are you interested in? What three things can you do to add to your knowledge about this vocation?

1.

2.

3.

Living Our Faith

Decide this week to become more aware of the vocations of those you meet. Pray that each person will be strengthened to live out his or her vocation.

Saint
Laura Montoya

Laura Montoya was born in 1874 in Colombia, South America. Her father died when she was two years old. As Laura grew older, it was necessary for her to help support her family. Although Laura received little education while growing up, she studied and eventually became a teacher. Later, she became involved in missionary work among poor communities. She began to teach and evangelize the native peoples who lived in the rainforests of Colombia. To better serve the native peoples, she founded the Congregation of the Missionary Sisters of Mary Immaculate and St. Catherine of Siena. Laura, known as the "Teacher of the Indians," continued serving and evangelizing until her death in 1949.

The Church beatified Laura Montoya in 2004 and canonized her in 2013. Today, the Missionary Sisters of Mary Immaculate and St. Catherine of Siena teach and evangelize in nineteen countries.

Teaching is one way to evangelize. What are some other ways to spread the good news of Christ?

@✱ **For additional ideas and activities, visit www.weliveourfaith.com.**

RESPONDIENDO...

✚ ENCUENTRO CON LA PALABRA DE DIOS

Jesús dijo:

"Yo soy la vid, ustedes las ramas. El que permanece unido a mí como yo estoy unido a él, produce mucho fruto; porque sin mí no pueden hacer nada".

(Juan 15:5)

➡ **LEE** la cita bíblica.

➡ **REFLEXIONA** en esta pregunta:

Al compararse con la viña, y a sus discípulos con las ramas, Jesús nos enseña que estamos unidos a él. Las palabras de Jesús pueden recordarnos que cualquiera sea la vocación particular que escojamos, todos somos discípulos de Jesús, llamados a continuar el trabajo que él empezó. ¿Cómo pueden las palabras de Jesús ayudarte a vivir una vocación particular?

➡ **COMPARTE** tus reflexiones con un compañero.

➡ **DECIDE** una forma de fortalecer tu unidad con Jesucristo mientras tratas de descubrir tu vocación.

Poniendo la fe en acción

Conversa sobre lo que has aprendido en este capítulo:

 Entendemos el llamado particular a servir vivido por los laicos, los consagrados y los ministros ordenados.

 Contemplamos esas vocaciones particulares y sus posibilidades en nuestras propias vidas.

 Servimos a Dios y a la Iglesia ahora predicando la buena nueva de Jesucristo.

Decide formas en que vas a vivir lo aprendido.

Escribe *Verdadero* o *Falso* **en la raya al lado de la oración. Cambia la oración falsa en verdadera.**

1. _____ Vocación es un llamado a una forma de vida.

2. _____ Por la fe en Cristo y el Bautismo, nos hacemos miembros de la Iglesia.

3. _____ Dios llama a los miembros de la Iglesia a una vocación particular: laicos, vida consagrada o fieles cristianos.

4. _____ Hombres y mujeres que son llamados por Dios a la vida consagrada profesan los consejos evangélicos de pobreza, castidad y servicio.

Encierra en un círculo la respuesta correcta.

5. _____ es el nombre dado al cuerpo de leyes que gobiernan la Iglesia.

   a. Eclesia   **b.** Laico   **c.** Vida religiosa   **d.** Ley canónica

6. Todos los miembros de la Iglesia tienen una _____, nuestra llamada de Dios a la santidad y la evangelización.

   a. vocación común   **b.** sacerdocio ministerial   **c.** orden religiosa   **d.** vida consagrada

7. Hay dos tipos de sacerdotes. _____

   a. obispos y laicos   **b.** diáconos y diocesanos   **c.** diocesanos y religiosos   **d.** jesuitas y franciscanos

8. Todos los católicos inician sus vidas como miembros _____.

   a. laicos   **b.** vida consagrada   **c.** ministro ordenado   **d.** diáconos permanentes

9–10. **Contesta en un párrafo:** Has sido llamado a vivir como discípulo de Cristo. ¿Cuáles son algunas formas en que puedes responder a este llamado?

Putting Faith to Work

Talk about what you have learned in this chapter:

 We understand the particular call to service lived out by those in the laity, the consecrated life, and the ordained ministry.

 We contemplate these particular vocations and their possibilities for our own lives.

 We serve God and the Church now by spreading the good news of Jesus Christ.

Decide on ways to live out what you have learned.

✝ ENCOUNTERING GOD'S WORD

Jesus said:

"I am the vine, you are the branches. Whoever remains in me and I in him will bear much fruit, because without me you can do nothing"
(John 15:5).

➡ **READ** the quotation from Scripture.

➡ **REFLECT** on the following:
By comparing himself to a vine and his disciples to the branches, Jesus teaches us that we are to be united to him. Jesus' words can remind us that whatever particular vocation we choose, we are all Jesus' disciples, called to continue the work that he began. How can Jesus' words help you to feel empowered to live out a particular vocation?

➡ **SHARE** your reflections with a partner.

➡ **DECIDE** on a way to strengthen your unity with Jesus Christ as you try to discover your particular vocation.

Write *True* or *False* next to the following sentences. On a separate sheet of paper, change the false sentences to make them true.

1. _____ A vocation is a call to a way of life.

2. _____ By faith in Christ and by Baptism, we become members of the Church.

3. _____ God calls each member of the Church to a particular vocation: the laity, the consecrated life, or the Christian faithful.

4. _____ Men and women who are called by God to the consecrated life profess the evangelical counsels of poverty, chastity, and service.

Circle the letter of the correct answer.

5. _____ is the name of the body of laws that govern the Church.

   a. Ecclesial   **b.** Laity   **c.** Religious life   **d.** Canon law

6. All members of the Church have a _____, our call from God to holiness and evangelization.

   a. common vocation   **b.** ministerial priesthood   **c.** religious order   **d.** consecrated life

7. There are two different types of priests: _____.

   a. bishop and laity   **b.** diaconate and diocesan   **c.** diocesan and religious   **d.** Jesuit and Franciscan

8. All Catholics begin their lives as members of the _____.

   a. laity   **b.** consecrated life   **c.** ordained ministry   **d.** permanent diaconate

9–10. ESSAY: You are called to live as Christ's disciple. What are some ways you can respond to this call?

RESPONDIENDO...

Comparte la fe con tu familia

Conversa con tu familia sobre lo siguiente:

- Dios llama a cada uno a una vocación especial.
- Algunos son llamados a servir como laicos.
- Algunos son llamados a la vida consagrada.
- Algunos hombres son ordenados como sacerdotes y diáconos permanentes.

Juntos en familia piensen en formas en que puedes vivir tu vocación común—tu llamado a la santidad y a evangelizar.

Conexión con la liturgia

Nuestra vocación principal es ser como Jesucristo. En cada misa el sacerdote reza para que podamos participar de la divinidad de Cristo como "él vino a compartir nuestra humanidad". (Misal Romano)

Para explorar

Varias comunidades religiosas y diócesis tienen programas misioneros en los que los laicos pueden servir de voluntarios. Busca oportunidades que puedan estar disponibles para ti.

Doctrina social de la Iglesia ☑ Cotejo

Tema de la doctrina social de la Iglesia:
Cuidado de la creación de Dios

Cómo se relaciona con el capítulo 19: Dios llama a todos, sin importar su vocación, a cuidar de todo lo que él ha creado.

Cómo puedes hacer esto en

☐ la casa:

_____

☐ la escuela/trabajo:

_____

☐ la parroquia:

_____

☐ la comunidad:

_____

Chequea cada acción cuando la termines.

Sharing Faith with Your Family

Discuss the following with your family:

- God calls each of us to a particular vocation.
- Some are called to live as laypeople.
- Some are called to the consecrated life.
- Some men are ordained as priests and permanent deacons.

With your family think of ways that you can live out your common vocation—your call to holiness and to evangelization.

Catholic Social Teaching ☑ Checklist

Theme of Catholic Social Teaching:
Care for God's Creation

How it relates to Chapter 19: God calls all people, no matter what their particular vocation, to care for all that he has created.

How can you do this?

☐ At home:
_____

☐ At school/work:
_____

☐ In the parish:
_____

☐ In the community:
_____

Check off each action after it has been completed.

The Worship Connection

Our first vocation is to become like Jesus Christ. At every Mass the priest prays that we might share in Christ's divinity as he came "to share in our humanity" (Roman Missal).

More to Explore

Various religious communities and dioceses have missionary programs for which laypeople volunteer. Find out what opportunities might be available to you.

20
Nos reunimos como discípulos de Cristo

"Porque donde están dos o tres reunidos en mi nombre, allí estoy yo en medio de ellos".

(Mateo 18:20)

✦ **Líder:** Vamos ahora a profesar nuestra fe como miembros de la Iglesia.

Todos: Creo en Dios, Padre todopoderoso, creador del cielo y de la tierra.
Creo en Jesucristo, su único Hijo, nuestro Señor, que fue concebido por obra y gracia del Espíritu Santo,
nació de Santa María Virgen,
padeció bajo el poder de Poncio Pilato,
fue crucificado, muerto y sepultado,
descendió a los infiernos,
al tercer día resucitó de entre los muertos,
subió a los cielos y está sentado a la derecha de Dios, Padre todopoderoso. Desde allí ha de venir a juzgar a vivos y muertos.

Creo en el Espíritu Santo,
la santa Iglesia Católica,
la comunión de los santos,
el perdón de los pecados,
la resurrección de la carne
y la vida eterna. Amén.

La gran pregunta:
¿Cómo puedo ayudar a cambiar el mundo?

Descubre algunas cosas que te pueden ayudar a cambiar el mundo poco a poco. Abajo hay algunas cosas que te pueden recordar lo que se necesita hacer.

palillo de dientes: para recordar escoger las buenas cualidades de los demás. ¿Cuáles son algunas cualidades que ves en otros?

goma elástica: para recordar ser flexible. Piensa en una vez en que fuiste flexible. ¿Qué hiciste?

curita: para recordar curar los malos sentimientos—tuyos o de otros. Piensa en quien tienes que perdonar.

lápiz: para recordar hacer una lista de tus bendiciones diarias. Haz una lista de tus bendiciones.

borrador: para recordar que todos cometemos errores. Piensa en un error que hayas cometido.

rollo de cinta adhesiva: para recordar mantener tu resolución; puedo lograr lo que quiera. ¿Qué meta te gustaría alcanzar?

un caramelo de menta: para recordar que vales una "mina". ¿Cuáles son algunas cosas que sólo tú puedes hacer?

chocolate: para recordar que todos necesitamos amor. ¿A quién amas?

En este capítulo exploraremos las virtudes de fe, esperanza y caridad y las formas en que, como miembros de la Iglesia, podemos vivir de acuerdo a ellas. También aprenderemos que la Iglesia es una, santa, católica y apostólica.

¿Cuáles son otros artículos que pueden recordarte las formas de ayudar a cambiar el mundo?

20
We Gather As Christ's Disciples

> "Where two or three are gathered together in my name, there am I in the midst of them."
>
> (Matthew 18:20)

✚ **Leader:** Let us now profess our faith as members of the Church.

All: I believe in God, the Father almighty,
   Creator of heaven and earth,
and in Jesus Christ , his only Son, our Lord,
who was conceived by the Holy Spirit,
born of the Virgin Mary,
suffered under Pontius Pilate,
was crucified, died and was buried;
he descended into hell;
on the third day he rose again from the dead;
He ascended into heaven,
and is seated at the right hand
   of God the Father almighty;
from there he will come to judge the
   living and the dead.

I believe in the Holy Spirit,
   the holy catholic Church,
   the communion of saints,
   the forgiveness of sins,
   the resurrection of the body,
   and life everlasting. Amen.

The BIG Question:
In what ways can I help to change the world?

Discover some things that can help you to change the world little by little. Below are some things that can remind you of what needs to be done.

toothpick: to remind me to pick out the good qualities in others. What are some qualities that you seek in others?

_____

rubber band: to remind me to be flexible. Think about a time that you needed to be flexible. What did you do?

_____

bandage: to remind me to heal hurt feelings—mine or someone else's. Think about who it is that you need to forgive.

_____

pencil: to remind me to list my blessings every day. Make a list of your blessings.

_____

eraser: to remind me that everyone makes mistakes. Think about a mistake that you made. What did you learn?

_____

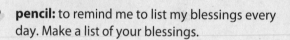 **roll of tape:** to remind me to stick with it; I can accomplish anything. What goal would you like to achieve?

_____

 piece of peppermint: to remind me that I am worth a "mint." What are some things that only you can do?

_____

 chocolate: to remind me that everyone needs love. Who is someone that you love?

_____

In this chapter we explore the virtues of faith, hope, and love and the ways that we, as members of the Church, can live by these virtues. We also learn that the Church is one, holy, catholic, and apostolic.

What are some other items that might remind you of ways to help change the world?

El siguiente es un poema que estaba colgado en la oficina de la Madre Teresa en Calcuta, India.

La gente es algunas veces ilógica, insensible y egoísta;
perdónala de todos modos.
Si eres amable, la gente puede acusarte de tener motivos ocultos;
de todos modos, sigue siendo amable.
Si tienes éxito ganarás algunos falsos amigos y algunos verdaderos enemigos;
persigue el éxito de todos modos.
Si eres honesto y franco, la gente te puede engañar,
sigue siendo honesto de todos modos.
Si encuentras la felicidad y la serenidad, la gente puede ponerse celosa;
sigue feliz.
Lo bueno que hagas hoy, lo olvidará la gente mañana;
haz el bien de todos modos.
Da al mundo lo mejor de ti, nunca será suficiente;
de todos modos da al mundo lo mejor que tienes.
Ves, al final de cuenta el análisis final es entre tú y Dios;
nunca fue entre tú y ellos.

(Basado en las palabras de Kent M. Keith)

Actividad En grupo escojan una de las líneas del poema para escenificarla frente al grupo. Después escoge una línea para vivirla esta semana.

The following poem was seen posted in Mother Teresa's office in Calcutta, India.

People are often unreasonable, illogical and self-centered;
Forgive them anyway.
If you are kind, people may accuse you of selfish, ulterior motives;
Be kind anyway.
If you are successful, you will win some false friends and some true enemies;
Succeed anyway.
If you are honest and frank, people may cheat you;
Be honest anyway.
If you find serenity and happiness, they may be jealous;
Be happy anyway.
The good you do today, people will often forget tomorrow;
Do good anyway.
Give the world the best you have, and it may never be enough;
Give the world the best you've got anyway.
You see, in the final analysis it is between you and God;
It was never between you and them anyway.

(Based on the words of Kent M. Keith)

Activity With your group choose one of the lines of the poem to role-play for the group. Then choose one line that you will live out this week.

Dios nos da muchos dones.

Todos los días tenemos la oportunidad de vivir como discípulos de Jesús. Puede que no nos demos cuenta de que las decisiones que tomamos cada día revelan mucho sobre nuestro discipulado. Nuestras decisiones diarias se hacen hábitos, buenos o malos. Un buen hábito que nos ayuda a actuar de acuerdo al amor de Dios por nosotros es llamado **virtud**.

Las **virtudes teologales**, fe, esperanza y caridad tienen a Dios como fuente, motivo y objeto. Son llamadas teologales porque *teo* significa "dios" en griego. Estas virtudes nos acercan a Dios y aumentan nuestro deseo de estar siempre con Dios. Hacen posible nuestra relación con Dios—el Padre, el Hijo y el Espíritu Santo. Fe, esperanza y caridad son la base de nuestra vida cristiana.

La virtud de la *fe* nos ayuda a creer en Dios y en todo lo que la Iglesia enseña. La fe nos ayuda a creer todo lo que Dios ha revelado sobre sí mismo y todo lo que ha hecho. El don de la fe nos ayuda a creer que Dios está con nosotros actuando en nuestras vidas. Dios hace la fe posible para nosotros pero es una decisión nuestra. Jesús dijo a sus discípulos: "Dichosos los que han creído sin haber visto" (Juan 20:29). Jesús también nos pide, como sus discípulos, escoger responder al don de la fe de Dios—creer, aun en los tiempos cuando no vemos ni entendemos.

Vocabulario

virtud
virtudes teologales

La virtud de la *esperanza* nos ayuda a confiar en la promesa de Dios de compartir su vida con nosotros por siempre. La esperanza nos permite confiar en el amor y cuidado de Dios por nosotros, nos permite mantener la confianza en tiempos difíciles. Como leemos en la carta de San Pablo a los romanos: "Una esperanza que no defrauda porque, al darnos el Espíritu Santo, Dios ha derramado su amor en nuestros corazones" (Romanos 5:5). La esperanza nos ayuda a confiar en Cristo y a depender de la fuerza del Espíritu Santo. La esperanza es un don que nos ayuda a trabajar por el reino de Dios aquí en la tierra y esperar la felicidad eterna en el reino de los cielos.

La virtud de la *caridad* nos permite amar a Dios, a los demás y a nosotros mismos. La caridad, o amor, es la más grande de todas las virtudes, porque el amor, "Todo lo disculpa, todo lo cree, todo lo espera, todo lo soporta. El amor nunca pasará" (1 Corintios 13:7–8). Todas las demás virtudes vienen de la caridad y a ella retornan. La caridad es la meta de nuestra vida cristiana. Es posible porque Dios nos amó primero, con amor eterno. En nuestras vidas el amor de Dios está siempre ahí y puede vivir en la comunidad de creyentes, la Iglesia.

Actividad ¿Cómo tus palabras y obras, en la escuela y en tu casa, muestran que tienes fe, esperanza y caridad?

Las virtudes cardinales

Las virtudes teologales son la base de las virtudes humanas. Las virtudes humanas son hábitos que se forman por nuestro propio esfuerzo, inducidas por la gracia de Dios. Nos guían para vivir vidas buenas. Son el resultado de nuestra toma de decisiones de vivir de acuerdo a la ley de Dios una y otra vez. Estas virtudes humanas guían la forma en que pensamos, sentimos y nos comportamos. Hay cuatro virtudes que son la base—todas las demás virtudes dependen de ellas. A estas virtudes las llamamos virtudes cardinales y son: prudencia, justicia, fortaleza y templanza.

Prudencia nos ayuda a tomar juicios adecuados y dirige nuestras acciones hacia lo que es bueno. *Justicia* es respetar a los derechos de los demás y darles lo que por derecho les corresponde. *Fortaleza* nos permite actuar con valor frente a los problemas y miedos. *Templanza* nos ayuda a mantener nuestros deseos bajo control y a balancear el uso de las cosas materiales.

Piensa en situaciones en las que puedes practicar estas virtudes.

IDENTIDAD CATÓLICA

God gives us many gifts.

Every day we have the opportunity to live as Jesus' disciples. We may not even realize that the choices that we make each day reveal a lot about our discipleship. Our choices in life can become habits, whether for good or for bad. A good habit that helps us to act according to God's love for us is called a **virtue**.

The **theological virtues** of faith, hope, and charity have God as their source, God as their motive, and God as their object. They are called theological because *theo* in Greek means "god." These virtues bring us closer to God and increase our desire to be with God forever. They make it possible for us to have a relationship with God—the Father, the Son, and the Holy Spirit. Faith, hope, and charity are the foundation of our lives as Christians.

The virtue of *faith* enables us to believe in God and all that the Church teaches us. Faith helps us to believe all that God has told us about himself and all that he has done. The gift of faith helps us to believe that God is with us and is acting in our lives. And though God makes faith possible for us, faith still has to be a choice that we make. Jesus once said to his disciples, "Blessed are those who have not seen and have believed" (John 20:29). Jesus also asks us, as his disciples, to choose to respond to God's gift of faith—to believe, even at those times when we cannot see or understand.

Faith Words

virtue
theological virtues

The virtue of *hope* enables us to trust in God's promise to share his life with us forever. Hope makes us confident in God's love and care for us, keeping us from becoming discouraged or giving up when times are difficult. As we read in Saint Paul's letter to the Romans, "Hope does not disappoint, because the love of God has been poured out into our hearts through the holy Spirit that has been given to us" (Romans 5:5). Thus, hope helps us to trust in Christ and to rely on the strength of the Holy Spirit. Hope is a gift that helps us to work to spread the Kingdom of God here on earth and to look forward to eternal happiness in the Kingdom in heaven.

The virtue of *charity* enables us to love God and to love our neighbor as ourselves. Charity, or love, is the greatest of all virtues, for love "bears all things, believes all things, hopes all things, endures all things. Love never fails" (1 Corinthians 13:7–8). All the other virtues come from love and lead back to it. Love is the goal of our lives as Christians. And love is possible because God loves us first, with a never-ending love. In our lives God's love is always there for us and can especially be experienced through the community of believers, the Church.

Activity How do your words and actions at school and at home show that you have faith, hope, and love?

The cardinal virtues

The theological virtues are the foundation of the human virtues. The human virtues are habits that come about by our own efforts, prompted by God's grace. They lead us to live a good life. They result from our making the decision, over and over again, to live by God's law. These human virtues guide the way we think, feel, and behave. There are four human virtues that are pivotal—all other virtues are grouped around them. We call them the cardinal virtues. They are: prudence, justice, fortitude, and temperance.

Prudence helps us to make sound judgments and directs our actions toward what is good. *Justice* is respecting the rights of others and giving them what is rightfully theirs. *Fortitude* enables us to act bravely in the face of troubles and fears. *Temperance* helps us to keep our desires under control and to balance our use of material goods.

Think of life situations in which you might be able to practice these virtues.

CATHOLIC IDENTITY

Como miembros de la Iglesia nos reunimos en fe, esperanza y caridad.

Durante su ministerio Jesús habló sobre muchas cosas. Habló sobre el significado de los Diez Mandamientos y les dio a sus discípulos las Bienaventuranzas como modelo para vivir y trabajar hacia la felicidad futura. Jesús enseñó a sus discípulos que la ley de Dios es una ley de amor y les mostró como vivirla.

Guiados por el Espíritu Santo podemos vivir como discípulos de Jesús, siguiendo el ejemplo de Jesús de amar a Dios y unos a otros. Como sus discípulos y miembros de la Iglesia, tenemos la esperanza de vivir de acuerdo a sus mandamientos de amarnos unos a otros como él nos amó. El *Catecismo* expresa que la Iglesia es: "el proyecto visible del amor de Dios hacia la humanidad" que quiere "que todo el género humano forme un único Pueblo de Dios, se una en un único Cuerpo de Cristo, se coedifique en un único templo del Espíritu Santo". (776)

> **"La Iglesia es: "el proyecto visible del amor de Dios hacia la humanidad".**
> **(CIC, 776)**

Jesús es nuestro ejemplo de fe, esperanza y de amor incondicional. El nos enseñó como nadie más ha podido. El cumplió sus promesas, vivió de acuerdo a las virtudes, cuidó de su familia y amigos y trató a todo el mundo con respeto. El escuchó a la gente y cuidó de sus necesidades, aun si estuviera cansado. Abogó por los derechos de los demás y los ayudó a encontrar paz y alivio. Siguió amando a sus discípulos aun cuando tuvieron temor de amarlo y dio a la gente una razón para confiar en la misericordia de Dios. Jesús llevó a la gente el amor y el perdón de Dios, dándoles la esperanza de la paz y la vida eterna con Dios. Jesús hizo eso por todos nosotros, sus discípulos y miembros de su cuerpo, la Iglesia.

Como discípulos de Jesucristo, reunidos en su Iglesia, somos llamados a llevar su mensaje a todos, viviendo como él vivió y mostrando su presencia. Es a través de esta comunidad de la Iglesia que nosotros, como discípulos, creemos y aprendemos lo que significa creer. Nuestra fe en Cristo es guiada y fortalecida por la Iglesia, de hecho, nuestra fe es la fe de la Iglesia. Como miembros del cuerpo de Cristo, la Iglesia, debemos contestar el llamado de Cristo al discipulado creyendo y esperando en Dios y amando a Dios y a los demás como Jesucristo lo hizo.

Actividad ¿Cómo tu parroquia es un signo visible del amor de Dios por la humanidad? Planifica un anuncio de un minuto que exprese lo que tu parroquia hace.

As members of the Church, we come together in faith, hope, and love.

During his ministry Jesus taught about many things. He talked about the meaning of the Ten Commandments and gave his disciples the Beatitudes as a model for living and working toward future happiness. Jesus taught his disciples that God's law is a law of love and then showed them the way to live it.

Guided by the Holy Spirit, we can live as Jesus' disciples, following Jesus' example of loving God and one another. And, as his disciples and members of the Church, we have the hope of living according to his command to love one another as he loved us. As the *Catechism*, states, "The Church 'is the visible plan of God's love for humanity,' because God desires 'that the whole human race may become one People of God, form one Body of Christ, and be built up into one temple of the Holy Spirit'" (776).

Jesus is our example of faith, hope, and unconditional love. He showed us how to love as no one else could. He kept his promises, lived by the virtues, took care of his family and friends, and treated all people with respect. He listened to people and cared for their needs, even when he was tired. He stood up for the rights of others and helped them to find peace and comfort. He continued to love his disciples even when they were too afraid to return that love, and he gave people a reason to hope in God's mercy. Jesus brought people God's forgiveness and healing, giving them the hope of peace and of everlasting life with God. And Jesus does this for all of us, his disciples and members of his Body, the Church.

As Jesus Christ's disciples who have come together as his Church, we are called to bring his message everywhere, living as he lived and showing forth his presence. It is through this community of the Church that we, as disciples, come to believe and to learn what it means to believe. Our faith in Christ is guided and strengthened by the Church; in fact, our faith is the faith of the Church. And as members of the Body of Christ, the Church, we must answer Christ's call to discipleship by believing and hoping in God and by loving God and others as Jesus Christ did.

> "The Church 'is the visible plan of God's love for humanity."
>
> (CCC, 776)

Activity How is your parish a visible sign of God's love for humanity? Plan a one-minute announcement that presents what your parish does.

La Iglesia es una y santa.

¿Por qué es importante para una comunidad ser una?

En los siete sacramentos que Jesús nos dio, recibimos la gracia de Dios para vivir como discípulos de Jesús. Estamos unidos en nuestra fe en Cristo y celebramos nuestra fe en comunidad. En los sacramentos profesamos nuestra fe. En la celebración de la Eucaristía lo hacemos especialmente cuando rezamos el Credo de Nicea. Un **credo** es una afirmación de creencias. En el Credo de Nicea afirmamos que "Creemos en una Iglesia santa, católica y apostólica". La Iglesia es una, santa, católica y apostólica. Estas son las cuatro **características de la Iglesia**.

Una es la primera característica de la Iglesia. La Iglesia es una porque todos sus miembros creen en un solo Señor, Jesucristo. La Iglesia es una porque compartimos un solo Bautismo y juntos somos uno en el cuerpo de Cristo. Como leemos en el Nuevo Testamento: "Uno solo es el cuerpo y uno solo el Espíritu, . . .Un solo Señor, una fe, un bautismo; un Dios que es Padre de todos" (Efesios 4:4, 5–6). Y la Iglesia es una porque somos guiados y unidos por el Espíritu Santo bajo el liderazgo del papa y los obispos: somos uno en los sacramentos que celebramos y en las leyes que nos ayudan a vivir como discípulos de Cristo y fieles miembros de la Iglesia.

Vocabulario

credo
características de la Iglesia

Santa es la segunda característica de la Iglesia. Sólo Dios es santo y bueno. Pero Dios compartió su santidad con todo el mundo enviando a su Hijo. Cristo comparte con nosotros su santidad a través de la Iglesia, donde somos santificados por primera vez en el Bautismo. Después, durante nuestra vida, somos llamados a la santidad por Dios y la Iglesia—santidad que sale del don de la gracia que recibimos en los sacramentos, de los dones del Espíritu Santo y de la práctica de las virtudes. Nuestra santidad crece a medida que respondemos al amor de Dios en nuestras vidas, viviendo como discípulos de Cristo.

Por medio del Bautismo Dios llama a todos los miembros de la Iglesia a la santidad. Los fieles cristianos, los religiosos y los ministros ordenados, viven su llamado de diferentes formas. Estas diferencias hacen de la Iglesia un poderoso signo de la bondad y santidad de Dios.

Actividad Subraya en esta página las formas en que la Iglesia es una y santa.

Los preceptos de la Iglesia

Los preceptos de la Iglesia se encuentran en la página 464. Estas son leyes de la Iglesia que nos recuerdan que estamos llamados a crecer en santidad y a servir a la Iglesia. Nos ayudan a ver que amar a Dios y a los demás nos conecta a una vida de oración, alabanza y servicio. Guían nuestro comportamiento y nos enseñan como debemos actuar como miembros de la Iglesia Católica.

Los preceptos de la Iglesia nos ayudan a conocer y cumplir nuestras responsabilidades como miembros de la Iglesia. Nos unen como seguidores de Jesucristo. Hacen que todos los miembros de la Iglesia estén más conscientes de que la Iglesia es una, santa, católica y apostólica.

Lean juntos los preceptos de la Iglesia y conversen sobre ellos.

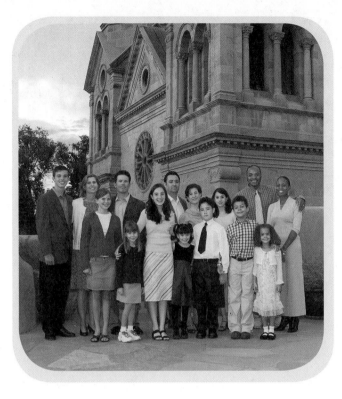

The Church is one and holy.

Why is it important for a community to be one?

In the seven sacraments that Jesus gave us, we receive God's grace to live as Jesus' followers. We are united by our belief in Christ and celebrate our faith as a community. In the sacraments we profess our faith. In the celebration of the Eucharist, we do this especially when we pray the Nicene Creed. A **creed** is a statement of belief. In the Nicene Creed we state that "we believe in one holy catholic and apostolic Church." The Church is one, holy, catholic, and apostolic. These four characteristics are the **marks of the Church**.

> ### Faith Words
> creed
> marks of the Church

The first mark of the Church is *one*. The Church is one because all its members believe in the one Lord, Jesus Christ. The Church is one because we all share the same Baptism and together are the one Body of Christ. As we read in the New Testament, there is "one body and one Spirit . . . one Lord, one faith, one baptism; one God and Father of all" (Ephesians 4:4, 5–6). And the Church is one because we are guided and united by the Holy Spirit under the leadership of the pope and bishops; we are one in the sacraments we celebrate and in the laws that help us to live as disciples of Christ and faithful members of the Church.

The second mark of the Church is *holy*. God alone is good and holy. But God shared his holiness with all people by sending his Son to us. And Christ shares his holiness with us today through the Church, where we are first made holy in Baptism. Then, throughout our lives, we are called to holiness by God and the Church—a holiness that stems from the gift of grace that we receive in the sacraments, from the gifts of the Holy Spirit, and from the practice of the virtues. And our holiness grows as we respond to God's love in our lives, living as Christ's disciples.

Through our Baptism God calls all members of the Church to holiness. The Christian faithful, religious sisters and brothers, and ordained ministers live out this call in different ways. Yet these differences make the Church an amazing sign of God's goodness and holiness.

Activity On this page, find and highlight or underline the ways the Church is one and holy.

The precepts of the Church

The precepts of the Church are found on page 465. They are laws of the Church that remind us that we are called to grow in holiness and serve the Church. They help us to see that loving God and others is connected to a life of prayer, worship, and service. They guide our behavior and teach us how we should act as members of the Catholic Church.

The precepts of the Church help us to know and fulfill our responsibilities as members of the Church. They help to unite us as followers of Jesus Christ. They make all Church members more aware that the Church is one, holy, catholic, and apostolic.

Read the precepts of the Church together and discuss why each is important.

La Iglesia es católica y apostólica.

La tercera característica de la Iglesia es *católica*. La palabra *católica* significa "universal"—mundial y abierta a todos en todas partes. La Iglesia ha sido universal desde sus inicios. Jesús envió a los apóstoles diciéndoles: "Vayan y hagan discípulos a todos los pueblos y bautícenlos para consagrarlos al Padre, al Hijo y al Espíritu Santo" (Mateo 28:19). Los apóstoles viajaban donde podían a predicar el evangelio. Bautizaron creyentes y establecieron iglesias locales en las comunidades. La Iglesia continúa creciendo y hoy hay católicos en todo el mundo.

Verdaderamente católica o universal, la Iglesia está compuesta por personas de todas partes del mundo. Los católicos tienen diferentes formas de vivir, vestir y celebrar. Estas costumbres y prácticas diferentes son parte de la vida de la Iglesia. Ellas añaden belleza y maravilla a la Iglesia. A pesar de toda nuestra diversidad, seguimos siendo una. Estamos unidos por nuestra fe en Jesús y nuestra membresía en la Iglesia. Estamos unidos por la celebración de los siete sacramentos y por el liderazgo de nuestro santo padre, el papa, y todos los obispos. Somos el cuerpo de Cristo y el pueblo de Dios.

> **"Vayan y hagan discípulos a todos los pueblos".**
> (Mateo 28:19)

Vivimos la Iglesia en el mundo y en nuestra comunidad parroquial. Juntos crecemos y celebramos nuestra fe, aprendiendo lo que significa ser católico. En esta familia de fe estamos unidos a otros católicos que son muy diferentes a nosotros. Somos de diferentes países, hablamos diferentes lenguajes y tenemos diferentes costumbres. Pero estamos unidos por el amor de Cristo y por nuestra llamada común a la santidad. Somos fortalecidos para amar como Jesús amó y para continuar su trabajo de justicia y paz, acogiendo a todo el mundo como Jesucristo lo hizo y diciendo a todos sobre su amor salvador y su Iglesia.

La cuarta característica de la Iglesia es *apostólica*, o sea construida en la fe de los apóstoles. Jesús escogió a los apóstoles para cuidar y dirigir la comunidad de creyentes. El les dio la misión de predicar la buena nueva y bautizar nuevos miembros para la Iglesia. Leemos sobre el ministerio de los apóstoles y su trabajo al inicio de la Iglesia en el Nuevo Testamento. La fe que profesamos y practicamos está basada en algunos de los primeros credos. El Credo de los Apóstoles cuenta sobre Jesús, sus enseñanzas y las enseñanzas de los apóstoles. Aun hoy continuamos rezando el Credo de los Apóstoles.

La Iglesia es apostólica porque la vida y liderazgo de la Iglesia están basados en la de los apóstoles. El papa, el obispo de Roma, y los obispos, los sucesores de los apóstoles, continúan el ministerio de los apóstoles. El papa y los obispos continúan la misión que Jesús dio a los apóstoles. Como bautizados católicos, discípulos de Jesús y miembros de la Iglesia, también nosotros somos animados a compartir este trabajo de predicar la buena nueva de Jesucristo y el reino de Dios.

Actividad Encuentra y subraya en esta página las formas en que la Iglesia es católica y apostólica.

The Church is catholic and apostolic.

The third mark of the Church is *catholic*. The word *catholic* means "universal"—worldwide and open to all people everywhere. The Church has been universal since the beginning. Jesus commissioned his Apostles, saying, "Go, therefore, and make disciples of all nations, baptizing them in the name of the Father, and of the Son, and of the holy Spirit" (Matthew 28:19). Thus, the Apostles traveled wherever they could to preach the Gospel message. They baptized believers and established local Church communities. The Church continued to grow, and today there are Catholics all across the world.

Truly catholic, or universal, the Church is made up of people from all over the world. Thus, Catholics have different ways of living, dressing, and celebrating. These different customs and practices are part of the Church's life. They add beauty and wonder to the Church. Yet with all of our diversity, we are still one. We are united by our faith in Jesus and by our membership in the Church. We are joined by the celebration of the seven sacraments and by the leadership of our Holy Father, the pope, and all the bishops. We are the Body of Christ and the People of God.

We experience the Church as worldwide in our parish communities, too. Together, we grow and celebrate our faith, learning what it means to be Catholic. In this family of faith we are joined with Catholics who may be very different from us. We come together from different countries, speaking different languages and having different customs. But we are united by our love for Christ and by our common call to holiness. We are strengthened to love as Jesus loved and to continue his work for justice and peace, welcoming all people as Jesus Christ did and telling everyone about his saving love and about the Church.

> **"Go, therefore, and make disciples of all nations."**
> (Matthew 28:19)

The fourth mark of the Church is *apostolic*, or built on the faith of the Apostles. Jesus chose the Apostles to care for and lead the community of believers. He gave them the mission of spreading the good news and baptizing new members of the Church. We read about the ministry of the Apostles and their work in the early Church in the New Testament. The faith we profess and practice is based on some of the earliest creeds. The Apostles' Creed tells us about Jesus, his teachings, and the teachings of the Apostles. We still pray the Apostles' Creed today.

The Church is apostolic today because the life and leadership of the Church is based on that of the Apostles. The pope, the bishop of Rome, and the bishops, the successors of the Apostles, continue this ministry of the Apostles today. The pope and the bishops carry out the Apostles' mission, given to them by Jesus. As baptized Catholics, disciples of Jesus, and members of the Church, we too are encouraged to share in this work of spreading the good news of Jesus Christ and the Kingdom of God.

Activity On this page, find and highlight or underline the ways the Church is catholic and apostolic.

Pope Benedict XVI meets with bishops from Southern Africa (2005)

Reconociendo nuestra fe

Recuerda la pregunta al inicio del capítulo: *¿Cómo puedo ayudar a cambiar el mundo?* Si tuviera que hacer un expediente para recordar a otros esta pregunta, ¿qué incluiría y por qué?

Viviendo nuestra fe

Decide como ser una señal visible del amor de Dios hoy.

Santos Rafael, Gabriel y Miguel, los arcángeles

Compañeros en la fe

La Iglesia con frecuencia reza pidiendo la ayuda de los ángeles y todos los santos para vivir como discípulos de Jesús. La palabra *ángel* viene de la palabra griega *ángelos*, que significa "mensajero". En la Biblia leemos que Dios envió ángeles como mensajeros a su pueblo. Leemos sobre el ángel Rafael en el libro de Tobit. *Rafael* es un nombre hebreo que significa "Dios es mi sanador". En el libro de Daniel y Lucas, leemos sobre el ángel Gabriel. *Gabriel* es un nombre hebreo que significa "Dios es mi fortaleza". En los libros de Daniel, Judas, y el Apocalipsis, leemos sobre el ángel Miguel. En hebreo *Miguel* significa "nadie se compara a Dios".

Rafael, Gabriel y Miguel tienen un rango especial como ángeles, son conocidos como arcángeles. Al inicio la Iglesia los declaró santos en reconocimiento a su santidad. Los ángeles y todos los santos, pueden guiarnos a vivir las virtudes de fe, esperanza y caridad. La Iglesia recuerda y celebra a San Miguel, San Gabriel y San Rafael, arcángeles, el 29 de septiembre.

¿Qué mensaje crees que le gustaría a Dios enviar al mundo hoy?

@ *Para más ideas y actividades visita www.vivimosnuestrafe.com.*

Recognizing Our Faith

Recall the question at the beginning of this chapter: *In what ways can I help to change the world?* If you were to make a kit of things that would remind others of this question, what would it include? Why?

Living Our Faith

Decide how you can be a visible sign of God's love today.

Saints Raphael, Gabriel, and *Michael the Archangels*

The Church often prays for the assistance of the angels and all the saints for help in living as disciples of Jesus. The word *angel* comes from the Greek word *ángelos*, meaning "messenger." In the Bible, we learn that God sent angels as messengers to his people. We read about the angel Raphael in the book of Tobit. *Raphael* is a Hebrew name meaning "My healer is God." In the books of Daniel and Luke, we read about the angel Gabriel. *Gabriel* is a Hebrew name that means "My strength is God." In the books of Daniel, Jude, and Revelation, we read about the angel Michael. In Hebrew the name *Michael* means "Who can compare with God?"

Raphael, Gabriel, and Michael have a special ranking as angels; they are known as archangels. The early Church declared them to be saints in recognition of their holiness. The angels, and all the saints, can be our guides in living out the virtues of faith, hope, and charity. The Church remembers and celebrates Saints Michael, Gabriel, and Raphael the Archangels on their feast day, September 29.

What message do you think God would like delivered to the world today?

@ For additional ideas and activities, visit www.weliveourfaith.com.

RESPONDIENDO...

✝ ENCUENTRO CON LA PALABRA DE DIOS

Jesús dijo:

"Yo soy el buen pastor, conozco a mis ovejas y ellas me conocen a mí".

(Juan 10:14)

➡ **LEE** la cita bíblica.

➡ **REFLEXIONA** en esta pregunta:
¿Cómo saber que Jesús es el buen pastor nos da fuerzas para cambiar el mundo?

➡ **COMPARTE** tus reflexiones con un compañero.

➡ **DECIDE** como puedes ayudar a otros a cambiar el mundo con su ejemplo.

Poniendo la fe en acción

Conversa sobre lo que has aprendido en este capítulo:

 Entendemos que las virtudes de fe, esperanza y caridad nos unen a Dios.

 Esperamos, amamos y tenemos fe mientras seguimos a Jesucristo como Iglesia.

 Vivimos de forma tal que proclamamos las características de la Iglesia, una, santa, católica y apostólica.

Decide formas en que vas a vivir lo aprendido.

Completa lo siguiente:

1. Una virtud es un buen hábito que nos ayuda a _____
   _____.

2. La virtud de la fe nos ayuda a _____
   _____.

3. La virtud de la esperanza nos ayuda a _____
   _____.

4. La virtud de la caridad nos ayuda a _____
   _____.

Contesta con oraciones cortas.

5. ¿Cuáles son las características de la Iglesia? _____

6. ¿Qué es un credo? _____

7. ¿De qué nos habla el Credo de los Apóstoles? _____

8. ¿Qué significa la palabra *católica*? _____

9–10. **Contesta en un párrafo:** Explica las formas en que la Iglesia vive esta afirmación: *Creemos en una Iglesia santa, católica y apostólica.*

Putting Faith to Work

Talk about what you have learned in this chapter:

We understand that the virtues of faith, hope, and love unite us to God.

We love, we hope, and we have faith as we follow Jesus Christ together as the Church.

We live in a way that proclaims the marks of the Church: one, holy, catholic, and apostolic.

Decide on ways to live out what you have learned.

✝ ENCOUNTERING GOD'S WORD

Jesus said:

"I am the good shepherd, and I know mine and mine know me"
(John 10:14).

➡ **READ** the quotation from Scripture.

➡ **REFLECT** on the question:
How can knowing that Jesus is our good shepherd help strengthen us to change the world?

➡ **SHARE** your reflections with a partner.

➡ **DECIDE** on one way that you can help to "shepherd" others to change the world by their example.

Complete the following.

1. A virtue is a good habit that helps us to _____
   _____.

2. The virtue of faith enables us to _____
   _____

3. The virtue of hope enables us to _____
   _____.

4. The virtue of charity enables us to _____
   _____.

Short Answers

5. What are the marks of the Church? _____

6. What is a creed? _____

7. What does the Apostles' Creed tell us about? _____
   _____

8. What does the word *catholic* mean? _____

9–10. ESSAY: Explain the ways the Church lives out this statement: *We believe in one holy catholic and apostolic Church.*

RESPONDIENDO...

Comparte la fe con tu familia

Conversa con tu familia sobre lo siguiente:

- Dios nos da muchos dones.
- Como miembros de la Iglesia nos reunimos en fe, esperanza y caridad.
- La Iglesia es una y santa.
- La Iglesia es católica y apostólica.

Escojan y miren una película edificante e identifiquen como las virtudes de fe, esperanza y caridad han sido representadas en ella.

Conexión con la liturgia

Durante el saludo de la paz en la misa, compartimos el saludo de la paz. Es el Cristo resucitado presente en cada uno de los miembros de la comunidad con quien compartimos. Esta es una forma de expresar nuestra unidad en Cristo y unos con otros como miembros de la Iglesia

@ Para explorar

Busca ejemplos en el mundo hoy de la Iglesia viviendo como una, santa, católica y apostólica.

Doctrina social de la Iglesia ☑ Cotejo

Tema de la doctrina social de la Iglesia:
Derechos y responsabilidades de la persona humana

Cómo se relaciona con el capítulo 20: Como miembros de la Iglesia somos responsables de cuidar de los demás y asegurarnos de que los derechos básicos sean sostenidos. Estos incluyen los derechos a la vida y a las necesidades para vivir una vida decente.

Cómo puedes hacer esto en

☐ la casa:

_____

☐ la escuela/trabajo:

_____

☐ la parroquia:

_____

☐ la comunidad:

_____

Chequea cada acción cuando la termines.

Sharing Faith with Your Family

Discuss the following with your family:

- God gives us many gifts.
- As members of the Church, we come together in faith, hope, and love.
- The Church is one and holy.
- The Church is catholic and apostolic.

As a family choose an uplifting movie to watch together, and identify ways the virtues of faith, hope, and charity are being portrayed in this movie.

Catholic Social Teaching
☑ Checklist

Theme of Catholic Social Teaching:
Rights and Responsibilities of the Human Person

How it relates to Chapter 20: As members of the Church we are responsible for caring for others and ensuring that their basic rights are upheld. These include the right to life and to those things necessary for a decent life.

How can you do this?

☐ At home:

_____

☐ At school/work:

_____

☐ In the parish:

_____

☐ In the community:

_____

Check off each action after it has been completed.

The Worship Connection

During the Rite of Peace at Mass, we share a sign of peace with one another. It is the risen Christ, present in each member of the community, that we share. This is one way that we express our oneness with Christ and with one another as members of the Church.

More to Explore

Research to find examples in the world today of the Church living as one, holy, catholic, and apostolic.

21 Hacemos obras de misericordia

"Dichosos los misericordiosos, porque Dios tendrá misericordia de ellos".

(Mateo, 5:7)

✚ Líder: Vamos a rezar a Dios, quien cuida de todos.

Lector 1: Cuida de nuestra Iglesia.
Cuida de (nombre del papa) nuestro papa.
Protege y bendice a (nombre del obispo) nuestro obispo.

Todos: Ten misericordia de tu pueblo, Señor.

Lector 2: Salva a tu pueblo.
Preserva la paz en las naciones.
Permite que termine el odio y los conflictos. Guía a los gobernantes de las naciones.

Todos: Ten misericordia de tu pueblo, Señor.

Lector 3: Guía a los padres para que cumplan sus responsabilidades.

Alimenta a los niños con tu tierno amor.
Apoya y da consuelo a los ancianos.

Todos: Ten misericordia de tu pueblo, Señor.

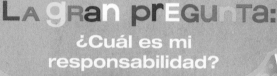

La gran pregunta:
¿Cuál es mi responsabilidad?

Descubre tus actitudes hacia las responsabilidades tomando la siguiente prueba:

1 **Es importante admitir mis errores.**

○ de acuerdo ○ en desacuerdo ○ neutral

2 **Tengo la responsabilidad de ayudar en la casa.**

○ de acuerdo ○ en desacuerdo ○ neutral

3 **Debo tratar de hacer lo mejor posible, aun en tiempos difíciles.**

○ de acuerdo ○ en desacuerdo ○ neutral

4 **Tengo la responsabilidad de pronunciarme cuando algo es inmoral, mentira o no ético.**

○ de acuerdo ○ en desacuerdo ○ neutral

5 **Tengo la responsabilidad de defender a los que son tratados injustamente.**

○ de acuerdo ○ en desacuerdo ○ neutral

6 **Es importante mostrar respeto por los sentimientos de los demás aun durante un desacuerdo.**

○ de acuerdo ○ en desacuerdo ○ neutral

7 **Debo cumplir con mis compromisos.**

○ de acuerdo ○ en desacuerdo ○ neutral

Resultados:

Después de completar la prueba comparte tus resultados con el grupo. Computen los resultados y miren el porcentaje de cada una de las respuestas escogidas por el grupo.

Conversen sobre formas de actuar con más responsabilidad en la vida.

En este capítulo aprenderemos que Jesús nos da la responsabilidad de cuidar de nuestro prójimo. Una manera de cumplir con esa responsabilidad es haciendo obras de misericordia.

"Blessed are the merciful, for they will be shown mercy."

(Matthew 5:7)

✝ **Leader:** Let us pray to God who cares for all.

Reader 1: Guard the Church.
Watch over (name the pope), our Pope.
Protect and bless (name the bishop), our bishop.

All: Have mercy on your people, Lord.

Reader 2: Save your people.
Preserve peace among the nations.
Bring an end to strife and hatred.
Guide the rulers of nations.

All: Have mercy on your people, Lord.

Reader 3: Guide parents in the fulfillment of their responsibilities.

Nourish children by your loving care.
Support and give solace to the aged.

All: Have mercy on your people, Lord.

The BiG Question:
What am I responsible for?

Discover your attitudes about responsibility. Take the following quiz.

1 **It is important to admit my mistakes.**
○ agree ○ disagree ○ neutral

2 **I have the responsibility to help out at home.**
○ agree ○ disagree ○ neutral

3 **I must try to do my best, even in difficult times.**
○ agree ○ disagree ○ neutral

4 **I have the responsibility to speak out when I know that something is untrue, unethical, or immoral.**
○ agree ○ disagree ○ neutral

5 **I have the responsibility to stand up for others when they're being treated unfairly.**
○ agree ○ disagree ○ neutral

6 **It is important to show respect for others' feelings, even during a disagreement.**
○ agree ○ disagree ○ neutral

7 **I must follow through on my commitments.**
○ agree ○ disagree ○ neutral

Results:
After taking this quiz, share your results together as a group. Tally the responses and figure out the percentage of your group that chose each response.

Brainstorm together about ways to act more responsibly in your lives.

In this chapter we learn that Jesus entrusts us with the responsibility of caring for our neighbor. One way we fulfill this responsibility is by performing the Works of Mercy.

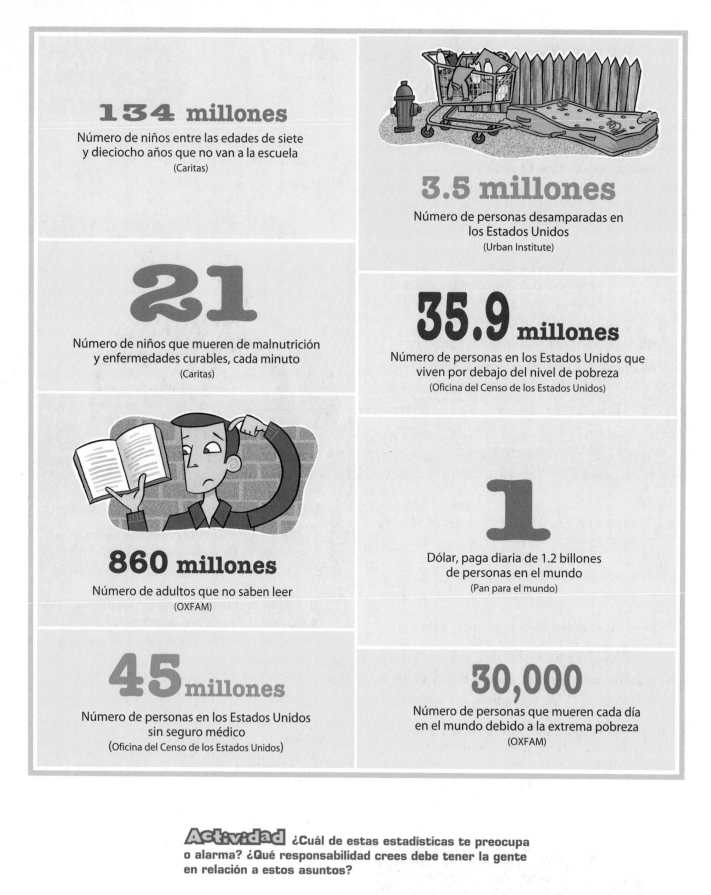

134 millones

Número de niños entre las edades de siete
y dieciocho años que no van a la escuela
(Caritas)

21

Número de niños que mueren de malnutrición
y enfermedades curables, cada minuto
(Caritas)

860 millones

Número de adultos que no saben leer
(OXFAM)

45 millones

Número de personas en los Estados Unidos
sin seguro médico
(Oficina del Censo de los Estados Unidos)

3.5 millones

Número de personas desamparadas en
los Estados Unidos
(Urban Institute)

35.9 millones

Número de personas en los Estados Unidos que
viven por debajo del nivel de pobreza
(Oficina del Censo de los Estados Unidos)

1

Dólar, paga diaria de 1.2 billones
de personas en el mundo
(Pan para el mundo)

30,000

Número de personas que mueren cada día
en el mundo debido a la extrema pobreza
(OXFAM)

Actividad ¿Cuál de estas estadísticas te preocupa
o alarma? ¿Qué responsabilidad crees debe tener la gente
en relación a estos asuntos?

134 million

number of children between the ages
of seven and eighteen who do
not attend school
(CARE)

21

number of children who die every minute from
malnutrition and preventable disease
(CARE)

860 million

number of adults who cannot read
(OXFAM)

45 million

number of people in the United States
without health insurance
(U.S. Census Bureau)

3.5 million

number of people who are homeless
in the United States
(Urban Institute)

35.9 million

number of people in the United States living
at the federal poverty level
(U.S. Census Bureau)

1

number of dollars that
1.2 billion people throughout the
world get by on per day
(Bread for the World)

30,000

number of people who die each day in
the world from extreme poverty
(OXFAM)

Activity Which of these statistics especially concerned
or alarmed you? What responsibility do you think people have
with regard to these issues?

Como discípulos de Jesús somos llamados a seguir su ejemplo.

En la última cena, Jesús lavó los pies a sus discípulos y les dijo: "Les he dado ejemplo, para que hagan lo mismo que yo he hecho con ustedes" (Juan 13:15). Como discípulos de Jesús y miembros de la Iglesia Católica, tenemos una meta: Ser como Jesucristo. Debemos vivir como sus seguidores y ser como él haciendo por los demás las cosas que él haría.

En cada uno de nosotros, por obra del Espíritu Santo, la nueva ley del evangelio, se vive como la ley de la caridad. Jesús hizo de la caridad, o amor, el Nuevo Mandamiento, pidiéndonos amar como él—amar aun a nuestros enemigos y tratar a todo el mundo como a nuestro prójimo. Esta llamada al amor se ve clara en la siguiente parábola que Jesús nos enseñó.

> **"Les he dado ejemplo, para que hagan lo mismo que yo he hecho con ustedes".**
> (Juan 13:15)

"Un hombre bajaba de Jerusalén a Jericó y cayó en manos de unos asaltantes que, después de despojarlo y golpearlo sin piedad, se alejaron dejándolo medio muerto. Un sacerdote bajaba casualmente por aquel camino y, al verlo, se desvió y pasó de largo. Igualmente un levita que pasó por aquel lugar, al verlo, se desvió y pasó de largo. Pero un samaritano que iba de viaje, al llegar junto a él y verlo, sintió lástima. Se acercó y le vendó las heridas después de habérselas limpiado con aceite y vino; luego lo montó en su cabalgadura, lo llevó a una posada y cuidó de él". (Lucas 10:30–34)

Los samaritanos eran de un territorio entre Judea y Galilea y los judíos los consideraban sus enemigos. Sin embargo, el samaritano de esta parábola mostró misericordia por un extranjero que había sido victimado y estaba sufriendo. El samaritano trató a la víctima como a su prójimo.

Esta parábola pone énfasis en la misericordia y la compasión que Jesús tiene y la misericordia y la compasión que él nos llama a tener. La parábola nos ayuda a recordar que todo el mundo es nuestro prójimo y que Jesús nos llama a tratar a los demás con el amor y la compasión que él los trataría.

Todos debemos tomar en serio las palabras de Jesús al final de la parábola: "Vete y haz tú lo mismo". (Lucas 10:37)

Actividad En una hoja de papel escribe una versión moderna de la parábola del buen samaritano.

El buen samaritano
por Julius Schorr von Carolsfeld (1860)

As Jesus' disciples we are called to follow his example.

At the Last Supper, Jesus washed his disciples' feet and then said to them, "I have given you a model to follow, so that as I have done for you, you should also do" (John 13:15). Thus, as disciples of Jesus and as members of the Catholic Church, we have a great goal: to be like Jesus Christ. We are to live as his followers and to become like him, doing for others the things that he would do.

In each of us, through the work of the Holy Spirit, Jesus' New Law, the Law of the Gospel, is lived out as the law of charity. And Jesus made charity, or love, the New Commandment, asking us to love as he does—to love even our enemies and to treat everyone as our neighbor. This call to love seems clear in the following parable that Jesus taught us.

"A man fell victim to robbers as he went down from Jerusalem to Jericho. They stripped and beat him and went off leaving him half-dead. A priest happened to be going down that road, but when he saw him, he passed by on the opposite side. Likewise a Levite came to the place, and when he saw him, he passed by on the opposite side. But a Samaritan traveler who came upon him was moved with compassion at the sight. He approached the victim, poured oil and wine over his wounds and bandaged them. Then he lifted him up on his own animal, took him to an inn and cared for him." (Luke 10:30–34)

Samaritans were from a territory between Judea and Galilee that was called Samaria, and the Jews considered them to be enemies. Yet the Samaritan in this parable showed mercy to a stranger who had been

The Good Samaritan (after Delacroix), by Vincent Van Gogh (1853–1890) from the Collection Kröller-Müller Museum Otterlo, The Netherlands

victimized and was suffering. This Samaritan treated the robbers' victim as a neighbor.

This parable emphasizes the mercy and compassion that Jesus has and the mercy and compassion that he calls us to have, too. The parable helps us to remember that everyone is our neighbor and that Jesus calls us to treat others with the love and compassion with which he would treat them. We must all take to heart Jesus' words, referring to the Samaritan's actions: "Go and do likewise" (Luke 10:37).

> **"I have given you a model to follow, so that as I have done for you, you should also do."**
>
> (John 13:15)

Activity On a separate sheet of paper, write a modern-day version of the parable about the Good Samaritan.

Como discípulos de Jesús tenemos la responsabilidad de cuidar de las necesidades de los demás.

En el Antiguo Testamento, cuando Dios le pregunta a Caín dónde estaba su hermano Abel, Caín le pregunta a Dios: "¿Soy yo acaso el guardián de mi hermano?" (Génesis 4:9). Hoy nuestra pregunta debe ser "¿Cuán responsable soy de cuidar y amar a los demás?" En los evangelios encontramos muchos ejemplos de como Jesús cuidó de los demás, especialmente los pobres, los oprimidos o abandonados. Siguiendo el ejemplo de Jesús, también somos responsables de amar y cuidar de los demás.

De hecho, Jesús nos recuerda amar a nuestro prójimo como a nosotros mismos, nos llama a ver a los demás como una extensión de nosotros mismos. Tenemos la responsabilidad de tratar a los demás de la forma que nos gustaría ser tratados—con amor y compasión y con el mismo respeto y cuidado que queremos recibir de ellos. Jesús nos pide: "Traten a los demás como ustedes quieran que ellos los traten" (Mateo 7:12). Esto se conoce como la *Regla de oro* y resume la ley del evangelio.

Una forma de aceptar nuestra responsabilidad de cuidar de los demás es haciendo obras de misericordia. Misericordia es uno de los frutos de la caridad. Nos permite mostrar amor y compasión para los que sufren—en cuerpo o espíritu, corazón o alma. Las **obras de misericordia** son actos de amor por medio de los cuales cuidamos de las necesidades espirituales y corporales de otros. Misericordia es un tema que se encuentra en el Antiguo y el Nuevo testamentos. El profeta Isaías, por ejemplo, habló de misericordia con estas palabras:

"Que compartas tu pan con el hambriento, que hospedes a los pobres sin techo que proporciones ropas al desnudo y que no te desentiendas de tus semejantes". (Isaías 58:7)

Pero Jesús dio a sus discípulos una idea nueva de lo que es misericordia. No sólo retó a sus discípulos a actuar con misericordia, sino que también se identificó con aquellos a quienes sus discípulos debían amar y cuidar diciendo: "Les aseguro que cuando lo hicieron con uno de estos mis hermanos más pequeños, conmigo lo hicieron". (Mateo 25:40)

> **Vocabulario**
> obras de misericordia

El Cristo resucitado está siempre presente en nuestras vidas y el mundo. Cristo nos pide verlo en cada persona, especialmente en los que sufren o los necesitados. El nos pide cuidar de cada persona con espíritu de amor y servicio, sabiendo que amamos y cuidamos por Cristo, quien, por medio del Espíritu Santo, vive en cada persona.

Actividad ¿Cómo cambiaría tu vida si vieras a Cristo en todo el mundo? Comparte tus ideas con un compañero.

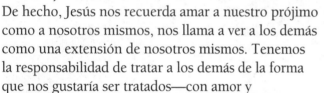

Obras de misericordia

Las formas en que como católicos podemos vivir como discípulos de Jesús y miembros de la Iglesia incluyen las obras de misericordia.

Obras corporales de misericordia son actos de amor que nos ayudan a cuidar de las necesidades físicas y materiales de otros: Dar de comer al que tiene hambre. Dar de beber al sediento. Vestir al desnudo. Visitar a los prisioneros. Albergar al desamparado. Visitar al enfermo, enterrar a los muertos.

Obras espirituales de misericordia son actos de amor que nos ayudan a cuidar de las necesidades del corazón, las mentes y las almas de los demás: Amonestar al pecador. Instruir al ignorante. Aconsejar al que duda. Consolar al que sufre. Ser paciente. Perdonar las ofensas. Rezar por los vivos y los muertos.

¿Conoces a alguien que tiene necesidad del cuerpo, la mente, el corazón y el alma?

As Jesus' disciples we have a responsibility to care for others.

In the Old Testament, when God asked Cain where his brother Abel was, Cain asked God, "Am I my brother's keeper?" (Genesis 4:9). Today our question might be, "To what extent am I responsible for loving and caring for others?" In the Gospels we find many examples of the ways Jesus cared for others, especially those who were neglected, poor, or oppressed. Following Jesus' example, we are also responsible for loving and caring for others. In fact, Jesus, who reminds us to love our neighbor as we love ourselves, calls us to look upon others as an extension of ourselves. Thus, we have the responsibility to treat others the way we would want to be treated—with love and compassion, and with the same respect and care that we would like to receive from them. Jesus asks us to "do to others whatever you would have them do to you" (Matthew 7:12). This is known as the *Golden Rule*, and it sums up the Law of the Gospel.

One way that we accept our responsibility to care for others is by performing the Works of Mercy. Mercy is one of the fruits of charity. It enables us to show love and compassion to those who are suffering in any way—whether in body, mind, heart, or soul. So, the **Works of Mercy** are acts of love by which we care for the bodily and spiritual needs of others. Mercy is a theme that is referred to in both the Old and New Testaments. The prophet Isaiah, for example, spoke of mercy in these words:

> **Faith Word**
>
> Works of Mercy

"Sharing your bread with the hungry,
    sheltering the oppressed and the homeless;
Clothing the naked when you see them,
    and not turning your back on your own"
(Isaiah 58:7).

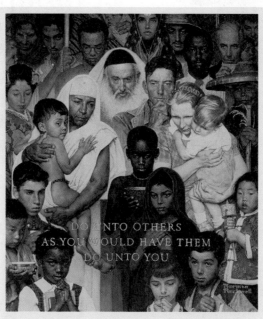

Golden Rule (1961) by Norman Rockwell (1884–1978)

But Jesus gave his disciples a whole new understanding of mercy. Jesus not only challenged his disciples to act mercifully, but he also identified himself with those whom his disciples would love and care for, saying, "Whatever you did for one of these least brothers of mine, you did for me" (Matthew 25:40).

The risen Christ is always present in our lives and in the world. And Christ asks us to see him in every person we meet, especially in those who are suffering or in need. He asks us to care for each person in a spirit of loving service, knowing that we are really loving and caring for Christ, who, through the Holy Spirit, lives in each person.

Activity How would your life change if you saw Christ in everyone? Share your thoughts with a partner.

The Works of Mercy

The ways that we, as Catholics, can live as disciples of Jesus and members of the Church include the Works of Mercy.

The *Corporal Works of Mercy* are acts of love that help us to care for the physical and material needs of others:
Feed the hungry.
Give drink to the thirsty.
Clothe the naked.
Visit the imprisoned.
Shelter the homeless.
Visit the sick.
Bury the dead.

The *Spiritual Works of Mercy* are acts of love that help us to care for the needs of people's hearts, minds, and souls:
Admonish the sinner.
Instruct the ignorant.
Counsel the doubtful.
Comfort the sorrowful.
Bear wrongs patiently.
Forgive all injuries.
Pray for the living and the dead.

Do you know people who are in need in body, mind, heart, or soul?

CREYENDO...

Podemos hacer obras de misericordia.

¿Qué puedes hacer para vivir las obras de misericordia?

Todas las obras de misericordia son formas prácticas de vivir nuestra fe, usando nuestros talentos y contribuyendo con cualquier don que podamos para cuidar de los demás y aliviar su sufrimiento. Por ejemplo, al donar ropa o comida para los necesitados estamos haciendo las obras de misericordia que nos piden "dar de comer al que tiene hambre" y "vestir al desnudo". Quizás, por nuestra edad, no podemos hacer todas las obras de misericordia—por ejemplo visitar a los presos—pero podemos trabajar con nuestra familia y amigos para hacer las cosas que si podemos, como ayudar a los "prisioneros" de enfermedades, pobreza, miedo y dolor.

Nuestra capacidad de vivir las obras de misericordia crecerá y cambiará a medida que maduramos. Sin embargo, a cualquier edad podemos corregir a los que necesiten, podemos encontrar formas de compartir el conocimiento y dar buen consejo, consolar a los tristes y ser pacientes en vez de perder el control, perdonar a los demás y por supuesto, rezar por los demás.

Aun si sólo hacemos una obra de misericordia tenemos el poder de cambiar vidas. Los que no tenemos miedo de amar como Jesús nos pide tenemos un poder real: nuestra bondad y perdón, nuestra compasión y amistad, nuestro gozo y nuestro amor son formas poderosas de ayudar a los tristes, temerosos, solitarios o los que sufren de alguna forma. Como el poder de nuestra misericordia es de Dios, quien es toda misericordia, puede durar para siempre.

Actividad Escoge una de las obras de misericordia listadas en la página 392. Haz una lista de algunas formas en que puedes vivirla.

Mira tu lista. ¿Cómo pueden estas acciones cambiar las vidas de la gente?

We can perform the Works of Mercy.

What can you do to live out the Works of Mercy?

All of the Works of Mercy are practical ways to live our faith by using whatever talents we have and by contributing whatever gifts we can to care for others and alleviate their suffering. For example, by contributing to a food pantry and to a clothing drive, we can live out the Works of Mercy that call us to "feed the hungry" and "clothe the naked." And though we might not be able to perform all the Works of Mercy at our present age—for example, ministering to people who are literally in prison—we can work with our families and friends to do the things that we can, such as helping those "imprisoned" by illness, poverty, fear, and hardship.

Our capacity to live out the Works of Mercy will also change and grow as we mature. However, at almost any age, we can give correction to those who need it, find ways to share helpful knowledge and give good advice, console people and be patient instead of losing our tempers, forgive people, and, of course, pray for people.

By performing even one of the Works of Mercy, we have the power to change lives. Those of us who are not afraid to love as Jesus called us to love have real power: our kindness and our forgiveness, our thoughtfulness and our understanding, our compassion and our friendliness, our joy and our love are powerful ways to help those who are sad, afraid, lonely, or suffering in any way. And since the power of our mercy is from God, who is all-merciful, it can last forever!

Activity Choose one of the Works of Mercy listed on page 393. List some ways you can live this out.

Look at your list. How can these actions change people's lives?

CREYENDO...

Al cuidar de los demás escogemos el discipulado y la vida eterna.

Jesús nos llama a hacer obras de misericordia y nos invita a "reconocer su presencia en los pobres que son sus hermanos" (*CIC*, 2449). Especialmente Jesús nos pide dar limosnas. **Limosna** es compartir nuestros recursos o tiempo para ayudar a los pobres y necesitados. Jesús dijo: "Den limosna de corazón, y entonces quedarán limpios" (Lucas 11:41).Con esas palabras Jesús enseña que al cuidar de otros caminamos como verdaderos discípulos hacia la vida eterna. Jesús dejó esto claro a sus discípulos cuando les dijo:

"Cuando venga el Hijo del hombre en su gloria con todos sus ángeles, se sentará en su trono glorioso. Todas las naciones se reunirán delante de él, y él separará unos de otros, . . . Entonces el rey dirá: 'Vengan, benditos de mi Padre, tomen posesión del reino preparado para ustedes desde la creación del mundo. Porque tuve hambre, y me dieron de comer; tuve sed, y me dieron de beber; era un extraño, y me hospedaron; estaba desnudo, y me vistieron; enfermo, y me visitaron; en la cárcel, y fueron a verme'. Entonces le responderán los justos: 'Señor, ¿cuándo te vimos hambriento y te alimentamos; sediento y te dimos de beber? ¿Cuándo fuiste un extraño y te hospedamos, o estuviste desnudo y te vestimos? ¿Cuándo te vimos enfermo o en la cárcel y fuimos a verte?' Y el rey les responderá: 'Les aseguro que cuando lo hicieron con uno de estos mis hermanos más pequeños, conmigo lo hicieron'". (Mateo 25:31–32, 34–40)

> Jesús "nos invita a reconocer su presencia en los pobres".
> (*CIC*, 2449)

En este mensaje del Evangelio de Mateo, Jesús está hablando del **juicio final**, la venida de Jesucristo al final de los tiempos para juzgar a todo el mundo. Jesús nos dice que en el juicio final seremos juzgados de acuerdo a como hemos tratado a los pobres y necesitados. Seremos juzgados de acuerdo a que tan misericordiosos hemos sido. Saber esto nos ayuda a darnos cuenta de que cada obra de misericordia que hacemos ahora nos prepara para el día del juicio final. Si hemos sido misericordiosos, Dios se mostrará misericordioso—llevándonos a la felicidad de su amor en su reino eternamente.

> **Vocabulario**
> limosna
> juicio final

Actividad Nombra algunos grupos de caridad a los que puedes ayudar económicamente. ¿Cómo su trabajo refleja la misión de Jesús de ayudar a los pobres y necesitados?

Tiempo, talento y tesoro

Dios ha dado a cada uno de nosotros varios dones especiales. El ha llamado a cada uno de nosotros a ser administradores, "alguien que recibe con agradecimiento los dones de Dios, los atesora y los protege de manera responsable, los comparte con justicia y amor con los demás y los devuelve aumentados al Señor" (*Stewardship: A Disciples Response,* Introduction). La Iglesia usa la expresión, *tiempo, talento y tesoro* para resumir los dones que, como administradores, se nos han dado para compartir:

• ¿Usamos nuestro *tiempo* responsable e inteligentemente? Cada uno de nosotros tiene la misma cantidad de horas al día. Una forma simple pero importante de ser buen administrador del don del tiempo de Dios es asistir regularmente a misa y rezar.

• ¿Usamos nuestros *talentos* y damos gracias a Dios por habernos dado esos talentos? Necesitamos usar nuestros talentos para tener éxito; necesitamos usar cualquier talento que tengamos para servir a los demás.

• ¿Somos generosos con nuestros *tesoros,* nuestro dinero y posesiones? Al conocer la diferencia entre nuestras necesidades y nuestros deseos, y confiar a Dios nuestras vidas, llegamos a ser libres de seguir las enseñanzas de Jesús.

¿Cómo administrarás tu tiempo, talento y tesoros esta semana?

IDENTIDAD CATÓLICA

By caring for others we choose discipleship and eternal life.

Jesus calls us to perform the Works of Mercy and "invites us to recognize his own presence in the poor" (*CCC*, 2449). And Jesus especially asks us to give alms. **Almsgiving** is the sharing of our resources or time to help those who are poor or in need. Jesus said, "Give alms, and behold, everything will be clean for you" (Luke 11:41). With

> Jesus "invites us to recognize his own presence in the poor"
> (*CCC*, 2449).

these words Jesus teaches that by caring for others we walk a path of true discipleship toward eternal life.

Jesus made this especially clear to his disciples when he said to them:

"When the Son of Man comes in his glory, and all the angels with him, he will sit upon his glorious throne, and all the nations will be assembled before him. And he will separate them one from another. . . . Then the king will say . . . , 'Come, you who are blessed by my Father. Inherit the kingdom prepared for you from the foundation of the world. For I was hungry and you gave me food, I was thirsty and you gave me drink, a stranger and you welcomed me, naked and you clothed me, ill and you cared for me, in prison and you visited me.' Then the righteous will answer him and say, 'Lord, when did we see you hungry and feed you, or thirsty and give you drink? When did we see you a stranger and welcome you, or naked and clothe you? When did we see you ill or in prison, and visit you?' And the king will say to them in reply, 'Amen, I say to you, whatever you did for one of these least brothers of mine, you did for me'" (Matthew 25:31–32, 34–40).

In this passage from the Gospel of Matthew, Jesus is speaking of the **last judgment**, Jesus Christ's coming at the end of time to judge all people. And Jesus tells us that at the last judgment we will be judged according to how well we have treated those who are poor or in need. We will be judged on how merciful we have been. Knowing this helps us to realize that each Work of Mercy that we perform now is preparing us for that day of final judgment. If we have been merciful, God will show us mercy—bringing us into the happiness of his love in his Kingdom forever.

> **Faith Words**
> almsgiving
> last judgment

Activity Name some charitable groups that you can give alms to. How does their work reflect Jesus' mission of helping those who are poor and in need?

Time, talent, and treasure

God has given each of us unique and various gifts. He calls each of us to be a Christian steward, "one who receives God's gifts gratefully, cherishes and tends them in a responsible and accountable manner, shares them in justice and love with others, and returns them with increase to the Lord" (*Stewardship: A Disciple's Response*, Introduction). The Church uses the expression *time, talent,* and *treasure* to sum up the gifts that we, as stewards, are meant to share:

• Do we use our *time* wisely and responsibly? Each of us has the exact same number of hours in a day. One simple but important way to be a good steward of God's gift of time is to attend Mass regularly and to pray.

• Do we use our *talents* while crediting God for making us talented? We need not excel to use our talents; we need only volunteer whatever gifts we have in order to serve others.

• Are we cheerfully generous with our *treasure,* or our money and possessions? By knowing the difference between our needs and our wants and trusting God with our lives we can become freer to follow the teachings of Jesus.

How will you be a steward of your time, talent, and treasure this week?

RESPONDIENDO...

Reconociendo nuestra fe

Recuerda la pregunta al inicio del capítulo: *¿Cuál es mi responsabilidad?* Piensa en la respuesta que diste al inicio del capítulo. ¿Cómo el aprender más sobre las enseñanzas de Jesús sobre las obras de misericordia afecta la respuesta que puedes dar ahora?

Viviendo nuestra fe

¿Cómo tu comunidad vive las obras de misericordia? ¿Qué puedes hacer para participar en uno de esos esfuerzos?

Compañeros en la fe

Sean Devereux

Sean Devereux fue alguien que practicó las obras de misericordia. Nació en el 1964 y creció en Inglaterra. Fue muy activo en deportes y trabajo voluntario. Su deseo de ayudar a otros lo llevó a una carrera como maestro y eventualmente como misionero laico a Africa.

En el 1989 empezó a enseñar en Liberia, Africa, como misionero laico. En el 1990 empezó una guerra civil en Liberia y la escuela donde enseñaba fue cerrada. Se quedó en Africa como voluntario de las Naciones Unidas. Una de sus responsabilidades era repartir comida a los necesitados. Fue golpeado y encarcelado por proteger la comida para que no fuera robada y vendida. La situación en Liberia se hizo cada vez más peligrosa. En el 1992 se les pidió salir del país a todos los trabajadores voluntarios. De ahí se trasladó a Somalia, Africa, para ayudar en los esfuerzos de asistencia. Ayudó a organizar los esfuerzos destinados a los niños que pasaban hambre, víctimas del hambre y la violencia. Aunque su trabajo lo hacía blanco de la violencia se quedó en Somalia dedicado a ayudar a otros. Fue asesinado en el 1993 a la edad de veinte y ocho años.

¿De qué formas puedes responsabilizarte de ayudar a otros?

Recognizing Our Faith

Recall the question at the beginning of this chapter: *What am I responsible for?* Think back to the answer you gave at the beginning of this chapter. How has learning more about Jesus' teaching on the Works of Mercy affected the answer that you would give now?

Living Our Faith

Where in your community are the Works of Mercy being lived out? What can you do to participate in one of these efforts?

Sean Devereux

Sean Devereux was someone who lived out the Works of Mercy. Born in 1964, Devereux grew up in England. He was active in sports and volunteer work. His desire to help others led to a career as a teacher and eventually as a lay missionary in Africa.

In 1989 he began to teach in Liberia, Africa, as a lay missionary. In 1990 civil wars broke out in Liberia, and the school where he taught was forced to close. But he remained in Africa and volunteered as a relief worker with the United Nations. One of his duties was distributing food to the hungry. He was beaten and imprisoned for protecting the food to make sure it was not stolen or sold for profit. The situation in Liberia grew even more dangerous: In 1992 all relief workers were ordered to leave. Not one to give up, he went to Somalia, Africa, to help with relief efforts there. He helped to organize aid for starving children who were victims of famine and violence. Though his work made him a target for violence, he remained in Somalia, devoted to helping others. He was assassinated in 1993 at the age of twenty-eight.

In what ways can you take on your responsibility to help others?

@✷ For additional ideas and activities, visit www.weliveourfaith.com.

RESPONDIENDO...

"¿De qué le sirve a uno, hermanos míos, decir que tiene fe si no tiene obras? ¿Podrá acaso salvarlo la fe?"

(Santiago 2:14)

➡ **LEE** la cita bíblica.

➡ **REFLEXIONA** en lo siguiente:
En la cita, *obras* quiere decir las buenas obras resumidas en las obras de misericordia. ¿Por qué crees que estas obras son importantes? ¿Cómo contestarías las preguntas que hace Santiago en su carta? (Puedes leer las respuestas de Santiago en la Biblia, Santiago 2:15–17).

➡ **COMPARTE** tus reflexiones con un compañero.

➡ **DECIDE** buscar formas de hacer obras de misericordia diariamente.

Poniendo la fe en acción

Conversa sobre lo que has aprendido en este capítulo:

 Entendemos que Jesús llama a sus discípulos a mostrar misericordia y compasión por las necesidades del cuerpo, la mente, el corazón y el alma de quien lo necesite.

 Escogemos el discipulado y la vida eterna mostrando misericordia y compasión por medio de las obras de misericordia.

 Practicamos las obras de misericordia.

Decide formas en que vas a vivir lo aprendido.

Escribe en la raya la letra que está al lado de la frase que mejor defina el término.

1. _____ limosna

2. _____ obras de misericordia

3. _____ juicio final

4. _____ Regla de Oro

a. actos de amor por medio de los cuales cuidamos de las necesidades de los demás

b. La venida de Jesucristo al final de los tiempos para juzgar a todos

c. volverse a Dios con todo el corazón

d. "Traten a los demás como ustedes quieran que ellos los traten". (Mateo 7:12)

e. compartir nuestros recursos y tiempo ayudando a los pobres y necesitados

Contesta

5. ¿Cuál es el mensaje de Jesús en la parábola del buen samaritano? _____
_____

6. ¿Cómo el hacer obras de misericordia nos prepara para la vida eterna? _____
_____

7. ¿Cuál es nuestra gran meta como discípulos de Jesús y miembros de la Iglesia católica? _____
_____

8. Nombra una forma práctica de vivir las obras de misericordia. _____
_____

9–10 Contesta en un párrafo: ¿Cómo las obras de misericordia nos ayudan a vivir el nuevo mandamiento de Jesús, la ley del evangelio?

RESPONDING...

Putting Faith to Work

Talk about what you have learned in this chapter:

 We understand that Jesus calls his disciples to show mercy and compassion to those who are in need in body, mind, heart, or soul.

 We choose discipleship and eternal life by showing mercy and compassion through the Works of Mercy.

 We practice the Works of Mercy.

Decide on ways to live out what you have learned.

✝ ENCOUNTERING GOD'S WORD

"What good is it, my brothers, if someone says he has faith but does not have works? Can that faith save him?"

(James 2:14)

➡ **READ** the quotation from Scripture.

➡ **REFLECT** on the following:
In this quotation, *works* means the good works summarized by the Works of Mercy. Why do you think these works are so important? How would you answer the question posed by James in his letter? (You can read James's answer in the Bible in James 2:15–17.)

➡ **SHARE** your reflections with a partner.

➡ **DECIDE** to look for ways to carry out the Works of Mercy in your everyday life.

Write the letter of the answer that best defines each term.

1. _____ almsgiving
2. _____ Works of Mercy
3. _____ last judgment
4. _____ Golden Rule

a. acts of love by which we care for the needs of others

b. Jesus Christ's coming at the end of time to judge all people

c. a turning to God with all one's heart

d. "Do to others whatever you would have them do to you." (Matthew 7:12)

e. the sharing of our resources or time to help those who are poor or in need

Short Answers

5. What is Jesus' message in the parable of the Good Samaritan? _____

6. How does performing Works of Mercy prepare us for eternal life? _____

7. What is our great goal as disciples of Jesus and as members of the Catholic Church? _____

8. Name one practical way to live out the Works of Mercy. _____

9–10. ESSAY: How do the Works of Mercy help us to live Jesus' New Law, the Law of the Gospel?

Chapter 21 Assessment

401

Comparte la fe con tu familia

Conversa con tu familia sobre lo siguiente:

- Como discípulos de Jesús somos llamados a seguir su ejemplo.
- Como discípulos de Jesús tenemos la responsabilidad de cuidar de las necesidades de los demás.
- Podemos hacer obras de misericordia.
- Al cuidar de los demás escogemos el discipulado y la vida eterna.

En el año litúrgico, cada día es dedicado a honrar un santo específico. Juntos busquen los santos que se celebran el día del cumpleaños de cada uno, o cualquier otro día especial para ustedes o descubran en nombre de que santo fueron nombrados ustedes. Cada persona debe escoger un santo para buscar la forma en que ese santo vivió las obras de misericordia.

Conexión con la liturgia

En la Eucaristía el domingo escucha con atención la oración de los fieles. ¿Por qué necesidades del mundo rezamos? Añade tu petición en silencio.

Para explorar

Busca las historias en las noticias que muestren como las obras de misericordia son vividas hoy.

Doctrina social de la Iglesia ☑ Cotejo

Tema de la doctrina social de la Iglesia:
Opción por los pobres y vulnerables

Cómo se relaciona con el capítulo 21: Como católicos nos podemos unir para ayudar y apoyar de alguna forma a los menos afortunados entre nosotros.

Cómo puedes hacer esto en

☐ la casa:

_____

☐ la escuela/trabajo:

_____

☐ la parroquia:

_____

☐ la comunidad:

_____

Chequea cada acción cuando la termines.

Sharing Faith with Your Family

Discuss the following with your family:

- As Jesus' disciples we are called to follow his example.
- As Jesus' disciples we have a responsibility to care for others.
- We can perform the Works of Mercy.
- By caring for others we choose discipleship and eternal life.

In the liturgical year, every day is dedicated to the honor of a particular saint. Together, find out which saints are celebrated on each of your birthdays or other days that are special to you, or discover the saints for whom you were named. Each person then chooses a saint and researches the ways this saint lived out the Works of Mercy.

Catholic Social Teaching
☑ Checklist

Theme of Catholic Social Teaching:
Option for the Poor and Vulnerable

How it relates to Chapter 21: As Catholics we can join together to help and support those among us who are less fortunate or disadvantaged in any way.

How can you do this?

☐ At home:

_____

☐ At school/work:

_____

☐ In the parish:

_____

☐ In the community:

_____

Check off each action after it has been completed.

The Worship Connection

At the Sunday Eucharist, listen carefully to the prayer of the faithful. What needs of the world do we pray for? Add one silent petition of your own.

@ More to Explore

Look for stories in the news that show how the Works of Mercy are being lived out today.

22
Trabajamos por la justicia y la paz

"Busca la paz y corre tras ella".

(Salmo 34:15)

✚ **Líder:** El 12 de diciembre la Iglesia celebra la fiesta de Nuestra Señora de Guadalupe, patrona de América. Confiando en su protección rogamos.

Lector 1: Dios todopoderoso y misericordioso, que bendijo a América en Tepeyac con la presencia de la Virgen de Guadalupe, ayuda a los humanos a aceptarse unos a otros.

Lector 2: Que su oración ayude a todos a aceptarse unos a otros.

Todos: Te lo pedimos en Cristo, nuestro Señor. Amén.

La gran pregunta:
¿Me siento respetado por los demás?

Descubre si respetas a los demás. Encierra en un círculo la respuesta a cada pregunta.

1 Trato a los demás como quiero ser tratado.
Verdad   Falso

2 Muestro consideración por los demás.
Verdad   Falso

3 Acepto las diferencias personales.
Verdad   Falso

4 Intencionalmente nunca ridiculizo, hiero o avergüenzo a alguien.
Verdad   Falso

5 Escucho lo que los demás tienen que decir.
Verdad   Falso

6 Me preocupan los sentimientos de todo aquel que será afectado por mis acciones y decisiones.
Verdad   Falso

7 Creo que todo el mundo es igual.
Verdad   Falso

8 Tolero otros puntos de vistas.
Verdad   Falso

Resultados:

Mira tus respuestas. Un *falso* quiere decir que tienes un trabajo que hacer. Nadie es perfecto, pero recuerda que has sido llamado a respetar y cuidar de todo lo que Dios ha creado. Respetar es, generalmente, el primer paso para ser respetado.

Reflexiona en silencio en lo que puedes hacer para mejorar la forma de tratar a los demás.

En este capítulo aprenderemos que Dios nos llama a practicar la justicia social, honrar la dignidad humana de cada ser humano y a vivir vidas de justicia y paz.

"Seek peace and pursue it."

(Psalm 34:15)

22 We Work for Justice and Peace

✝ **Leader:** On December 12, the Church celebrates Mary as patron of the Americas: Our Lady of Guadalupe. With confidence in her care for us, we now pray:

Reader 1: God of power and mercy,
   you blessed the Americas at Tepeyac
   with the presence of the
      Virgin Mary of Guadalupe.

Reader 2: May her prayers help all men and women
   to accept each other as brothers and sisters.

All: Grant this through Christ our Lord. Amen.

(Catholic Household Blessings and Prayers)

The BIG Question:
Do I feel respected by others?

Discover whether or not you show respect for others. Circle your response to each statement.

1 I treat other people the way I want to be treated.
   True   False

2 I am considerate of other people.
   True   False

3 I accept the personal differences of others.
   True   False

4 I never intentionally ridicule, embarrass, or hurt other people.
   True   False

5 I listen to what other people have to say.
   True   False

6 I consider the feelings of all who will be affected by my actions and decisions.
   True   False

7 I believe all people are equal.
   True   False

8 I am tolerant of others' views.
   True   False

Results:

Look over your responses. Circling *false* just once means that you have some work to do. Nobody is perfect, but remember that you are called to respect and care for everyone that God has created. Showing respect to others is often the first step to others respecting you.

Reflect silently on some of the improvements you might make in the way you treat other people.

In this chapter we learn that God calls us to practice social justice, to honor the human dignity of each human being, and to live lives of justice and peace.

CONGREGANDONOS...

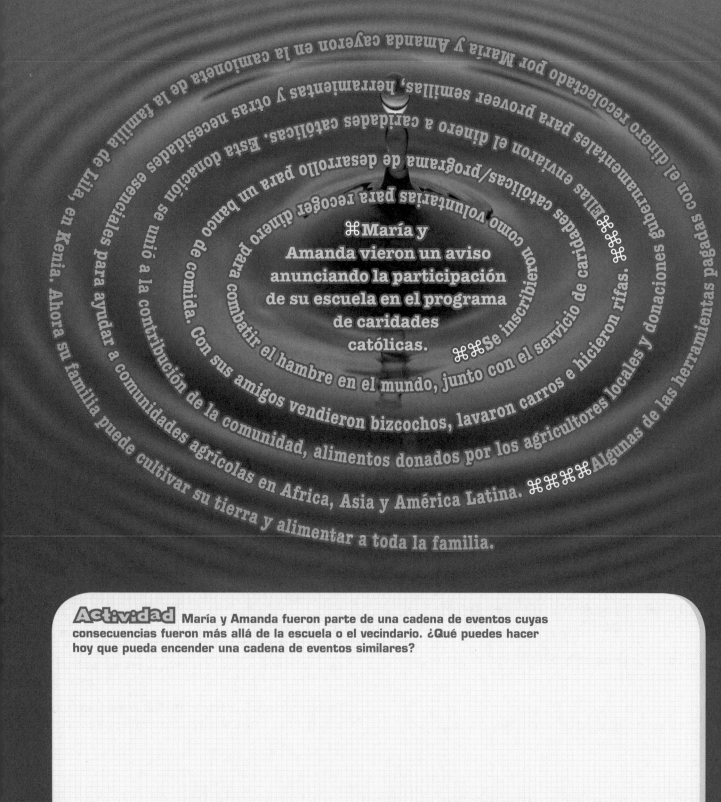

✤María y Amanda vieron un aviso anunciando la participación de su escuela en el programa de caridades católicas. ✤✤Se inscribieron como voluntarias para recoger dinero para combatir el hambre en el mundo, junto con el servicio de caridades católicas. Con sus amigos vendieron bizcochos, lavaron carros e hicieron rifas. Algunas de las herramientas pagadas con el dinero recolectado por María y Amanda cayeron en la camioneta de la familia de Lila, en Kenia. Ahora su familia puede cultivar su tierra y alimentar a toda la familia. Ahora su familia puede cultivar su tierra y alimentar a toda la familia. alimentos donados por los agricultores locales y donaciones gubernamentales pagadas con las herramientas pagadas con las herramientas pagadas para ayudar a comunidades agrícolas en Africa, Asia y América Latina. ✤✤✤Algunas de las herramientas pagadas con el dinero recolectado por María y Amanda cayeron en la camioneta de la familia de Lila, en Kenia. ✤✤✤Ellas enviaron el dinero a caridades católicas. Esta donación se unió a la contribución de la comunidad. Con sus amigos vendieron semillas, herramientas y otras necesidades esenciales para ayudar a comunidades agrícolas en Africa, Asia y América Latina. ✤✤✤Ellas enviaron el dinero a caridades católicas/programa de desarrollo para un banco de comida. Esta donación se unió a la contribución de la comunidad para proveer semillas, herramientas y otras necesidades esenciales para ayudar a comunidades agrícolas en Africa, Asia y América Latina.

Actividad María y Amanda fueron parte de una cadena de eventos cuyas consecuencias fueron más allá de la escuela o el vecindario. ¿Qué puedes hacer hoy que pueda encender una cadena de eventos similares?

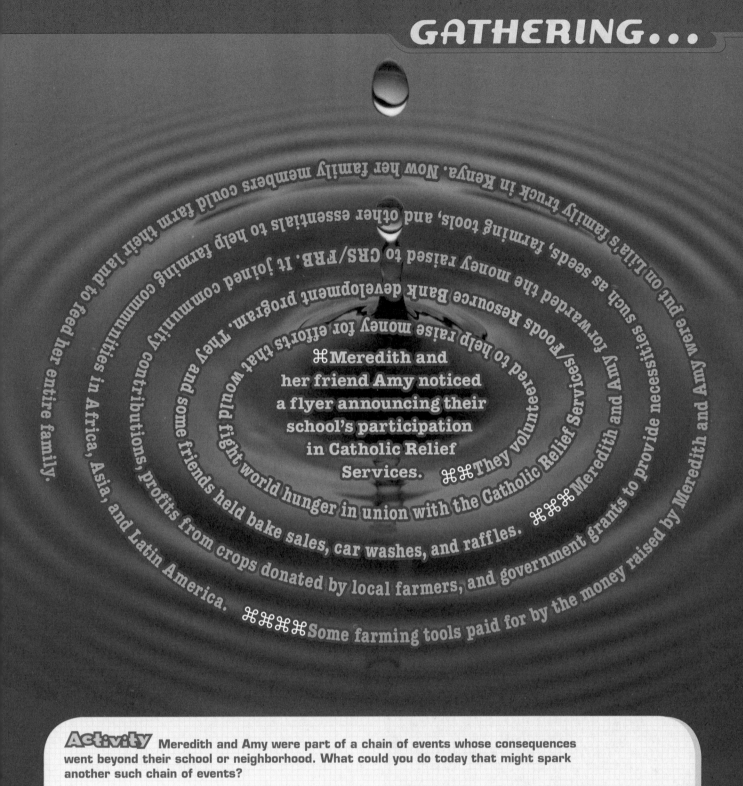

Meredith and her friend Amy noticed a flyer announcing their school's participation in Catholic Relief Services. ✜✜They volunteered to help raise money for efforts that would fight world hunger in union with the Catholic Relief Services/Foods Resource Bank development program. They and some friends held bake sales, car washes, and raffles. ✜✜✜Meredith and Amy were part of a chain of events whose consequences went beyond their school or neighborhood. Some farming tools paid for by the money raised by Meredith and Amy were put on Lila's family truck in Kenya. Now her family members could farm their land to feed her entire family.

It joined community contributions, profits from crops donated by local farmers, and government grants to provide necessities such as seeds, farming tools, and other essentials to help farming communities in Africa, Asia, and Latin America. ✜✜✜Some farming tools paid for by the money raised to CRS/FRB.

Activity Meredith and Amy were part of a chain of events whose consequences went beyond their school or neighborhood. What could you do today that might spark another such chain of events?

Somos llamados a ser justos.

Dios nos llama a practicar la **justicia social**—oponerse a cualquier forma de injusticia en la sociedad y trabajar para promover la justicia para todos. La justicia es la base del simple hecho de que toda persona tiene **dignidad humana**, valor que compartimos por ser creados por Dios a su imagen y semejanza.

Dios dejó claro que todo el que espere salvarse debe actuar justamente—respetando los derechos de los demás, dando a los demás lo que les corresponde por derecho y trabajando por una vida mejor para todos. El ejemplo de Jesús de asegurarse de que nadie en la sociedad fuera descuidado o ignorado, nos da la mejor comprensión del llamado de Dios Padre a la justicia.

Como discípulos de Jesús seguimos su ejemplo de fe en Dios el Padre y una vida de justicia. Como miembros de la Iglesia, juntos tomamos la seria responsabilidad de continuar el trabajo de Jesús de justicia social. Apoyamos la necesidad humana más básica, el derecho a la vida. Trabajamos para que todo el mundo sea tratado con igualdad y justicia y para proteger los derechos de todo el mundo en nuestra sociedad—incluyendo a los niños, los desamparados, los inmigrantes, los desposeídos, los que son diferentes y los necesitados.

Al reconocer que todos tenemos los mismos derechos humanos trabajamos para asegurarnos que todos tienen el derecho a: practicar su fe, tener una familia, recibir una educación, trabajar, tener el mismo trato y seguridad, derecho a tener un hogar y cuidados de salud.

Nuestro entendimiento católico de la justicia va más allá de lo común en nuestra sociedad. Dios nos llama a una justicia que va más allá de las fronteras de lo que la mayoría de la gente está dispuesta a ofrecer—especialmente a los pobres, oprimidos, abandonados y los necesitados.

Cuando luchamos por esta justicia estamos buscando la **rectitud**, o sea actuar conforme a la voluntad de Dios. Jesús nos dijo:

"Dichosos los que tienen hambre y sed de hacer la voluntad de Dios, porque Dios los saciará". (Mateo 5:6)

Vocabulario

justicia social
dignidad humana
rectitud

Así que al luchar por la justicia y buscar lo correcto trabajamos para alcanzar la felicidad y el conocimiento de que el poder de Dios y su presencia están trabajando en este mundo, así como en el próximo.

Actividad Hoy en la Iglesia y el mundo, el trabajo y las obras de las personas nos recuerdan la justicia y la paz, y el amor por nuestro prójimo sigue siendo parte de nuestra forma de vivir. Trabaja con tu grupo y piensen en personas que trabajan por la justicia y la paz.

Administradores de la creación

Dios creó el mundo para compartir su amor y bondad y para mostrar su gloria y poder. La creación es un don maravilloso para que alabemos a Dios. También alabamos a Dios por pedirnos ser *administradores de la creación*-cuidar de su creación y asegurarnos que todos compartan en la bondad de la creación.

La justicia es compartir los recursos de la creación de Dios con los que no los tienen. Justicia es usar los recursos responsablemente. No podemos usar mucha comida, agua y energía cuando otros no la tienen. El mundo no es un regalo para nosotros solos. Es también un don para las generaciones futuras. Debemos trabajar juntos para proteger nuestro medio ambiente y el bienestar de toda la creación.

¿Cómo puedes administrar bien la creación de Dios?

We are called to justice.

God calls us to practice **social justice**—opposing every form of injustice in society and working to promote justice for all people. Justice is based on the simple fact that all people have **human dignity**, the value and worth that we share because God created us in his image and likeness.

God made it known that anyone who hopes for salvation must act justly—respecting the rights of others, giving people the things that are rightfully theirs, and working to make life better for everyone. Jesus' example of making sure that no one in society was neglected or ignored gives us our best understanding of God the Father's call to justice.

As Jesus' disciples, we follow his example of faith in God the Father and a life of justice. And, as members of the Church, together we take on the serious responsibility of continuing Jesus' work of social justice. We uphold humanity's most basic human right, the right to life. We work to treat all people fairly and equally and to protect the rights of all people in our society—including children, those without a home, those who are new to our country, those who are disadvantaged, those who are different from us, and those who are in need in any way.

Recognizing that all people possess the same human rights, we work to be sure that they have the right to: practice faith and have a family; receive an education and work; experience equal treatment and safety; receive housing and health care.

Our Catholic understanding of justice reaches far beyond what is usual in our society. God calls us to a justice that exceeds the boundaries of what most people are willing to give—especially to those who are poor, oppressed, neglected, or in need in any way.

When we strive for this justice we are seeking **righteousness**, or conduct in conformity with God's will. Jesus told us:

"Blessed are they who hunger and thirst for
    righteousness,
  for they will be satisfied"
(Matthew 5:6).

Faith Words

social justice
human dignity
righteousness

So, by striving for justice and seeking righteousness we work to attain the happiness of knowing that God's power and presence are at work in this world, as well as in the next!

Stewards of creation

God created the world to share his love and goodness and to show his glory and power. Creation is a marvelous gift for which we praise God. We also praise God for asking us to be *stewards of creation*—to care for his creation and to make sure that all people share in the goodness of creation.

Justice is sharing the resources that come from God's creation with those who do not have them. Justice is using the resources we have in a responsible way. We cannot use so much food, water, and energy that there is not enough for others. The world is not only God's gift to us. It is also his gift to the generations of people to come. We must work together to protect our environment and the good of all God's creation.

How can you be a good steward of God's creation?

Activity Today in the Church and in our world people's words and actions remind us that justice, peace, and love of neighbor are still part of our way of life. Work with your group to think of people in all walks of life who work for justice in our world.

Somos llamados a vivir en paz.

La amorosa voluntad de Dios es que todos vivan en paz. En la Escritura encontramos que la paz de Dios, más que la ausencia de la guerra y la violencia, es darse cuenta de que todos debemos vivir en armonía unos con otros, y con la creación de Dios. También encontramos que la paz y la justicia están estrechamente relacionadas. Son como dos lados de una moneda y ambas son centrales para la venida del reino de Dios.

"El fruto de la justicia será la paz, la justicia traerá tranquilidad y seguridad perpetua". (Isaías 32:17)

Como discípulos de Jesús, tenemos la misión de compartir el amor de Dios y predicar el reino de Dios, debemos comprometernos con la justicia y trabajar por la paz en todos los contextos de nuestras vidas. En nuestra sociedad hay muchos tipos de violencias—todas contradicen la paz y están en contra de la voluntad de Dios para nosotros. Una forma trágica de violencia es la violencia doméstica. Esta tiene lugar en muchos hogares y es condenable porque tiene lugar donde las personas deben sentirse seguras—su familia. A tu edad puede que no puedas prevenir la violencia domestica, pero debes saber que es un asalto a la dignidad humana. Si has presenciado violencia doméstica debes trabajar para que no se repita ni permitir ese tipo de violencia en tu vida.

Como católicos reconocemos que algunas formas de violencia son siempre malas:

aborto Quitarle la vida a un bebé en el vientre de su madre es siempre malo. La Suprema Corte de Justicia de los Estados Unidos legalizó el aborto, pero debemos recordar que, que sea legal no quiere decir que sea moralmente correcto. Debemos trabajar para cambiar las leyes que permiten el aborto en la sociedad.

eutanasia Nunca se debe deliberadamente terminar con la vida de una persona aun en caso de gran sufrimiento. Nuestra fe nos pide tomar medidas ordinarias para preservar la vida. Algunos pacientes pueden rechazar el "encarnizamiento terapéutico". (*CIC*, 2278)

asesinato Deliberadamente quitarle la vida a una persona.

suicidio Quitarse la vida es una ofensa a Dios, quien da a cada uno el don de la vida.

terrorismo y la violencia relacionada con atacar civiles inocentes Usando mal nuestros puntos de vistas políticos y creencias personales para, intimidar o atacar inocentes, no es aceptado bajo ninguna circunstancia.

Hay muchas otras formas de violencia. La doctrina católica debe formarnos para tomar decisiones referentes a ellas:

guerra Siempre debemos usar medidas no violentas para resolver los conflictos. La guerra debe ser el último recurso cuando otros medios fallan en la protección de inocentes en contra de la justicia fundamental. Los obispos de los Estados Unidos han declarado: "No vemos ninguna situación en la que guerra nuclear deliberada . . . pueda justificarse moralmente". (Desafío de la paz, 1983, 150)

pena de muerte el *Catecismo* expresa: "Los casos en los que sea absolutamente necesario suprimir al reo, "suceden muy rara vez, si es que ya en realidad se dan algunos". (2267)

desperdicios y contaminación del medio ambiente Esto es la destrucción de las cosas de la creación que Dios nos dio para apoyar la vida. Contaminar el medio ambiente es envenenarnos y eliminar las posibilidades de vida para generaciones futuras.

escándalo "Actitud o el comportamiento que induce a otro a hacer el mal" (*CIC*, 2284). Es malo cuando individuos o grupos usan su poder e influencia para tentar a otros a faltar el respeto a la vida en cualquier forma.

Sabemos que sólo viviremos plenamente el reino de Dios en la eternidad, admitiendo la voluntad de Dios—viviendo en justicia y paz—mostramos que el bien puede triunfar sobre el mal, la esperanza puede borrar la desesperación, el amor vencer el odio. En Jesucristo, por medio del Espíritu Santo, la gracia de Dios está activa en nosotros, fortaleciéndonos para vivir como discípulos, haciendo la voluntad de Dios, "en la tierra como en el cielo" (Padrenuestro). Así mostramos al mundo el reino de Dios en medio de nosotros.

Actividad Conversen sobre cinco formas concretas en que las personas de tu edad pueden trabajar por la justicia en la sociedad y cinco formas en que pueden trabajar por la paz.

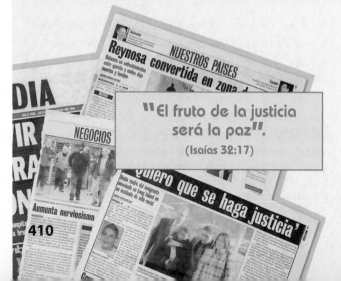

"El fruto de la justicia será la paz".
(Isaías 32:17)

We are called to peace.

God lovingly wills that all people live in peace. In Scripture we find that God's peace, which is more than just the absence of war and violence, is realized when everyone lives in true harmony with one another and with God's creation. We also find that peace and justice are very closely connected. They are like two sides of the same coin, and both are central to the coming of God's Kingdom.

"Justice will bring about peace;
    right will produce calm and security."
(Isaiah 32:17)

As disciples of Jesus, carrying out the mission of sharing God's love and spreading God's Kingdom, we must commit to justice and become peacemakers in every context of our lives. Yet in our society there are many types of violence—all of which contradict peace and are against God's loving will for us. One tragic form of violence is domestic violence. It takes place in many homes today and is particularly condemnable because it violates people where they should be safest—in their own family. At your age, you may not be able to prevent domestic violence, but you should know that it is an assault against human dignity. And if you have witnessed it, you must consciously work never to repeat or allow this type of violence in your life.

As Catholics, we recognize that some forms of violence are always wrong:

abortion The direct termination of the life of an unborn baby is always wrong. The Supreme Court of the United States has legalized abortion, but we must remember that what is legal is not always morally right. We should work to change laws in society that allow abortion.

"Justice will bring about peace."
(Isaiah 32:17)

euthanasia, or mercy killing We can never deliberately kill someone, even in cases of great suffering. Our faith requires us to take ordinary measures to preserve life. A dying patient, however, may refuse "'over-zealous' treatment" (*CCC*, 2278).

murder The deliberate taking of someone's life

suicide The taking of one's own life is an offense against God, who gave each of us the gift of life.

terrorism and related violence that intentionally targets innocent civilians Misusing our political views and personal beliefs to intimidate or attack innocent people is never acceptable.

There are many other forms of violence. Catholic teaching should shape our decisions on these:

war We should always try to use nonviolent means to resolve conflicts. War should be a last resort when other means fail to protect the innocent against fundamental injustice. Our American Catholic bishops have declared, "We do not perceive any situation in which the deliberate initiation of nuclear warfare . . . can be morally justified" (*The Challenge of Peace*, 1983, 150).

the death penalty The *Catechism* states, "The cases in which the execution of the offender is an absolute necessity 'are very rare, if not practically non-existent'" (2267).

environmental waste and pollution This is the destruction of those things in creation that God gave us to support life. To pollute the environment is to poison ourselves and to take away the possibilities of life for the generations that will come after us.

scandal "An attitude or behavior which leads another to do evil" (*CCC*, 2284). It is wrong when individuals or groups use their power and influence to tempt others to disrespect life in any way.

Though we realize that we will only experience the fullness of God's Kingdom in eternity, by doing God's will—living in justice and peace—we show that good can triumph over evil, hope over despair, love over hate. In Jesus Christ, through the Holy Spirit, God's grace is active in us, empowering us to live as disciples, doing God's will "on earth, as it is in heaven" (the Lord's Prayer). It is then that we show the world that God's Kingdom is among us!

Activity Discuss five concrete ways that people your age can work for justice in society, and five ways that people your age can be peacemakers.

411

CREYENDO...

Somos llamados a trabajar juntos por la justicia y la paz.

¿Cómo puedes mostrar que crees en la justicia y la paz?

Jesús trabajó por la justicia. Trató de asegurarse de que la gente tuviera lo necesario. El sanó a los enfermos, dio de comer a los que tenían hambre. Escuchó a los que le hablaban de sus necesidades. Jesús se solidarizó con los abandonados o ignorados por la sociedad. Habló en contra de los líderes que no se preocupaban por el pueblo.

Como discípulos de Jesús, no debemos permitir condiciones injustas sin tomar acción en contra. El

> **"*Deber de los cuidadanos es cooperar . . . al bien de la sociedad*".**
> (*CIC*, 2239)

Catecismo nos recuerda que: "tenemos una responsabilidad en los pecados cometidos por otros cuando *cooperamos a ellos*: participando directamente y voluntariamente; ordenándolos, aconsejándolos, alabándolos o aprobándolos; no revelándolos o no impidiéndolos cuando se tiene obligación de hacerlo; protegiendo a los que hacen el mal". (*CIC*, 1868)

Doctrina social de la Iglesia es la enseñanza de la Iglesia que nos pide por la justicia y la paz como lo hizo Jesús. La vida y las enseñanzas de Jesús son la base de la doctrina social de la Iglesia. Toda la Iglesia está llamada a vivir estas doctrinas—poner la buena nueva de Cristo en acción. La Iglesia anima a todos los individuos y grupos a llevar la buena nueva de Jesucristo a la sociedad y trabajar para cambiar las políticas y leyes para que la dignidad y la libertad de todos sean respetadas.

La doctrina social de la Iglesia nos enseña a construir "una civilización de amor"—porque: "El amor es la única fuerza que puede conducir a la perfección personal y social" (*Compendio de la Doctrina social de la Iglesia*, d 580). La doctrina social de la Iglesia nos llama a todos a trabajar por el bien común. El **bien común** es el bienestar de todas las personas y de todas las sociedades a las que pertenecemos. Cuando somos testigos de situaciones que sirven al bien de algunos y no de todos, como discriminación y pobreza, somos llamados a oponernos a ello. El *Catecismo* nos recuerda que: "*Deber de los ciudadanos es cooperar* con la autoridad civil al bien de la sociedad en espíritu de verdad, justicia, solidaridad y libertad" (2239). Cumplir con la doctrina social de nuestra Iglesia es una forma que, como discípulos de Jesús, aceptamos nuestra responsabilidad de cuidar de los demás.

Vocabulario
doctrina social de la Iglesia
bien común

Actividad Conversa sobre formas en que tu parroquia y tu diócesis trabajan por el bien común de todos los pueblos.

Responsabilidad social

El papa y los obispos nos recuerdan respetar los derechos de toda persona. Nos enseñan sobre la necesidad de proteger la vida humana, cuidar de los pobres y trabajar por la justicia y la paz. Sus enseñanzas pueden llegar en forma de *encíclicas*, cartas pastorales escritas por el papa y enviadas a toda la Iglesia y el mundo. Esas cartas nos ofrecen palabras de sabiduría para nuestros tiempos. Aquí hay dos ejemplos: "Todo el que se ha unido al cristianismo debe ser un punto luminoso en el mundo, un núcleo de amor". (Papa Juan XXIII, *Paz en la tierra*, 164)

"La meta de la paz . . . ciertamente debe lograrse poniendo en efecto la justicia social e internacional, pero también por medio de la práctica de las virtudes, que favorecen la unidad y nos enseñan a vivir en unidad". (Papa Juan Pablo II, *Preocupación social de la Iglesia*, 39)

Visita www.vatican.va para leer otras encíclicas que nos enseñan sobre la justicia y la paz.

IDENTIDAD CATÓLICA

We are called to work together for justice and peace.

How can you show that you believe in justice and peace?

Jesus worked for justice. He tried to make sure that people had what they needed. He healed the sick and fed the hungry. He listened to people when they told him about their needs. Jesus stood up for people who were neglected or ignored by society. And he spoke out against leaders who did not take care of people.

As disciples of Jesus, we cannot allow un-just conditions to exist without taking a stand against them.

> **"It is the *duty of citizens* to contribute . . . to the good of society."**
> *(CCC, 2239)*

The *Catechism* reminds us that "we have a responsibility for the sins committed by others when *we cooperate in them*: by participating directly and voluntarily in them; by ordering, advising, praising, or approving them; by not disclosing or not hindering them when we have an obligation to do so; by protecting evil-doers" (1868).

Catholic social teaching is the teaching of the Church that calls all members to work for justice and peace as Jesus did. Jesus' life and teaching are the foundations of Catholic social teaching. And the whole Church is called to live by this social teaching—to put the good news of Christ into action. Thus, the Church encourages individuals and groups to bring the good news of Jesus Christ into society and to work for change in policies and laws so that the dignity and freedom of every person may be respected.

The social teachings of the Catholic Church teach us to build a "civilization of love"—for "love is the only force that can lead to personal and social perfection" (*Compendium of the Social Doctrine of the Church, d:580*). Catholic social teachings call all members to work for the common good. The **common good** is the well-being of every individual person and of the whole society to which everyone belongs. When we witness situations that serve the good of some but not the good of all, such as discrimination or poverty, we are called to oppose them. The *Catechism* reminds us that "it is the *duty of citizens* to contribute along with the civil authorities to the good of society" (2239). Thus, following the social teachings of our Church is one way that we, as Jesus' disciples, accept our responsibility to care for others.

Faith Words
Catholic social teaching
common good

Activity Discuss some ways that your parish and your diocese work for the common good of all people.

Social responsibility

The pope and our bishops remind us to respect the rights of all people. They teach us about the need to protect human life, to care for those who are poor, and to work for peace and justice. Their teaching can often take the form of an *encyclical*, a pastoral letter written by the pope and sent to the whole Church and even the whole world. These letters from the popes give us words of wisdom for our times. Here are two examples:

"Everyone who has joined the ranks of Christ must be a glowing point of light in the world, a nucleus of love." (Pope John XXIII, *Peace on Earth*, 164)

"The goal of peace . . . will certainly be achieved through the putting into effect of social and international justice, but also through the practice of the virtues which favor togetherness, and which teach us to live in unity." (Pope John Paul II, *On the Social Concern of the Church*, 39)

Go to www.vatican.va to find other encyclicals that teach us about justice and peace.

CATHOLIC IDENTITY

CREYENDO...

Por medio de la doctrina social de la Iglesia vivimos nuestro discipulado.

Como Iglesia, el pueblo de Dios, sabemos que nadie que profese ser cristiano puede separar el amor de Dios del amor al prójimo. Conocer y vivir de acuerdo a los siguientes temas de la doctrina social de la Iglesia nos ayuda a mostrar nuestro amor a Dios por medio de nuestro amor al prójimo—nuestros hermanos en el mundo.

TEMAS DE LA DOCTRINA SOCIAL DE LA IGLESIA	PREGUNTAS
Vida y dignidad de la persona La vida humana es sagrada porque es un don de Dios. Todos somos hijos de Dios y compartimos la misma dignidad humana desde el momento de la concepción hasta la muerte natural. Nuestra dignidad—nuestro valor— viene de ser creados a imagen y semejanza de Dios. Esta dignidad nos hace iguales. Como cristianos, respetamos a todas las personas, aún los que no conocemos.	¿Cuáles son algunas formas en que la dignidad de los maestros y los estudiantes no es respetada en clase? ¿Por qué crees que esto sucede? ¿Cuáles son algunos conflictos que en tu escuela fueron resueltos de forma tal que la dignidad de los involucrados fue reconocida?
El llamado a la familia, la comunidad y la participación Como cristianos estamos involucrados en la vida de nuestra familia y nuestra comunidad. Somos llamados a participar activamente en la vida social, política y económica, usando los valores de nuestra fe que moldean nuestras decisiones y acciones.	¿Cuáles son algunas virtudes practicadas por individuos, familias y vecinos? ¿Cómo esas prácticas influyen en toda la sociedad?
Derechos y deberes Toda persona tiene el derecho fundamental a la vida. Esto incluye las cosas que necesitamos para vivir una vida decente: fe y familia, trabajo y educación, salud y vivienda. También tenemos una responsabilidad hacia los demás y la sociedad. Trabajamos para asegurarnos de que los derechos de todas las personas sean protegidos.	¿Cuál es la diferencia entre necesitar y desear algo?
Opción por los pobres e indefensos Estamos obligados a ayudar especialmente a los más pobres y necesitados. Esto incluye aquellos que no se pueden proteger a sí mismos debido a su edad o salud. En un momento de nuestras vidas todos podemos ser pobres de algunas formas y estar en necesidad de ayuda.	¿Cuáles son algunas formas en que las personas pueden ser pobres? ¿Cuáles son algunas formas en que las personas pueden ser indefensas?
Dignidad del trabajo y los derechos de los trabajadores Nuestro trabajo es un signo de nuestra participación en el trabajo de Dios. Las personas tienen el derecho a un trabajo decente, justa paga, condiciones de trabajo seguras y participar en las decisiones sobre su trabajo. Hay un valor en cada trabajo. Nuestro trabajo en la escuela y en la casa es una forma de participar en el trabajo de la creación de Dios. Es una forma de usar nuestros talentos y habilidades para dar gracias a Dios por ellos.	¿Cómo pueden diferentes tipos de trabajos hacer sentir a la gente? ¿Cómo podemos hacer que la gente se sienta apreciada por el trabajo que hace?
Solidaridad Solidaridad es un sentimiento de unidad. Este une a los miembros de un grupo. Cada uno de nosotros es miembro de una familia humana, igual por nuestra dignidad humana común. La familia humana incluye personas de todas las razas, culturas y religiones. Todos sufrimos cuando una parte del cuerpo de la familia sufre, no importa si vive cerca o lejos de nosotros.	¿Cuáles son algunos problemas y retos que enfrenta nuestro país? ¿En qué se parecen a los de otros países? ¿En qué se diferencian?
Preocupación por la creación de Dios Dios nos creó para ser administradores, cuidar, de su creación. Debemos cuidar y respetar el medio ambiente. Debemos protegerlo para generaciones futuras. Cuando cuidamos de la creación estamos mostrando respeto a Dios, el creador.	¿Cuáles son algunos ejemplos de que la sociedad no ofrece protección para el medio ambiente? ¿Cómo se puede cambiar esta situación?

Actividad Lean el cuadro y conversen sobre las preguntas de cada uno de los temas.

Through Catholic social teaching we live out our discipleship.

As the Church, the People of God, we know that no one who professes to be a Christian can separate love for God from love for neighbor. Thus, being mindful of and living according to the following themes of Catholic social teaching help us to show our love of God through love for our neighbor—our brothers and sisters around the world.

THEMES OF CATHOLIC SOCIAL TEACHING	QUESTIONS
Life and Dignity of the Human Person Human life is sacred because it is a gift from God. We are all God's children, and share the same human dignity from the moment of conception to natural death. Our dignity—our worth and value—comes from being made in the image and likeness of God. This dignity makes us equal. As Christians we respect all people, even those we do not know.	What are some ways the dignity of students or teachers is not respected during class? Why do you think this happens? What are some conflicts in your school that have been resolved in a way that recognizes the dignity of those involved?
Call to Family, Community, and Participation As Christians we are involved in our family life and community. We are called to be active participants in social, economic, and political life, using the values of our faith to shape our decisions and actions.	What are some virtues that individuals practice? that families practice? that neighbors practice? How does the practice of these virtues influence society as a whole?
Rights and Responsibilities of the Human Person Every person has a fundamental right to life. This includes the things we need to have a decent life: faith and family, work and education, health care and housing. We also have a responsibility to others and to society. We work to make sure the rights of all people are being protected.	What is the difference between needing and wanting something?
Option for the Poor and Vulnerable We have a special obligation to help those who are poor and in need. This includes those who cannot protect themselves because of their age or their health. At different times in our lives we are all poor in some way and in need of assistance.	What are some ways people might be poor? What are some ways people are vulnerable?
Dignity of Work and the Rights of Workers Our work is a sign of our participation in God's work. People have the right to decent work, just wages, safe working conditions, and to participate in decisions about their work. There is value in all work. Our work in school and at home is a way to participate in God's work of creation. It is a way to use our talents and abilities to thank God for his gifts.	How might different kinds of work make people feel? How can we make people feel respected and valued for whatever work they do?
Solidarity of the Human Family Solidarity is a feeling of unity. It binds members of a group together. Each of us is a member of the one human family, equal by our common human dignity. The human family includes people of all racial, cultural, and religious backgrounds. We all suffer when one part of the human family suffers, whether they live near us or far away from us.	What are some problems or challenges that we face in our country? How are they similar to those of other countries? How are they different?
Care for God's Creation God created us to be stewards, or caretakers, of his creation. We must care for and respect the environment. We have to protect it for future generations. When we care for creation, we show respect for God, the creator.	What are some examples of society not protecting the environment? How can these situations be changed?

Activity Read the chart and discuss the questions given for each theme.

Reconociendo nuestra fe

Recuerda la pregunta al inicio del capítulo: *¿Me siento respetado por los demás?* ¿Cómo las enseñanzas de la Iglesia explicadas en este capítulo ayudan a la gente a respetarse?

Viviendo nuestra fe

Escoge uno de los temas de la doctrina social de la Iglesia y decide en una forma práctica como vivirlo esta semana.

Cuerpo voluntario jesuita

El cuerpo voluntario jesuita es el programa católico de voluntarios más grande en los Estados Unidos. Ofrece la oportunidad a hombres y mujeres de trabajar por la justicia y la paz a tiempo completo. Los voluntarios sirven a los desamparados, desempleados, refugiados, personas con SIDA, a los ancianos, mujeres y niños maltratados, enfermos mentales y a minusválidos. Voluntarios jesuitas fueron inspirados y guiados por las tradiciones de la Sociedad de Jesús, conocida como jesuita. Ignacio de Loyola, el fundador de los jesuitas, pensó en integrar la vida de oración al trabajo activo construyendo el reino de Dios. Sus miembros son llamados a ir donde se sirva mejor la voluntad de Dios y se ayude mejor a la gente. Trabajar y servir en este programa es una forma de participar en la misión de enseñar que todas las personas tienen la misma dignidad y merecen llenar su potencial en la vida.

¿Cómo puedes practicar plenamente la justicia social en tu vida?

@ ✳ **Para más ideas y actividades visita www.vivimosnuestrafe.com.**

Recognizing Our Faith

Recall the question at the beginning of this chapter: *Do I feel respected by others*? How do the Church's teachings presented in this chapter guide people to respect one another?

Living Our Faith

Choose one of the themes of Catholic social teaching, and decide on a practical way to live it out this week.

Jesuit Volunteer Corps

The Jesuit Volunteer Corps (JVC) has become the largest Catholic lay volunteer program in the United States. JVC offers men and women the opportunity to work full-time for justice and peace. Volunteers serve the homeless, the unemployed, refugees, people with AIDS, the elderly, street youth, abused women and children, the mentally ill, and the developmentally disabled. Jesuit volunteers draw inspiration and direction from the traditions of the Society of Jesus, known as the Jesuits. Ignatius of Loyola, the founder of the Jesuits, sought to integrate a life of prayer with active work to build up the Kingdom of God. Members of the JVC are called to go where God will best be served and where people will best be helped. Working and serving in the JVC is one way to participate in the Church's mission to teach that all people have equal dignity and deserve to fulfill their potential in life.

How can you more fully practice social justice in your life?

RESPONDIENDO...

✝ **ENCUENTRO CON LA PALABRA DE DIOS**

"Por amor a mis hermanos y amigos, diré: "¡La paz contigo!" ¡Por la casa del Señor, nuestro Dios, buscaré tu felicidad!"

(Salmo 122:8–9)

➡ **LEE** la cita bíblica.

➡ **REFLEXIONA** en estas preguntas:
¿Rezas por la paz, tus familiares y amigos? ¿Cómo puede tu oración extenderse a los que no conoces, a toda la gente en el mundo, los pobres, los necesitados, a tus enemigos, como nos enseñó Jesús?

➡ **COMPARTE** tus reflexiones con un compañero.

➡ **DECIDE** poner tu oración en acción, en la casa, en tu parroquia y en el mundo.

Poniendo la fe en acción

Conversa sobre lo que has aprendido en este capítulo:

 Entendemos que la justicia es el camino a la paz.

 Aceptamos nuestra responsabilidad de trabajar por el bien común.

 Cumplimos con la doctrina social de la Iglesia en nuestras vidas.

Decide formas en que vas a vivir lo aprendido.

Define:

1. dignidad humana _____

2. justicia social _____

3. bien común _____

4. doctrina social de la Iglesia _____

Completa lo siguiente:

5. El vivir de acuerdo a la doctrina social de la Iglesia nos ayuda a mostrar nuestro amor a Dios por

   medio de _____

6. Como miembros de la Iglesia, juntos tomamos la seria responsabilidad de continuar el trabajo de

   justicia social de Jesús _____

7. Como católicos, reconocemos que hay algunas formas de violencia que siempre son malas: aborto,

   _____, _____, _____ y _____.

8. Como discípulos de Jesús, no podemos permitir que existan _____ sin tomar una posición en contra.

9–10. Contesta en un párrafo: Resume cada uno de los temas de la doctrina social de la Iglesia. (Ver página 414).

Putting Faith to Work

Talk about what you have learned in this chapter:

 We understand that justice is the way to peace.

 We accept our responsibility to work for the common good.

We follow Catholic social teachings in our own lives.

Decide on ways to live out what you have learned.

✝ ENCOUNTERING GOD'S WORD

"For family and friends I say,
'May peace be yours.'
For the house of the LORD,
our God, I pray,
'May blessings be yours.'"

(Psalm 122:8–9)

➡ **READ** the quotation from Scripture.

➡ **REFLECT** on these questions:
Do you pray for peace for your family and friends? How can your prayer also extend to those unknown to you, all the people in the world, the poor and those in need, and even your enemies, as Jesus taught?

➡ **SHARE** your reflections with a partner.

➡ **DECIDE** to put your prayer into action, at home, in your parish, and in the world.

Define.

1. human dignity _____

2. social justice _____

3. common good _____

4. Catholic social teaching _____

Complete the following.

5. Living according to the Church's social teaching helps us to show our love of God through _____ _____.

6. As members of the Church, together we take on the serious responsibility of continuing Jesus' work of social justice by _____.

7. As Catholics, we recognize that some forms of violence are always wrong: abortion, _____, _____, _____, and _____.

8. As disciples of Jesus, we cannot allow _____ to exist without taking a stand against them.

9–10. ESSAY: Summarize each theme of Catholic social teaching. (See page 415.)

Chapter 22 Assessment

Comparte la fe con tu familia

Conversa con tu familia sobre lo siguiente:

- Somos llamados a ser justos.
- Somos llamados a vivir en paz.
- Somos llamados a trabajar juntos por la justicia y la paz.
- Por medio de la doctrina social de la Iglesia vivimos nuestro discipulado.

Anima a tu familia a estar consciente de los hermanos en el mundo que necesitan consuelo y ayuda. Anímalos para que ayuden a otros haciendo obras de bondad cada día de esta semana. Al final de la semana comparte tus experiencias y conversa sobre formas en que has vivido los temas de la doctrina social de la Iglesia.

Conexión con la liturgia

Puede que haya una segunda colecta en la misa del domingo para ayudar a los necesitados. Guarda un poco de tu dinero para donarlo esta semana.

Para explorar

Busca en Internet organizaciones católicas que promuevan la paz y la justicia en el mundo hoy.

Doctrina social de la Iglesia ☑ Cotejo

Tema de la doctrina social de la Iglesia:
Escoge un tema de los explicados en este capítulo.

_____.

Cómo se relaciona con el capítulo 22: Haz una lista de las formas en que este tema se relaciona con el capítulo 22. _____

_____

Cómo puedes vivir este tema en

☐ la casa:

_____

☐ la escuela/trabajo:

_____

☐ la parroquia:

_____

☐ la comunidad:

_____

Chequea cada acción cuando la termines.

Sharing Faith with Your Family

Discuss the following with your family:

- We are called to justice.
- We are called to peace.
- We are called to work together for justice and peace.
- Through Catholic social teaching we live out our discipleship.

Encourage your family to be aware of the "brothers and sisters" around the world who need comfort and aid. Urge your family to help others by doing an act of kindness each day this week. At the end of the week, share your experiences and discuss the ways that you have lived out the themes of Catholic social teaching.

Catholic Social Teaching
☑ Checklist

Theme of Catholic Social Teaching:
Choose a theme found in this chapter. _____

How it relates to Chapter 22: List the ways this theme relates

to Chapter 22. _____

_____

How can you live out this theme?

☐ At home:

_____

☐ At school/work:

_____

☐ In the parish:

_____

☐ In the community:

_____

Check off each action after it has been completed.

The Worship Connection

At the Sunday Eucharist there may be a second collection to help those in need. Set aside some of your money this week to give at this collection.

@ More to Explore

Use the Internet to research Catholic organizations that promote peace and justice in our world today.

23
Somos una comunión de santos

"Si caminamos en la luz como él, que está en la luz, estamos en comunión unos con otros".

(1 Juan 1:7)

✚ **Líder:** En la tercera semana de enero la Iglesia reza por la unidad de los cristianos. Pidamos a Dios para que los cristianos sean uno en su Hijo, Jesús.

Lector 1: Padre creador, te pedimos por nuesta Iglesia Católica, llénala de tu verdad y de tu amor. Dale tu paz.

Lector 2: Donde haya corrupción, refórmala. Donde haya error, corrígela. Donde esté correcta, defiéndela. Donde haya hambre, provee lo necesario.

Lector 3: Donde haya división, reúnela. Te lo pedimos en nombre de Jesús, nuesto Salvador.

Todos: Amén.

(adaptado de una oración por la unidad cristiana, William Laud)

La gran pregunta:
¿Quiénes son los modelos que imito?

Descubre más sobre los modelos a seguir en el mundo hoy. Completa la tarjeta que se encuentra abajo sobre alguien considerado ser un modelo hoy. Asegúrate de incluir una foto de la persona. Comparte la información con el grupo.

Nombre/Título: _____

Conocido por decir: _____

_____

Otra información: _____

_____

Lo que hace que sea un modelo a seguir:

_____

_____

_____

En este capítulo aprenderemos sobre el ecumenismo, la comunión de los santos y el papel de María, la madre de Dios, en la Iglesia.

¿Qué cualidades tienen los modelos escogidos por tu grupo?

GATHERING...

"If we walk in the light as he is in the light, then we have fellowship with one another."

(1 John 1:7)

✚ **Leader:** During the third week of January, the Church prays for Christian unity. Let us now ask God to make all Christians one in his Son, Jesus.

Reader 1: Father,
we pray to you for your catholic Church.
Fill it with your truth and your love.
Keep it in your peace.

Reader 2: Where it is corrupt, reform it.
Where it is in error, correct it.
Where it is right, defend it.
Where it is in hunger, provide for it.

Reader 3: Where it is divided, reunite it;
We ask this in the name of the Jesus,
our Savior.

All: Amen.

(adapted from a prayer for Christian unity, William Laud)

The B G Question:

Who are my role models?

Discover more about role models in the world today. Complete the trading card below for someone considered to be a role model today.

Be sure to include an image of this person. Share the information with your group.

Name/Title: _____

Best-known saying: _____

_____

Insider info: _____

_____

What makes him or her a role model:

_____

_____

_____

What qualities do the role models chosen by your group have?

In this chapter we learn about ecumenism, the communion of saints, and the role of Mary, Mother of God, in the Church.

423

El diccionario define *modelo a seguir* como una persona cuyo comportamiento en un papel específico es imitado por otros. ¿Qué tipos de comportamientos hacen que alguien sea un buen modelo? ¿Qué cualidades debe tener un modelo?

Generosidad

Fe

Atletismo

Consideración

Riqueza

Belleza   Estar en moda

Bondad   Fama   Simpatía

Actividad Con el grupo examina cada tipo de cualidad o comportamiento escritos arriba y conversen si es lo que buscan en un buen modelo a seguir.

The dictionary defines a *role model* as a person whose behavior in a particular role is imitated by others. What kinds of behavior make someone a good role model? What qualities does a good role model need to have?

Helpfulness   Persistence

Popularity

Self-Worth   Ambition   Prestige

Activity With your group examine each of the qualities or types of behavior named above and discuss whether each is what you would look for in a good role model.

Jesús nos llama a todos a ser uno.

En la última cena Jesús rezó a su Padre por sus discípulos, diciendo: "No te ruego solamente por ellos, sino también por todos los que creerán en mí gracias a su palabra. . . .Y que también ellos vivan unidos a nosotros para que el mundo crea que tú me has enviado" (Juan 17:20–21). Jesús quería que sus discípulos, de entonces y de ahora, fueran uno, unidos en Dios. Podemos estar unidos en una fe pasada a nosotros por los apóstoles. Podemos estar unidos alabando a Dios juntos y celebrando los sacramentos.

Vocabulario

herejía
apostasía
cisma
ecumenismo

Gobernados por los sucesores de Pedro y los apóstoles, Jesús quiere que nosotros, su Iglesia, continuemos creciendo y trabajando en la tierra para que podamos unirnos a él en el cielo. Pero: "En esta una y única Iglesia de Dios, aparecieron ya desde los primeros tiempos algunas escisiones que el apóstol reprueba severamente como condenables; y en siglos posteriores surgieron disensiones más amplias y comunidades no pequeñas se separaron de la comunión plena con la Iglesia católica" (*CIC*, 817). Estas desavenencias o divisiones, tuvieron lugar durante siglos debido a los pecados de la humanidad. Estos pecados incluyen: **herejía**, negar una verdad de fe después de ser bautizado; **apostasía**, abandono total de la fe y **cisma** negar someterse a la autoridad del liderazgo del sucesor de Pedro, el papa, o la falta de unidad con los miembros de la Iglesia.

Debido a las desavenencias, los cristianos se dividieron. Hay católicos, ortodoxos cristianos y episcopales. Hay luteranos, metodistas, presbiterianos, bautistas y muchos otros cristianos.

A pesar de las diferencias que surgieron entre los cristianos, hay importantes creencias que todos los cristianos tienen en común. Estas incluyen el Bautismo, la creencia en la divinidad y humanidad de Jesús, la creencia de que Jesús murió y resucitó y que la Biblia es la palabra inspirada de Dios. Todavía existen diferencias serias entre los cristianos y como la separación lleva siglos, alcanzar la unidad de los cristianos tomará tiempo. Pero la Iglesia Católica está comprometida con el **ecumenismo**, trabajo de promover la unidad de todos los cristianos. La Iglesia respeta a todos los cristianos, ve la bondad en todos los cristianos y trabaja con otras comunidades cristianas para lograr la unidad de la Iglesia.

Como católicos rezamos por la unidad de los cristianos en todas las misas. Cada año, en enero, celebramos una semana de oración por la unidad cristiana. Se hacen oraciones y grupos conversan sobre el asunto. Juntos pedimos a Dios ser uno como Cristo nos pidió ser.

Actividad Con un compañero conversen sobre lo que saben sobre la fe de los cristianos que no son católicos. Después conversen de las creencias que todos compartimos.

Una comunidad ecuménica

En Francia hay una comunidad internacional de hermanos religiosos conocida como Taizé. Ellos están comprometidos al ecumenismo y la unidad. Desde el 1940 más de cien hermanos—miembros de la Iglesia Católica y otras iglesias cristianas de más de veinte y cinco naciones—han vivido en Taizé en paz. Roger Schutz, su fundador, quien murió en el 2005, fue un religioso conocido simplemente como "hermano Roger".

Los miembros de Taizé trabajan y rezan por la reconciliación, la confianza y la paz entre todos los pueblos de la tierra. Su iglesia, conocida como la Iglesia de la Reconciliación, reúne líderes y laicos cristianos de todas partes del mundo para rezar y alabar a Dios. Desde 1950 miles de jóvenes de todo el mundo han ido a Taizé a participar en oraciones y reflexiones semanales. Taizé se conoce por producir hermosa música y por coordinar reuniones con personas de todas las naciones promoviendo armonía y unidad.

¿Cuál es una forma en que tu grupo puede promover la armonía y la unidad?

Jesus calls all to be one.

At the Last Supper Jesus prayed to his Father for his disciples, saying, "I pray not only for them, but also for those who will believe in me through their word, so that they may all be one, as you, Father, are in me and I in you" (John 17:20–21). Jesus wanted his disciples, both then and now, to be one, united in God. And we can be united by belief in the one faith passed on to us through the Apostles. We can be united in worshiping God together and in celebrating the sacraments.

Governed by the successors of Peter and the Apostles, Jesus wanted us, his Church, to continue to grow and to work together on earth so that we could join him in heaven. But "in this one and only Church of God from its very beginnings there arose certain rifts . . . and large communities became separated from full communion with the Catholic Church" (CCC, 817). These rifts, or divisions, took place over the centuries because of the sins of humanity. These sins include **heresy**, a denial after Baptism of a truth of the faith; **apostasy**, a total abandonment of one's faith; and **schism**, the refusal to submit to the leadership of Peter's successor, the pope, or a lack of unity with the members of the Church.

Because of these rifts, Christians were no longer one. There were Catholics, Orthodox Christians, and Episcopalians. There were Lutherans, Methodists, Presbyterians, Baptists, and many others.

Despite the differences that have arisen among Christians, there are important beliefs that all Christians have in common. These include Baptism, belief in both the humanity and the divinity of Jesus, belief that Jesus died and rose to save us from sin, and belief that the Bible is the inspired word of God. Yet the differences among Christians are still serious; and, because the separation has gone on for centuries, achieving Christian unity will take time. But the Catholic Church is committed to the work of **ecumenism**, the work to promote the unity of all Christians. The Church respects all Christians, sees the goodness in other Christian communities, and works with other Christian communities to bring about the unity of the Church.

Faith Words

heresy
apostasy
schism
ecumenism

As Catholics we pray for Christian unity at every Mass. And each year in January we celebrate a week of prayer for Christian unity. Prayer services and discussion groups are held. Together, we ask God that we may be one, as Christ called us to be.

Activity With a partner discuss what you know about the beliefs of Christians who are not Catholic. Then discuss the beliefs that we all share.

An ecumenical community

In France there is an international community of religious brothers known as Taizé. They are committed to ecumenism and unity. Since 1940 more than a hundred brothers—members of the Catholic Church and of other Christian churches who come from more than twenty-five nations—have lived at Taizé peacefully together. Roger Schutz, their founder, who died in 2005, was a religious brother known to most people as simply "Brother Roger."

Taizé's members work and pray for reconciliation, trust, and peace among all the peoples on earth. Their church, known as the Church of Reconciliation, brings together leaders and laypeople from Christian churches worldwide to pray and give praise to God. Since the 1950s thousands of young people from around the world have found their way to Taizé to participate in weekly prayer and reflection. Taizé has also become known for producing beautiful music and for coordinating meetings with people of other nations to encourage harmony and unity.

What is one way that your group can encourage harmony and unity?

CREYENDO...

Como cuerpo de Cristo, la Iglesia, nos ayudamos unos a otros a vivir como sus discípulos.

Cuando vivimos como discípulos de Jesús y fieles miembros de la Iglesia, vivimos como la imagen de Dios para la que fuimos creados, dando testimonio de la presencia de Dios en el mundo. Somos ejemplos vivos del amor de Dios para todos los que nos rodean. Pero para vivir como discípulos de Jesús siempre necesitamos la ayuda de otros discípulos. Necesitamos su ejemplo, su solidaridad y su apoyo. Todo eso viene por medio de la comunidad de la Iglesia. En la Iglesia, como testigos y creyentes bautizados, rezamos y nos apoyamos unos a otros para vivir la fe que profesamos.

Como dijo Santo Tomás de Aquino: "Como todos los creyentes forman un solo cuerpo, el bien de los unos se comunica a los otros. . . . Pero el miembro más importante es Cristo, ya que Él es la cabeza. . . Así, el bien de Cristo es comunicado a todos los miembros, y esta comunicación se hace por los sacramentos de la Iglesia" (*CIC*, 947). Por nuestro bautismo y los demás sacramentos, especialmente la Eucaristía, esta unidad, esta comunión en santidad en el pueblo santo, nos une a Jesucristo y unos con otros.

La Iglesia, desde sus inicios, ha honrado a los mártires, quienes murieron heroicamente por su fe en Jesucristo y todos los santos que vivieron vidas de santidad en la tierra y ahora comparten el gozo de la vida eterna con Dios. Porque los santos están muy unidos a Cristo, ellos rezan por nosotros, constantemente ayudando a la Iglesia a crecer en santidad. Su amor por la Iglesia es grande. Otros santos, hombres y mujeres, fueron también amigos y servidores de Dios. La vida de todas estas personas son ejemplos para nosotros. Todos estamos unidos en la *comunión de los santos*, todos rezando unos por los otros. La **comunión de los santos** es la unión de todos los bautizados miembros de la Iglesia:

- *en la tierra*—Los miembros que responden a la gracia de Dios viviendo una buena vida moral, recordando la amistad con Dios y siendo modelos unos para los otros.

De la colección *"Una celebración de los santos"*, del hermano Michael O'Neill McGrath

- *en el cielo*—Los miembros que vivieron vidas santas en la tierra y que ahora comparten el gozo de la vida eterna con Dios.

- *en el purgatorio*—Los miembros que se preparan para ir al cielo, creciendo en la santidad necesaria para gozar de la felicidad del cielo.

Todo lo que cada miembro hace afecta a todos los demás miembros. Aquí en la tierra estamos fortalecidos por el ejemplo de los santos. Los escritos que han dejado y las oraciones que hacen por nosotros nos fortalecen. También rezamos unos por otros y por los que están en el purgatorio para que puedan entrar a la vida eterna con Dios igual que los santos. Dentro de la comunión de los santos, hay un tesoro de oraciones y buenas obras, ayudándonos a expandir el reino de Dios en la tierra y ayudándonos a ver más allá a la plenitud del reino de Dios.

> **"Como todos los creyentes forman un solo cuerpo, el bien de los unos se comunica a los otros".**
> (*CIC*, 947)

Vocabulario
comunión de los santos

Actividad En una hoja de papel escribe una oración expresando nuestra unidad con la comunión de los santos. Compártela con el grupo.

As the Body of Christ, the Church, we help each other to live as disciples.

When we live as disciples of Jesus and faithful members of the Church, we live as the image of God that we were created to be, giving witness to God's presence in the world. We become living examples of God's love to everyone we meet. But to live as Jesus' disciples, we always need the help and support of other disciples. We need their example, their solidarity with us, and their encouragement to carry us along. All of this comes through the Church community. In the Church as baptized witnesses and believers, we pray for and encourage one another to live the faith that we all profess.

> "Since all the faithful form one body, the good of each is communicated to the others."
> (CCC, 947)

As Saint Thomas Aquinas said, "Since all the faithful form one body, the good of each is communicated to the others. . . . But the most important member is Christ, since he is the head. . . . Therefore, the riches of Christ are communicated to all the members, through the sacraments" (CCC, 947). Through our Baptism, and in all the other sacraments, especially the Eucharist, this unity, this communion in holy things and among holy people, binds us to Jesus Christ and to one another.

The Church, from the beginning, has honored martyrs, who died heroically for their faith in Jesus Christ, and all other saints who lived lives of holiness on earth and now share in the joy of eternal life with God. Because the saints are closely united to Christ, they pray for us, constantly helping the Church to grow in holiness. Their love for the Church is great. Other holy men and women were also friends and servants of God. The lives of all these people are examples for us. Together we are all joined in the *communion of saints*, all praying for one another. The **communion of saints** is the union of all the baptized members of the Church:

- *on earth*—These members respond to God's grace by living a good moral life, remaining in God's friendship, and becoming role models for one another.

- *in heaven*—These members lived lives of holiness on earth and now share in the joy of eternal life with God.

- *in purgatory*—These members are preparing for heaven, growing in the holiness necessary to enjoy the happiness of heaven.

Everything that each member does affects every other member. We on earth are strengthened by the example of the saints. The writings that they have left us and the prayers that they pray for us support us. We on earth also pray for one another, both for members of the Church on earth and for those in purgatory, that we may enter into eternal life with God just as the saints have done. Within the communion of saints, there is a treasury of prayers and good works, helping us to spread God's Kingdom here on earth and helping us to look forward to the fullness of the Kingdom in heaven.

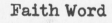

Faith Word
communion of saints

Activity On a separate sheet of paper write a prayer expressing our unity within the communion of saints. Share these with your group.

Santuarios marianos

Muchos países tienen santuarios dedicados a María. Santuarios son lugares de oración y devoción especiales visitados por millones de personas o peregrinos.

El santuario nacional de Nuestra Señora de Czestochowa está en Polonia. Tiene un icono de María llamado la "Madre Negra". Por siglos los polacos le han rezado, pidiéndole ayuda y protección de los invasores enemigos.

Un santuario dedicado a Nuestra Señora de La Vang en Vietnam, honra a María por su ayuda e intercesión durante el tiempo en que el rey de Vietnam ordenó la destrucción de todas las iglesias católicas en el país.

Hay un hermoso santuario llamado Nuestra Señora de Africa, Madre de todas las Gracias, en Adidjan, Africa. Recuerda a la gente la esperanza y el amor que Jesús nos trajo. Dentro del santuario hay una estatua de madera que muestra a María de pie con el niño Jesús en sus brazos.

Hay muchos otros santuarios a María. Algunos muy conocidos como: Nuestra Señora de Fátima, en Portugal y Lourdes, en Francia. Aprende sobre los santuarios a María en el mundo.

Nuestra Señora de Czestochowa (la madre negra), icono bizantino

IDENTIDAD CATÓLICA

María es el ejemplo perfecto de discipulado.

¿Cómo el ejemplo de los santos te da valor?

Desde que Jesús predicó su mensaje de amor por primera vez, la gente lo ha seguido. Desde el inicio de la Iglesia, los discípulos de Cristo han dado testimonio de su fe en él. Algunos de esos discípulos fueron inspirados por el Espíritu Santo para escribir sus historias en el Nuevo Testamento. Esas historias nos dicen que muchos discípulos creyeron en Jesús y lo siguieron. Pero, entre todos los discípulos de Jesús, María, su madre, es el perfecto ejemplo de discipulado. Ella es también la primera y más fiel discípulo, creyendo en él desde el primer momento en que Dios le pidió ser la madre de su Hijo.

Lo que sabemos de María lo encontramos en los evangelios. Primero leemos sobre la anunciación, cuando se le dice que Dios la escogió para ser la madre de su Hijo. Las palabras de María fueron: "Aquí está la esclava del Señor, que me suceda como tú dices" (Lucas 1:38) y muestran su fidelidad a Dios y su apertura a su amoroso y salvador plan. María siguió fiel a Dios durante toda su vida, amando y cuidando a Jesús, cuando niño y cuando joven y apoyándolo durante su ministerio. María estuvo junto a la cruz durante la crucifixión de su hijo, su fe nunca se debilitó aun en los momentos de sufrimiento como madre. Después de la muerte y resurrección de Jesús, María esperó en oración y esperanza la venida del Espíritu Santo.

Desde el momento de su concepción, Dios bendijo a María. Ella nunca tuvo la mancha del pecado, María tenía un corazón puro y vivió toda su vida en santidad. Ella hizo posible la santidad que Dios planificó para toda la humanidad trayendo físicamente a Jesús a nuestro medio. Al final de su vida en la tierra, Dios bendijo a María en forma extraordinaria. El llevó su cuerpo y alma a vivir por siempre con Jesús resucitado. Este evento se conoce como la **asunción** de María. Es celebrado con una fiesta especial, con frecuencia es un día de precepto de la Iglesia. Como leemos en el *Catecismo*: "La Asunción de la Santísima Virgen constituye una participación singular en la Resurrección de su Hijo y una anticipación de la resurrección de los demás cristianos". (966)

Como miembros de la comunión de los santos, esperamos la gloria que un día compartiremos con Dios—el Padre, Hijo y Espíritu Santo—miramos a María como ejemplo de fidelidad y discipulado. Como María somos llamados a vivir abiertos al amoroso y salvador plan de Dios para nosotros. Con María y todos los demás santos en la Iglesia que han contestado el llamado a ser discípulo de Jesús, esperamos el día en que también nosotros resucitaremos a la vida eterna.

> **Vocabulario**
> asunción

Actividad Escribe un poema sobre María.

Mary is the perfect example of discipleship.

How are you encouraged by the example of the saints?

Ever since Jesus first preached his message of love, people have followed him. From the very beginning of the Church, Christ's disciples have given witness to their faith in him. Some of these disciples were inspired by the Holy Spirit to record their stories in the New Testament. These stories tell us of many disciples who came to believe in Jesus and follow him. But among all of Jesus' disciples, Mary, his mother, is the perfect example of discipleship. She is also Jesus' first and most faithful disciple, believing in him from the moment that God asked her to be the mother of his Son.

What we know about Mary comes from the Gospels. We first learn about her at the Annunciation, as she is told that God has chosen her to be the mother of his Son. Even then, Mary's words "Behold, I am the handmaid of the Lord. May it be done to me according to your word" (Luke 1:38) show her faithfulness to God and her openness to his loving and saving plan. Throughout her life Mary continues in her faithfulness to God, loving and caring for Jesus as a child and as a young man, and supporting Jesus throughout his ministry. Mary even stood with her son as he died on the cross, her faith never weakening even during this time of the greatest suffering and loss for her as a mother. After Jesus' death and Resurrection, Mary waited in prayer and with hope for the coming of the Holy Spirit.

Faith Word

Assumption

From the moment of her conception, God blessed Mary. Never stained by sin, Mary had a pure heart and lived a life of holiness. She made possible the salvation that God had planned for all of humanity by physically bringing Jesus into our midst. And at the end of her earthly work, God blessed Mary in an extraordinary way. He brought her body and soul to live forever with the risen Jesus. This event is known as Mary's **Assumption**. It is celebrated as a special feast and often is marked as a holy day of obligation by the Church. As it is stated in the *Catechism,* "The Assumption of the Blessed Virgin is a singular participation in her Son's Resurrection and an anticipation of the resurrection of other Christians" (966).

As members of the communion of saints, looking forward to the glory that we will someday share with God—the Father, Son, and Holy Spirit—we look to Mary for our example of faithful discipleship. Like Mary we are called to live in openness to God's loving and saving plan for us. Along with Mary and all the other holy men and women in the Church who have answered Jesus' call to discipleship, we await the day on which we will rise to life everlasting.

Marian shrines

Many countries have shrines dedicated to Mary. Shrines are special places of prayer and devotion visited by millions of people on pilgrimages.

The national shrine of Our Lady of Czestochowa is in Poland. It contains an icon of Mary known as "The Black Madonna." Over the centuries the people of Poland have often turned to her in prayer, asking for her help and protection from invading armies.

A shrine dedicated to Our Lady of La Vang is in Vietnam. It honors Mary for her help and intercession during a time in Vietnam when the king had ordered the destruction of all the Catholic churches in the country.

There is a beautiful shrine called Our Lady of Africa, Mother of All Graces, in Abidjan in Africa. It reminds people of the hope and love that Jesus brings to us. Inside the shrine, a statue carved of wood shows Mary standing with the child Jesus in her arms.

There are many more shrines to Mary. Some more well-known ones include those in Fatima, Portugal and Lourdes, France. Learn about the shrines to Mary that exist in the world.

CATHOLIC IDENTITY

 **Activity** Write a cinquain about Mary.

María es el santo más importante.

La Iglesia honra a María como la más importante entre los santos y muestra a su amor por ella de forma especial por medio de devociones bajo diferentes títulos. Estas devociones difieren: "esencialmente del culto de la adoración, que se da al Verbo Encarnado lo mismo que al Padre y al Espíritu Santo" (*Constitución dogmática sobre la Iglesia*, 66). En nuestra oración a María, al expresarle nuestro amor le pedimos interceder por nosotros ante Dios.

Los títulos de María, como los títulos de los misterios del rosario, nos ayudan a entender su papel en nuestras vidas y la vida de la Iglesia.

Santísima Virgen

En el recuento de la anunciación aprendemos que María no estaba casada cuando el ángel la visitó. Ella era una virgen. Su hijo fue concebido por el poder del Espíritu Santo, María fue verdaderamente bendecida por Dios con el don de su Hijo. María permaneció virgen por el resto de su vida, con frecuencia la llamamos Santísima Virgen, la Santísima Virgen María y la Santísima Madre.

Madre de Dios

Como Madre de Jesús, María disfrutó el embarazo y el tener un bebé. Ella cuidó de su hijo, lo amó, rezó con él y fue un ejemplo de amor y obediencia a Dios. Sin embargo, su hijo, verdaderamente divino y humano, es el Hijo de Dios, la segunda Persona de la Santísima Trinidad que se hizo hombre. Entonces María es la madre de Dios.

Madre de la Iglesia

María es la madre de Jesús. Cuando Jesús moría en la cruz, él vio a su madre y al discípulo Juan a sus pies. Jesús le dijo a María."Mujer, ahí tienes a tu hijo" (Juan 19:26). El le dijo a Juan: "Ahí tienes a tu madre" (Juan 19:27). María es la madre de todos los que creen y siguen a Jesucristo. María es la Madre de la Iglesia y nuestra madre.

La Iglesia recuerda y celebra momentos especiales en la vida de María como la madre del Hijo de Dios en su oración y su liturgia, especialmente en la Eucaristía. Estos son algunos de los días de fiestas en que la Iglesia celebra a María:

1 de enero—Santísima Virgen María, la Madre de Dios

11 de febrero—Nuestra Señora de Lourdes

25 de marzo— La Anunciación del Señor

31 de mayo– La Visitación a la Santísima Virgen María

16 de julio—Nuestra Señora del Monte Carmelo

15 de agosto—La Asunción de la Santísima Virgen María

22 de agosto—El Reinado de la Santísima Virgen María

8 de septiembre—El nacimiento de la Santísima Virgen María

15 de septiembre—Nuestra Señora de los Dolores

8 de diciembre—La Inmaculada Concepción de la Santísima Virgen María

12 de diciembre—Nuestra Señora de Guadalupe

Hay muchas fiestas y títulos para María. Escuchamos algunos de esos títulos cuando rezamos una letanía a María. La palabra *letanía* viene del griego y quiere decir "orar". Las letanías a María se basan en sus títulos, cada una sigue de una corta petición de ayuda. Las letanías a María dan gracias a Dios por crear a una joven para ser la madre de su Hijo y de la Iglesia.

> **"Ahí tienes a tu madre"**.
> (Juan 19:27)

Junto con la letanía y el rosario, hay muchas otras devociones populares a María incluyendo novenas, celebraciones culturales y peregrinaciones. De todas esas formas podemos celebrar a María, porque es también nuestra madre.

Actividad Usa los títulos de María para completar esta letanía en su nombre.

Líder:	Todos:
Santa María,	ruega por nosotros.
Santa Madre de Dios,	ruega por nosotros.
_____,	ruega por nosotros.
_____,	ruega por nosotros.
_____,	ruega por nosotros.
_____,	ruega por nosotros.
Ruega por nosotros, Santa Madre de Dios,	para que seamos dignos de alcanzar las promesas de nuestro Señor Jesucristo.

Mary is the Church's greatest saint.

The Church honors Mary as the greatest of all the saints and shows love for Mary through special devotions to her under her many titles. Yet these devotions differ "essentially from the . . . adoration which is offered to the Incarnate Word, as well as to the Father and Holy Spirit" (*Dogmatic Constitution on the Church*, 66). In our prayer to Mary, while we express our love for her, we pray to her to ask her to pray to God for us: to intercede for us and speak to God on our behalf.

Mary's titles, like the titles of the mysteries of the rosary, help us to understand her role in our lives and in the life of the Church.

Blessed Virgin
We learn from the Annunciation account that Mary was not yet married when the angel visited her. She was a virgin. Her son was conceived by the power of the Holy Spirit. Mary was truly blessed by God with the gift of his Son. Because Mary remained a virgin throughout her life, we often call her the Blessed Virgin, the Blessed Virgin Mary, and the Blessed Mother.

Mother of God
As the mother of Jesus, Mary went through the joys of being pregnant and having a baby. She cared for her son, loved him, prayed with him, and was an example of love and obedience to God. However, her son, truly divine as well as truly human, is the Son of God, the second Person of the Blessed Trinity who became man. Mary, therefore, is the Mother of God.

Mother of the Church
Mary is Jesus' mother. As Jesus was dying on the cross, he saw his mother and his disciple John at his feet. Jesus said to Mary, "Woman, behold, your son" (John 19:26). He said to John, "Behold, your mother" (John 19:27). Mary is the mother of all those who believe in and follow Jesus Christ. Thus, Mary is the Mother of the Church and our mother, too.

In its prayer and liturgy, and especially in the Eucharist, the Church remembers and celebrates special times in Mary's life as the mother of the Son of God. Here are some of the feast days on which the Church celebrates Mary:

January 1—The Blessed Virgin Mary, the Mother of God

February 11—Our Lady of Lourdes

March 25—The Annunciation of the Lord

May 31—The Visitation of the Blessed Virgin Mary

July 16—Our Lady of Mount Carmel

August 15—The Assumption of the Blessed Virgin Mary

August 22—The Queenship of the Blessed Virgin Mary

September 8—The Nativity of the Blessed Virgin Mary

September 15—Our Lady of Sorrows

December 8—Immaculate Conception of the Blessed Virgin Mary

December 12—Our Lady of Guadalupe

There are many more feasts and titles for Mary. We hear some of these titles when we pray a litany of Mary. The word *litany* comes from the Greek word for "prayer." Litanies of Mary are made up of a list of Mary's titles, each followed by a short request for her help. Litanies of Mary give praise to God for making a humble young woman the mother of his Son and of the Church.

> **"Behold, your mother."**
> (John 19:27)

Along with the litany and the rosary, there are many other popular devotions to Mary, including novenas, cultural celebrations, and pilgrimages. In all these ways we can celebrate Mary, for she is our mother, too.

Activity
Use Mary's titles to complete this litany of Mary.

Leader:	All:
Holy Mary,	pray for us.
Holy Mother of God,	pray for us.
_____,	pray for us.
_____,	pray for us.
_____,	pray for us.
_____	pray for us.
Pray for us, O glorious Mother of the Lord,	that we may become worthy of the promises of Christ.

RESPONDIENDO...

Reconociendo nuestra fe

Recuerda la pregunta al inicio del capítulo: *¿Quiénes son los modelos que imito?* Sabiendo todo lo aprendido en este capítulo, haz otra tarjeta destacando a alguien a quien escogerías como modelo a seguir. ¿Cómo seguirás el ejemplo de esa persona?

Nombre/título: _____

Conocido(a) por decir: _____
_____

Otra información: _____
_____

Lo que hace que se un modelo a seguir:
_____
_____
_____
_____

Viviendo nuestra fe

Cada día de esta semana reza la oración que escribiste en la página 428, expresando tu unidad con la comunidad de los santos.

Compañeros en la fe

Venerable Catalina McAuley

Catalina McAuley nació en el 1778 en Dublín, Irlanda. Huérfana desde muy temprana edad, junto con sus hermanos fue a vivir con unos parientes protestantes. Esto era difícil algunas veces debido a su fuerte fe católica, fe de la que su padre le sirvió de modelo. Empezó a trabajar para una familia acaudalada y dedicó su tiempo libre a ayudar a otros. La familia con la que trabajaba reconoció el buen trabajo de Catalina y le dejaron una generosa herencia. Esto le permitió educar y proteger a niños y mujeres necesitadas de servicios sociales.

En el 1827, durante la fiesta de Nuestra Señora de la Misericordia, Catalina abrió la "Casa de la Misericordia" en Dublín. Eventualmente se convirtió en la orden conocida como Hermanas de la Misericordia. Las Hermanas de la Misericordia dedican su vida a educar niños en necesidad, dándoles alojamiento y ayudando a mujeres y personas necesitadas. El trabajo de Catalina influyó en muchas personas. Ella era una persona de oración dedicada a servir a Dios. Murió el 11 de noviembre del 1841. Hoy las Hermanas de la Misericordia continúan su buen trabajo.

¿En qué formas Catalina McAuley es un buen modelo a seguir?

@* Para más ideas y actividades visita www.vivimosnuestrafe.com.

Recognizing Our Faith

Recall the question at the beginning of this chapter: *Who are my role models?* Having learned all that you have in this chapter, make another trading card highlighting someone you would now choose as a role model. How will you follow this person's example?

Name/Title: _____

Best-known saying: _____
_____

Insider info: _____
_____

What makes him or her a role model:
_____
_____
_____
_____

Living Our Faith

Every day this week, pray the prayer you wrote on page 429, expressing the unity of the communion of saints.

Venerable Catherine McAuley

Catherine McAuley was born in 1778 in Dublin, Ireland. Orphaned at an early age, Catherine and her siblings went to live with Protestant relatives. This arrangement was difficult at times due to Catherine's strong Catholic faith, a faith for which her father had been a great role model. She began working for a wealthy family and devoted her spare time to helping others. The wealthy family acknowledged Catherine's good works and they left her a generous inheritance. This allowed her to educate and provide protection to children and women in need of social services.

In 1827, on the feast of Our Lady of Mercy, Catherine opened the "House of Mercy" in Dublin. It eventually evolved into a religious order known as the Sisters of Mercy. The Sisters of Mercy committed their lives to educating disadvantaged girls, giving shelter and assistance to women in peril, and helping people in need. Catherine's work influenced many people. She was a prayerful person committed to serving God. She died on November 11, 1841. Today, the Sisters of Mercy continue her good works.

In what ways is Catherine McAuley a good role model?

@ For additional ideas and activities, visit www.weliveourfaith.com.

RESPONDIENDO...

✚ ENCUENTRO CON LA PALABRA DE DIOS

En las bodas de Caná, María se dio cuenta de que el vino se estaba acabando. Después de hablar con Jesús, María dijo a los que estaban sirviendo:

"Hagan lo que él les diga".
(Juan 2:5)

➡ **LEE** la cita bíblica.

➡ **REFLEXIONA** en estas preguntas:
Jesús no le dijo a María lo que iba a hacer. ¿Por qué crees que ella confiaba que él haría algo para ayudar? ¿Recuerdas lo que sucedió después? Puedes leer la historia completa en Juan 2:1–12.

➡ **COMPARTE** tus reflexiones con un compañero.

➡ **DECIDE** la próxima vez que estés en necesidad pedir a María que interceda por ti ante Jesús.

Poniendo la fe en acción

Conversa sobre lo que has aprendido en este capítulo:

 Respetamos la fe de otros y nos regocijamos en lo que compartimos con personas de otras comunidades cristianas.

 Nos animamos unos a otros como miembros de la Iglesia, el cuerpo de Cristo, unidos en la comunión de los santos.

 Honramos a María como el santo más importante en la Iglesia y la madre de todos los creyentes en Jesucristo.

Decide formas en que vas a vivir lo aprendido.

Repaso del capítulo 23

Escribe *Verdad* o *Falso* en la raya al lado de las siguientes oraciones. Convierte las oraciones falsas en verdaderas.

1. _____ María es el discípulo de Jesús más fiel e importante.

2. _____ La comunión de los santos es la unión de todos los miembros bautizados de la Iglesia en la tierra.

3. _____ La Iglesia Católica está comprometida con el ecumenismo, el trabajo de promover la unidad entre los cristianos.

4. _____ La palabra letanía se deriva del griego y significa "título".

Contesta

5. ¿Qué creencias comparten todos los cristianos? _____
_____

6. ¿Cuál es el papel de los santos en la Iglesia? _____
_____

7. Explica el evento conocido como la asunción de María. _____
_____

8. La Iglesia honra a María como el más importante de los santos y le muestra su devoción con muchos títulos. Nombra algunos de los títulos de María. _____

9–10. Contesta en un párrafo: Usa lo aprendido en este capítulo para explicar: *Jesús nos llama a todos a ser uno.*

Putting Faith to Work

Talk about what you have learned in this chapter:

- **We respect** the faiths of others and rejoice in what we share with people of other Christian faith communities.

- **We encourage** one another as members of the Church, the Body of Christ, joined in the communion of saints.

- **We honor** Mary as the Church's greatest saint and the mother of all who believe in Jesus Christ.

Decide on ways to live out what you have learned.

✝ ENCOUNTERING GOD'S WORD

At a wedding in Cana, Mary saw that the wine had run out. After speaking with Jesus, Mary told the servers:

"Do whatever he tells you"
(John 2:5).

➡ **READ** the quotation from Scripture.

➡ **REFLECT** on the following:
Jesus did not tell Mary what he was going to do. Why do you think she was so confident that he would do something to help? Do you remember what happened next? You can read John 2:1–12 for the full story.

➡ **SHARE** your reflections with a partner.

➡ **DECIDE** to ask Mary to speak with Jesus for you the next time you are in need.

Write *True* or *False* next to the following sentences. On a separate sheet of paper, change the false sentences to make them true.

1. _____ Mary was Jesus' first and most faithful disciple.

2. _____ The communion of saints is the union of all the baptized members of the Church on earth.

3. _____ The Catholic Church is committed to the work of ecumenism, the work to promote the unity of all Christians.

4. _____ The word *litany* comes from the Greek word for "title."

Short Answers

5. What beliefs do all Christians share? _____
_____

6. What is the role of saints in the Church? _____
_____

7. Explain the event known as the Assumption of Mary. _____
_____

8. The Church honors Mary as the greatest of all saints and shows devotion to her through many titles.
Name three titles for Mary. _____

9–10. ESSAY: Use what you have learned in this chapter to explain this statement: *Jesus calls all to be one.*

Comparte la fe con tu familia

Conversa con tu familia sobre lo siguiente:

- Jesús nos llama a todos a ser uno.
- Como cuerpo de Cristo, la Iglesia, nos ayudamos unos a otros a vivir como sus discípulos.
- María es el ejemplo perfecto de discipulado.
- María es el santo más importante.

Juntos nombren los santos o sus seres queridos que han muerto cuyo ejemplo tiene gran importancia para ti. Haz un árbol familiar espiritual usando a las personas nombradas. Juntos compongan una oración pidiéndoles ayuda e intercesión.

Conexión con la liturgia

En todas las misas rezamos por toda la Iglesia, en la tierra y en el cielo. Rezamos, "Confirma en la fe y en la caridad a tu Iglesia, peregrina en la tierra" (Plegaria eucarística III). Pon atención a estas palabras en la misa el domingo.

Para explorar

Investiga sobre peregrinajes y santuarios dedicados a santos en el mundo. Comparte tus descubrimientos.

Doctrina social de la Iglesia ☑ Cotejo

Tema de la doctrina social de la Iglesia:
Solidaridad con la familia humana

Cómo se relaciona con el capítulo 23: Como católicos creemos que todas las personas forman una familia humana. Para mostrar solidaridad podemos rezar por todas las personas del mundo.

Cómo puedes hacer esto en

☐ la casa:

_____

☐ la escuela/trabajo:

_____

☐ la parroquia:

_____

☐ la comunidad:

_____

Chequea cada acción cuando la termines.

Sharing Faith with Your Family

Discuss the following with your family:

- Jesus calls all to be one.
- As the Body of Christ, the Church, we help each other to live as disciples.
- Mary is the perfect example of discipleship.
- Mary is the Church's greatest saint.

Together, name the saints, holy people, or your own loved ones who have died whose examples have great meaning for you. Make a spiritual "family tree" using the people you've named. Together, compose a prayer asking for their help and intercession.

Catholic Social Teaching ☑ Checklist

Theme of Catholic Social Teaching:
Solidarity of the Human Family

How it relates to Chapter 23: As Catholics, we believe that all people form one human family. To show solidarity we can pray for everyone in the world.

How can you do this?

☐ At home:

_____

☐ At school/work:

_____

☐ In the parish:

_____

☐ In the community:

_____

Check off each action after it has been completed.

The Worship Connection

In every Eucharist we pray for the entire Church, on earth and in heaven. We pray, "O merciful Father, gather to yourself all your children scattered throughout the word" (Eucharistic Prayer III). Listen for these words at Mass.

@ More to Explore

Research pilgrimages and shrines dedicated to saints around the world. Share your findings.

24
Nos regocijamos en el reino de Dios

"Venga tu reino".
(Mateo 6:10)

Líder: Antes de morir Jesús, habló con sus discípulos para fortalecerlos para predicar el reino de Dios. Vamos a escuchar algunas de las palabras de Jesús, según el Evangelio de Juan.

Lector 1: Jesús dijo: "No se inquieten. Crean en Dios y crean también en mí". (Juan 14:1)

Todos: Jesús, queremos tener fe en ti y confiar en ti.

Lector 2: "Yo soy el camino, la verdad y la vida. Nadie puede llegar hasta el Padre, sino por mí. Si me conocieran, conocerían también a mi Padre. Desde ahora lo conocen, pues ya lo han visto". (Juan 14:6–7)

Líder: Gracias, Jesús, por esas últimas palabras a tus discípulos.

Todos: Amén.

LA GRAN PREGUNTA:
¿En quién confío?

Descubre cuatro estilos diferentes de comunicación. La forma en que nos comunicamos puede influir en si los demás confían o no en nosotros.

Boca motora

- ve el conversar como un "deporte extremo"
- le gusta ser el centro de atracción
- no calla opiniones, sentimientos ni deseos
- habla sin importarle si alguien le escucha
- no guarda secretos

El silencioso
- ve las expresiones faciales como el "centro de las comunicaciones"
- no le gusta ser el centro de atracción
- se guarda los sentimientos, opiniones y deseos
- pasa mucho tiempo escuchando y observando
- nunca está en desacuerdo con nadie y guarda los secretos

El interruptor
- ve las discusiones como un pasatiempo
- le gusta parecer más inteligente que los demás
- expresa sus opiniones, sentimientos y deseos
- raramente permite a los demás completar una oración
- siempre quiere tener la última palabra

El que asiente todo
- ve la conversación como un "arte perdido"
- no le importa ser el centro de atracción, pero le interesa ser escuchado y entendido por los demás
- expresa sus sentimientos, opiniones y deseos abiertamente, pero con respeto.
- escucha las ideas de los demás con consideración
- puede estar en desacuerdo con tacto

Conversen sobre cada uno de los tipos de comunicadores mencionados arriba. ¿Con cuál te identificas? ¿Qué te dice cada uno sobre la importancia de escuchar y hablar?

En este capítulo aprendemos que la oración abre nuestras mentes y corazones a Dios y nos fortalece para compartir el amor de Dios y su reino con otros.

"Your kingdom come."

(Matthew 6:10)

Leader: Before Jesus died, he spoke with his disciples, strengthening them to spread God's Kingdom. Let us listen to some of Jesus' words according to the Gospel of John.

Reader 1: Jesus said, "Do not let your hearts be troubled. You have faith in God; have faith also in me" (John 14:1).

All: Jesus, may we trust you and have faith in you.

Reader 2: Jesus said, "I am the way and the truth and the life. No one comes to the Father except through me. If you know me, then you will also know my Father. From now on you do know him and have seen him" (John 14:6–7).

Leader: Thank you, Jesus, for these last words to your disciples.

All: Amen.

The BIG Question:

Whom do I confide in?

Discover four different styles of communicating. The way we communicate may influence whether or not others confide in us.

The Motormouth
- views talking as an "extreme sport"
- enjoys being the center of attention
- never holds back any feelings, opinions, or wants
- talks regardless of whether others are listening
- is not very good at keeping secrets

The Silent One
- views facial expressions as "the secret to all communication"
- shies away from the spotlight
- withholds feelings, opinions, and wants
- spends a lot of time listening and observing
- rarely disagrees with others or reveals secrets

The Interrupter
- views arguments as a "favorite pastime"
- likes to look smarter than the next guy
- states feelings, opinions, and wants in a bold way
- rarely lets others complete a sentence
- always wants the last word

The Assertive One
- views conversations as a "lost art"
- doesn't mind the spotlight, but really just wants to be heard and understood by others
- openly states feelings, opinions, and wants, but in a respectful way
- listens considerately to others' ideas
- can disagree in a tactful way

Discuss each type of communicator above. Which do you most identify with? What does each tell you about the importance of listening and talking?

In this chapter we learn that prayer opens our minds and hearts to God and strengthens us to share God's love and God's Kingdom with others.

¿Te sientes mejor después de confiar tus problemas a un amigo de confianza? La necesidad de confiar en otros parece ser algo natural de lo que somos como seres humanos. De hecho, estudios médicos han demostrado que personas con cáncer que participan en terapia de grupo tienen un mayor índice de recuperación.

El tener un grupo de apoyo y personas con quien hablar puede tener grandes beneficios. Puede bajar la presión y el colesterol. Confiar en un amigo puede ayudar a contrarrestar o aliviar la ansiedad diaria—ya sea debido al trabajo escolar, asuntos familiares o dilemas mundiales tales como la pobreza y la guerra.

En cualquier caso, el simple hecho de liberar nuestros pensamientos y preocupaciones con un amigo es suficiente para liberar la ansiedad y hacernos sentir mejor. Cuando el amigo puede ofrecer buenos consejos, confiar en alguien vale la pena.

Actividad ¿Cómo sabes en quien confiar? Haz una lista de cinco cualidades que debe tener un amigo de confianza.

Do you usually feel better after confiding your troubles to a trusted friend? The need to confide in others seems to be a natural part of who we are as human beings. In fact, medical studies have shown that people with cancer who participate in group therapy have higher rates of recovery.

Having supportive companionship and people we can talk to can have even more benefits. It may lower our blood pressure, heart rate, and cholesterol. And confiding in a friend can help counteract or lessen the anxiety we experience on a daily basis—whether due to issues at school, family matters, or worldwide dilemmas such as poverty and war.

In any case, the simple act of releasing our thoughts and worries to a friend is enough to ease stress and make us feel better. And when that friend can provide valuable feedback to us, confiding in someone becomes all the more worthwhile.

Activity How do you know whom to confide in? Make a list of five qualities that a trustworthy friend should have.

443

CREYENDO...

Abrimos nuestros corazones a Dios.

Como miembros de la Iglesia no sólo creemos y celebramos el misterio de nuestra fe sino que lo vivimos en "una relación viviente y personal con Dios vivo y verdadero. Esta relación es la oración" (*CIC*, 2558). Por medio de la oración, pública y privada, podemos poner toda nuestra vida en el amor de Cristo.

Oración es elevar nuestras mentes y corazones a Dios. Es como una conversación: Dios nos llama en la oración y respondemos. Nuestra oración es una respuesta al constante amor de Dios por nosotros. Escuchamos lo que Dios tiene que decirnos y confiamos en él. Compartimos nuestras ideas, sueños y necesidades con Dios. Le decimos a Dios lo que está pasando en nuestras vidas y sabemos que él nos escucha.

> **"Las Sagradas Escrituras. . . es el *corazón* el que ora".**
> (*CIC*, 2562)

Podemos rezar en silencio en nuestros corazones, o podemos rezar en voz alta. Podemos rezar solos o con otros. Podemos cantar nuestra oración. Algunas veces no usamos palabras para rezar sino que nos sentamos tranquilos, tratando de centrarnos sólo en Dios. No importa como recemos, vamos a Dios con esperanza y fe en su amor por nosotros. Confiamos en él para guía y dirección. Le pedimos a Dios que nos ayude a cumplir su voluntad. Confiamos en que él nos ayudará a conocer su voluntad para nosotros.

Humildad, la virtud que nos permite reconocer que Dios es la fuente de todo bien, es la base de la oración. Humildad es la "pobreza del espíritu" de la que habla Jesús en las Bienaventuranzas. Por medio de la humildad somos capaces de reconocer la voluntad de Dios para nosotros en lo profundo de nuestros corazones y alma. La humildad nos permite vivir de una forma que muestra lo mejor de cada persona. Como nos dice Jesús, el reino de Dios pertenece a los "pobres en el espíritu". (Mateo 5:3)

En la oración abrimos nuestros corazones y alma a Dios. "Las Sagradas Escrituras. . .es el *corazón* el

> **Vocabulario**
> oración
> humildad

que ora. Si este está alejado de Dios, la expresión de la oración es vana. . . . Es nuestro centro escondido. . . Es el lugar del encuentro, ya que a imagen de Dios, vivimos en relación: es el lugar de la Alianza" (*CIC*, 2562–2563). La oración es nuestra alianza con Dios en Cristo por medio del Espíritu Santo; la oración hace posible nuestra unión con Cristo y con la Iglesia. Esta alianza nos ayuda a vivir como Jesús vivió, sirviendo a los demás e invitándolos a escuchar la buena nueva de la salvación. La vida y misión de Jesús continúa por medio de cada uno de nosotros—por medio de los discípulos de Jesús que comparten el amor de Dios y predican el reino de Dios hasta que él venga de nuevo en gloria al final de los tiempos.

Activity ¿Cuál fue la primera oración que aprendiste y quién te la enseñó? ¿Es esta persona una influencia en cómo y cuándo rezas hoy? ¿Por qué sí o no?

We open our hearts to God.

As members of the Church, we not only believe in and celebrate the mystery of our faith, but we live it "in a vital and personal relationship with the living and true God. This relationship is prayer" (*CCC*, 2558). Through prayer, both public and private, we can draw everything in our lives into Christ's love.

Prayer is the raising of our minds and hearts to God. It is like a conversation: God calls to us in prayer, and we respond. Our prayer is a response to God's constant love for us. We listen to what God has to say to us, and we trust in him. We share our thoughts, dreams, and needs with God. We tell God what is happening in our lives, and we know that he is listening.

We can pray in the silence of our hearts, or we can pray aloud. We can pray alone or with others. We can even sing our prayer. Sometimes we do not use words to pray, but sit quietly, trying to focus only on God. But however we pray, we turn to God with hope and faith in his love for us. We rely on him for guidance and direction. We ask God to help us to follow his will. And we trust that he will help us to know his will for us.

> **"According to Scripture, it is the *heart* that prays."**
> **(*CCC*, 2562)**

Faith Words
prayer
humility

Humility, the virtue that enables us to acknowledge that God is the source of all good, is the foundation of prayer. Humility is the "poverty of spirit" that Jesus calls us to in the Beatitudes. Through humility we are able to recognize God's will for us in the depths of our own hearts and souls. Thus, humility enables us to live in a way that brings about the best of everything for everyone. As Jesus tells us, the Kingdom already belongs to those who are "poor in spirit" (Matthew 5:3).

In prayer we open our minds and hearts to God. "According to Scripture, it is the *heart* that prays. If our heart is far from God, the words of prayer are in vain . . . . The heart is our hidden center . . . . The heart is the place of decision . . . . It is the place of truth . . . . It is the place of encounter, because as image of God we live in relation: it is the place of covenant" (*CCC*, 2562–2563). So, prayer is our covenant with God in Christ through the Holy Spirit; prayer makes possible our union with Christ and with the Church. And this covenant helps us to live as Jesus did, serving others and inviting them to hear the good news of salvation. Thus, the life and mission of Jesus continue through each one of us—through Jesus' disciples who share God's love and spread God's Kingdom until he comes again in glory at the end of time.

Activity What was the first prayer that you learned and from whom did you learn it? Is this person an influence on how and when you pray today? Why or why not?

Dios siempre ha llamado a su pueblo a orar.

A través de la historia de la humanidad, desde la creación hasta el presente, Dios se ha revelado a nosotros y nos llama al "encuentro misterioso de la oración. Esta iniciativa del amor del Dios fiel es siempre lo primero en la oración, la actitud del hombre es siempre una repuesta. A medida que Dios se revela, y revela al hombre a sí mismo, la oración aparece como un llamamiento recíproco". (*CIC*, 2567)

En Jesucristo, el Hijo de Dios, recibimos la plena revelación de la oración. La oración que el Padre espera de la humanidad es rezada por Cristo por todos nosotros, la obra del Espíritu Santo revelada por el misterio de Cristo. Toda la vida de Jesús es una oración a su Padre. La oración de Jesús es evidente para nosotros en la Escritura en muchos momentos importantes durante su vida: tiempos de bendiciones, decisión, felicidad, tristeza, sanación y consuelo, perdón, acción de gracias y alabanza.

Jesús también rezó antes de dos eventos importantes en los que su Padre dio testimonio de él: su bautismo y su transfiguración. Con su bautismo, Jesús acepta la voluntad de su Padre y consciente en todo lo que la salvación de la humanidad significa para él. Con gran complacencia en la aceptación de su Hijo de su misión de salvación, Dios el Padre responde, para que todos los presentes sepan: "Este es mi Hijo amado, en quien me complazco" (Mateo 3:17). El Espíritu descendió sobre Jesús, dejando saber que el Espíritu está siempre presente en el Hijo de Dios.

En su transfiguración, por un breve momento, la gloria divina de Jesús fue vista por Pedro, Santiago y Juan y la Santísima Trinidad fue revelada, dando a los tres apóstoles un aviso del reino.

Cada día Jesús resucitado continúa estando con nosotros en la oración y Dios continúa activo en nuestras vidas como el Padre, el Hijo y el Espíritu Santo. En nuestra oración y en la liturgia—especialmente en la misa—podemos regocijarnos continuamente en el reino de Dios, presente ahora y que se completará al final de los tiempos.

Actividad ¿Cómo la oración cabe en tu vida? ¿Cuál es tu "oración favorita"? Conversa sobre tu respuesta.

Tres formas de rezar

"**L**a tradición cristiana contiene tres importantes expresiones de la vida de oración: la oración vocal, la meditación y la oración contemplativa". (*CIC*, 2721)

Oración vocal es la oración que rezamos en voz alta, con frecuencia con otros. El rosario es una expresión de oración vocal. Las oraciones que rezamos en la misa y durante la Liturgia de las Horas son oraciones vocales. Si pensamos sobre lo que estamos diciendo, la oración vocal pertenece a nuestras mentes y corazones así que rezamos lo que significa y significa lo que rezamos. Si rezamos con sinceridad, la oración vocal lleva a la *meditación* y la *contemplación*.

En la meditación intervienen "el pensamiento, la imaginación, la emoción" (*CIC*, 2723). Generalmente empieza con una lectura de la Biblia o en libros sobre espiritualidad. Cuando meditamos, podemos rezar ciertas palabras o versos una y otra vez hasta que todos nuestros pensamientos se hacen una oración. O podemos reflexionar en la lectura buscando ideas para nuestra situación. La lectura puede ayudarnos a encontrar apoyo de Dios para tomar nuestras decisiones diarias. La meditación también puede llevar a la contemplación.

Contemplación es "Es una mirada de fe, fijada en Jesús, una escucha de la Palabra de Dios, un silencioso amor" (*CIC*, 2724). La contemplación es una oración sin palabras. Es una conciencia de la presencia de Dios que puede durar medio minuto, media hora, medio día o toda la vida. Es un don de Dios que puede llegar a cualquier persona que busca a Dios y se abre al amor de Dios. Santa Teresa de Avila, gran contemplativa, pedía a sus hermanas carmelitas buscar a Dios en todas partes; "hasta en las ollas y sartenes".

¿Dónde buscas a Dios? ¿Dónde lo encuentras?

God has always called people to prayer.

Throughout humanity's history, from creation to our present day, God has continued to reveal himself to us and call us to "that mysterious encounter known as prayer. In prayer, God's initiative of love always comes first; our own first step is always a response. As God gradually reveals himself and reveals man to himself, prayer appears as a reciprocal call" (*CCC*, 2567).

In Jesus Christ, the Son of God, we receive the full revelation of prayer. The prayer that the Father had expected from humankind is prayed by Christ for all of us, and the working of the Holy Spirit is revealed throughout Christ's ministry. Jesus' whole life is a prayer to his Father, and Jesus' prayer is evident to us through Scripture at many significant

moments throughout his lifetime: times of blessing, decision, happiness, sorrow, healing and comfort, forgiveness, and thanksgiving and praise.

Jesus also prayed before two very significant events at which his Father gave witness to him: his baptism and his Transfiguration. By his baptism Jesus accepted his Father's will and consented to all that the salvation of humanity would mean for him. In great delight at his Son's acceptance of this mission of salvation, God the Father responded, letting all those present know, "This is my beloved Son, with whom I am well pleased" (Matthew 3:17). And the Spirit came upon Jesus, letting it be known that the Spirit is ever present in the Son of God.

Then, at his Transfiguration, for a brief moment Jesus' divine glory was seen by Peter, James, and John, and the Blessed Trinity was revealed, giving the three Apostles a preview of the Kingdom.

Each day the risen Jesus continues to be with us through prayer, and God continues to be active in our lives as Father, Son, and Holy Spirit. In our prayer and in the liturgy—especially in the Mass— we can rejoice continually in God's Kingdom, which is present now and will come in fullness at the end of time.

Activity How does prayer fit into your life now? What do you consider to be your "favorite" prayer? Discuss your responses.

Three ways of praying

"The Christian tradition comprises three major expressions of the life of prayer: vocal prayer, meditation, and contemplative prayer." *(CCC, 2721)*

Vocal prayer is prayer we pray aloud, often with others. The rosary is an example of vocal prayer. The prayers we pray at Mass and during the Liturgy of the Hours are vocal prayer. If we think about what we are saying, vocal prayer penetrates our minds and hearts so that we pray what we mean and

mean what we pray. If we pray with sincerity, vocal prayer can lead to *meditation* and *contemplation*.

Meditation involves "thought, imagination, emotion, and desire" *(CCC, 2723)*. Usually it begins with a reading from Scripture or a spiritual book. When we meditate, we can pray certain words or verses over and over until our very thoughts become a prayer. Or we can reflect on the reading for insights into our own situation. The reading can help us to find God's way amid the choices we face each day. Meditation, too, can lead to contemplation.

Contemplation is "a gaze of faith fixed on Jesus, an attentiveness to the Word of God, a silent love" *(CCC, 2724)*. Contemplation is wordless prayer. It is an awareness of God's presence that can last half a minute, half an hour, half a day, or a whole lifetime. It is a gift from God that can come to anyone who seeks God and is open to God's love. A great contemplative, Saint Teresa of Ávila, used to urge her Carmelite sisters to seek God everywhere; even "among the pots and pans."

How do you seek God? Where do you find him?

CREYENDO...

Rezamos de muchas formas.

¿Tomo tiempo diariamente para rezar?

Jesús nos enseñó a orar con paciencia y con plena confianza en Dios. El nos enseñó a rezar mostrándonos como rezaba. Jesús rezó en muchas circunstancias y de muchas formas. Jesús alabó a Dios y le dio gracias por sus bendiciones. Jesús le pidió a Dios estar con él y actuar en su nombre. Jesús rezó por las necesidades de los demás. Jesús perdonó a los pecadores en nombre de su Padre. Cuando moría en la cruz Jesús rezó: "Padre, perdónalos, porque no saben lo que hacen". (Lucas 23:34)

Por el ejemplo y las palabras de Jesús, y más específicamente en el Padrenuestro, aprendemos a rezar. Mostramos nuestro amor a Dios siempre que rezamos—por medio de nuestros pensamientos, palabras y obras y con nuestros sentimientos y sentidos. Animados por el Espíritu Santo rezamos estas formas básicas: *bendición*, *petición*, *intercesión*, *acción de gracias* y *alabanza*.

BENDICION

"La gracia de Jesucristo, el Señor, el amor de Dios y la comunión en el Espíritu Santo, estén con todos ustedes". (2 Corintios 13:13)

Bendecir es dedicar algo o alguien a Dios para hacerlo santo en nombre de Dios. Dios nos bendice constantemente con muchos dones. Como Dios nos bendice primero podemos rezar por sus bendiciones en personas y cosas.

PETICION

"Dios mío, ten compasión de mí, que soy un pecador". (Lucas 18:13)

Oraciones de **petición** son aquellas en la que pedimos algo a Dios. Pedir perdón es la más importante de estas oraciones.

INTERCESION

"Y le pido que el amor de ustedes crezca más y más en conocimiento y sensibilidad para todo". (Filipenses 1:9)

La intercesión es un tipo de petición. Cuando hacemos oración de **intercesión**, estamos pidiendo por algo en nombre de otra persona o grupo de personas.

ACCION DE GRACIAS

"Padre, te doy gracias, porque me has escuchado". (Juan 11:41)

Oraciones de **acción de gracias** muestran nuestro agradecimiento a Dios por todo lo que nos ha dado. Mostramos nuestro agradecimiento, especialmente por la vida, la muerte y resurrección de Jesús. Hacemos esto cuando celebramos la Eucaristía, la mayor oración de la Iglesia.

ALABANZA

"Alabaré al Señor mientras viva, cantaré para mi Dios mientras exista". (Salmo 146:2)

Las oraciones de **alabanza** dan gloria a Dios por ser Dios. Oraciones de alabanzas no involucran nuestras necesidades o agradecimiento. Alabamos a Dios simplemente porque es Dios.

Vocabulario

bendecir
petición
intercesión
acción de gracias
alabanza

Actividad En grupo, en hojas de papel, escriban cinco oraciones, una por cada tipo de oración explicado arriba.

We pray in many ways.

Do I take the time to pray each day?

Jesus taught us to pray with patience and with complete trust in God. He taught us to pray by showing us how he prayed. Jesus prayed in many circumstances and in many ways. Jesus praised God and thanked him for his blessings. Jesus asked God to be with him and to act on his behalf. Jesus prayed for the needs of others. Jesus forgave sinners in the name of his Father. Even as he was dying, Jesus prayed, "Father, forgive them, they know not what they do" (Luke 23:34).

So, from the example and words of Jesus, and most especially from the Lord's Prayer, we learn to pray. Whenever we pray, we show God our love—through our thoughts, our words, our actions, and even our feelings and senses. Urged by the Holy Spirit, we pray these basic forms of prayer: *blessing*, *petition*, *intercession*, *thanksgiving*, and *praise*.

BLESSING

"The grace of the Lord Jesus Christ and the love of God and the fellowship of the holy Spirit be with all of you." (2 Corinthians 13:13)

To **bless** is to dedicate someone or something to God or to make something holy in God's name. God continually blesses us with many gifts. Because God first blessed us, we can pray for his blessings on people and things.

PETITION

"O God, be merciful to me a sinner." (Luke 18:13)

Prayers of **petition** are prayers in which we ask something of God. Asking for forgiveness is the most important type of petition.

INTERCESSION

"And this is my prayer: that your love may increase ever more and more in knowledge." (Philippians 1:9)

Intercession is a type of petition. When we pray a prayer of **intercession**, we are asking for something on behalf of another person or a group of people.

THANKSGIVING

"Father, I thank you for hearing me." (John 11:41)

Prayers of **thanksgiving** show our gratitude to God for all he has given us. We show our gratitude most especially for the life, death, and Resurrection of Jesus. We do this when we pray the greatest prayer of the Church, the Eucharist.

PRAISE

"I shall praise the LORD all my life,
   sing praise to my God while I live." (Psalm 146:2)

Prayers of **praise** give glory to God for being God. Prayers of praise do not involve our needs or our gratitude. We praise God simply because he is God.

Faith Words

bless
petition
intercession
thanksgiving
praise

Activity In groups, on separate sheets of paper, write five prayers, one in each form of prayer explained above.

Rezamos siempre.

San Pablo escribió a los primeros cristianos: "Oren en todo momento" (1 Tesalonicenses 5:17). Nosotros también lo hacemos, llamando a Dios constantemente, por medio de nuestra oración personal y comunitaria. Podemos desarrollar el hábito de la oración diaria, tomando un tiempo especial para rezar, cuando en las mañanas ofrecemos nuestro día a Dios; antes y después de las comidas damos gracias a Dios por sus muchos dones; y en la noche cuando reflexionamos en las formas en que hemos mostrado amor a Dios y a los demás. Cada día podemos también hacer oraciones de la Iglesia como el Padrenuestro, el Ave María, usar nuestras propias palabras o reflexionar en silencio en el amor y la presencia de Dios en nuestras vidas.

El hábito de la oración diaria también crece cuando rezamos con otros miembros de la Iglesia. Esto lo hacemos cuando nos reunimos con el pueblo de Dios para la celebración de la misa. También podemos rezar la Liturgia de las Horas. La **Liturgia de las Horas** es la oración pública y oficial de la Iglesia compuesta de salmos, otras lecturas bíblicas y enseñanzas de la Iglesia, oraciones e himnos. Es celebrada durante varios momentos del día y nos ayuda a alabar a Dios durante todo el día, recordándonos que Dios siempre está activo y presente en nuestras vidas.

Vocabulario
Liturgia de las Horas

Una y otra vez, por medio de nuestra oración, podemos hacer el compromiso de ser discípulos de Jesús y vivir para el reino de Dios. Este es un compromiso de toda la vida porque nunca estamos "terminados" en el crecimiento de nuestra santidad. Para sostenernos en este compromiso Dios nos da la gracia y como miembros de la Iglesia, por medio de Dios Padre, Hijo y Espíritu Santo, luchamos por compartir el amor de Dios y predicar su reino juntos hasta el fin de los tiempos.

Actividad
En un folleto, combina las oraciones que escribiste para la actividad en la página 448. Rézalas todo el año.

"Padre, te doy gracias, porque me has escuchado".
(Juan 11:41)

Oración constante

La Iglesia reza en cada momento del día. Además de la Eucaristía diaria en miles de iglesias en todo el mundo, los católicos se reúnen en otras formas de comunidad para orar, una de ellas es la Liturgia de las Horas. Esta es la oración de toda la Iglesia aun cuando sea rezada por una sola persona.

Los católicos también se reúnen para la adoración eucarística. Aunque tiene lugar fuera de la misa, la presencia de Jesús en la Eucaristía continúa siendo honrada. Después de la comunión las hostias consagradas que sobran—Santísimo Sacramento—son colocadas en el tabernáculo. El Santísimo Sacramento de la Eucaristía puede llevarse a los que no pueden salir de sus casas por razón de enfermedad. También podemos mostrar nuestro amor a Jesús continuando la acción de gracias que empezó en la misa visitando y rezando a Jesús presente en el Santísimo Sacramento.

Muchas parroquias tienen una exposición del Santísimo Sacramento. En esta ceremonia el Santísimo es colocado en una *custodia* y presentado para que todos lo vean. Esta devoción es llamada *bendición*, la comunidad se reúne a rezar y a adorar a Jesús en el Santísimo Sacramento. Todos los reunidos son bendecidos por la Presencia Real de Cristo en la Eucaristía.

Aunque no es parte de la liturgia de la Iglesia las *devociones populares* expresan formas en que las personas de diferentes culturas y tradiciones rezan. Ellas son una rica y diversa tradición y han sido pasadas de generación en generación. Estas devociones incluyen el vía crucis, las peregrinaciones (viajes a santuarios y lugares santos) y procesiones en honor a María o los santos. Estas devociones nos llevan al misterio de Cristo entre nosotros.

Planifica rezar constantemente.

IDENTIDAD CATÓLICA

We pray always.

Saint Paul wrote to the early Christian communities, "Pray without ceasing" (1 Thessalonians 5:17). We do this, too, calling on God constantly, through personal prayer and communal prayer. We can develop the habit of daily prayer, setting aside special times for prayer, when each morning we offer our entire day to God; before and after meals we thank God for his many gifts; and at night we reflect on the ways we have shown love for God and others. Each day we can also pray prayers of the Church, such as the Our Father and the Hail Mary, use our own words to pray, or reflect in silence on God's love and presence in our lives.

The habit of daily prayer also grows as we join in prayer with other members of the Church. We do this when we gather with the People of God for the celebration of the Mass. But we also can do this by praying the Liturgy of the Hours. The **Liturgy of the Hours** is the official public prayer of the Church made up of psalms, other readings from Scripture and Church teaching, prayers, and hymns. It is celebrated at various times during the day and helps us to praise God throughout the entire day, thereby reminding us that God is always active and present in our lives.

Faith Word
Liturgy of the Hours

Over and over again, through all of our prayer, we can make the commitment to be disciples of Jesus and to live for God's Kingdom. This is a lifelong commitment because we are never "finished" growing in holiness in this life. To sustain us in this commitment, God gives us his grace. And as members of the Church, through God the Father, Son, and Holy Spirit, we strive to share God's love and spread his Kingdom together until the end of time.

Activity In a booklet combine the prayers you wrote for the activity on page 449. Pray them throughout the year.

> **"Father, I thank you for hearing me."**
> (John 11:41)

Constant prayer

At every moment of every day, the Church is at prayer. In addition to the daily Eucharist in thousands of churches all over the world, Catholics gather for other forms of community prayer, one of which is the Liturgy of the Hours. It is the prayer of the entire Church, even when prayed by one person.

Catholics also gather for Eucharistic adoration. Though this takes place outside the celebration of the Mass, Jesus' presence in the Eucharist continues to be honored. After Holy Communion the remaining consecrated Hosts—the Most Blessed Sacrament—are placed, or reserved, in the tabernacle. The Most Blessed Sacrament, or the Eucharist, can be brought to those who are sick and unable to participate in the Mass. But we can also show Jesus our love and continue the thanksgiving that was begun at Mass by visiting and praying to him present in the Most Blessed Sacrament.

Many parishes have an Exposition of the Most Blessed Sacrament. In this ceremony the Most Blessed Sacrament is placed in a special holder called a *monstrance* and presented for all to see. In a devotion called *Benediction*, the community gathers to pray and to worship Jesus in the Most Blessed Sacrament. All who are gathered are blessed by the Real Presence of Christ in the Eucharist.

Though not part of the liturgy of the Church, *popular devotions* express ways that people of many different cultures and traditions may pray. They are a rich and diverse tradition and have been handed down to us through the centuries. These devotions include the stations of the cross, pilgrimages (journeys to shrines and other holy places), and processions in honor of Mary or the saints. These devotions draw us into the mystery of Christ among us.

Make your plan to pray constantly!

CATHOLIC IDENTITY

RESPONDIENDO...

Reconociendo nuestra fe

Recuerda la pregunta al inicio del capítulo: *¿En quién confío?* ¿De qué forma lo que has aprendido en este capítulo, te ayuda a confiar más plenamente en Dios? ¿Qué dirías a un amigo para animarlo a confiar en Dios por medio de la oración?

Viviendo nuestra fe

Escoge un tiempo específico para rezar cada día.

Santa Teresa de los Andes

La vida de Santa Teresa de los Andes muestra el poder de la oración. Nació en el 1900 en Santiago, Chile, su nombre era Juanita y tenía cuatro hermanos. Cuando pequeña gozó de muchas vacaciones en las propiedades de su familia y escribió sobre sus experiencias. Animada por su hermano, quien le enseñó a rezar el rosario, Juanita empezó a rezarlo diariamente. Ella siguió fortaleciendo su fe rezando, asistiendo a misa y tratando de vivir una vida simple. Enseñó catecismo a niños locales, organizó ayuda para los necesitados y empezó un coro.

Compañeros en la fe

En el 1919 Juanita decidió ser hermana religiosa. Entró al convento Carmelo de los Andes, convento carmelita y tomó el nombre de Teresa de Jesús. Escribió en su diario que quería dedicar toda su vida a la oración y la penitencia. A la edad de diez y nuevo años, enfrentó una enfermedad fatal con valor y confianza en Dios. Cuando murió en el 1920, había tenido influencia en tantas personas con su vida de oración que llenaron la iglesia del convento para su funeral. Fue canonizada en el 1993—la primera santa de Chile.

¿Cuáles son algunas formas en que puedes animar a otros a rezar?

@* **Para más ideas y actividades visita www.vivimosnuestrafe.com.**

452

Recognizing Our Faith

Recall the question at the beginning of this chapter: *Whom do I confide in*? In what way does what you have learned in this chapter help you to confide in God more fully? What would you say to encourage a friend to confide in God through prayer?

Living Our Faith

Choose a specific time each day to pray.

Saint Teresa de Los Andes

The life of Saint Teresa de Los Andes (Teresa of the Andes) shows how powerful prayer can be. Born in 1900 in Santiago, Chile, and named Juanita, she was one of five children. She enjoyed many vacations at a family estate during her youth and wrote about her experiences. Encouraged by her brother, who taught her to pray the rosary, Juanita began to pray the rosary daily. She continued to strengthen her faith by praying, going to Mass, and trying to live a simpler way of life. She taught local children about Catholicism and organized help for the needy, and she even started a choir.

Partners in FAITH

In 1919 Juanita decided to become a religious sister. She entered Carmel of the Andes, a Carmelite convent, and took the name Teresa de Jesús (Teresa of Jesus). She wrote in her diary that she wanted to devote her whole life to prayer and penance. At the age of nineteen, she faced a fatal illness with courage and trust in God. When she died in 1920, she had influenced so many people with her prayerful life that they flooded the convent chapel for her funeral. She was canonized in 1993—the first saint of Chile.

What are some ways you can encourage others to pray?

@ ✤ **For additional ideas and activities, visit www.weliveourfaith.com.**

RESPONDIENDO...

"Para inculcarles la necesidad de orar siempre sin desanimarse, Jesús les contó esta parábola".

(Lucas 18:1)

➡ **LEE** la cita bíblica.

➡ **REFLEXIONA** en estas preguntas:
¿Por qué "desanimarse" puede ser un problema para la oración?
¿Cómo podemos orar con más fe y perseverancia?

➡ **COMPARTE** tus reflexiones con un compañero.

➡ **DECIDE** leer la parábola de Jesús en Lucas 18:1–8 y reza como ella enseña.

Poniendo la fe en acción

Conversa sobre lo que has aprendido en este capítulo:

 Exploramos las muchas formas de rezar por medio de las cuales los humanos han expresado su fe y confianza en Dios durante siglos.

 Reflexionamos con reverencia en las formas en que Dios actuó en nuestras propias vidas.

 Compartimos el amor de Dios y nuestra rica tradición de oración con otros.

Decide formas en que vas a vivir lo aprendido.

Encierra en un círculo la respuesta correcta.

1. ¿Cuál es la virtud que es la base de la oración?

   a. esperanza   **b.** humildad   **c.** fe   **d.** caridad

2. Las oraciones de _____ dan gloria a Dios por ser Dios y no involucran nuestras necesidades o nuestra gratitud.

   a. alabanza   **b.** intercesión   **c.** bendición   **d.** petición

3. Oraciones de _____ son peticiones en las que pedimos algo en nombre de otra persona o de un grupo de personas.

   a. alabanza   **b.** intercesión   **c.** acción de gracias   **d.** bendición

4. Las oraciones de _____ muestran nuestro agradecimiento a Dios por todo lo que ha hecho por nosotros, especialmente por la vida, muerte y resurrección de Jesús.

   a. alabanza   **b.** intercesión   **c.** acción de gracias   **d.** petición

Completa lo siguiente

5. _____ es elevar nuestros corazones y mentes a Dios.

6. Por el ejemplo y las obras de Jesús y especialmente por _____ aprendemos a orar.

7. Jesús oró antes de dos eventos importantes en los que su Padre dio testimonio de él—su

   _____ y su _____.

8. Oraciones de _____ son oraciones por medio de las que pedimos algo a Dios.

9–10. Contesta en un párrafo: ¿Por qué es importante desarrollar el hábito de rezar todos los días?

Putting Faith to Work

Talk about what you have learned in this chapter:

We explore the many forms of prayer through which human beings have expressed their faith and trust in God over the centuries.

We reflect prayerfully on the ways God has acted in our own lives.

We share God's love and our rich tradition of faithful prayer with others.

Decide on ways to live out what you have learned.

ENCOUNTERING GOD'S WORD

"Then he [Jesus] told them a parable about the necessity for them to pray always without becoming weary."

(Luke 18:1)

➡ **READ** the quotation from Scripture.

➡ **REFLECT** on these questions:
Why would "becoming weary" be a problem in prayer? How can we approach prayer with more faith and perseverance?

➡ **SHARE** your reflections with a partner.

➡ **DECIDE** to read Jesus' parable in Luke 18:1–8 and to pray as this parable teaches.

Circle the letter of the correct answer.

1. Which virtue is the foundation of prayer?

   a. hope   **b.** humility   **c.** faith   **d.** chastity

2. Prayers of _____ give glory to God for being God and do not involve our needs or our gratitude.

   a. praise   **b.** intercession   **c.** blessing   **d.** petition

3. Prayers of _____ are a type of petition in which we ask for something on behalf of another person or group of people.

   a. praise   **b.** intercession   **c.** thanksgiving   **d.** blessing

4. Prayers of _____ show our gratitude to God for all he has given us, most especially for the life, death, and Resurrection of Jesus.

   a. praise   **b.** intercession   **c.** thanksgiving   **d.** petition

Complete the following.

5. _____ is the raising of our hearts and minds to God.

6. From the example and words of Jesus, and most especially from the _____, we learn to pray.

7. Jesus prayed before two very significant events at which his Father gave witness to him—his _____ and his _____.

8. Prayers of _____ are prayers in which we ask something of God.

9–10. ESSAY: Why is it important to develop the habit of daily prayer?

Chapter 24 Assessment

RESPONDIENDO...

Comparte la fe con tu familia

Conversa con tu familia sobre lo siguiente:

- Abrimos nuestros corazones a Dios.
- Dios siempre ha llamado a su pueblo a orar.
- Rezamos de muchas formas.
- Rezamos siempre.

Mira las oraciones que escribiste en este capítulo. Cada semana reza una de ellas junto con tu familia. Si quieren pueden escribir algunas oraciones juntos y compilarlas en un libro de oración de la familia. Récenlas juntos con frecuencia.

Conexión con la liturgia

La próxima vez que vayas a misa, reza con sinceridad cada petición del Padrenuestro, la oración que Jesús nos enseñó.

Para explorar

Usando el Internet busca sitios de oraciones que ofrezcan ideas y oportunidades para rezar y sitios patrocinados por órdenes religiosas dedicadas a la oración.

Doctrina social de la Iglesia ☑ Cotejo

Tema de la doctrina social de la Iglesia:
Vida y dignidad de la persona humana

Cómo se relaciona con el capítulo 24: Dios ama a todos sus hijos y nos dio una dignidad básica. Por medio de la oración profundizamos nuestra relación con Dios y mostramos nuestro respeto a todas las personas.

Cómo puedes hacer esto en

☐ la casa:

_____

☐ la escuela/trabajo:

_____

☐ la parroquia:

_____

☐ la comunidad:

_____

Chequea cada acción cuando la termines.

Sharing Faith with Your Family

Discuss the following with your family:

- We open our hearts to God.
- God has always called people to prayer.
- We pray in many ways.
- We pray always.

Look at the prayers you wrote in this chapter. Each week, pray one of them together as a family. You may even want to write some prayers together and compile them in a Family Prayer Book. Then pray them together often!

Catholic Social Teaching ☑ Checklist

Theme of Catholic Social Teaching:
Life and Dignity of the Human Person

How it relates to Chapter 24: God loves all of his children and gave us basic worth and dignity. Through prayer we deepen our relationship with God and show our respect for all people.

How can you do this?

☐ At home:

_____

☐ At school/work:

_____

☐ In the parish:

_____

☐ In the community:

_____

Check off each action after it has been completed.

The Worship Connection

The next time you participate in the Eucharist, sincerely pray each petition of the Lord's Prayer, the prayer that Jesus taught us.

More to Explore

Using the Internet, research prayer sites that offer tips and opportunities for prayer, and sites sponsored by religious orders devoted to prayer.

Escribe en la raya la letra al lado de la frase que define mejor el término.

1. _____ características de la Iglesia

2. _____ oración

3. _____ dignidad humana

4. _____ votos

5. _____ limosna

6. _____ ecumenismo

7. _____ bendición

8. _____ bien común

9. _____ virtud

10. _____ vocación común

a. compartir nuestros recursos y tiempo con los pobres y necesitados

b. dedicar algo o alguien a Dios o hacer algo santo en nombre de Dios

c. oponerse a cualquier forma de injusticia en la sociedad y trabajar para promover la justicia para todo el mundo

d. la enseñanza de la Iglesia que nos pide como miembros trabajar por la justicia y la paz como lo hizo Jesús

e. elevar nuestras mentes y corazones a Dios

f. el bienestar de todo individuo y de toda la sociedad a la que pertenecemos

g. un buen hábito que nos ayuda a actuar de acuerdo al amor de Dios en nosotros

h. promesas deliberadas y libres hechas a Dios

i. el trabajo para promover la unidad de todos los cristianos

j. las cuatro características de la Iglesia: una, santa, católica y apostólica

k. el valor que compartimos por ser creados a imagen y semejanza de Dios

l. nuestro llamado de Dios a la santidad y a la evangelización

Escribe *verdadero* o *falso* al lado de las siguientes oraciones. Cambia las oraciones falsas en verdaderas.

11. _____ Las obras de misericordia son actos de amor por medio de los cuales cuidamos de las necesidades espirituales de los demás.

_____

_____

12. _____ Como discípulos de Jesús, no permitimos condiciones injustas.

_____

_____

13. _____ En el evento que conocemos como anunciación, Dios bendijo a María llevando su cuerpo y alma al cielo con Jesús resucitado.

_____

_____

14. _____ Nueva ley es el nombre que damos a las leyes que gobiernan la Iglesia.

_____

_____

Completa lo siguiente.

15. La comunión de los santos es la unión de todos los bautizados en la Iglesia en

_____, en _____ y en _____.

16. Las formas básicas de oración son: _____,

_____, _____,

_____ y _____.

17. Dios llama a cada uno de nosotros a vivir nuestra vocación común en una de las

vocaciones especiales: _____, _____,

o _____.

18. Las virtudes teologales _____, _____

y _____ tienen a Dios como fuente, motivo y objeto.

Contesta lo siguiente.

19. Explica el mensaje que Jesús enfatiza en la parábola del buen samaritano y sugiere algunas formas en que podemos vivir el mensaje hoy.

_____

_____

_____

_____

20. Usa lo que has aprendido en esta unidad para contestar esta pregunta: *¿Cómo vive la Iglesia como cuerpo de Cristo?*

_____

_____

_____

_____

Write the letter of the answer that best defines each term.

1. _____ marks of the Church

2. _____ prayer

3. _____ human dignity

4. _____ vows

5. _____ almsgiving

6. _____ ecumenism

7. _____ bless

8. _____ common good

9. _____ virtue

10. _____ common vocation

a. the sharing of our resources or time to help those who are poor or in need

b. to dedicate someone or something to God or to make something holy in God's name

c. opposing every form of injustice in society and working to promote justice for all people

d. the teaching of the Church that calls all members to work for justice and peace as Jesus did

e. the raising of our minds and hearts to God

f. the well-being of every individual person and of the whole society to which everyone belongs

g. a good habit that helps us to act according to God's love for us

h. deliberate and free promises made to God

i. the work to promote the unity of all Christians

j. the four characteristics of the Church: one, holy, catholic, and apostolic

k. the value and worth that we share because God created us in his image and likeness

l. our call from God to holiness and to evangelization

Write *True* or *False* next to the following sentences. Then, on the lines provided, change the false sentences to make them true.

11. _____ The Works of Mercy are acts of love by which we care for the bodily and spiritual needs of others.

_____

_____

12. _____ As disciples of Jesus, we cannot allow unjust conditions to exist without taking a stand against them.

_____

_____

13. _____ In the event known as the Annunciation, God blessed Mary by bringing her body and soul to live forever with the risen Jesus.

_____

_____

14. _____ The New Law is the name that we give to the body of laws that govern the Church.

_____

_____

Complete the following.

15. The communion of saints is the union of all the baptized members of the

Church on _____, in _____, and in _____.

16. The basic forms of prayer are _____,

_____, _____,

_____, and _____.

17. God calls each of us to live out our common vocation in one of the particular

vocations: _____, _____,

or _____.

18. The theological virtues of _____,

_____, and _____ have God

as their source, motive, and object.

Respond to the following.

19. Explain the message that Jesus emphasizes in the parable of the Good Samaritan, and suggest some ways that we can live out this message today.

_____

_____

_____

_____

20. Use what you have learned in this unit to answer the question: *How does the Church live as the Body of Christ?*

_____

_____

_____

_____

Gloria al Padre

Gloria al Padre, y al Hijo y al Espíritu
Santo.
Como era en el principio, ahora y
siempre, por los siglos de los siglos.
Amén.

Padrenuestro

Padre nuestro, que estás en el cielo,
santificado sea tu Nombre;
venga a nosotros tu reino;
hágase tu voluntad en la tierra como
en el cielo.
Danos hoy nuestro pan de cada día;
perdona nuestras ofensas,
como también nosotros perdonamos
a los que nos ofenden;
no nos dejes caer en la tentación,
y líbranos del mal.

El Ave María

Dios te salve María, llena eres de gracia;
el Señor es contigo;
bendita tú eres entre todas las
mujeres,
y bendito es el fruto de tu vientre,
Jesús.
Santa María, Madre de Dios,
ruega por nosotros pecadores,
ahora y en la hora de nuestra
muerte. Amén.

Oración a Jesús

Jesucristo, Hijo de Dios,
ten misericordia de mí, que soy
un pecador. Amén

Credo de los apóstoles

Creo en Dios, Padre todopoderoso,
Creador del cielo y de la tierra.
Creo en Jesucristo, su único Hijo, nuestro
Señor,
que fue concebido por obra y gracia del
Espíritu Santo,
nació de Santa María Virgen, padeció
bajo el poder de Poncio Pilato, fue
crucificado, muerto y sepultado,
descendió a los infiernos,
al tercer día resucitó de entre los muertos,
subió a los cielos
y está sentado a la derecha de Dios,
Padre todopoderoso.
Desde allí ha de venir a juzgar a vivos y
muertos.
Creo en el Espíritu Santo, la santa Iglesia
católica, la comunión de los santos,
el perdón de los pecados,
la resurrección de la carne
y la vida eterna. Amén.

Oración al Espíritu Santo

Ven, Espíritu Santo,
Llena los corazones
de tus fieles
y enciende en ellos
el fuego de tu amor.

Envía tu Espíritu, Señor
y serán creados,
y renovarás la faz de la tierra.

Para oraciones en latín visita
www.vivimosnuestrafe.com

Glory to the Father

Glory to the Father, and to the Son,
and to the Holy Spirit:
as it was in the beginning,
is now, and will be for ever. Amen.

Our Father

Our Father, who art in heaven,
hallowed be thy name;
thy kingdom come;
thy will be done on earth
as it is in heaven.
Give us this day our daily bread;
and forgive us our trespasses
as we forgive those
who trespass against us;
and lead us not into temptation,
but deliver us from evil. Amen.

Hail Mary

Hail Mary, full of grace,
the Lord is with you;
blessed are you among women,
and blessed is the fruit
of your womb, Jesus.
Holy Mary, Mother of God,
pray for us sinners,
now and at the hour of our death.
Amen.

The Jesus Prayer

Lord Jesus Christ, Son of God,
have mercy on me, a sinner.
Amen.

Apostles' Creed

I believe in God, the Father almighty,
Creator of heaven and earth,
and in Jesus Christ,
his only Son, our Lord,
who was conceived by
the Holy Spirit,
born of the Virgin Mary,
suffered under Pontius Pilate,
was crucified, died and was buried;
he descended into hell;
on the third day he rose again from
the dead;
he ascended into heaven,
and is seated at the right hand
of God the Father almighty;
from there he will come to judge
the living and the dead.

I believe in the Holy Spirit,
the holy Catholic Church,
the communion of saints,
the forgiveness of sins,
the resurrection of the body,
and life everlasting. Amen.

Prayer to the Holy Spirit

Come, Holy Spirit, fill the hearts
of your faithful.
And kindle in them the fire
of your love.

Send forth your Spirit and they
shall be created.
And you will renew the face
of the earth. Amen.

For prayers in Latin see
www.weliveourfaith.com

Credo de Nicea

Creo en un solo Dios,
Padre todopoderoso,
creador del cielo y de la tierra.
de todo lo visible y lo invisible.

Creo en un solo Señor, Jesucristo,
Hijo único de Dios,
nacido del Padre antes de todos los siglos,
Dios de Dios, Luz de Luz, Dios verdadero
de Dios verdadero, engendrado,
no creado,
de la misma naturaleza del Padre,
por quien todo fue hecho;
que por nosotros, los hombres,
y por nuestra salvación
bajó del cielo,
y por obra del Espíritu Santo
se encarnó de María la Virgen
y se hizo hombre;
y por nuestra causa fue crucificado
en tiempos de Poncio Pilato; padeció
y fue sepultado,
y resucitó al tercer día, según las Escrituras
y subió al cielo
y está sentado a la derecha del Padre;
y de nuevo vendrá con gloria
para juzgar a vivos y muertos,
y su reino no tendrá fin.

Creo en el Espíritu Santo,
Señor y dador de vida,
que procede del Padre y del Hijo,
que con el Padre y el Hijo
recibe una misma adoración y gloria,
y que habló por los profetas.

Creo en la Iglesia
que es una, santa, católica y apostólica.
Confieso que hay un solo bautismo para
el perdón de los pecados.
Espero en la resurreción de los muertos
y la vida del mundo futuro.
Amén.

Acto de contrición

Dios mío,
con todo mi corazón me arrepiento
de todo el mal que he hecho y de todo
lo bueno que he dejado de hacer.
Al pecar, te he ofendido a ti,
que eres el supremo bien
y digno de ser amado sobre todas las
cosas.
Propongo firmemente, con la ayuda de
tu gracia,
hacer penitencia, no volver a pecar y
huir de las ocasiones de pecado.
Señor, por los méritos de la pasión de
nuestro Salvador Jesucristo,
apiádate de mí. Amén.

Los preceptos de la Iglesia
(Del *CIC*, 2041–2043)

1. Oír misa los domingos y los días de precepto y no hacer trabajos serviles que nos impidan santificar el día.

2. Confesar los pecados por lo menos una vez al año.

3. Recibir el sacramento de la Eucaristía por lo menos por Pascua.

4. Abstenerse de comer carne y ayunar en lo días establecidos por la Iglesia.

5. Ayudar a la Iglesia a satisfacer sus necesidades.

Nicene Creed

I believe in one God,
    the Father almighty,
    maker of heaven and earth,
    of all things visible and invisible.

I believe in one Lord Jesus Christ,
    the Only Begotten Son of God
    born of the Father before all ages,
    God from God, Light from Light,
    true God from true God,
    begotten, not made, consubstantial
      with the Father;
    through him all things were made.
    For us men and for our salvation
      he came down from heaven,
    and by the Holy Spirit
      was incarnate the Virgin Mary,
        and became man.

For our sake he was crucified
      under Pontius Pilate,
    he suffered death and was buried,
    and rose again on the third day
      in accordance with the Scriptures.
    He ascended into heaven
      and is seated at the right hand
        of the Father.
    He will come again in glory to judge
        the living and the dead,
      and his kingdom will have no end.
I believe in the Holy Spirit, the Lord,
    the giver of life,
    who proceeds from the Father and the Son.
    who with the Father and the Son,
      is adored and glorified,
    who has spoken through the prophets.
    I believe in one holy catholic
      and apostolic Church.
    I confess one baptism for the
      forgiveness of sins.
    and I look forward to the resurrection of
      the dead,
        and the life of the world to come.
    Amen.

Act of Contrition

My God,
I am sorry for my sins with all my heart.
In choosing to do wrong
and failing to do good,
I have sinned against you
whom I should love above all things.
I firmly intend, with your help,
to do penance,
to sin no more,
and to avoid whatever leads me to sin.
Our Savior Jesus Christ
suffered and died for us.
In his name, my God, have mercy.
Amen.

The Precepts of the Church

(from *CCC*, 2041–2043)

1. You shall attend Mass on Sundays and holy days of obligation and rest from servile labor.

2. You shall confess your sins at least once a year.

3. You shall receive the sacrament of the Eucharist at least during the Easter season.

4. You shall observe the days of fasting and abstinence by the Church.

5. You shall help to provide for the needs of the Church.

El rosario

El rosario es un grupo de cuentas organizadas en un círculo. Empieza con una cruz seguida de una cuenta grande y tres pequeñas. Hay otra grande (justo antes de una medalla) que empieza la primera "decena". Cada decena consiste en una cuenta grande seguida de diez pequeñas.

Se empieza el rosario con la Señal de la cruz. Se recita el Credo de los apóstoles, se reza un Padrenuestro, tres Ave Marías y un Gloria al Padre.

Para rezar cada decena se dice un Padrenuestro en la cuenta grande y un Ave María en cada una de las cuentas pequeñas. Se termina la decena rezando un Gloria al Padre. Se reza una Salve al final de la última decena.

Los misterios del rosario son eventos especiales en las vidas de Jesús y María. Cuando se reza una decena se medita en uno de los misterios gozosos, dolorosos, gloriosos o de luz.

Misterios gozosos

1. La anunciación
2. La visitación
3. El nacimiento de Jesús
4. La presentación de Jesús en el Templo
5. El niño Jesús es encontrado en el Templo

Misterios dolorosos

1. La agonía de Jesús en el jardín
2. Jesús es azotado en una columna
3. Jesús es coronado de espinas
4. Jesús carga con la cruz
5. La crucifixión y muerte de Jesús

Misterios gloriosos

1. La resurrección
2. La ascensión
3. La venida del Espíritu Santo
4. La asunción de María al cielo
5. La coronación de María en el cielo

Misterios de luz

1. El bautismo de Jesús en el Jordán
2. El milagro de las bodas de Caná
3. Jesús anuncia el reino de Dios
4. La transfiguración de Jesús
5. La institución de la Eucaristía

El vía crucis

Desde el inicio de la Iglesia los cristianos recuerdan la vida y muerte de Jesús, visitando y rezando en los lugares donde Jesús vivió, sufrió, murió y resucitó.

La Iglesia se expandió por todo el mundo y no todo el mundo podía viajar a la Tierra Santa. Así que las iglesias locales empezaron a invitar a las personas a "seguir los pasos de Jesús", sin tener que viajar. Las "estaciones" son lugares para detenerse a rezar, siguiendo el "camino de la cruz". Nosotros hacemos lo mismo hoy en nuestras parroquias, especialmente durante la Cuaresma.

Las paradas o "estaciones" son catorce. Nos detenemos en cada una para pensar sobre lo que pasó en esa estación.

1. Jesús es condenado a muerte.
2. Jesús carga con la cruz.
3. Jesús cae por primera vez.
4. Jesús encuentra a su madre.
5. Simón ayuda a Jesús a cargar la cruz.
6. La Verónica enjuga el rostro de Jesús.
7. Jesús cae por segunda vez.
8. Jesús encuentra a las mujeres de Jerusalén.
9. Jesús cae por tercera vez.
10. Jesús es despojado de sus vestiduras.
11. Jesús es clavado en la cruz.
12. Jesús muere en la cruz.
13. Jesús es bajado de la cruz.
14. Jesús es puesto en un sepulcro.

The Rosary

A rosary is made up of groups of beads arranged in a circle. It begins with a cross followed by one large bead and three small ones. The next large bead (just before the medal) begins the first "decade." Each decade consists of one large bead followed by ten smaller beads.

Begin the rosary with the Sign of the Cross. Recite the Apostles' Creed. Then pray one Our Father, three Hail Marys, and one Glory to the Father.

To pray each decade, say an Our Father on the large bead and a Hail Mary on each of the ten smaller beads. Close each decade by praying the Glory to the Father. Pray the Hail, Holy Queen as the last prayer of the rosary.

The mysteries of the rosary are special events in the lives of Jesus and Mary. As you pray each decade, think of the appropriate Joyful Mystery, Sorrowful Mystery, Glorious Mystery, or Mystery of Light.

The Five Joyful Mysteries

1. The Annunciation
2. The Visitation
3. The Birth of Jesus
4. The Presentation of Jesus in the Temple
5. The Finding of Jesus in the Temple

The Five Sorrowful Mysteries

1. The Agony in the Garden
2. The Scourging at the Pillar
3. The Crowning with Thorns
4. The Carrying of the Cross
5. The Crucifixion and Death of Jesus

The Five Glorious Mysteries

1. The Resurrection
2. The Ascension
3. The Descent of the Holy Spirit upon the Apostles
4. The Assumption of Mary into Heaven
5. The Coronation of Mary as Queen of Heaven

The Five Mysteries of Light

1. Jesus' Baptism in the Jordan
2. The Miracle at the Wedding at Cana
3. Jesus Announces the Kingdom of God
4. The Transfiguration
5. The Institution of the Eucharist

Stations of the Cross

From the earliest days of the Church, Christians remembered Jesus' life and death by visiting and praying at the places where Jesus lived, suffered, died, and rose from the dead.

As the Church spread to other countries, not everyone could travel to the Holy Land. So local churches began inviting people to "follow in the footsteps of Jesus" without leaving home. "Stations," or places to stop and pray, were made so that stay-at-home pilgrims could "walk the way of the cross" in their own parish churches. We do the same today, especially during Lent.

There are fourteen "stations," or stops. At each one, we pause and think about what is happening at the station.

1. Jesus is condemned to die.
2. Jesus takes up his cross.
3. Jesus falls the first time.
4. Jesus meets his mother.
5. Simon helps Jesus to carry his cross.
6. Veronica wipes the face of Jesus.
7. Jesus falls the second time.
8. Jesus meets the women of Jerusalem.
9. Jesus falls the third time.
10. Jesus is stripped of his garments.
11. Jesus is nailed to the cross.
12. Jesus dies on the cross.
13. Jesus is taken down from the cross.
14. Jesus is laid in the tomb.

La Salve

Dios te salve, Reina y Madre de misericordia,
vida, dulzura y esperanza nuestra; Dios te salve.
A ti llamamos los desterrados hijos de Eva,
a ti suspiramos, gimiendo y llorando en este valle
de lágrimas.
Ea, pues, Señora, abogada nuestra,
vuelve a nosotros esos, tus ojos misericordiosos,
y después de este destierro,
muéstranos a Jesús, fruto bendito de tu vientre.
¡Oh clementísima, oh piadosa, oh dulce
Virgen María!

Memorare

Acuérdate, oh piadosísima
Virgen María, que jamás se
ha oído decir que ninguno
de cuantos han acudido a
tu protección e implorado
tu socorro, haya sido
desamparado.

Yo, pecador, animado con
tal confianza acudo a ti, oh
Madre, Virgen de las vírgenes,
a ti vengo, delante de ti me
presento gimiendo. No quieras,
oh Madre de Dios, despreciar
mis súplicas, antes bien, óyelas
benignamente y cúmplelas.

Oración de San Patricio

Cristo, acompáñame; Cristo ante mí; Cristo detrás
de mí;
Cristo en mí;
Cristo debajo de mí; Cristo sobre mí,
Cristo a mi derecha; Cristo a mi izquierda;
Cristo cuando me acuesto; Cristo cuando me siento;
Cristo cuando me levanto.
Cristo en el corazón de quien se recuerda de mí;
Cristo en los labios de quien habla de mí,
Cristo en cada ojo que me ve;
Cristo en cada oído que me escucha.
La salvación es del Señor.
La salvación es del Señor.
La salvación es de Cristo.
Que tu salvación, oh Señor, esté siempre con nosotros.

Oración por mi vocación

Dios de amor,
Tienes un hermoso plan para mí y para
nuestro mundo.
Deseo participar plenamente en ese plan,
con fe y gozo.

Ayúdame a entender lo que deseas para mí
en la vida.
Ayúdame a prestar atención a los signos que
me das para
prepararme para mi futuro.

Ayúdame a aprender a ser signo del reino, el
reino de Dios, dondequiera que sea llamado,
al sacerdocio, la vida religiosa, la vida de soltero
o al matrimonio.

Una vez haya escuchado y entendido tu
llamada, dame la fuerza y la gracia de seguirla
con generosidad y amor. Amén.

Oración de Santa Teresa de Avila

Nada te turbe, nada te espante.
Todo se pasa, Dios no se muda.
La paciencia todo lo alcanza.
Quien a Dios tiene, nada le falta.
Sólo Dios basta.

Oración de San Francisco de Asís

Señor, hazme instrumento de tu paz.
Donde haya odio, que yo siembre amor;
Donde haya injuria, perdón;
Donde haya discordia, unión;
Donde haya duda, fe;
Donde haya error, verdad;
Donde haya desaliento, esperanza;
Donde haya tristeza, alegría;
Donde haya sombra, luz.
Oh divino Maestro, concédeme
Que no busque ser consolado, sino consolar;
Ser comprendido, sino comprender;
Ser amado, sino amar.
Porque es dando que recibimos;
Perdonando que tú nos perdonas;
Y muriendo en ti que nacemos a la vida eterna.

Hail, Holy Queen

Hail, Holy Queen, mother of
    mercy,
hail, our life, our sweetness,
    and our hope.
To you we cry, the children
    of Eve;
to you we send up our
    sighs,
mourning and weeping
    in this land of exile.
Turn, then, most gracious
    advocate,
your eyes of mercy toward us;
lead us home at last
and show us the blessed
    fruit of your womb, Jesus:
O clement, O loving, O sweet
    Virgin Mary.

Memorare

Remember, most loving Virgin Mary,
never was it heard
that anyone who turned to you for help
was left unaided.

Inspired by this confidence,
though burdened by my sins,
I run to your protection
for you are my mother.
Mother of the Word of God,
do not despise my words of pleading
but be merciful and hear my prayer.
Amen.

Saint Patrick's Breastplate

Christ, be with me, Christ before me,
    Christ behind me, Christ within me,
Christ beneath me, Christ above me,
    Christ on my right, Christ on my left,
Christ where I lie, Christ where I sit,
    Christ where I arise.
Christ in the heart of everyone who
        thinks of me,
    Christ in the mouth of everyone who
        speaks to me,
Christ in the eye of everyone who
        sees me,
    Christ in the ear of everyone who
        hears me.
Amen.

Prayer for My Vocation

Dear God,
you have a great and loving plan
for our world and for me.
I wish to share in that plan fully,
faithfully, and joyfully.

Help me to understand what it is
you wish me to do with my life.
Help me to be attentive to the signs
that you give me about preparing
    for the future.

Help me to learn to be a sign
of the Kingdom, or Reign, of God,
whether I'm called to the
priesthood or religious life,
the single or married life.

And once I have heard and understood
your call, give me the strength
and the grace to follow it
with generosity and love. Amen.

Prayer of Saint Teresa of Avila

Let nothing disturb you,
nothing cause you fear;
all things pass.
God is unchanging.
Patience obtains all:
Whoever has God
needs nothing else.
God alone suffices. Amen.

Prayer of Saint Francis

Lord, make me an instrument of your peace:
where there is hatred, let me sow love;
where there is injury, pardon;
where there is doubt, faith;
where there is despair, hope;
where there is darkness, light;
where there is sadness, joy.

O Divine Master, grant that I may not
    so much seek
to be consoled as to console,
to be understood as to understand,
to be loved as to love.

For it is in giving that we receive,
it is in pardoning that we are pardoned,
it is in dying that we are born to eternal life.
Amen.

La misa

Ritos Iniciales

Procesión/himno de entrada: Los acólitos, lectores, el diácono y el sacerdote proceden hacia el altar. La asamblea canta. El sacerdote y el diácono besan el altar haciendo una reverencia.

Saludos: El sacerdote y la asamblea hacen la señal de la cruz y el sacerdote nos recuerda que estamos en la presencia de Jesús.

Acto penitencial: Reunidos en la presencia de Dios, la asamblea reconoce sus pecados y proclama el misterio del amor de Dios. Pedimos a Dios que sea misericordioso.

El Gloria: Algunos domingos cantamos o rezamos este antiguo himno.

Colecta: Esta oración expresa el tema de la celebración y las necesidades y esperanzas de la asamblea.

Liturgia de la Palabra

Primera lectura: Esta lectura es generalmente tomada del Antiguo Testamento. Escuchamos sobre el amor y la misericordia de Dios para su pueblo antes de la venida de Cristo. Escuchamos historias de esperanza y valor, poder y maravilla. Aprendemos de la alianza de Dios con su pueblo y de las formas en que vivieron esa alianza.

Salmo responsorial: Después de reflexionar en la palabra de Dios, damos gracias a Dios por su palabra.

Segunda lectura: Esta lectura es tomada generalmente de las cartas de los apóstoles, Hechos de los apóstoles o el Apocalipsis en el Nuevo Testamento. Escuchamos sobre los primeros discípulos, las enseñanzas de los apóstoles y el inicio de la Iglesia.

Aleluya/aclamación: Nos ponemos de pie y cantamos Aleluya u otras alabanza. Esto demuestra que estamos listos para escuchar la buena nueva de Jesucristo.

Lectura del evangelio: Esta lectura siempre es tomada de los evangelios de Mateo, Marcos, Lucas o Juan. Proclamada por el diácono o el sacerdote, esta lectura es sobre la misión y el ministerio de Jesús. Las palabras y acciones de Jesús que escuchamos nos ayudan a vivir como sus discípulos.

Homilía: El sacerdote o el diácono nos hablan sobre las lecturas. Esto nos ayuda a entender el significado de la palabra de Dios hoy. Aprendemos lo que significa creer y ser miembros de la Iglesia. Nos acercamos a Dios y a los demás.

El credo: Toda la asamblea reza el Credo de Nicea (pag. 464) o el Credo de los apóstoles (pag. 462). Nos ponemos de pie y expresamos lo que creemos como miembros de la Iglesia.

Plegaria universal: Rezamos por las necesidades del pueblo de Dios.

Liturgia de la Eucaristía

Preparación de las ofrendas: Durante la preparación de las ofrendas, el diácono y los acólicos preparan el altar. Estos dones incluyen el pan, el vino y la colecta para la Iglesia y los necesitados. Como miembros de la asamblea, cantando llevamos el pan y el vino en procesión hacia el altar. El pan y el vino se colocan en el altar.

Oración sobre las ofrendas: El sacerdote pide a Dios que bendiga y acepte nuestros dones. Respondemos: "Bendito seas por siempre, Señor".

Plegaria eucarística: Esta es la oración más importante de la Iglesia. Es la oración de adoración y acción de gracias más importante. Nos unimos a Cristo y a los demás. Al inicio de la oración, el *prefacio*, consiste en alabar y dar gracias a Dios. Juntos cantamos el himno "Santo, Santo, Santo". El resto de la oración consiste en invocar al Espíritu Santo para que bendiga los regalos de pan y vino; la consagración del pan y el vino recordando las palabras y las acciones de Jesús en la última cena; recordando la pasión, muerte, resurrección y ascensión de Jesús; recordando que la Eucaristía es ofrecida por la Iglesia en el cielo y en la tierra; alabando a Dios rezando el gran "Amén" en amor a Dios: Padre, Hijo y Espíritu Santo.

Rito de comunión: Esta es la tercera parte de la Liturgia de la Eucaristía que incluye:

El Padrenuestro. Jesús nos dio esta oración que cantamos o rezamos al Padre en voz alta.

El saludo de la paz: Pedimos que la paz de Cristo esté siempre con nosotros. Nos damos el saludo de la paz para mostrar que estamos unidos en Cristo.

Partir el pan: Rezamos en voz alta el Cordero de Dios, pedimos a Jesús misericordia, perdón y paz. El sacerdote parte la Hostia y somos invitados a compartir la Eucaristía.

Comunión: Se nos muestra la Hostia y escuchamos: "El Cuerpo de Cristo". Se nos muestra la copa y escuchamos: "La Sangre de Cristo". Cada persona responde: "Amén" y recibe la comunión. Mientras se recibe la comunión todos cantamos. Después, reflexionamos en el don de Jesús y la presencia de Dios en nosotros. El sacerdote reza para que el don de Jesús nos ayude a vivir como discípulos de Jesús.

Rito de Conclusión

Saludos: El sacerdote ofrece la oración final. Sus palabras son una promesa de que Jesús estará con nosotros siempre.

Bendición: El sacerdote nos bendice en el nombre del Padre, del Hijo y del Espíritu Santo. Hacemos la señal de la cruz mientras él nos bendice.

Despedida: El diácono o el sacerdote despide la asamblea. El sacerdote o el diácono besa el altar, hace una reverencia al altar y procede a salir mientras cantamos el himno final.

The Mass

Introductory Rites

Entrance Chant: Altar servers, readers, the deacon, and the priest celebrant process forward to the altar. The assembly sings as this takes place. The priest and deacon kiss the altar and bow out of reverence.

Greeting: The priest and assembly make the sign of the cross, and the priest reminds us that we are in the presence of Jesus.

Act of Penitence: Gathered in God's presence the assembly sees its sinfulness and proclaims the mystery of God's love. We ask for God's mercy in our lives.

Gloria: On some Sundays we sing or say this ancient hymn.

Collect: This prayer expresses the theme of the celebration and the needs and hopes of the assembly.

Liturgy of the Word

First Reading: This reading is usually from the Old Testament. We hear of God's love and mercy for his people before the time of Christ. We hear stories of hope and courage, wonder and might. We learn of God's covenant with his people and of the ways they lived his law.

Responsorial Psalm: After reflecting in silence as God's word enters our hearts, we thank God for the word we just heard.

Second Reading: This reading is usually from the New Testament letters, the Acts of the Apostles, or the Book of Revelation. We hear about the first disciples, the teachings of the Apostles, and the beginning of the Church.

Alleluia or Gospel Acclamation: We stand to sing the Alleluia or other words of praise. This shows we are ready to hear the good news of Jesus Christ.

Gospel: The deacon or priest proclaims a reading from the Gospel of Matthew, Mark, Luke, or John. This reading is about the mission and ministry of Jesus. Jesus' words and actions speak to us today and help us to know how to live as his disciples.

Homily: The priest or deacon talks to us about the readings. His words help us understand what God's word means to us today. We learn what it means to believe and be members of the Church. We grow closer to God and one another.

Profession of Faith: The whole assembly prays together the Nicene Creed (p. 465) or the Apostles' Creed (p. 463). We are stating aloud what we believe as members of the Church.

Prayer of the Faithful: We pray for the needs of all God's people.

Liturgy of the Eucharist

Preparation of the Gifts: The altar is prepared by the deacon and the altar servers. We offer gifts. These gifts include the bread and wine and the collection for the Church and for those in need. As members of the assembly carry the bread and wine in a procession to the altar, we sing. The bread and wine are placed on the altar.

Prayer Over the Offerings: The priest asks God to bless and accept our gifts. We respond, "Blessed be God for ever."

Eucharistic Prayer: This is the most important prayer of the Church. It is our greatest prayer of praise and thanksgiving. It joins us to Christ and to one another. The beginning of this prayer, the *Preface*, consists of offering God thanksgiving and praise. We sing together the hymn "Holy, Holy, Holy." The rest of the prayer consists of: calling on the Holy Spirit to bless the gifts of bread and wine; the consecration of the bread and wine, recalling Jesus' words and actions at the Last Supper; recalling Jesus' passion, death, Resurrection, and Ascension; remembering that the Eucharist is offered by the Church in heaven and on earth; praising God and praying a great "Amen" in love of God: Father, Son, and Holy Spirit.

Communion Rite: This is the third part of the Liturgy of the Eucharist. It includes the:

Lord's Prayer: Jesus gave us this prayer that we pray aloud or sing to the Father.

Rite of Peace: We pray that Christ's peace be with us always. We offer one another a sign of peace to show that we are united in Christ.

Breaking of the Bread: We say aloud or sing the Lamb of God, asking Jesus for his mercy, forgiveness, and peace. The priest breaks apart the Host, and we are invited to share in the Eucharist.

Holy Communion: We are shown the Host and hear "The Body of Christ." We are shown the cup and hear "The Blood of Christ." Each person responds "Amen" and receives Holy Communion. While people are receiving Holy Communion, we sing as one. After this we silently reflect on the gift of Jesus and God's presence with us. The priest then prays that the gift of Jesus will help us live as Jesus' disciples.

Concluding Rites

Greeting: The priest offers the final prayer. His words serve as a farewell promise that Jesus will be with us all.

Blessing: The priest blesses us in the name of the Father, Son, and Holy Spirit. We make the sign of the cross as he blesses us.

Dismissal: The deacon or priest sends the assembly forth. The priest and deacon then kiss the altar. They, along with others serving at the Mass, bow to the altar, and process out as we sing the closing song.

Presentando . . . la Biblia

La Biblia es una colección de setenta y tres libros escritos bajo la inspiración del Espíritu Santo. La Biblia está dividida en dos partes: el Antiguo y el Nuevo Testamentos. En cuarenta y seis libros del Antiguo Testamento aprendemos sobre la historia de la relación de Dios con el pueblo de Israel. En veinte y siete libros del Nuevo Testamento aprendemos sobre la historia de Jesucristo, el Hijo de Dios, y de sus primeros seguidores.

La palabra *Biblia* viene de una palabra griega que significa "libros". La mayoría de los libros del Antiguo Testamento fueron originalmente escritos en hebreo y los del Nuevo Testamento en griego. En el siglo V San Jerónimo tradujo los libros de la Biblia al latín, el lenguaje común de la Iglesia en ese tiempo. San Jerónimo también ayudó a establecer el *canon*, la lista oficial de la Iglesia de los libros de la Biblia.

El cuadro de abajo es una lista de las secciones y los libros de la Biblia. También muestra las abreviaturas que frecuentemente se da a los nombres de los libros de la Biblia.

ANTIGUO TESTAMENTO

Pentateuco

(Cinco rollos)

Estos libros cuentan sobre la formación de la alianza y describen las leyes y creencias básicas de los israelitas.

Génesis (Gn)
Exodo (Ex)
Levítico (Lv)
Números (Nm)
Deuteronomio (Dt)

Libros históricos

Estos libros tratan sobre la historia de Israel.

Josué (Jos)
Jueces (Jue)
Rut (Rut)
1 Samuel (1 Sm)
2 Samuel (2 Sm)
1 Reyes (1 Re)
2 Reyes (2 Re)
1 Crónicas (1 Cr)
2 Crónicas (2 Cr)
Esdras (Esd)
Nehemías (Neh)
Tobías (Tob)
Judit (Jdt)
Ester (Est)
1 Macabeos (1 Mac)
2 Macabeos (2 Mac)

Libros de sabiduría

Estos libros explican el papel de Dios en la vida diaria.

Job (Job)
Salmos (Sal)
Proverbios (Prov)
Eclesiastés (Ecl)
Cantar de los cantares (Cant)
Sabiduría (Sab)
Eclesiástico (Eclo)

Libros proféticos

Estos libros contienen escritos de los grandes profetas que hablaron en nombre de Dios al pueblo de Israel.

Isaías (Is)
Jeremías (Jr)
Lamentaciones (Lam)
Baruc (Bar)
Ezequiel (Ez)
Daniel (Dn)
Oseas (Os)
Joel (Jl)
Amós (Am)

Abdías (Abd)
Jonás (Jon)
Miqueas (Miq)
Nahum (Nah)
Habacuc (Hab)
Sofonías (Sof)
Ageo (Ag)
Zacarías (Zac)
Malaquías (Mal)

NUEVO TESTAMENTO

Los evangelios

Estos libros contienen el mensaje y los eventos claves de la vida de Jesucristo. Por eso los evangelios tienen un lugar central en el Nuevo Testamento.

Mateo (Mt)
Marcos (Mc)
Lucas (Lc)
Juan (Jn)

Cartas

Estos libros contienen cartas escritas por San Pablo y otros líderes a individuos o comunidades cristianas.

Romanos (Rom)
1 Corintios (1 Cor)
2 Corintios (2 Cor)
Gálatas (Gal)
Efesios (Ef)
Filipenses (Flp)
Colosenses (Col)
1 Tesalonicenses (1 Tes)
2 Tesalonicenses (2 Tes)
1 Timoteo (1 Tim)
2 Timoteo (2 Tim)

Tito (Tit)
Filemón (Flm)
Hebreos (Heb)
Santiago (Sant)
1 Pedro (1 Pe)
2 Pedro (2 Pe)
1 Juan (1 Jn)
2 Juan (2 Jn)
3 Juan (3 Jn)
Judas (Jds)

Otros

Hechos de los apóstoles (Hch)
Apocalipsis (Ap)

Introducing . . . the Bible

The Bible is a collection of seventy-three books written under the inspiration of the Holy Spirit. The Bible is divided into two parts: the Old Testament and the New Testament. In the forty-six books of the Old Testament, we learn about the story of God's relationship with the people of Israel. In the twenty-seven books of the New Testament, we learn about the story of Jesus Christ, the Son of God, and of his followers.

The word *Bible* comes from the Greek word *biblia*, which means "books." Most of the books of the Old Testament were originally written in Hebrew, the New Testament in Greek. In the fifth century, a priest and scholar named Saint Jerome translated the books of the Bible into Latin, the common language of the Church at the time. Saint Jerome also helped to establish the *canon*, or the Church's official list, of the books of the Bible.

The chart below lists the sections and books of the Bible. It also shows abbreviations commonly given for the names of the books in the Bible.

OLD TESTAMENT

Pentateuch
("Five Scrolls")

These books tell about the formation of the covenant and describe basic laws and beliefs of the Israelites.

Genesis (Gn)
Exodus (Ex)
Leviticus (Lv)
Numbers (Nm)
Deuteronomy (Dt)

Historical Books

These books deal with the history of Israel.

Joshua (Jos)
Judges (Jgs)
Ruth (Ru)
1 Samuel (1 Sm)
2 Samuel (2 Sm)
1 Kings (1 Kgs)
2 Kings (2 Kgs)
1 Chronicles (1 Chr)
2 Chronicles (2 Chr)
Ezra (Ezr)
Nehemiah (Neh)
Tobit (Tb)
Judith (Jdt)
Esther (Est)
1 Maccabees (1 Mc)
2 Maccabees (2 Mc)

Wisdom Books

These books explain God's role in every-day life.

Job (Jb)
Psalms (Ps)
Proverbs (Prv)
Ecclesiastes (Eccl)
Song of Songs (Song)
Wisdom (Wis)
Sirach (Sir)

Prophetic Books

These books contain writings of the great prophets who spoke God's word to the people of Israel.

Isaiah (Is)
Jeremiah (Jer)
Lamentations (Lam)
Baruch (Bar)
Ezekiel (Ez)
Daniel (Dn)
Hosea (Hos)
Joel (Jl)
Amos (Am)

Obadiah (Ob)
Jonah (Jon)
Micah (Mi)
Nahum (Na)
Habakkuk (Hb)
Zephaniah (Zep)
Haggai (Hg)
Zechariah (Zec)
Malachi (Mal)

NEW TESTAMENT

The Gospels

These books contain the message and key events in the life of Jesus Christ. Because of this, the Gospels hold a central place in the New Testament.

Matthew (Mt)
Mark (Mk)
Luke (Lk)
John (Jn)

Letters

These books contain letters written by Saint Paul and other leaders to individual Christians or to early Christian communities.

Romans (Rom)
1 Corinthians (1 Cor)
2 Corinthians (2 Cor)
Galatians (Gal)
Ephesians (Eph)
Philippians (Phil)
Colossians (Col)
1 Thessalonians (1 Thes)
2 Thessalonians (2 Thes)
1 Timothy (1 Tim)
2 Timothy (2 Tim)

Titus (Ti)
Philemon (Phlm)
Hebrews (Heb)
James (Jas)
1 Peter (1 Pt)
2 Peter (2 Pt)
1 John (1 Jn)
2 John (2 Jn)
3 John (3 Jn)
Jude (Jude)

Other Writings

Acts of the Apostles (Acts)
Revelation (Rv)

Caminando por la Biblia

La Biblia está dividida en libros, estos a su vez están divididos en capítulos y estos en versículos. Abajo encontrarás una página de la Biblia con las partes señaladas.

Mateo, 13 — **Libro** / **Capítulo**

Un signo para una generación perversa

38*Entonces algunos maestros de la ley y fariseos le dijeron:

—Maestro, queremos ver una señal hecha por ti; 39*Jesús respondió:

—Esta generación perversa e infiel reclama una señal, pero no tendrá otra señal que la del profeta Jonás. 40*Pues así como *Jonás estuvo tres días y tres noches en el vientre del pez*, así estará el Hijo del hombre tres días y tres noches en el corazón de la tierra.

41*Los ninivitas se levantarán en el día del juicio contra esta generación y la condenarán, porque ellos hicieron penitencia al escuchar la predicación de Jonás, y aquí hay alguien que es más importante que Jonás. 42*La reina del sur se levantará, porque ella vino del extremo de la tierra para oír la sabiduría de Salomón; y aquí hay alguien que es más importante que Salomón. 43Cuando un espíritu impuro sale del hombre anda por lugares áridos bucando descanso y, al no encontrarlo, 44dice: «Regresaré a mi casa de donde salí» al llegar la encuentra deshabitada, barrida y arreglada. 45Entonces va y toma consigo otros siete espíritus peores que él, y se instalan allí, con lo que la situación final de este hombre es peor que la del principio. Así le ocurrirá también a esta generación perversa.

La madre y los hermanos de Jesús 46*Aún estaba Jesús hablando a la gente, cuando llegaron su madre y sus hermanos. Se habían quedado afuera y trataban de hablar con él. 47Alguien le dijo:

—¡Oye! Ahí afuera están tu madre y tus hermanos que quieren hablar contigo.

48Respondió Jesús al que se lo decía:

—¿Quién es mi madre, y quiénes son mis hermanos? 49Y señalando con la mano a sus discípulos, dijo:

—Éstos son mi madre y mis hermanos. 50 El que cumple la voluntad de mi Padre que está en los cielos, ése es mi hermano, mi hermana y mi madre".

CAPITULO 13

El sembrador 1Aquel día salió Jesús de casa y se sentó a orillas del lago. 2Se reunió en torno a él mucha gente, tanta que subió a una barca y se sentó, mientras la gente se quedaba de pie a la orilla. 3Y les habló de muchas cosas por medio de parábolas. Decía:

Versículo

Título de un pasaje
Algunas veces se incluyen títulos para mostrar el tema del capítulo, pero esos títulos no son parte de las palabras de la Biblia.

Pasaje
Un pasaje es una sección de un capítulo compuesta de un número de versículos. Este pasaje muestra a Mateo 12:46-50, lo que quiere decir: Evangelio de Mateo, capítulo 12, versículos del cuarenta y seis al cincuenta.

Número del capítulo

Cuando se te da un pasaje bíblico a leer hay cinco pasos simples que te ayudarán a encontrarlo. Sigue estos pasos para buscar el pasaje dado en el ejemplo:

Ejemplo: Lc 10:21-22

1 **Encuentra el libro.** Cuando el pasaje de la Escritura contiene una abreviatura, busca el nombre del libro cuya abreviatura se da. Esta información la puedes encontrar en el cuadro en las páginas donde comienza tu Biblia.

2 **Encuentra la página.** El índice de la Biblia indica la página donde se inician los libros. Pasa a la página dentro de la Biblia.

3 **Encuentra el capítulo.** Una vez estés en el inicio del libro pasa las páginas hasta encontrar el capítulo. En el cuadro arriba se muestra como los capítulos son numerados frecuentemente.

4 **Encuentra el versículo.** Una vez hayas encontrado el capítulo, busca el versículo o versículos que necesites dentro del capítulo. Arriba se muestra como los números de los versículos son mostrados comúnmente en una Biblia.

5 **Empieza a leer.**

Finding Your Way Through the Bible

The Bible is divided into books, which are divided into chapters, which are divided into verses. Below is a page of the Bible with these parts labeled.

Book
Chapter
Verse

Matthew, 13

Demand for a Sign 38 Then some of the scribes and Pharisees said to him, "Teacher, we wish to see a sign from you." 39*He said to them in reply, "An evil and unfaithful generations seeks a sign, but no sign will be given it except the sign of Jonah the prophet. 40*Just as Jonah was in the belly of the whale three days and three nights, so will the Son of Man be in the heart of the earth three days and three nights. 41*At the judgement, the men of Nineveh will arise with this generation and condemn it, because they repented at the preaching of Jonah; and there is something greater than Jonah here. 42S At the judgment the queen of the south will arise with this generation and condemn it, because she came from the ends of the earth to hear the wisdom of Solomon; and there is something greater than Solomon here.

The Return of the Unclean Spirit 43t*When an unclean spirit goes out of a person it roams through arid regions searching for rest but finds none. 44Then it says, 'I will return to my home from which I came.' But upon returning, it finds it empty, swept clean, and put in order.

45Then it goes and brings back with itself seven other spirits more evil than itself, and they move in and dwell there; and the last condition of the person is worse that in the first. Thus it will be with this evil generation."

The True Family of Jesus 46u*While he was still speaking to the crowds, his mother and his brothers appeared outside, wishing to speak with him. [47*Someone told him, "Your mother and your brothers are standing outside, asking to speak with you."] 48But he said in reply to the one who told him, "Who is my mother? Who are my brothers?" 49And stretching out his hand toward his disciples, he said, "Here are my mother and my brothers. 50For whoever does the will of my heavenly Father is my brother, and sister, and mother."

CHAPTER 13

The Parable of the Sower 1r*On that day, Jesus went out of the house and sat down by the sea. 2Such large crowds gathered around him that he got into a boat and sat down, and the whole crowd stood along the shore. 3*And he

Passage title
Titles are sometimes added to show the themes of the chapters, but these titles are not part of the actual words of the Bible.

Passage
A passage is a section of a chapter made up of a number of verses.
This passage shows Matthew 12:46–50, which means: the Gospel of Matthew, chapter twelve, verses forty-six to fifty.

Chapter number

When you are given a Scripture passage to read, here are five easy steps that will help you to find it! Follow these steps to look up the passage given in the example below.

Example: Lk 10:21–22

1 Find the book. When the Scripture passage that you're looking up contains an abbreviation, find the name of the book for which this abbreviation stands. You can find this information in the chart on page 473 or on the contents pages at the beginning of your Bible.

2 Find the page. Your Bible's contents pages will also indicate the page on which the book begins. Turn to that page within your Bible.

3 Find the chapter. Once you arrive at the page where the book begins, keep turning the pages forward until you find the right chapter. The image above shows you how a chapter number is usually displayed on a typical Bible page.

4 Find the verses. Once you find the right chapter, locate the verse or verses you need within the chapter. The image above also shows you how verse numbers will look on a typical Bible page.

5 Start reading!

acción de gracias (p 448) oración con la que mostramos nuestra gratitud a Dios por todas las cosas que nos ha dado

alabanza (p 448) oración en la que damos gloria a Dios

alianza (p 74) en la Biblia, un convenio entre Dios y su pueblo

ángel (p 136) criatura creada por Dios como espíritu puro, sin cuerpo físico. Los ángeles sirven a Dios como mensajeros, ayudándolo a cumplir su misión de salvación

anunciación (p 136) anuncio a María de que sería la madre del Hijo de Dios

apostasía (p 426) abandono total de la fe

apóstoles (p 184) doce discípulos de Jesús que compartieron su misión de manera especial

ascensión (p 222) retorno de Jesús en gloria a su Padre en el cielo

asunción (p 430) la verdad de que al final de su vida en la tierra Dios llevó a María en cuerpo y alma al cielo a vivir con Jesús resucitado por siempre

bendecir (p 448) dedicar algo o alguien a Dios, santificar a algo en nombre de Dios

bien común (p 412) bienestar de todo individuo y de toda la sociedad a la que pertenecemos

Bienaventuranzas (p 170) enseñanzas que describen la forma de vivir como discípulos de Jesús. La palabra *bienaventuranza* significa "bendecido" o "feliz"

candidatos (p 282) los que se preparan para celebrar un sacramento (ej. Confirmación, Orden Sagrado)

características de la Iglesia (p 376) cuatro características de la Iglesia: una, santa, católica y apostólica

caridad (p 332) don de Dios que nos permite amarlo y amar a nuestro prójimo

catecumenado (p 264) proceso de formación para los sacramentos de iniciación cristiana que incluye oración y liturgia, instrucción religiosa basada en la Escritura y la Tradición y servicios a los demás

catecúmenos (p 264) adultos y niños mayores en edad catequética que entran al catecumenado y participan del Rito de Iniciación Cristiana de Adultos (RICA)

celebrante (p 264) obispo, sacerdote o diácono que celebra un sacramento para y con la comunidad

celibato (p 358) estado de los que han escogido permanecer solteros, prometiendo dedicarse al trabajo de Dios y la Iglesia por el bien del reino de Dios

cisma (p 426) rechazo a someterse al liderazgo de los sucesores de Pedro

comunión de los santos (p 428) unión de todos los bautizados miembros de la Iglesia en la tierra, el cielo y el purgatorio

conciencia (p 316) nuestra habilidad de saber la diferencia entre lo bueno y lo malo, el bien y el mal

consagrar (p 150) santificar algo para Dios

consejos evangélicos (p 354) pobreza, castidad y obediencia

conversión (p 314) regresar a Dios con todo el corazón

credo (p 376) afirmación de creencias

crisma (p 280) óleo perfumado y bendecido por un obispo

depósito de fe (p 42) toda la verdad contenida en la Biblia y la Tradición que Cristo reveló e instruyó a los apóstoles y así a sus sucesores, los obispos y toda la Iglesia

diácono (p 338) hombre ordenado para compartir la misión de Cristo ayudando a los obispos y los sacerdotes en el servicio de la Iglesia

dignidad humana (p 408) valor que todos compartimos por haber sido creados a imagen y semejanza de Dios

diócesis (p 280) área local de la Iglesia dirigida por un obispo

doctrina social de la Iglesia (p 412) enseñanzas de la Iglesia que llaman a todos sus miembros a trabajar por la justicia y la paz

ecumenismo (p 426) trabajo para promover la unidad de los cristianos

encarnación (p 90) la verdad de que el Hijo de Dios, la segunda Persona de la Santísima Trinidad se hizo humano y vivió entre nosotros

epístolas (p 38) cartas que se encuentran en el Nuevo Testamento a la primeras comunidades cristianas sobre la revelación de Jesús

Escritura (p 36) recuento escrito de la revelación de Dios y su relación con su pueblo. También es llamada Sagrada Escritura o la Biblia, es la Palabra de Dios escrita por humanos bajo la inspiración del Espíritu Santo

evangelios (p 38) recuentos de la revelación de Dios por medio de Jesucristo

evangelios sinópticos (p 94) los evangelios de Marcos, Mateo y Lucas, que presentan la buena nueva de Jesucristo desde un punto de vista similar

evangelización (p 60) compartir la buena nueva de Jesucristo y el amor de Dios con todo el mundo y en todas las circunstancias de la vida

fe (p 22) don de Dios que nos permite creer en él, aceptar todo lo que ha revelado y responder con amor a Dios y los demás

gentiles (p 94) no judío

gracia (p 24) participación, o compartir, en la vida y amistad con Dios

gracia santificante (p 244) gracia que recibimos en los sacramentos

herejía (p 426) negación después el bautismo de una verdad de fe

humildad (p 444) virtud que nos permite reconocer que Dios es la fuente de todo bien

Iglesia (p 24) comunidad de personas que creen en Jesucristo, han sido bautizadas en su nombre y siguen sus enseñanzas

inmaculada concepción (p 136) verdad de que Dios creó a María libre del pecado original y de todo pecado desde el momento de su concepción

inspiración divina (p 36) la guía especial que el Espíritu Santo dio a los autores humanos de la Biblia

intercesión (p 448) tipo de petición en la que pedimos en nombre de otra persona o grupo de personas

juicio final (p 396) venida de Jesucristo al final de los tiempos a juzgar a todo el mundo

justicia social (p 408) oponerse a cualquier tipo de injusticia en la sociedad y trabajar para promover la justicia para todo el mundo

ley canónica (p 358) nombre que se le da al cuerpo de leyes que gobiernan a la Iglesia

libre albedrío (p 130) don de Dios a la humanidad de tener la libertad de escoger

limosna (p 396) compartir nuestros recursos y tiempo con los pobres y necesitados

liturgia (p 246) oración pública y oficial de la Iglesia

Liturgia de las Horas (p 450) oración pública y oficial de la Iglesia celebrada durante momentos específicos durante el día

Magisterium (p 42) enseñanzas vivas oficiales de la Iglesia, del papa y los obispos

Mesías (p 108) persona que Dios planificó enviar a salvar a su pueblo de sus pecados. La palabra *Mesías* viene del hebreo y significa "ungido"

misa (p 300) celebración de la Eucaristía

misericordia (p 76) el perdón y amor de Dios

misterio pascual (p 222) sufrimiento, muerte, resurrección y ascensión de Jesucristo

narrativa de la infancia (p 148) recuentos del nacimiento y niñez de Jesús basados en los dos primeros capítulos de los evangelios de Mateo y Lucas

obispo (p 338) hombre que ha recibido la totalidad del sacramento del Orden y continúa la misión de los apóstoles de liderazgo y servicio

obras de misericordia (p 392) obras de amor por medio de los cuales cuidamos de las necesidades del cuerpo y del alma de los demás

oración (p 444) elevar nuestras mentes y corazones a Dios

padrino (p 282) un católico mayor de 16 años que ha recibido los sacramentos de iniciación cristiana, es ejemplo de vida cristiana, respetado por el candidato e involucrado en la preparación del candidato para la Confirmación y que le ayudará a crecer en fe

La Palabra de Dios (p 96) Jesucristo, el Hijo de Dios, la expresión más completa de la Palabra de Dios

parábola (p 94) historia corta con un mensaje

pascual (p 298) palabra relacionada con la Pascua

pecado (p 130) pensamiento, palabra, obra u omisión en contra de la ley de Dios que nos daña y daña nuestra relación con Dios y los demás

pecado mortal (p 314) pecado serio que nos aleja completamente de Dios porque es una decisión libre de hacer lo que sabemos es seriamente malo

pecado original (p 130) el primer pecado cometido por la humanidad

pecado venial (p 314) pecado no muy serio que debilita nuestra relación con Dios pero que no nos separa completamente de él

Pentecostés (p 112) el día en que el Espíritu Santo bajó a los primeros discípulos de Jesús como él lo había prometido. El Pentecostés marca el inicio de la Iglesia

petición (p 448) oración en la que pedimos algo a Dios

Presencia Real (p 204) presencia verdadera de Jesús en la Eucaristía

profeta (p 108) alguien que habla en nombre de Dios, defiende la verdad y trabaja por la justicia

providencia (p 78) plan de Dios para la protección de toda la creación

rectitud (p 408) conducta conforme a la voluntad de Dios

reino de Dios (p 168) el poder del amor de Dios activo en nuestras vidas y el mundo

resurrección (p 38) misterio de que Jesús resucitó a una nueva vida

revelación divina (p 20) Dios se da a conocer a nosotros

Sabat (p 184) día destinado a descansar y alabar a Dios

sacerdote (p 338) hombre que ha sido ordenado para predicar el evangelio y servir a los fieles, especialmente celebrando la Eucaristía y otros sacramentos

sacramento (p 242) signo efectivo dado por Jesucristo por medio del cual compartimos en la vida de Dios

salvación (p 20) perdón de los pecados y restauración de la amistad de la humanidad con Dios

santifica (p 248) hacer santo

Santísima Trinidad (p 54) tres divinas Personas en un Dios: Dios el Padre, Dios el Hijo y Dios el Espíritu Santo

sinagogas (p 38) lugares de reunión donde personas de la fe judía estudian la Escritura

Tradición (p 36) revelación de la buena nueva de Jesucristo como es vivida en la Iglesia en el pasado y el presente

vida eterna (p 202) vida de felicidad con Dios por siempre

virtud (p 372) un buen hábito que nos ayuda a actuar de acuerdo al amor de Dios por nosotros

virtudes teologales (p 372) las virtudes de fe, esperanza y caridad, que tienen a Dios como su fuente, motivo y objeto

vocación (p 354) llamado a vivir una forma de vida

vocación común (p 354) nuestra llamada de Dios a la santidad y la evangelización

votos (p 358) promesa libre y deliberada hecha a Dios

almsgiving (p. 397) the sharing of our resources or time to help those who are poor or in need

angel (p. 137) a creature created by God as a pure spirit, without a physical body. Angels serve God as messengers, helping him to accomplish his mission of salvation

Annunciation (p. 137) the announcement to Mary that she would be the mother of the Son of God

apostasy (p. 427) a total abandonment of one's faith

Apostles (p. 185) twelve of Jesus' disciples who shared his mission in a special way

Ascension (p. 223) Jesus' return in all his glory to his Father in heaven

Assumption (p. 431) the truth that at the end of her earthly work, God brought Mary body and soul to heaven to live forever with the risen Jesus

Beatitudes (p. 171) teachings that describe the way to live as Jesus' disciples. The word *beatitude* means "blessed" or "happy."

bishop (p. 339) a man who has received the fullness of the Sacrament of Holy Orders and continues the Apostles' mission of leadership and service

bless (p. 449) to dedicate someone or something to God or to make something holy in God's name

Blessed Trinity (p. 55) the three Divine Persons in one God: God the Father, God the Son, and God the Holy Spirit

candidates (p. 283) those preparing for a sacrament (e.g. Confirmation, Holy Orders)

canon law (p. 359) the name that we give to the body of laws that govern the Church

catechumenate (p. 265) a process of formation for the Sacraments of Christian Initiation that includes prayer and liturgy, religious instruction based on Scripture and Tradition, and service to others

catechumens (p. 265) adults and older children of catechetical age who have entered the catechumenate and are participating in the Rite of Christian Initiation of Adults (RCIA)

Catholic social teaching (p. 413) the teaching of the Church that calls all members to work for justice and peace as Jesus did

celebrant (p. 265) the bishop, priest, or deacon who celebrates a sacrament for and with the community

celibacy (p. 359) the state of those who have chosen to remain single, promising to devote themselves to the work of God and the Church for the sake of the Kingdom

charity (p. 333) a gift from God that enables us to love him and to love our neighbor

chrism (p. 281) perfumed oil blessed by a bishop

Church (p. 25) the community of people who believe in Jesus Christ, have been baptized in him, and follow his teachings

common good (p. 413) the well-being of every individual person and of the whole society to which everyone belongs

common vocation (p. 355) our call from God to holiness and to evangelization

communion of saints (p. 429) the union of all the baptized members of the Church on earth, in heaven, and in purgatory

conscience (p. 317) our ability to know the difference between good and evil, right and wrong

consecrate (p. 151) to make sacred for God

conversion (p. 315) turning back to God with all one's heart

covenant (p. 75) in the Bible, a solemn agreement between God and his people

creed (p. 377) a statement of belief

deacon (p. 339) a man ordained to share in Christ's mission by assisting bishops and priests in the service of the Church

deposit of faith (p. 43) all the truth contained in Scripture and Tradition that Christ revealed and entrusted to the Apostles and thus to their successors, the bishops, and to the entire Church

diocese (p. 281) a local area of the Church led by a bishop

divine inspiration (p. 37) the special guidance that the Holy Spirit gave to the human authors of the Bible

Divine Revelation (p. 21) God's making himself known to us

ecumenism (p. 427) the work to promote the unity of all Christians

epistles (p. 39) letters found in the New Testament to the early Christian communities about God's Revelation in Jesus

eternal life (p. 203) a life of happiness with God forever

evangelical counsels (p. 355) poverty, chastity, and obedience

evangelization (p. 61) the sharing of the good news of Jesus Christ and the love of God with all people, in every circumstance of life

faith (p. 23) the gift from God that enables us to believe in God, to accept all that he has revealed, and to respond with love for God and others

free will (p. 131) God's gift to human beings of the freedom and ability to choose what to do

Gentile (p. 95) non-Jewish

Gospels (p. 39) the accounts of God's Revelation through Jesus Christ

grace (p. 25) a participation, or a sharing, in God's life and friendship

heresy (p. 427) a denial after Baptism of a truth of the faith

human dignity (p. 409) the value and worth that we share because God created us in his image and likeness

humility (p. 445) the virtue that enables us to acknowledge that God is the source of all good

Immaculate Conception (p. 137) the truth that God made Mary free from original sin and from all sin from the very moment she was conceived

Incarnation (p. 91) the truth that the Son of God, the second Person of the Blessed Trinity, became man and lived among us

infancy narratives (p. 149) the accounts of Jesus' birth and childhood found in the first two chapters of the Gospels of Matthew and Luke

intercession (p. 449) a type of petition in which we ask for something on behalf of another person or a group of people

Kingdom of God (p. 169) the power of God's love active in our lives and in our world

last judgment (p. 397) Jesus Christ's coming at the end of time to judge all people

liturgy (p. 247) the official public prayer of the Church

Liturgy of the Hours (p. 451) the official public prayer of the Church celebrated at specific times, or hours, throughout the day

Magisterium (p. 43) the living teaching office of the Church, consisting of the pope and the bishops

marks of the Church (p. 377) the four characteristics of the Church: one, holy, catholic, and apostolic

Mass (p. 301) the celebration of the Eucharist

mercy (p. 77) God's forgiveness and love

Messiah (p. 109) the person God planned to send to save the people from their sins. The word *Messiah* comes from a Hebrew word that means "Anointed One."

mortal sin (p. 315) very serious sin that turns us completely away from God because it is a choice we freely make to do something that we know is seriously wrong

original sin (p. 131) the first sin commited by the first human beings

parable (p. 95) a short story with a message

Paschal (p. 299) a word that means "of or relating to the Passover"

Paschal Mystery (p. 223) the suffering, death, Resurrection, and Ascension of Jesus Christ

Pentecost (p. 113) the day on which the Holy Spirit came to Jesus' first disciples as Jesus promised. Pentecost marks the beginning of the Church.

petition (p. 449) prayer in which we ask something of God

praise (p. 449) prayer in which we give glory to God for being God

prayer (p. 445) the raising of our minds and hearts to God

priest (p. 339) a man who is ordained to preach the Gospel and serve the faithful, especially by celebrating the Eucharist and the other sacraments

prophet (p. 109) someone who speaks on behalf of God, defends the truth, and works for justice

providence (p. 79) God's plan for and protection of all creation

Real Presence (p. 205) the true presence of Jesus Christ in the Eucharist

Resurrection (p. 39) the mystery of Jesus' rising from death to new life

righteousness (p. 409) conduct in conformity with God's will

Sabbath (p. 185) a day set apart to rest and honor God

sacrament (p. 243) an effective sign given to us by Jesus Christ through which we share in God's life

salvation (p. 21) the forgiveness of sins and restoration of humanity's friendship with God

sanctify (p. 249) to make holy

sanctifying grace (p. 245) the grace that we receive in the sacraments

schism (p. 427) refusal to submit to the leadership of Peter's successor, the pope, or a lack of unity with the members of the Church

Scripture (p. 37) the written account of God's Revelation and his relationship with his people. Also referred to as Sacred Scripture or the Bible, it is God's word, written by human authors under the inspiration of the Holy Spirit

sin (p. 131) a thought, word, deed, or omission against God's law that harms us and our relationship with God and others

social justice (p. 409) opposing every form of injustice in society and working to promote justice for all people

sponsor (p. 283) a Catholic who is at least 16 years of age, has received the Sacraments of Initiation, is an example of Christian living, is respected by the candidate, and is involved in the candidate's preparation for Confirmation and will help him/her to grow in faith

synagogues (p. 39) gathering places in which people of the Jewish faith study Scripture

synoptic Gospels (p. 95) the Gospels of Mark, Matthew, and Luke, which present the good news of Jesus Christ from a similar point of view

thanksgiving (p. 449) prayer in which we show our gratitude to God for all he has given us

theological virtues (p. 373) the virtues of faith, hope, and charity, which have God as their source, motive, and object

Tradition (p. 37) the Revelation of the good news of Jesus Christ as lived out in the Church, past and present

venial sin (p. 315) less serious sin that weakens our friendship with God but does not turn us completely away from him

virtue (p. 373) a good habit that helps us to act according to God's love for us

vocation (p. 355) a call to a way of life

vows (p. 359) deliberate and free promises made to God

Word of God (p. 97) Jesus Christ, the Son of God, the most complete expression of God's word

Works of Mercy (p. 393) acts of love by which we care for the bodily and spiritual needs of others

Photo Credits

Illustrator Credits